蒋介石

悼文诔辞密档

安淑萍　王长生◎著

团结出版社

图书在版编目（CIP）数据

蒋介石悼文诔辞密档／安淑萍，王长生著．—北京：团结出版社，2010.9
ISBN 978-7-5126-0201-4

Ⅰ．①蒋… Ⅱ．①安…②王… Ⅲ．①蒋介石（1887~1975）-人物研究 Ⅳ．① K827=7

中国版本图书馆CIP数据核字（2010）第163854号

出 版：团结出版社
（北京市东城区东皇城根南街84号 邮编：100006）
电 话：（010）65228880 65244790
网 址：http：//www.tjpress.com
Email：65244790@163.com
经 销：全国新华书店
印 刷：北京彩虹伟业印刷有限公司

开 本：210×285毫米
印 张：16
字 数：461千字
印 次：2012年5月第2次印刷

书 号：978-7-5126-0201-4/K · 591
定 价：260.00元
（如有印装差错，请与本社联系）

總理遺囑

革命尚未成功

余致力國民革命凡四十年其目的在求中國之自由平等積四十年之經驗深知欲達到此目的必須喚起民衆及聯合世界上以平等待我之民族共同奮鬥

現在革命尚未成功凡我同志務須依照余所著建國方略建國大綱三民主義及第一次全國代表大會宣言繼續努力以求貫徹最近主張開國民會議及廢除不平等條約尤須於最短期間促其實現是所至囑

同志仍須努力

蒋介石撰写挽额尊崇程度最高的两人是孙中山和罗斯福。1925年3月12日，孙中山在北京病逝。蒋介石撰写挽联：“主义扬中外，精灵炳日星。”横额为：“高明配天，博厚配地。”此时的蒋氏，诔辞的写作还处于不成熟时期，大量模仿古代诔辞的形式和意境，这两份横额集中体现了这一点。20年后，蒋又有一幅这样惊世的挽额。1945年4月11日，美国总统罗斯福逝世，蒋为其题写的挽额是“名垂宇宙”。上图为带有孙中山头像的《总理遗嘱》，下图为开罗会议上的一个历史镜头，左起：蒋介石、罗斯福、丘吉尔、宋美龄。

此图为抗战期间，国民政府主席林森在重庆奉安时，蒋介石（穿军大衣者）亲自为其执绋。许多人猜测蒋为林森所题挽额一定是“一代完人”。而蒋所题竟是“民国典型”，不但毫无新意，也毫无文彩，且作为国府主席的林森，其德行、学养、声望，决不是“典型”这两个字就可以交代，其“定论”与“盖棺”不甚相符，令人大失所望。

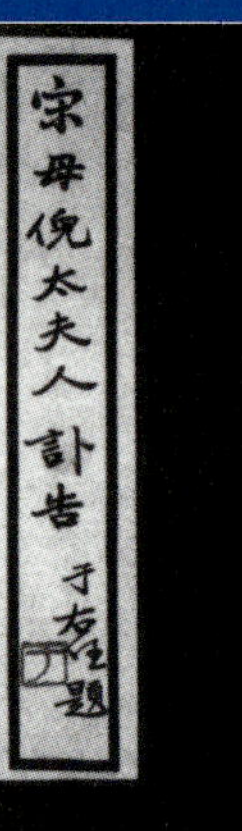

1931年7月23日，宋美龄之母倪桂贞在青岛避暑时遽然而逝。8月3日，蒋介石以国民政府名义，颁发对岳母的《褒扬令》，令曰：“缅述徽音，允资仪范。女宗云殂，感怆同深。派上海市长张群前往助理丧葬事宜，以示褒崇懿德之致意。”同时国民政府题颁“教忠报国”挽匾（中图）。这是蒋、宋、孔三家的共同意愿，也为倪桂贞的一生，褒饰了一道闪光的“国家名器”，极尽哀荣。上右图为举办丧事期间宋家印制的讣告。上左图是蒋介石与宋美龄结婚不久与宋家人的合影。左起前排：宋美龄、宋母、宋蔼龄，后排：宋子安、蒋介石、孔祥熙、宋子良。

1943年7月7日，在抗日战争爆发六周年之际，在南岳衡山香炉峰下举行忠烈祠（为纪念抗战以来牺牲的烈士而建）落成典礼。主祭礼者为时任第九战区司令长官的薛岳将军，他特意请蒋介石题写额匾，当看到蒋所写的“烈”字中的“歹”少了一点时，便委婉地提醒蒋；蒋表情凝重地看了题字片刻默然转身离开。至今所悬挂的牌匾依然如此（“文革”时被有心人摘下藏了起来。1982年重修忠烈祠时，得以重新悬挂）。对此人们纷纷猜测，有人认为：故意少写一点，是希望在今后的战斗中牺牲的烈士“少一点”，要以最小的代价获得最大的胜利。也有人说：少写这一点，是想等到抗日战争胜利祭奠英烈时，再来添上，就跟当年岳母刺字时一样，“精忠报国”中的“国”字少刺一点，后来等时机成熟再加上这一点。还有人说：书法中多一点、少一点属于书法上处理的一种艺术方法，对文字内容没有什么影响。至于蒋为何着意少写一点，看来还是留得历史去评说吧！

在第二次世界大战反法西斯阵营的五十多个国家中，张自忠将军是阵亡将士中军衔最高的将领——第33集团军上将总司令。右上图为蒋介石、李宗仁、冯玉祥为张将军的题词。

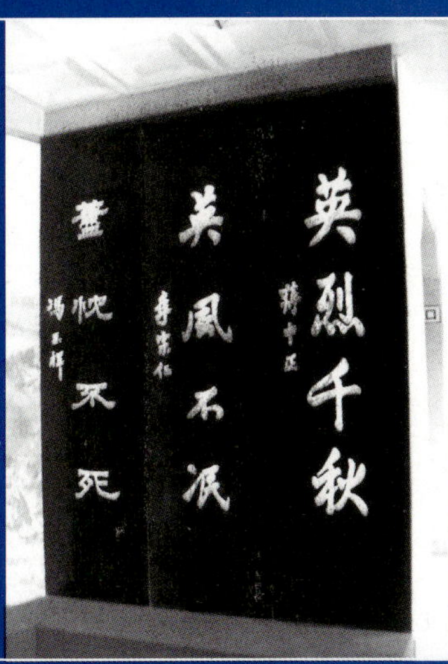

蒋介石送胡适先生的挽联是：“旧伦理中新思想的代表，新文化中旧道德的楷模 。”这是蒋到台湾13年后第一次撰写挽联，绩溪胡适故居中其塑像两侧悬挂的即是这副挽联（上右图）。蒋在台湾26年，先后为八百余人“颁赐”过诔辞，但是只有胡适和陈诚两人获得他手笔挽联的“哀荣”。蒋为胡适题写的挽额为：“适之先生千古 智德兼隆 蒋中正敬挽。”上左图为1958年4月10日，蒋介石于台北南港与新任“中央研究院”院长胡适的合影。

在蒋介石所题写的八百多人的挽额中，上乘佳笔，是为哀悼印度人民尊崇的“圣雄”甘地（上左图）所作惊世之诔：“乃圣乃仁”。挽额的所谓“好”，至少有三个标准：一是从文学角度评判，艺术性要高雅，词义新颖，用字不落俗套；二是内容要贴切逝者的身份和功业，不能漫无边际地夸张；三是还要讲究一点字音字韵，即吟咏时“不碍口”，以达朗朗有韵而过目不忘。当然，要以四个字做到这一点并不容易！过去，在黄埔学生中私下里有一种观念，认为蒋在军事上有一套，文的方面则略逊一筹。此挽额一经公布，不但改变了一些人的看法，印度学者辛吉拉赫还由此送还给蒋氏“乃文乃武”的赞誉！

蒋介石另一恰如其分、堪称经典的挽额是题赠著名佛学大师太虚的“潮音永亮”。此四字，既自然又贴切太虚的经历和功业，内涵丰富。“潮”代表杭州著名的海潮寺（大师曾在此坐禅），“潮音”则明示大师的贡献——创办的佛学刊物《海潮音》，还泛指佛教界，更是隐喻大师本人。一个“亮”字是点睛之笔，既指大师的功业不朽，又喻示佛教永昌。

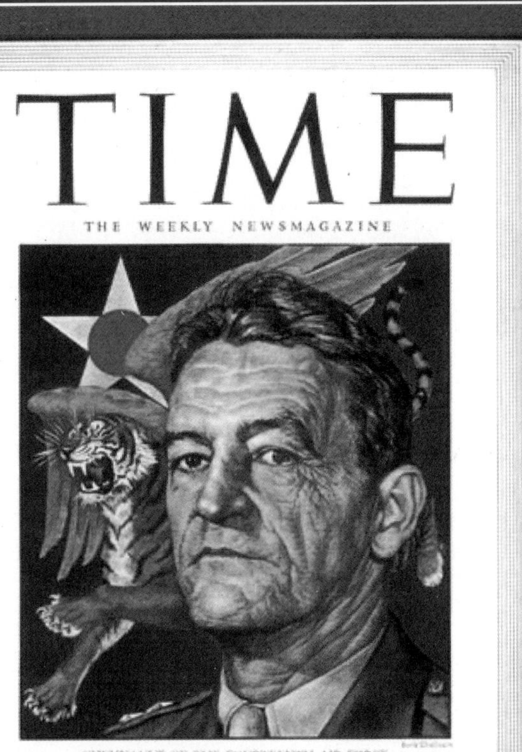

1958年7月28日，飞虎将军陈纳德（左图）在美国去世。蒋介石与夫人联名去电致唁：“陈将军于吾人独立抗日最艰苦之际来助，飞虎队之辉煌功业，将永铭于人心，成为美国人侠义气概之象征，美国人民实足引以自豪。陈将军嗣出任十四航空队司令，再接再厉，表现其伟大军人之真正气质……”并在台北为陈举行追思礼拜，蒋派陈诚为代表致祭。在礼拜堂正中，用素花扎成的大十字上，高悬蒋的手笔挽额“抱义垂昭”。

这位有着蒙娜丽莎一般笑容的基督教教士叫艾伟德（右下图），她去世后蒋介石为其题匾“弘道遗爱”，因为她将一生全部献给了中国孤儿救济事业。女影星英格丽·褒曼在银幕上再现了她带领一百多孤儿历尽艰险逃离日寇魔掌的壮举（左下图），但因虚构了英雄美人的浪漫爱情而为其不喜。她34岁加入中国籍，终身未婚。

1937 年 2 月 17 日，陆军上将、军事委员会代理参谋总长朱培德因血液中毒死亡，蒋介石三临其丧，视大殓，痛哭失声。

1962 年 2 月 17 日，蒋介石参加祭奠胡宗南，挽“功着旗常”。

蒋介石与陈诚。

1965 年 3 月 5 日，陈诚在台北去世，图为蒋介石在陈诚灵堂（右图）的情景。

蒋介石挽陈诚联：“光复志节已至最后奋斗关头，那堪吊此国殇，果有数耶；革命事业尚在共同完成阶段，竟忍夺我元辅，岂无天乎？”挽额为：“党国精华”。

1960年5月29日，陶百川葬礼，蒋亲赴极乐殡仪馆致祭。

1960年，阎锡山大殓，蒋介石前往灵堂致意。

蒋介石出席白崇禧丧礼时，向遗族慰问。

序　言

如果评选中国撰写诔辞最多的人，那么，蒋介石当之无愧。

如果有人编写“诔辞大典”，那么蒋介石的诔辞中，不乏可为其范例者。

这里所说的诔辞，是一种广义的范围，包括祭文、唁电、唁函、悼辞、挽联、挽辞、挽额、挽诗、碑文、《旌忠状》、《褒扬令》、《公祭令》、《国葬令》、《公葬令》、告殓文、启灵文、通电、通告，以及谈话、演讲等。

要想全面了解蒋介石，最好涉猎一下他的诔辞，以及诔辞在他纵横捭阖之权谋中的作用。

有许多介绍蒋介石的书籍，都认为蒋把自己的照片赠送别人，作为他权谋的重要手段。但是也许人们忽略了另一个现象，蒋先生更善于运用诔辞艺术，实现上述目的，并且远远超过了赠送照片的作用。的确，照相术传到中国以后，上层社会就有把赠送照片作为一种高规格的馈赠形式，一直延续到上世纪 70 年代。但这种形式受到许多方面的限制。

蒋介石有许多拉拢部下、恩宠乡党、化解政敌的方法，如金钱收买、封官许愿、结交金兰、赠送照片、夫人外交、挑拨离间、资送留学等。但是他运用得最好，以代价和所起作用的双层标准衡量，就是“颁赐”诔辞了。因中国人素来讲究孝道，蒋为其父母撰写诔辞，对其感化作用十分重要和久远。

蒋介石是中国有史以来，撰写诔辞最多的人（包括他人代笔）。蒋热衷于写诔辞，一是因情谊所致，二是为权谋所需。

（一）因情谊所致

蒋注重中国传统文化思想，提倡孝道，恪守中国殡葬的礼仪习俗，这几乎影响了他一生。他青年时期，喜交结金兰，讲究江湖义气。他曾与三十多人结有金兰之谊，对于他们父辈的去世，蒋都不失“契子”的礼数，而撰写诔辞是最基本的“契孝”。这也是影响到他执秉令牌后，对部下、同僚之哀，极为重视，尽量挤出时间前往致祭和赠送诔辞。

另一方面，蒋是一个轻生重死的人。许多人在活着的时候被他冷落在一边，一旦身故，他就会感到“悼惜”，马上重视起来，又是唁电，又是亲临致祭，追悼会也隆重了，哀悼时痛哭流涕，《褒扬令》、《旌忠状》相继而至。

（二）为权谋所需

蒋介石在中年当国后，为独步政坛所需，十分善于运用诔辞谋事。事实证明这是一种极为经济，又节省时间，而且作用巨大、影响久远的方法。如部下战死，为鼓舞士气，不得不写；元老耆勋寿终，为安抚家属、同辈，不得不写。文坛巨匠病故，为笼络人心，不得不写。甚至普通人因普通事件而意外，却关联方方面面，也不得不写。

对于一位著名人物的去世，有时他会写下十几份诔辞，包括唁电、通电、祭文、对其治丧所作出的命令、指示、告殓文、启灵文、挽联、挽额、《褒扬令》、《旌忠状》等。陈其美、谭延　、张自忠、吴佩孚、林森等人去世，蒋均有多次祭悼，多份祭文，对吴佩孚另有两副挽联、三副挽额。

蒋初到台湾，吸取失败的经验教训，对于文人学者，还是能够虚心接受他们的意见，有时甚至是言辞激烈的话语，也能够强做镇定，忍听下去。对于一些将士的生活格外关心，在他们去世后，蒋充分运用诔辞达到拉拢、安抚的目的。对于有的人，如果在以前，他根本不会为其《颁赐》诔辞，可是到台后，他也不辞辛苦，欣然挥笔。还有的人，甚至和他一点关系都没有，如罗福星，也为其颁发《褒扬令》。所以这一时期，他为普通人颁发的诔辞反而比过去多了。

蒋把失去大陆、败退台湾看作是“国殇”，是他一生的奇耻大辱，所以一直发誓要“反攻大陆”。到台湾后，每年都在圆山“忠烈祠”举行两次祭奠“国殇”的仪式，即每年的 3 月 30 日为“春祭国殇”，9 月 30 日为“秋祭国殇”。而每次祭“国殇”，宣读祭文都是重要内容之一。此外，还有“祭孙”（孙中山）、“祭孔”（孔子）以及“陈英士逝世 40 周年大会”、“吴稚晖百年诞辰纪念”等。这些祭文虽说有不少为秘书代笔，但是遇到重大政治事件及国际形势变化，蒋都要亲自做认真修改，以适应形势，鼓舞士气。因此整个 50 年代，他撰写的诔辞数量都是很大的。

蒋一生到底为多少人撰写过诔辞？仅目前笔者所搜集，并整理出的有 1500 多人，另外有 200 多人目前不知具体内容。其中 1936 年他撰写的诔辞人物就 26 位，而高峰时期的 1937 年、1938 年两年，达 57 位，1946 年至 1948 年也是高峰期(凡是有战争即为高峰期)。如果以每年 25 人计，60 年就是 1500 人。若加上为外国政要、名流拍发的唁电，他至少为 1800 多人撰写过诔辞。

目　录

第一章 家族篇

第一节 七十二年之九诔

民国史上有一个人们津津乐道、长盛不衰的话题：蒋宋孔陈，四大家族！四大家族实则自蒋、陈结缘开始，又以蒋、陈互致诔辞贯穿于始终，最后又以诔辞结束。四大家族之末位的陈家，盛极而衰，是最先失势于政坛的。而居首位者蒋家，却是最后向世人谢幕，这期间长达 72 年之久（从 1916 年蒋介石为陈其美题写诔辞算起，到 1988 年蒋经国去世）。在这 72 年间，蒋介石为陈家九人题写诔辞祭悼，而陈家竟为蒋家两代“总统”之丧，以挽联回馈“亘两代深仁厚泽”。民国史上没有一个家族可以与陈家相比，竟有四位“先哲”，先后五次获得国民政府颁发的《褒扬令》（陈其美两次），也没有一个家族竟有 9 人，获得蒋题诔的如此“哀荣”。

一、陈其美

蒋介石为陈氏家族题写诔辞的第一人，毋庸赘言，就是众所周知的陈其美。

1906 年，陈、蒋在日本相识，彼此情投意合，很快结为好友。经陈引见，蒋介石在异邦认识了许多国内来日的反清革命义士，使他眼界大开，提高了他对民族革命的认识，陈还介绍蒋加入了同盟会。此后蒋介石一直追随陈其美，视陈为可信赖的兄长，对他言听计从。武昌起义爆发后，蒋介石听从陈其美的电召，由日本回国参加了辛亥举义。上海光复后，陈、蒋与黄郛三人义结金

◇ 1914 年陈氏家族的合影：前排右二、右一为 1949 年之前民国政坛上的风云人物陈果夫、陈立夫兄弟；后排左二是他们的祖母杨太夫人，左五是其父亲陈其业，左一是其母亲何文娥，左四、左三是其二叔二婶陈其美、姚文英，右一是其三叔陈其采。

兰。陈对蒋的影响是巨大的，没有一个人能像陈其美那样得到蒋终生的感念！1916 年 5 月 18 日，陈其美在上海被袁世凯爪牙暗杀，年 38 岁。蒋得知当即失声大哭。当时陈的亲朋好友在上海不在少数，但无一人敢去收领尸体，惟有蒋将尸体运回自己在上海的寓所入殓。并为陈撰写挽联：

天道无知，苦思公十年旧雨；

中原多故，乃坏汝万里长城。

一般说来，此挽联标志着蒋介石 59 年诔辞史的开笔。同年 5 月 20 日，蒋撰《祭陈英士文》（陈其美，字英士）："盟弟蒋介石，致祭于英士先生之灵曰：呜呼！自今以往，世将无知我之深，爱我之笃，如公者乎！丁未至今十载，其间所共者何如事，非安危同仗之国事乎？所约者何如辞，非生死相共之誓辞乎？而乃一死一生，国事如故，誓辞未践，死者成仁取义，固无愧于一生，而生者守信践约，岂忍惜于一死。"

◇ 辛亥革命中建立功勋出任沪军都督的陈其美。

同年 7 月的某日，陈其美的追悼会在上海法租界，美国传教士所投资兴建的尚贤堂举行，约千余人参加，张群首先登台高呼开会，并报告说，此次会议本应有孙中山先生主祭，但因他胃疼难忍，不能到会，改由黄克强先生主持并主祭。随后黄兴致开会词，胡汉民报告陈的事迹，又请章太炎发表演说。戴季陶宣读各界唁电和祭文。接着谭人凤拍桌顿足痛骂袁世凯。吴稚晖身着多罗麻长衫，手持大芭蕉扇，蓬发披于脑后，以村学究的派头又是一番怪骂后，赞扬陈其美的精神与五岳同在。（台北《中央日报》1967 年 2 月 1 日第六版）第二年 5 月蒋又把陈的遗体归葬陈的故乡吴兴县太湖之滨。孙中山亲题墓碑"陈英士先生之墓"。1927 年，蒋北伐到上海，专门举行了一个"陈英士先生殉国 11 周年纪念会"，他亲自主祭，并发表《纪念陈英士同志》的演说："我们追溯国民党领导国民革命的成功，我们第一纪念总理，第二纪念陈烈士，没有陈烈士，就没有国民党……"1934 年又重新修建了陈英士墓，正中匾额为孙中山手书"成仁取义"，左为林森题"浩气长存"，右侧为蒋手笔"精神不死"。石柱为于右任、蔡元培的挽联，于为："春尝秋　生民泪，山色湖光烈士坟。"蔡联为："轶事足征，可补游侠货殖两传；前贤不让，洵是鲁连子房一流。"

1948 年 5 月 19 日，国民政府再次下令褒扬。1956 年 5 月 18 日，于右任主持陈英士牺牲 40 周年追悼大会，蒋亲临致祭。可以说，除孙中山之外，陈其美是蒋介石一生中祭悼次数最多的人。

二、陈骕夫

蒋介石为陈家题诔的第二人，是陈其美的长子陈骕夫。陈其美殉难时，遗有一个女儿，及长子骕夫，年仅 3 岁，次子惠夫，更是弱为待哺，才 1 岁。陈其美死后，夫人姚文英为他守节，并专心抚养两位稚子成长，备尝艰辛，幸而得到蒋的不时接济。到 1921 年后，蒋在南方戎行一展军事才干，领兵筹饷，从中拥墨颇为裕如，始有经济能力对两位小侄儿格外关照，不久又全面负担起他们一家的生活费用，使幼儿寡母免于冻馁。继而再出资供骕夫、惠夫上学，一直到惠夫大学毕业为止。

陈骕夫酷似乃父，是个"勇敢包裹着固执，冲动赶走了忠言"的年轻人。1931 年，高中刚毕业，年仅 18 岁的他就跑到杭州，报考了"契叔"任校长的"中央航空军官学校"，终于当上一名飞行员。幸而他遇到一位很有名的老师石曼牛，石是老资格的飞行教练，他听说骕夫是陈立夫的堂弟，又了解到他的家庭境况，不免动了恻隐之心，对骕夫很关心，不久师生关系就十分亲密了。不料在 1932 年 9 月 9 日的飞行中，陈骕夫驾驶的教练机的螺旋桨竟撞上了石曼牛的飞机尾部，两人不幸同时罹难。9 月 12 日中央常委会电陈英士夫人。蒋介石在第二天得知，非常震惊，立即致电他的嫂夫人姚文英，予以慰问，协力治丧。1933 年 1 月 7 日在杭州举行追悼会，蒋送挽联："陨石震吴山，鼙鼓犹闻飞将逝；御风防岛寇，风烟未熄烈魂悲。”（上海《时事新报》1933 年 1 月 9 日三张三版）姚文英早年丧夫，中年丧子，接连打击，悲不欲生，但对蒋则感恩不尽。

三、陈果夫

第三人，是陈其美的侄儿陈果夫。

1951 年 8 月 25 日，国民党中央评议委员陈果夫病逝于台北，年 60 岁。当天成立治丧委员会，蒋介石于 26 日亲赴灵堂吊唁。27 日大殓，蒋再度到枫东殡仪馆吊唁，在回去的路上，蒋对随行人员说：“果夫还年轻，他不应该走得这么早啊！”回到办公室，提笔写下“痛失元良”，作为挽额（另一说为“革命元良”），派人送到殡仪馆。27 日下午入殓。

◇ 陈果夫。

陈果夫的父亲陈勤士（其业）于 26 日中午，从台中寓所赶来护丧。他没料到，白发人送黑发人的悲剧，竟然落在自己身上，竟两次昏厥过去。陈立夫时在美国，万里遥望，奔丧无由，于 26 日电唁嫂夫人予以慰问。宋美龄当时也在美国，亦电唁陈夫人朱明。16 日出殡，蒋介石再次亲临致祭。发引时执绋者逾两千人。9 月 15 日，蒋以“总统”名义颁发《褒扬令》，令曰：

前国民政府委员，监察院副院长陈果夫，资性弘毅，志行纯笃。继承革命家风，效忠三民主义，越四十年如一日。溯自民前加盟，先后参与武昌起义暨讨袁、北伐、抗战、戡乱诸役，赞襄缔创，卓著勋勤，中经办黄埔军校，主治淮河水利，敬恭将事，均彰懋绩。嗣更外膺疆寄，内佐铨衡，肃政培才，弥宏实效。对于 ×× 倡乱，尤能卓识机先，襄力防杜，冒险犯难，弗渝初志。至其匡维礼俗，研考卫生，改革地政，倡导合作，盖画良谟，有裨建国，乃以忧劳，触发旧疾，赍志溘逝，追怀政绩，轸怀弥深！应予明令褒扬，从优议恤，生平事迹，存备宣付国史馆，用彰政府笃念动庸之志意！此令！

在陈果夫病故十周年之际，1961 年 8 月 25 日，台北举行纪念会，千余人参加纪念活动，于右任为主席，并致辞。会议决定设立“果夫奖学金”，又在他任校务委员及教育长多年的国立政治大学建“果夫楼”，以资纪念。后来“果夫奖学金”成为台湾一项著名的奖学金。

四、陈其采

第四人，是陈其美的弟弟，“国策顾问”陈其采。

1954 年 8 月 7 日，前国民政府审计长、国策顾问陈其采因心脏衰弱，气喘病发作辞世，年 75 岁。

陈其采，字蔼士，1879 年生，自幼聪颖，9 岁便熟读四书五经，16 岁入乡学。1896 年考入上海中西书院，后入金陵国文馆。1898 年留学日本，1902 年从日本陆军士官学校以第一名成绩毕业。回国后任湖南武备学堂监督，随后出任湖南新军标统。曾资助二哥陈其美留学日本。1906 年调任南京第九镇参谋长，不久升任中枢军咨府第三厅厅长，掌握全国新军的管理调度。因倾向维新，遭清廷排挤，1908 年离开北京南下到上海，与陈其美会合，共同投入反清斗争。期间他与帮会建立密切关系。1924 年蒋介石在广州任黄埔军校校长，邀请他南下担任军职，陈予以婉拒，但同意负责筹饷。1928 年南京政府成立，先后任浙江财政厅长、江海关监督、江苏省财政厅长、导淮委员会副委员长等职，1934 年国民政府设立主计处，出任主计长，1948 年因病辞职。1949 年去台湾。

8 月 9 日大殓，蒋题“痛失勋旧”悼之。在陈氏家族里，除早年的陈虢夫外，陈其采的葬礼是最简单的，既不如他的二嫂、陈其美的夫人姚文英葬礼隆重，也不如侄媳妇、陈果夫的妻子朱明葬礼的那样气派。

9 月 27 日，蒋介石发布“总统”令，褒扬陈其采：

国策顾问陈其采，襟素冲和，操履笃实。早岁负笈东瀛，精研军事。归国后，先后主持财政、金融，及水利事业，逾三十年，莫不擘画周详，卓著绩效。政府推行主计制度，复命出长主计处，酌古准今，确立计政规范，至今利赖。方期克受遐龄，长资倚畀。遽闻溘逝，轸悼弥深。应予明令褒扬，生平事迹，宣付国史馆，用示政府笃念勋贤之至意。此令。

五、陈其业

第五位，是陈其美的兄长“国大代表”陈其业（字勤士）。

1961年3月15日上午，91高龄的陈勤士寿终于寓所。丧报传出后，蒋介石尽管事先已有所预料，但还是“极为震悼”，当即特派“总统府”秘书长张群为代表，前往致祭。陈诚及各机关首长均“同深悼惜”。陈立夫则告以“先严一生节俭，已遵从遗志，婉告官长、亲友、故旧，此次发丧，绝对不能铺张浪费。”3月16日，蒋下令成立治丧委员会，公推何应钦为主任委员，谷正纲、朱家骅、张道藩、蒋经国为副主任委员。17日，蒋为之题写“明德贻徽”挽额。陈诚、张群、于右任、何应钦、国民党中央委员会等均有挽联致送。各界所赠挽联、挽幛、花圈盈满灵堂。19日下午3时，举行大殓、公祭仪式。蒋氏伉俪亲临极乐殡仪馆灵堂，恭为祭悼。各界人士两千多人参加，连美国“驻台大使”庄莱德夫妇也送来素色花篮吊唁。治丧委员会宣读“告殓文”、国民党中央委员会有“祭文”、陈立夫有“祭父文”。20日发引，安葬于观音山、他的儿子陈果夫墓旁。

◇ 陈立夫返回台湾时，蒋经国到机场迎接。

陈勤士的葬礼，远比6年前，他的弟弟陈蔼士之丧，隆重得多。这是由三个方面的因素决定：一是因为年龄，蒋介石喜欢为人瑞者治丧，陈勤士寿享91高龄，可谓福寿全归。而陈蔼士殁年仅七十有五。二是陈勤士有两个显赫千秋的儿子。三是蒋对CC陈氏兄弟的怨恨，多有化解，他也逐渐完成了将权力向儿子蒋经国转移的准备工作，放松了对陈立夫的戒心。所以，蒋对二者题赠的挽额，仅从字面上看，尊诔的规格是有所不同。而陈勤士所获得之《褒扬令》，比陈其采多了一百多个字。6月9日，蒋以“总统”名义颁发《褒扬令》，令曰：

第一届国民大会代表，光复大陆设计研究委员会委员陈其业，幼而岐嶷，长而有声于庠序。时值满清末叶，痛国势之阽危，以春秋大义训迪其子弟，矢志救国，不为身谋。尝考察日本工业，倡导蚕丝之改进。民国20年，被选为国民会议代表。抗战军兴，任国民参政会参政员。胜利行宾，膺选第一届国民大会代表暨全国商联会常务理事、全国工联会理事，献替施展，皆有造于邦家。宗其平生，居敬存诚，足为多士楷模，义方启训，尤堪矜式奕叶，声华方盛，则淡泊自甘。国家有急，则赴难恐后。年逾耄耋，而志节弥坚，明德高风，兼而有之。兹闻溘逝，轸悼良深。应予明令褒扬，以示政府笃念老成之至意。此令。

六、姚文英

第六位是陈其美的夫人姚文英。

姚文英很对得起陈家，华年孀居，为陈其美抚孤守节达四十五载。在那兵荒马乱、冻馁频袭、衣食无着的岁月，真不知她是怎样熬过来的。为了排遣青灯明月两相望、静野哀鸣处处闻的孤寂，她听从劝告，捻珠诵经，并开始吃长素，对寺庙兴建给予赞助。尽管她生活也不宽裕，然而上海的静安寺、镇江等几处佛门圣地，都得到她的赞助。蒋介石得知后，为她的虔诚所感，特意赠送她一件珍贵礼物：抗战时期，蒋介石派吴忠信赴藏宣慰，西藏当局委托吴转交给蒋一尊精美小巧的纯金佛像。姚文英对这一礼物很珍视。那时她在重庆，日军飞机频频轰炸，每每在躲入防空洞时，她什么都不拿，惟将这尊佛像带在身旁。蒋知道后很是高兴。到台后，虽然她生活不甚宽余，但是待人却很豪爽，每逢有人来看望、送礼，不论对方身份如何，不管礼物大小贵贱，也不计手头是否有现款，一定坚持尽快还礼。尤其是每当年节，对于蒋介石或夫人或蒋经国的看望、馈赠，必由她亲手办理回赠。她彼时住在台北潮州街一处很小的房子里，蒋看到那里低矮、潮湿，环境也不好，低洼泥泞，欲给她调一处宽敞的住所，她却拒绝了。见蒋面带失望神情，她又马上解释说："那不是太浪费了吗？"

在她去世前的几年，竟又改信基督教了。原来，1957 年 3 月，她因脑溢血住进台大医院 301 室，而 303 室住着法学大家王宠惠，王夫人只要来探病，就不忘看望她，又向她讲述基督教教义，不久她就改变信仰了。这可难为了她的老契弟，因为蒋一时找不出一件更适合的礼物，让嫂夫人带在身边，对他念念不忘了。

姚文英卧病 3 年，终于药石罔效，于 1961 年 10 月 9 日下午 2 时，黯然谢世于台大医院 301 室，年 83 岁。也就是说，在陈勤士寿终不足 7 个月，他的弟媳也随之而去。至此，两代多难的陈家先一代，全部谢世。陈诚首先派代表钱寿恒前往致唁，并慰问家属。连日来吊唁者有蒋经国、余井塘、万耀煌、黄伯度、周宏涛、张志智等数百人。10 日成立治丧会。15 日上午举行追思礼拜，蒋题赠挽额"盛德坚操"，陈诚题"彤史流徽"悼之。

七、朱明

蒋介石最后一次为陈家题写诔辞者，是陈果夫的妻子朱明。

朱明的父亲朱五楼在上海开钱庄，是湖州一大富豪。1914 年，陈果夫和朱明正式结婚。陈果夫虽官居显要，却没有寻花问柳的劣迹，朱明也谨守妇道，从不干涉丈夫的政事，默默无闻地相夫教子，不像国民党其他高官太太那样飞扬跋扈。朱明的性格磊落豪爽，在孝顺侍候长辈的同时，对陈果夫的小弟妹们也关心疼爱，一大家人和睦相处，其乐融融。"二次革命"前后，当时革命经费很紧张，朱明曾典卖自己的首饰，以维持革命党人的生活。1911 年，陈果夫在汉阳战役中，不小心伤了肺，造成终身痼疾，朱明数十年侍奉有方而无倦。1948 年，陈果夫在上海旧病复发，住院医治数月未痊愈，甚至肺膜从肋骨穿通，幸赖夫人照料。这时，蒋介石预备退往台湾，指示陈果夫去台湾养病。陈与朱明带着一家人，包括女儿泽宝和婶母（陈其美的夫人），扶老携幼，车舟转换，前往台湾。

朱明于 1974 年 1 月 3 日，因患急性肺炎，缠病多时，至 2 月间又以痰塞高热，中风昏迷，进入中心诊所治疗。终以年高病久，回天无术，于 4 月 5 日去世，年 82 岁。然而可怪的是，恰恰是一年后的这一天，正是蒋介石本人的丧日。朱明的儿子陈泽安（朱明无出，陈泽安是陈立夫的儿子，过继给果夫）时在美国，女儿泽宝（也是过继的养女）在母亲弥留时随侍在侧。陈立夫全家、陈惠夫、陈汉夫等至亲友好，均在旁照料始终。

4 月 15 日，蒋为朱明题诔挽匾"淑范坤仪"，严家淦题赠"淑德长昭"悼之。18 日，公祭和安葬仪式在台北市立殡仪馆举行，前往致祭的机关团体有"国大代表联谊会"、国立大学校友会、前江苏省政府同仁、浙江同乡会等十余团体，以及严家淦、蒋经国、倪文亚、田炯锦、杨亮功、余俊贤、张群、何应钦、蒋纬国、黄杰、张宝树、王世杰等千余人。公祭后于十时半发引，安葬于观音山，与陈果夫合茔。

八、陈立夫之挽

一年后的 4 月 5 日，蒋介石自己也驾鹤道山，这回轮到陈氏家族的常青树陈立夫，以诔辞为蒋一生的功业盖棺作定论了，其挽联为：

总理以革命未竟事业付公，自受命而还，历东征北伐戡乱抗日，宪政树宏规，溯五十年沾溉追随，饱渥领袖深情，叔任契谊；

昊天俾旷代出类圣哲降世，从献身厥后，秉大公至正盛德休容，闿泽流寰宇，纵一夕间尽痒溘逝，长流民族浩气，党国馨香。

又过了12年半，蒋经国也去世了，陈立夫再一次当仁不让地承担起代表陈氏家族，为谢蒋家“亘两代深仁厚泽”，恭挽诔辞的重任，其挽联为：

于私为弟兄，于公为同志，一木大厦独撑，继志承烈，死而后已；

于国为柱石，于党为干城，千秋丕业初奠，含辛茹苦，民不能忘。

蒋介石一生为陈氏家族九人撰写过诔辞，而陈氏家族的杰出代表，竟为蒋家两代“总统”回赠挽联，谁说天道无常？岂不知人世有情。蒋、陈两家之难解的恩恩怨怨，可以说是用诔辞串起来的72年之史载！

第二节　两代多难一门有成

◇ 在美国养鸡的陈立夫。

1961年3月15日，“国大代表”陈勤士寿终于台北寓所，年91岁。

此前，在2月中，蒋介石根据报告，探望病中的陈勤士，那时他处于时有昏迷不醒的状况，探病经验丰富的蒋，预料陈可能来日无多，即令蒋经国致电在美养鸡的陈立夫，以实情告之，希望他能回国侍奉送终。陈勤士的女婿沈百先，侄儿陈惠夫，及旧部余井塘等亦于20日与陈立夫通电话，转告“总统”对其关怀之意，请其速回。陈立夫接电后，一声叹息，万端感慨。想起十年前，兄长果夫之丧，他只是接到陈诚以“行政院院长”名义拍发的电报：“昨午后四时五十分果夫先生逝世，悲悼莫名！先生谊笃鸰原，伤情更切，望为国珍重，勉节哀思，此间治丧事宜，由各知友负责料理，一切当尽力为之，以期至当。特电唁慰。弟陈诚。未。宥。秘印。”实则拒绝他返国奔丧。他知道这是陈诚秉承蒋介石的旨意，否则他是不敢如此大胆地专权。

在蒋介石的嫡系中，文武两个陈姓，早在30年代，为争夺对三青团的领导权，就已经形同水火。不过蒋善于搞平衡，有时抑此扬彼，有时又扬此抑彼，从中取利，结果是两家陈姓积怨越来越深。到1949年大失败后，国民党高层开始找失败原因，蒋也正欲有替罪羊为他弥补面子，CC兄弟恰当其时，成了对象。陈诚对CC兄弟更是大加挞伐，有一次他请CC系干将张道藩、余井塘吃饭，目的就是让两人转告他对陈立夫的一句“进言”：陈立夫是个大混蛋！到台湾后，陈诚对CC兄弟的攻击有增无减，但因陈果夫重病在身，他不忍心再多为难，对陈立夫就没那么客气了。所以，陈立夫以一人之身，承当整个CC系的全部责任，确实有失公允。陈立夫对此，辩解不能，承载不忍亦不堪，对陈诚之恨，可想而知。可是现在，兄长重丧在即，实在放心不下，却不能尽手足之情，无奈，不得不低下高贵的头，极尽谦恭地给陈诚复电：“陈院长辞修吾兄勋鉴：家兄病逝，承不遗在远，赐电慰唁，感激莫名！弟远在海外，奔丧无由，一切善后，多蒙照料，自属妥帖，特此申谢，并颂政祺。弟陈立夫叩世。”在这里，仅四字的“奔丧无由”，道尽了他对蒋不允返台奔丧的怨恨。

◇ 返回台湾的陈立夫与蒋介石合影于日月潭。

二陈兄弟感情笃深，立夫小时，年长他八岁的果夫对他处处关照，后又送他出国留学，陈立夫曾回忆说：果夫兄当时三分之一的薪水，是用来供给自己的学膳费。回国后，又带领他从政，将自己的政治经验传授给他。他后来多次对人说：“果夫兄对我是功德无量，可是却没有见到他最后一面，我心中有愧啊！”有一次他对果夫的妻子朱明说：“果夫兄离开人世之际，我没有在他身边照顾他，想起来就心中不安，今后我要好好照顾嫂子您，这样在冥冥地府的果夫兄可能会原谅我吧？”说着就抽泣起来，朱明又反过来安慰他。

如今，老父年迈，重病在身，绝不能再错过尽孝道的机会。去国万里，归心十年，所以他让夫人早作准备。一家大小，早早于2月24日飞回台北。然而他所见到的老父已是昏迷不醒，纵使他千呼万唤，也不回一应，不免又生出对蒋介石的几多怨恨。他只有整日围在病床前，侍奉不倦。终于有一天，他听到昏迷中的父亲，在毫无意识中发出那种久违而又熟悉的吴侬软语：“姆妈”、“回来啊”、“回来！”这种断断续续的喃喃声，令他默默流泪。他听说，每当有人去美国，父亲就委托传话，让他们一家早点回来，他向对方说他实在想念这些儿孙们。立夫体谅父亲的思亲之情，经常把全家的照片及时寄回去。每当想念他们一家时，老父就找出照片来，虽然已是老眼昏花，几乎看不清什么了，但手摸照片，他觉得孩子们就在身边。一想到这些，立夫再也控制不住自己，竟像孩子一般的号啕大哭起来，面对父亲，他在病床前长跪不起！可是，当蒋召见他时，他还得对蒋允许他返台奉亲，表示了千恩万谢。（台北《中央日报》1961年2月26日第一版）政治这个怪物，有时让人权倾天下，享尽荣华富贵，有时又使人生离死别，痛苦万分。

◇ 1979年，蒋经国（立者前排右二）与陈立夫（左二）的家属及友人合影。1966年蒋介石在台湾发起“中华文化复兴运动”，自任会长，同时提名陈立夫为副会长，1969年，陈氏夫妇终于返回台湾定居。依陈立夫自己的意愿，他已决定彻底脱离政治，不过却愿意为复兴中华文化效命，事实上，他在美国时已全力撰写《四书道贯》，回台后更以提倡中华道 统与传统医学为己任。

3月15日，陈勤士终于回天无力，黄泉有径，陈立夫悲痛欲绝。17日，蒋介石题写挽额“明德贻徽”，自“副总统”陈诚以下各界所赠挽联、挽幛、花圈盈满灵堂。

人们为陈勤士所撰写的挽联，大多从陈家的家族历史，对国民党政权建立的功业为主线，由“一门忠贤，两代元勋”为着笔点，如陈诚的挽联：“两代英贤出故家，更撷述相承，忠孝平生真不愧；一门志士光青史，有勋名常在，哀荣并世已无伦。”国民党中央委员会的挽联中有“两代勋光华党史”句，张群挽联中有“忠孝一门”之词，其他诔辞也大多如此。

其中最具代表性，也最引人瞩目的是髯翁于右任的大作：“两代难兄难弟；一门成仁成功。”人们在对髯翁的挽联艺术拍案称奇、击掌为叹之余，无不联想到：陈家先一代之难，即陈其美殉国是袁世凯的血腥暗杀；而后一代之难，如陈立夫之兄丧不能顾及，父病不能亲聆其声，亲泽其恩，又是谁之过错？陈立夫对髯翁这一挽联也是极表钦佩。1964 年 11 月 10 日，髯翁病逝。陈立夫因在美国，得知消息较晚，迟至 24 日才致唁电与髯翁长公子于望德，极尽哀悼之意，又敬挽一联：“一万里闻讣悲哀，同是清风余两袖；八六龄立功彪炳，岂惟大笔有千秋？”

不过这是题外话。言归正传，3 月 19 日，陈勤士的大殓和公祭仪式在极乐殡仪馆举行，蒋氏夫妇亲临吊唁，何应钦为治丧委员会主任委员。陈立夫亲自宣读《祭父文》，他对自己去国十年，未能亲奉汤药，十分自责，泣泪悲之不能自持：

呜呼！自父之殁，近五日矣，哀伤昏瞀，抑又何言？惟儿去国十年，闻父疾而归省者，其间才二十日耳，纵儿千呼，终未一应，抑不知儿之归也？……罄南山之竹，不足以书不孝之罪；倾东海为泪，亦何以止不孝之哀！……

不知蒋介石听了，会作何种感想？

第三节　一门四委员　兄弟皆部长

民国时期，在贵州安顺县民间，有一些个顺口溜是形容当地显赫家族的，其中一条是：“帅灿章家的银子，陈九德家的谷子，谷兰皋家的儿子。”说的是在安顺的绅耆中，帅灿章以经商致富，商铺连街，腰缠累万；陈九德是有名的大地主，田土连片，每年收得租谷最多。谷兰皋的家产只能算作平平，但他省吃俭用供出了三个留学的儿子，回国后都历任高官。另一个顺口溜是：“谷氏三中委，韩家两将军。”韩家指韩文焕、韩文源兄弟。这个“谷氏”也是指谷兰皋。

要说这谷家，也确实显赫，连同为贵州籍的军政部长何应钦也要礼让三分。谷兰皋为前清举人，武秀才，世居安顺县城大箭道，他也的确以三个儿子谷正伦、谷正纲、谷正鼎为荣耀。谷家有许多奇事为世人所津津乐道。首先三兄弟性格不尽相同，老大谷正伦沉着威重，不善言辞，是武人本色，以不言而行、不怒而威传名官场。谷正纲是口若悬河，言之无差，常能两三小时滔滔不绝。谷正鼎却将两兄特点兼而有之。

谷正伦 1928 年 5 月任南京上将戒严司令，为蒋所倚重，后出任宪兵司令，1947 年 5 月就任粮食部部长。谷正纲 1934 年任实业部常务次长，1939 年 11 月的六届五中全会荣升社会部部长，是谷家三兄弟中第一个部长。谷正鼎 1946 年 11 月调任国民党中央组织部副部长。在 1935 年 11 月的国民党五全大会上，谷正伦、谷正纲当选中央执行委员，谷正鼎为候补中央执行委员，被人们称为谷家的“满堂红”。最辉煌的还是在 1937 年 2 月的五届三中全会上，谷正鼎递补为正式中执委，这就是被人们称为“一门三中委，兄弟皆部长”的由来。如果从广义的范围说，应该是“一门四委员，兄弟皆部长”，因为谷正鼎的妻子皮以书在 1947 年 3 月当选立法委员，这在当时是绝无仅有。此为谷家之一奇。

1925 年初，孙中山病危的消息公布后，正在上海的谷正伦十分着急，匆匆赶往北京。孙中山在病榻上，向谷正伦布置应怎样联络湘军中的革命力量，为两广大军北伐创造条件。孙中山去世后，谷正伦参与治丧事项，其中活跃着一位漂亮的女学生，她就是一年后成为谷正鼎妻子的皮以书。也就是说，谷家一门有两人参与筹备孙中山的葬礼，此为谷家之另一奇。

谷正伦的继配夫人陈白坚，1918年来归谷家，1928年起在宋美龄领导下，从事妇女、劳军工作。抗战时期谷正伦主政甘肃，她又奉妇女工作总会会长宋美龄之命，随往陇右，主持妇女工作委员会兰州分会，设立抗属工厂、经济食堂、抗战托儿所、幼儿园、女子中学等。(《传记文学》第50卷第4期，76页）可以认定，谷家一门有两房媳妇是追随宋美龄从事妇女工作，此为谷家又一奇。

1948年初，谷正鼎在家乡安顺区当选立法委员，皮以书在自己的家乡四川南川区同时当选，以“夫妻双立委”而显赫一时。谷家再一奇是，谷氏三兄弟的发迹，既没有巨富资财为铺垫，也没有显赫家族做后盾，他们半靠机遇，半靠个人奋斗，这在国民党内，实属罕见。谷氏三兄弟虽然同时在南京做官，但彼此来往很少，公开场合见面也视同陌路。这是因为在国民党内错综复杂的矛盾中，三兄弟所依靠的派系不尽相同，担心来往过密会引起非议。

一、谷父与四谷

谷兰皋，号中藩。妻胡氏，生有五男一女，谷正伦为长，其妹居次，老三谷正楷，老四早逝，老五谷正纲，老六谷正鼎。谷家为黔中望族，谷兰皋在乡里被称为“谷三太爷”，有安顺“缙绅马首”之尊。他平时深居简出，除内亲至戚之间外，很少参与其他活动。谷老先生的嗜好之一是亲自主持家政，常挽着篮子到新桥市上买些家用，甚至在篮子里放一杆秤，表明我不占别人的便宜，也不让别人占我的便宜，但有时也对商贩们给予宽待，所以与他们极为熟稔。谷兰皋晚年自认最得意的一件事，是谷正鼎未与汪精卫逃往河内而“附逆”。谷兰皋的另一善举是抗战胜利后，将家藏《四库全书》捐献给省立安顺初级中学，整整摆满了三个大木书架，叶校长特别在图书馆里设立“兰皋书架”。谷兰皋晚年还有一大值得宽慰的事，几个儿子都孝顺异常。有一次他老两口在二儿子的陪伴下，去南京看三个儿子。船到码头，上来一帮身着制服的警卫，极尽谦恭地接他们下船。老太爷不满地问他们：诸犬子何在？警卫回答在外面恭候呢。老太爷更加生气了。当来到木制栏板上，三个儿子整齐地跪着磕头，口称饶恕不能亲自回家乡迎接的罪过，还是老两口喜笑颜开说原谅了他们，才将三人扶起来。子孝的先决条件是父慈，而谷老太爷的“慈”也与别人不同。那年他七十大寿，三个儿子带着各自的夫人、子女、秘书、司机、随从等近百人，浩浩荡荡地返回来给他做寿。省、县的官员听说后，纷纷赶来厚礼祝寿，那个热闹的场面就别提了。然而老太爷对这些官员并不热情，却在生日的第二天，亲自操办一次特殊的宴请，客人就是三个儿子的随从、警卫们。他亲自把酒，一一敬劝，还感谢他们多年来对自己孩子的照顾，对他们工作的帮助。谁都知道，官员们的健康，甚至是生命，是操持在秘书、卫士们的手中，每一个官员都有自己控制、感谢他们的方法，如今却是由官员的父辈来感谢，的确少有。所以一个年轻卫士是跪在地上，磕着头接过酒杯的。此事传出，人们均对谷老太爷敬佩不已。孔祥熙早年失祜，听说后感叹道：这才是真正的父爱呀。

◇ 谷家三兄弟的合影。左为谷正纲，右为谷正鼎，中间为大哥谷正伦夫妇。

二、谷正伦

谷正伦生于1890年。1908年被保送日本留学，喝过三年东洋墨水，善于文墨而拙于言谈，讲话总是“这个，这个”的。一次他作报告，速记员王彪是个有心人，他一连记下十四个“这个”，谷才讲出第一句话。谷正伦有句名言：头等人才办教育；二等人才坐办公室；三等人才才带兵。所以谷正伦注重办军事教育，改编教练所，后来又不断扩充宪兵。在军政界，被称为“铁腕将军”。他早年的得意之举是与何应钦的角逐：1916年，谷正伦投奔职掌贵州军政大权的王文华手下，与何应钦同为王的中坚力量，1921年王被暗杀后，谷正伦与何应钦为争夺黔政的头把交椅，展开厮杀。开始何因身兼贵阳市长等八个要职，占了上风。谷于1922年谋得黔军总司令，也毫不示弱，以文武两个方面进行反击，杀得何应钦阵脚大乱，接着，他大造舆论，说何“欺世盗名，独断专行，民心怨怒……”。何只身逃入贵阳北天主教堂里匿居三天，才转往昆明。后来何不得不向谷修书求和，最终安顺两大强龙言归于好。谷正伦虽见过大世面，但谨守旧礼节，在安顺老家时，凡是招待客人，只要父亲在场，他是不就座的。有一次，谷兰皋宴请他的警卫连长冷如冰，他始终站在父亲身后斟酒，弄得这位连长好不自在。如果父亲不在，他便以长兄自居，颇有家长仪态。一次，他从甘肃回来探亲，谷正纲去迎接，向他鞠躬又敬礼，他好像没有看见一样，却和谷正纲的随从寒暄甚殷，乡人夸他肖似乃父。

三、谷正楷

谷正楷，字纪书。因品性敦厚，做事细心，得乃父赏识，被留在身边。他自幼孝恭异常，深明父意，只得代替三位兄弟看守门庭，奉养双亲。谷正楷虽忠厚老实，但聪颖过人，一手毛笔字写得不错，平常收个租子算个账之外，也到学堂讲讲课，间或做点小生意。谷氏三兄弟发迹后，谷正楷被推举为县参议员，但他待人和气，做事低调，体恤乡情，不求闻达于诸侯，也很少参与政事活动，唯一嗜好是吸鸦片，“全县都知道，无人敢管！”乡人对他的评价是，如果他也从政，毫不逊色三兄弟。

四、谷正纲

谷正纲（1901~1993），字叔常。1916年考入贵阳省立开明中学十五期就读。1921年偕弟正鼎考入柏林工业大学。1922年转柏林大学哲学系。1926年3月，奉国民党中央委员会之命，赴俄莫斯科孙逸仙大学研究革命理论，任国民党在孙逸仙大学特别党部的组织部副部长。1926年12月，奉调回国任中央青年部秘书。1929年2月国民党第三次全国代表大会在南京召开，与长兄谷正伦分别以地区代表身份参加。1931年当选为中央委员，并当选为中央组织委员会委员。1934年任实业部常务次长，并与王美修女士结婚。1949年元月，蒋第三次下野，谷正纲也辞谢就任十年的社会部长，陪同汤恩伯坚守上海。当时上海已被全面包围，汤也知道上海是守不住了，派人送来七张船票，让谷夫人王美修带领五男二女即刻转赴台湾。这时一位旧识陈老先生一家七口要去台湾，买不到船票，苦苦相求。谷出于同情，就把自己的船票给了陈老先生。没承想，“太平轮”不太平，在航行中失事，人、货无一幸免。谷好心助人反倒害了陈老先生全家，每思及此，心有慽慽，不禁潸然而强忍。谷正纲晚年家庭和睦幸福，虽然他忙于政务，无暇兼顾家事，但夫人贤惠雍容，以孟母三迁、岳母刺字的精神教育子女，五子二女各有所成。80年代他的一个孩子回台湾结婚时，黄少谷前往祝贺，并当场口占一联相赠，最能反映谷家的美满生活：“五子五登科，两老两人仙。”

五、谷正鼎

谷正鼎（1903~1974），字铭枢。毕业于德国柏林大学，后入苏联莫斯科中山大学进修。曾任二十六军政治部主任兼党代表、国民党北平特别市党部委员兼常委。抗战胜利后，历任西北绥靖公署厅长、军事委员会天水行营政治部主任、兼特别市党部书记长、陕西省党部主任委员等职。多年主持党务与政战工作。1948年出任国民党组织部长。1952年改任中央评议委员。因他早年追随过汪精卫，汪潜赴河内，准备投日，所以蒋介石派他于 1939 年 2 月去河内，给汪带去汪的出国护照和 50 万旅费，劝汪出国旅行，放弃与日单独媾和的计划，被汪拒绝。谷正鼎晚年在台湾郁郁寡欢，其政治活动除协助四哥谷正纲的亚盟工作外，就是陪同夫人亮相于劳军旅途，妇联会场。

六、皮以书

在谷家三妯娌中，才情颇盛的是谷正伦夫人陈白坚。默默无闻的是谷正纲夫人王美修。从政并至高官的只有谷正鼎夫人皮以书，但她也是三妯娌中去世最早的一位。

陈白坚出身名门，曾任教师范学校。谷正伦曾对蔡孟坚谈到自己妻子时说："她的古学根底，与文理书法，我常感不及。加以她从不问及我的公务，从未在我掌管机关内，安置亲属，因此我一生无'室家之累'与'内忧'等顾虑。"陈白坚出嫁后，随丈夫到谷家祖坟扫墓，看到墓前均有立碑刻文，唯有一处无碑，问丈夫何故。谷正伦告诉她，这是自己前妻之墓，因尚未生子即逝，按家族规矩，不得立碑。陈白艰深有感触，为丈夫前妻鸣不平，当即立下心愿：将来生子，定以其子之名为其立碑。后于 1934 年农历六月初一生子，名同生（此子与白坚同月同日生）。不久，陈白坚即在谷正伦前妻墓前立墓碑，以还当年所许之心愿。（台北《传记文学》第 50 卷第 4 期，73 页）

皮以书为四川南川县人，家中殷实。她的哥哥皮以庄、皮以净都在国民党里做官，只有弟弟皮以德参加了共产党，在国民党追捕皮以德时，他躲到姐姐皮以书家里，谷正鼎和皮以书轮番劝说，要他脱离共产党，遭拒绝。谷正鼎威胁要把他交给宪兵，甚至骂道："你给我滚！"他不堪辱骂，悄然夜遁。皮以书，1905 年 4 月 22 日生，先后毕业于北平中国大学、莫斯科中山大学，历任国民党中央党部民训会总干事、妇女科科长、北平市党部妇女部长、西安儿童保育院院长，1947 年任立法委员、国民党中央委员、中华妇女联合会总干事。自抗战开始，即追随宋美龄从事妇女战时工作，先后获得国民政府颁发的胜利勋章，美国政府颁赠的自由勋章。皮出名于 20 年代，在孙中山的葬礼上，她是执绋的青年学生代表。1925 年底，赴莫斯科中山大学留学，与谷正鼎同学，次年在莫斯科结婚。从事妇女工作 40 余年，以精明能干受到人们尊敬，也为宋美龄所赏识。1969 年检查出患有肺癌，在台湾和美国治疗后，仍坚持工作。就在她 69 岁时，还带着慰问品到偏僻的海岛看望驻守士兵，其中有一个观测站只有 12 人，她不顾海风和道路的崎岖，爬上观测站与他们话家常，亲若子侄。

七、谷兰皋之哀

1949 年 7 月中旬，谷兰皋因肠胃疼痛，引起旧病复发，时有昏迷，且几次念叨：正鼎未与附逆投敌，是家族一大幸事矣。谷正楷知为重症，立即电告谷正伦，希望兄长能及时赶回，探望父病。当时谷正伦为贵州省主席，接电后，即告知谷正纲、谷正鼎。因顾虑局势，又电告谷正楷："我们回家探病，不要声张，更不要地方警卫森严，使人家感到害怕，反引起波动，要像平时一样。"谷正纲立即通知谷正鼎，相偕由广州乘飞机到贵阳，与正伦会合。当他们一同赶回家时，谷老太爷已经不省人事了，两天后故去，年 78 岁，以"八十寿享"治丧。他们三人中，只有老大带了刘副官及随从二十多人，正纲、正鼎均未带一兵，且三人均未带妻子，显然是对局势有所顾虑。但这样一个显赫门第，对于父丧，不能不强作镇静，礼请乡贤商议治丧。三兄弟均按乡俗礼法，分别向中央呈报丁忧，谷正伦的辞呈为："严亲弃世，哀恸逾恒，特电呈行政院阎院长，请辞本兼各职。在中央未决定继任人选以前，主席职务由中委兼秘书长何朝宗代行。"（参考《小春秋报》1949 年 8 月 4 日四版）。很快中央批复下来：以国事为重，从权移孝作忠，事毕速复原职。8 月 1 日谷正伦在国民党控制区主要报纸刊发"哀启"，同时声明：对父丧力行节约，拒收部属及各机关礼物。他在发送讣告时，还附素笺一纸，以备各方"题志"。（贵州《新新新闻报》1949 年 8 月 3 日三版）

8 月 2 日谷家收到蒋的唁电："纪常、叔常、正鼎三同志礼鉴：闻报惊悉封翁仙逝，老成凋谢，无任怆悲，贤昆季至性逾恒，必胜蓼莪之痛，尚希节哀顺变，为国珍重。特电申唁。蒋中正。午二十。遵印。"（《小春秋报》8 月 3 日四版）代总统李宗仁，军政委员何应钦、张群、阎锡山、端木杰、马星野、胡宗南等及各院、部、会均有唁电。3 日蒋派人送来铭旌一幅，上书："世愚侄蒋中正敬题"，被谷家挂在大门前。贵州省军区副司令刘汉珍、省保安司令参谋长张法干、贵阳警备司令夏之时，均到灵前吊唁。谷家大门上贴孝联一副，据说是贵州大学校长张廷休（陈立夫亲信）代拟的，联句中充满谷氏家族由盛而衰之哀叹："尚行清德，感召难忘，当时弥留之顷，念念勿情家声，唯忠，唯孝，唯友，唯廉明，永志休乘，垂目强开犹切嘱；抢天呼地，哀痛何极，但愿有生之年，时时谨遵遗训，为乡，为党，为国，为民族，努力以赴，鞠躬尽瘁报深恩。"赠挽联者中，职位最高为何应钦，但其挽句表露了对国民党之败局已定的无奈："太翁乃桑梓耆宿，寿至耄耋，福备箕裘，缅怀蹈德函仁，极一时哀荣诗卷；嗣君皆国家梁栋，契结苔芩，思及风雨，寄语抑情顺变，撑半壁破碎河山。"

谷家筹备治丧期间，三兄弟概不接待来客，迎来送往均由乡亲旧友代为，上门吊唁者，先在门口司书房登记，入内必须双手露外，孝子方出房行谢礼。身材瘦小的谷正鼎，穿着黄咔叽中山装，跟在大哥谷正伦身后送客。谷正伦留着花白的大八字胡子，头戴铜盆帽，手拄大手杖，已显老态。点主时一个题红大宾，四个陪宾，院中安放五张公案，桌椅披垫大红呢毡。题红大宾杨覃生，陪宾黄元操、董叔明、黄志臣、张文屏（贵州省保安司令参谋长张法干之父）均系地方绅士，惟张文屏没有功名。

商讨出殡时，多数乡绅提出时局不靖，为安全计，提议由谷正楷一人代替三兄弟送葬，若生意外，地方难负其责。谷正纲反驳道："送葬亦礼之大也，为人子者，父丧在侧而不送葬，将何以楷模乡里？且桑梓地尚不能保全，何以为人？我一定要送葬，安危不计！"谷正鼎说："大哥在省主政，得罪面宽，可从人议，不去送葬，我与三哥、四哥代送。"谷正伦始终一言不发，不待议罢，就由警卫营长陪同坐小汽车经玄坛街出北门到墓地去了。士绅们无计可施，只得一面请省里加派军警，增强戒备。一面再与老二谷正楷协商。谷正楷很有办法，以路祭为名，用大桌子隔断顾府街和东街路口，以便于警卫。很快由贵阳派来一个营的警力，营长杨景石亲自巡查，在街上增派岗哨，又派四个宪兵、四个警察护灵。送葬时行列两旁，由军警荷枪实弹，夹队而行。大街通行，小路口一律用桌子堵死，观看者只能在自己的家门口停立观望。临出丧时，省内知名人士，均不敢牵孝子的手，怕的是黑枪误伤，只好请几位无名之士代表代牵。就这样，　赫一时的"一门三中委"的这场大出殡如此结束。（《安顺文史资料》第 5 辑，116~118 页）

丧事结束后，四兄弟遵父遗嘱，将贵筑县的祖产水田四亩七分，全部捐给省立医院，用作补助贫寒病人。恰在此时，谷正伦也接到何应钦的慰问电，同时何还委托将自家在贵阳市茴香岭住宅、安顺的田地房产全部卖出，捐助灾民。看来他们都在为撤离大陆做最后安排。8 月 17 日谷正伦接蒋介石电令，立即返回贵阳。只有谷正纲胆大，不顾局势的瞬息变幻，与儿时的伙伴竟夜长谈，唏嘘不已，大有"无限江山，别时容易见时难"的改朝换代之感慨！

八、谷正伦之哀

1949 年 11 月 15 日解放军攻克贵阳，谷正伦原准备在镇宁一带布兵抵抗，但在解放军的强大攻势下，89 军溃不成阵，谷在急乱中旧病复发，胃部大出血，蒋介石令他去香港治病，不久转台湾。1953 年 11 月 3 日上午，谷正伦终因胃出血不治在台北中心诊所病逝，年 64 岁。当时蒋正主持吴稚晖的启灵祭。谷氏弥留之际，谷正纲、谷正鼎及家属友好在侧，当即商议组成治丧委员会，推举张群、陈诚、吴忠信、王世杰、张道藩等 62 人为委员，何应钦为主任委员，黄珍吾、韩文源任正副总干事。当年老父重丧在即，谷家三房媳妇都没有回乡尽孝，这次长兄临葬，三房媳妇却在台湾拭泪顿首，列名同在了。蒋介石为之颁《褒扬令》，赠挽额：上款"纪常同志千古"，挽文为："忠荩垂型"，落款"蒋中正"。11 月 5 日上午 9 时，在极乐殡仪馆举行大殓，家祭后，举行公祭。蒋于十时整亲临吊奠，先到灵前行礼，注视遗容，然后与谷夫人、谷正纲、谷正鼎颔首致意。何应钦、张道藩、桂永清、蒋经国将国民党党旗覆盖在灵柩上。张其昀代表国民党中央委员会致祭文，何应钦代表治丧会致祭文，参加者三千余人。

九、皮以书之哀

皮以书最后一次从美国治病回来后仍在工作，过度的劳累，使她在1974年3月14日突然昏倒在办公室，再也没有醒来，宋美龄曾莅临医院探望。终因药石罔效，于22日病逝荣民总医院，年70岁。4月5日上午，在台北市立殡仪馆举行安息礼拜和公祭，蒋和夫人颁赠挽匾，上款为“以书同志安息”，匾文为“痛失桢干”，下款“蒋中正　蒋宋美龄”，宋美龄另送一个由白菊花缀成的十字架。上午8时30分，宋美龄在蒋经国的陪同下，参加皮以书的安息礼拜，并向谷正鼎及家属握手致意。严家淦等参加了公祭。灵堂里挂满了挽联和挽额。张群、陈立夫、倪文亚、马沈慧莲在灵柩上覆盖国民党党旗。接着公祭，国民党中央委员会、“行政院”、妇联总会、中央妇工会、振兴复健医学中心、华兴育幼院等团体代表前往致祭。陶希圣的挽联被传诵一时：“或称为嫂，或呼为姐，并感怀其高风厚谊。吊唁者满堂，哭泣者盈室；或诵其言，或景其行，更钦敬其锐志热忱。功业在一界，贡献在全民。”

十、谷正鼎之哀

1974年4月谷正鼎罹患肠癌，经手术治疗后，转为肝癌，11月1日在台北荣民总医院病逝，年72岁。他当时的头衔为“立法委员”、中央评议委员。临终前，立法院秘书长袁雍、立法委员陆京士、林栋，以及他的三哥，亚盟理事长谷正纲在侧。很遗憾的是，这一天是蒋生日的第二天，当时蒋正昏迷不醒，蒋家对丧祭忌讳，他的葬礼只得推延。11月9日成立以倪文亚为主任委员，刘才为副主委的治丧委员会。谷正鼎的葬礼远不如他夫人的隆重。11月16日上午7时半在台北市立殡仪馆景行厅举行家祭，8时追思礼拜，9时大殓，随即公祭，蒋题颁“轸怀忠荩”，严家淦诔以“谟猷长昭”哀悼。前往致祭者有“副总统”严家淦、蒋经国、倪文亚等各部、会首长约两千余人。何应钦、顾祝同、余汉谋、黄杰在灵柩上覆盖国旗。张群、黄少谷、倪文亚、陈立夫覆盖国民党党旗。灵柩于十时三十分发引，安葬于观音山之阳。（本节参考《安顺文史资料选辑》第四辑、第五辑、第八辑、第十一辑；《遵义民国军政人物》、《何应钦传》、《安顺》、《贵阳老照片》、《小春秋报》1949年8月3日四版、《贵阳日报》1949年7~8月报纸、贵州《新新闻报》1949年8月1日三版，以及各时期的《中央日报》等。）

第四节　两代拜两母　四世骋三朝

民国时期的西北，有一个显赫的家族，叱咤三朝（清、北洋、国民党政府），　荣四世，父子两代均与蒋介石建立非同寻常的私人关系，霸居一方数十余年。这就是马福祥、马鸿逵家族。

1863年，甘肃河州人马占鳌联合马悟真、马海晏等，揭竿反清，攻破河州，势力在甘肃迅速扩大。1872年，清廷派左宗棠率湘军入甘清剿，马占鳌诱敌深入，大败左三十营。马占鳌却在这时主张降清，认为打了胜仗，比失败后再降好！遭众多将领的反对，要求乘胜攻取左的统帅大营。河州韩家集人马千龄极力赞成降清，因马占鳌是马千龄的同族侄女婿，在得到马千龄、马海晏等的支持，终于降清受抚。左宗棠改编马占鳌部为马队三旗，委马占鳌为三旗督帮。马千龄因劝降有功，被左赞为“良回”，也受到重赏，遂发展为河州一带巨富。马千龄有四子，其中次子马福禄、四子马福祥十分出众。马福禄的儿子马鸿宾，马福祥的儿子马鸿逵先后成为割据一方的霸主。马鸿逵的儿子马敦厚、马敦静等在40年代也相继出任军、师长。

一、马福祥

马福祥，字云亭，甘肃省河州（今临夏回族自治州临夏县）韩家集人。生于1876年，幼读私塾、勤习武，1897年考中甘肃武举第二名，从此开始了他的政治军事生涯，成为甘肃三大回族地方军阀之一。1913年

◇ 马福祥。

任宁夏护军使，1921年任绥远都统，1925年不得不依附冯玉祥，所部改称国民军第七师。1928年后南下投蒋，历任青岛特别市市长、安徽省主席和蒙藏委员会委员长，以及国民党中央候补执行委员、国民政府委员、军事委员会委员等要职。1932年春，因心脏病辞蒙藏委员长，居津养病。

马福祥自幼好读书，工书法，成年后留心时政，喜结交，善游说。他与冯国璋、曹锟、吴佩孚、张作霖、蒋介石、阎锡山、冯玉祥、戴季陶、邵元冲、刘镇华、何应钦、陈果夫等百余人相与往还，或订为金兰，或结为密友。他常对人说："生平无不可言之事，天下无不可交之人。"他曾书一条幅，自豪其经历："贺兰舞剑，青山立马，沧海濯缨，长江观潮。"马福祥的结交方式为"三送"：如他欲结交某人，先送去帖子问候，当对方也回馈有此意，他就寻找各种机会大肆送礼，在所不惜。当交往一段时间后，了解了对方的习性、嗜好，认为值得交结，又送来八字庚帖，就此结拜为兄弟。

马福祥甚至还与清末大太监小德张歃血结盟，那是在八国联军攻打北京时，西太后仓皇西逃，马福祥主动赶来西安护驾，得以与小德张相识，并就此结拜。与太监结拜，在满清那叫本事，到了民国就是龌龊了。可马福祥不这样认为，那时他的儿子马鸿逵在袁世凯的总统府做侍卫（实则是为取得袁的信任，送作人质），每逢年节他都命马鸿逵赴天津向小德张豪爽送礼。民国后的北洋新权贵，甚至是土著军阀，经常借机敲诈前清的遗老遗少，他们大多忍气吞声。有一年，袁世凯的亲家、警察总监陆朗斋派人，给寓居天津的小德张送去一份帖子，说："你订的头号炸弹一箱、二号炸弹两箱，明日送到总管府，望查收！"小德张何人？他在宫里宫外，看这些把戏太多了，还怕这个？直接去找袁世凯"道谢赠礼"。袁大怒，立即打电话将陆训斥了一顿。此后，谁也不敢造次了。过去那些嘲笑马福祥的人，不得不佩服马的眼光，又转而与他攀缘。1919年，马福祥发动驱逐甘肃督军张广建的"甘人治甘"运动，就是由马鸿逵请小德张向大总统徐世昌说项，起到一定的作用。

◇ 小德张1876年生，直隶静海县人，本名张祥斋，字云亭。1891年入宫当太监，排行"兰"字辈，取宫名张兰德，人称"小德张"。慈禧太后还曾赐名恒太。 清朝慈禧太后"垂帘听政"时，宫廷中出了几位颇有权势的太监。其中最有名的，除了大总管李莲英，就要属小德张了。

到小德张的母亲唐氏75岁大寿，前来祝贺的京剧名角程永龙、李吉瑞、小竺英等大唱堂会三天，载振、载涛、马福祥、马鸿逵、傅作义等均到场祝贺。1928年，唐氏驾返，小德张为之"大出殡"。数里长的送殡队伍中，增加不少国民党显贵的悲凄面孔。

马福祥的四海结交，让儿子马鸿逵苦不堪言，因为这些人无论见面，还是书信，甚至是拜托求助，无不以"世侄"称之。比如戴季陶，仅长他一岁，也开口闭口的"世侄"如何如何，很是亲切，真让他受不了，使他在同僚、部下面前抬不起头。有一次，接南京电函，司书刚念到"少云世侄……"，他马上吼道："别念了！"又转过头小声说："老汉（指马福祥）也真是的……"

1932年8月19日，马福祥在涿州琉璃河旅途中病逝，年

57 岁。蒋介石对马的去世，较为重视，因为他涉及到对西北诸马将领的安抚。20 日蒋唁电致马鸿逵慰问。24 日国民政府发布“国民政府主席林拨云亭公治丧费并派致祭令”，给治丧费 5000 元，派河北省主席于学忠为代表前往致祭。蒋私人赠万元赙仪。而宋美龄也动了哀思，不但拍发唁电，还赙赠 5000 元。有人不解，问：“马既非蒋的嫡系，又非至亲，何以劳夫人浪费表情，破费钱财？”知情者说：“这有何之怪？义妹为义姐夫致吊，情理之中！”公祭在北平和南京分别举行，蒋有 150 余字的祭文和挽联送达。戴季陶与马福祥相交至深，得马死讯时，正泛舟太湖，即在船上作挽诗七首。马福祥七周年忌辰时，马鸿逵特意编辑《马福祥荣哀录》，请蒋介石题字，蒋又撰写了“象赞”。兰州、银川建有“马云亭纪念堂”、“马云亭纪念碑”和“马云亭纪功碑”等。

二、马鸿逵

马福祥病逝后，蒋介石因与马福祥有“旧谊”，又“眷念西北宿将”，任命马鸿逵为宁夏省主席。1933 年 1 月，马率部由河南信阳赶抵宁夏就职。马鸿逵虽不是蒋介石的嫡系，但因其父子投蒋较早，为蒋忠实效力，受到蒋的重用。自此，西北地区的控制权，便从冯玉祥那里转到了蒋介石手上。

马鸿逵，字少云（1893~1980 年），表面胖憨不敏，其实另有心计，也别具特点：

一、善于装傻。1929 年冯玉祥预谋反蒋，在南京召集手下将领训话，抨击南京时政，并要求每人都得写“心得”，实为表态。那时，马福祥已暗中筹划投蒋，所以马鸿逵是万万不能写，托以“读书不多，不会作文”婉言拒绝。冯看他胖乎乎的，神志呆若，信以为真。当马鸿逵也投蒋后，蒋特意予以召见，席间，与他拉近乎，殷殷慰语，他一一做答。但是当蒋问到最近是否见过其父和家人时，因他不知父亲是否已脱离冯玉祥的控制，就顾左右而言他。宋美龄再一次催问，他又以听不懂蒋、宋的方言，摇头又摆手，不置一词，使蒋尴尬不已，怀疑对这样的呆胖子是否有必要重用！他表面上接受蒋的领导，却对蒋的渗透企图巧妙排斥，包括人事、经济、司法等各方面。那时 CC 兄弟控制教育界，向各省派教育厅长是惯例，各省均无奈而接受。可是宁夏的教育厅长在他的多方排挤下，只得偷跑回去。他装傻给蒋一电报，说：“我的教育厅长失踪了！”蒋介石莫名其妙，转给陈立夫，陈立夫看过电报，十分尴尬，立刻复电道歉，又派去一个新的。不到两个月又被赶回来。就这样四五人换下来，陈立夫无可奈何，只得放弃，由他自己选择教育厅长了，此类事很多。

◇ 1942 年西北军阀马鸿逵的造型。蓄须，戴墨镜，宽厚的腰带绑住隆起的肚子。抗战期间任第十七集团军司令兼第八战区副司令。

二、邀宠功底深厚。马鸿逵曾下工夫研究“邀宠学”，他对乃父的大肆送礼，广为结交方式有微词，认为应该少花钱而重点结交。他对在任官员的迁升缘故感兴趣，从中获得不少启发。1942 年，蒋到西北视察，在宁夏停留期间，马全程陪同，每天早晚两次请安、汇报。有一天深夜，蒋在批阅，听到外面有脚步声，由远及近，便问：“外面何人？”没有回答，蒋疑心莫非二次西安事变？马上拿起军服，脚步声又做，蒋再次大声问：“何人游走？”只听：“报告！少云在此巡哨！”蒋的疑心随同手里的军服一起放下来。至此，对他增加了一分信任。不久，授予他“胜利勋章”、“忠勤勋章”等荣誉。

三、胖。说到他的胖，颇多故事，还有一个三级跳的说法：开始，他被誉为“中国最胖的将领”，不久晋级为“中国最胖的军人”，最终位居“中国最胖的人”。他最胖时是在 1935 年至 1938 年间，体重达 270 多磅，连小汽车也坐不下，只能坐特制的敞篷马车出入，左右有十数名持枪骑马卫兵保护，故有“马胖公”雅称。中国人的幽默别具风格，“公”字用在此处，不见尊敬与老成，倒是徒增胖的臃肿和呆笨。那 饥荒频仍，瘦弱的民众对胖人多有鄙视，地方小报频频拿他的“胖”开心，他忍不住还为自己辩解，结果惹来更大的议论，连司徒雷登也对此记忆深刻，在几十年后的回忆录中特 提到：报纸上一直说这位有趣的首领体重达300磅，他却坚持说只有240磅。(《在华五十年》，225页)有一次南京召开国民代表大会，他作为主席团成员，被安排在会场前面三排的中间。恰好那天他来晚了，艰难地走过别人起身让开的过道，终于来到自己的席位，却坐不进椅子，因为那椅子是按南方人的身材设计。他左右挪动着肥硕的臀部，突然“咔嚓”一声惊动全场，原来他把椅子撑裂而倒坍在地，坐在前面的何应钦赶忙来搀扶他，但他被卡在椅子里怎么也拉不出来，会场一片笑声，又一次成为花边小报的热点话题。1949年他逃出宁夏，辗转于7月来到广州，虽然体重已减至248磅，仍热得他苦不堪言，认为天下最好的地方就是凉爽的宁夏。可惜他已回不去了。

此外，马鸿逵为了表示励精图治，也常有“不满宁夏省政府现况的言行和举措”，例如省府印行的日历上，每页都有一段他的训示，要全省军政人员奉为圭臬，又屡屡让《宁夏日报》奉送“劝世文”，以“省政府马主席侍从室”名义印行，有的似打油诗、有的如大鼓词、有的婉若顺口溜，音韵铿锵，词义典雅。或教人节约，或告诫禁赌，或要求奉公守法，不然就小心天道报应。日理万机的“马主席”，每晚必到剧场看戏，演得是秦腔，所选戏班自然没得说。戏院最前排，有一黄色特制圈椅，那便是“主席专座”。直到深夜12点以后才散戏。所有观众，必须敬待主席出场后，才准离座。不然，如狼似虎的亲兵们，就敬以饱拳一顿。

三、马母归真

1948年7月5日，马福祥元配、马鸿逵嫡母马太夫人在银川安息。当时蒋介石在各战场连遭重创，而身为宁夏省主席的马鸿逵，还手握近十万武装，可资遣用。故蒋对马母丧祭格外重视，派西北行辕主任张治中飞来主祭，并为之哀以400字的祭文，又手笔蓝底黑字的特大“奠”字，以及“令仪则茂”和“教忠懿范”两份挽额，足见尊诔的分量。马太夫人的追悼大典在清晨开始诵经，6时家祭，9时公祭。各界人士参加者众多，张治中主祭，宣读蒋的祭文。张治中夫人、张的二女儿、傅作义、邓宝珊、胡宗南所派代表、甘肃耆老水楚琴、诗人易君左、外省军政长官代表等襄祭，中央驻省各机关及本省机关团体官员陪祭。哀乐赞圣完毕，即行典祭礼，由张治中及各省军政长官代表献花，随读祭文，自总统以下单独致祭。12时结束。

而马鸿逵哭母挽联则情真意切：“侍汤药，期届兼旬，幸慈体渐康。讵料数日远离，竟成永诀；视含殓，途间万里，叹归程多阻。是真百身莫赎，抱憾终天。”马鸿逵对母亲十分孝顺，每当他要枪毙谁，或揭谁的背花（一种残忍的背部肉刑），大多有人报告她，老太太就会赶来训斥，他总是唯唯遵照。当时有“儿子造孽，老妈积德”的说法。丧事结束后，马鸿逵遵照母亲的“口唤”（遗言），在银川“云亭纪念堂”东面，开粥场四十天施赈，来者每人一碗“二流子粥”（一种很稀的黄米稀饭），一块熟牛肉，一个油炸糕。

四、庶母安息

1966年6月23日，马福祥的第四位夫人马书城在台大医院瞑目，年76岁，随后移灵台北市新生南路清真寺。24日下午3时，在台北清真寺依回教仪式，举行殡礼。蒋介石送花圈，题赠“说论流徽”，派台湾省主席黄杰代表致祭，严家淦挽以“厚德嘉猷”，亲临致祭。参加者有黄国书、倪文亚、张维瀚、白崇禧、田炯锦、蒋经国、郭寄峤等500余人。张群、谷正纲等人送花圈挽联。殡礼后，安葬于六张犁回教公墓。

当时马鸿逵在美国重病缠身，难以返回尽孝，只得以“讣闻”和“谢启”矜鉴，遥祭哀思。而年近八十高龄的蒋介石，精力大不如从前，对其他人的侧室已多不动笔了，为何如此眷顾马书城？

马汝邺，字书城，是马福祥最后聘娶的夫人，为清末学部郎中成都马淑午之女。马书城幼承家学，通经史，工诗词，著有《绛珠馆近稿》。尤以书法享盛名，史志载："尤善行楷，是折肱王右军者，其片纸只字，远近争得之。"所书"檗窠大字，亦笔力雄浑，不类出自妇女之手，……寸缣片简，人皆珍视。"她又是马福祥对外交往的"礼节夫人"，曾拜倪太夫人为义母，与宋美龄以姐妹相称，时有往来。1928年6月12日，蒋、宋夫妇与马福祥、马书城同乘永丰舰，自南京抵镇江游览。在金山江天禅寺，马书城看到与宁夏景色不同的迷人风光，雅兴所至，当即吟成一联："此地妖饶千秋风月，今日始迎两位神仙"，引得蒋、宋交口称赞。抗战时期，曾任宁夏省妇女会会长，又成为宋的下属。到台后，经宋的提议，任马为"立法委员"，每月享受一份养老金。像这样一种关系，蒋就不得不为她题诔了。

五、马鸿逵归终

马福祥有四位夫人，儿子马鸿逵出青胜蓝，抱拥六房妻妾。在颐享齐人之福的同时，也为妻妾间的争宠暗斗苦恼不堪。得宠当家的是四姨太刘慕侠，为其外交夫人，与宋美龄交好，后拜宋为义母。

1949年10月马鸿逵飞到台湾。蒋介石任命他为中央评议委员。11月，"监察院"伙同山西省一些监委，提出议案，弹劾马鸿逵、马步芳贻误军机，丧失防地。台湾报纸公开报导，朝野议论纷纷。有人问：全国各省相继丢失，为何单罪此二人？又有人分析：因为他们非蒋嫡系；更有人解气地说：罪有应得！

马感叹长此以往，后果不堪设想。于是，先以刘慕侠看病为由，将其迁往香港。12月初，刘慕侠来电"病危"，要求"夫妻见最后一面"，马持电报，向陈诚请假，带六夫人赵兰香等于8日飞港。次年，五夫人邹德一和马敦静一家等人也以种种借口先后飞港。1953年马鸿逵从香港携全家飞往旧金山暂住，最后在洛杉矶定居。爱马也懂马的他，在那里办起一家牧场，以养马为业。蒋介石曾屡次电召，马未予理睬。

◇ 1949年4月，南京解放前，国民党统治的最后日子里，来到南京的马鸿逵。

晚年他有两大心愿，一是死后葬于台湾，二是将珍藏多年的泰山封禅玉册奉献国家。

1931年春，马鸿逵驻防泰安，为修烈士祠及"讨逆阵亡将士纪念碑"，在蒿里山顶掘出唐玄宗和宋真宗禅地玉册。马视为拱璧珍藏，秘而不宣。直至1933年《北平晨报》将此事披露，各界哗然。据史籍记载，古代帝王只有在祭天地五岳时，才使用玉册。自宋真宗封禅泰山之后，其他帝王到泰山只祭祀，不再封禅。唐玄宗的封禅玉册，用不透明的白玉雕制，共十五简，为长方形的六面体，上下有孔用银丝连系，每枚玉简刻有隶书共九字，落款为玄宗手笔楷书的"隆基"二字。宋真宗玉册为十六简，用金线连系，每简刻有楷书十六字，字字涂有金泥，可谓价值连城。抗战爆发，马为防不测，将其再度入土，埋入天津家中达八年之久，抗战胜利才见天日。到美国后，马将其存入洛杉矶一家银行。

1970年元月14日，马鸿逵病逝于洛杉矶市郊，年78岁。两天后灵柩运回台北安葬。17日，蒋介石以"往绩堪念"悼之。3月8日，台北方面在清真寺大礼堂为他举行追悼会，蒋特派参军长上将黎玉玺代表致祭，严家淦亲临吊唁。谷正纲任治丧委员会主委，并主祭、致悼词，600余人参加。追悼会以回教殡礼举行，没有悬挂遗像，也不奏乐，但气氛依然肃穆。

六、国宝归国

马鸿逵晚年的第一个愿望，由五夫人邹德一为他实现。第二个愿望，则由四夫人刘慕侠奔走告慰。

这也是马氏伉俪功德无量，值得大书一笔的。

刘慕侠是北京人，关于她的出身学历，有两种不同说法。中国大陆有人说“为艺人出身，曾在北京第一舞台唱过戏，挑过班”。台湾有人说为“北平女师大毕业”，是马鸿逵“出得厅堂”的外交夫人。刘因在宋美龄面前恭谨备至、曲意奉承，得到宋的多方关照，曾任宁夏妇女会主委、宁夏省党部委员、中央社会部委员，到台湾后出任“国大代表”。有一次，马鸿逵为儿子马敦静谋求军长，派刘慕侠找宋美龄说项，刘向蒋、宋敬献龙凤黄绸睡衣。此后，又向何应钦、宋子文、陈诚等送礼。

宋美龄对刘慕侠也时有回赠。1948 年 4 月，马鸿逵偕刘慕侠到南京出席国民代表大会，宋拉刘去吃饭，席间她对刘说：“蒋先生准备把西北军政交马主席，惟顾虑马步芳会有意见，你告诉马主席，可与青海方面及早联系，达成一致。”刘即转告马，马非常高兴。大会一闭幕，他便飞往西北筹划去了。多年来，马鸿逵与蒋，表面亲密无间，实则互相提防，遇到大的坎坷，多由宋、刘设法缓颊。

1971 年 10 月 14 日，刘慕侠携玉册返台，作为献给蒋 85 嵩寿的礼贡。所献唐、宋玉册及大小翡翠共四十二枚，翡翠原是镶嵌在盛玉册的盒子外面，发掘时盒子已散。蒋氏夫妇十分高兴，于 18 日下午接见刘，蒋对刘说，已嘱交台北“国立故宫博物院”珍藏，不久将对外展出。刘则解释：早在 1948 年竞选总统时，马料定蒋必将获选，所以马、刘携玉册到南京，准备在蒋就任仪式上敬献。旋即，马太夫人在宁夏仙逝，夫妻俩匆忙奔丧，以后因种种原由耽搁至此。

刘慕侠于 1974 年 1 月 12 日，在美国洛杉矶医院病故，年 75 岁。灵柩由其孙马学礼、孙媳白玉洁于 14 日护送回台北。在机场接灵的有马鸿逵之子马敦厚、中央党部副秘书长薛人仰、“国大”秘书长陈建中、“国大代表”马继援等百余人。到机场后，随即移灵清真寺，依回教仪式举行殡礼。蒋提早“写好”挽额：“懿行流芳”派人送去，但是否真迹，就要打问号了。蒋经国送有花篮、严家淦亲临吊祭，并哀以“谟猷长昭”。参加者有田炯锦、谷正纲、黄少谷、郑彦　、郭寄峤等二百余人。殡礼后，安葬于六张犁回教公墓。

第五节　八十七万大用处

一、探望阎书堂

1934 年 11 月 8 日，蒋介石在傅作义、端纳的陪同下，从张家口飞到太原与阎锡山会面，希望阎配合东北军向陕北发动夹击，协助高桂滋、井岳秀“围剿”红军。而阎锡山则借机向蒋要钱要武器，双方一拍即合，很快达成协议。但是蒋还不放心，为巩固与阎达成的成果，在与阎一起进餐时，突然向阎打听去阎的家乡河边村的道路，表示要立即去看望阎的老父阎书堂。阎锡山听罢“啊”了一声，不知蒋安的什么心，惊惑不安，当时阎父已重病在身，躺在床上不能起身。阎深思后连说：“不用，不用！”蒋却再三坚持。

次日上午，蒋、阎等人驰车来到河边村（《中央日报》民国 23 年 11 月 10 日第一张第二版）。阎书堂家人急忙出门迎接，并叫人把阎书堂用太师椅抬到院子中，蒋介石毕恭毕敬地站在阎老汉面前，脱下帽子，口称老伯，一连行了三个鞠躬礼。

阎书堂惶恐不安，哆啰哆嗦地看着蒋：“锡山不肖，请委员长多加指教。”

蒋温和地说：“哪里，哪里。”

◇ 阎锡山的父亲阎书堂。

午间，阎锡山的嫡系将领贾景德、赵戴文设宴招待蒋、阎。晚间，由阎锡山正式款待蒋。蒋提出约见贾景德、杨爱源等人，表面上是对中午宴请的回礼，实际是借机与阎的部将建立直接联系，为日后分化晋系军阀做准备，后果然实现这一目的。

有人说：委员长河边之行，三鞠躬一箭双雕。也有人说，阎书堂没有福气享受委员长的三鞠躬，不把他烧死，也把他吓煞。结果竟不幸而言中。

◇ 上世纪 30 年代阎锡山（中）与蒋介石、冯玉祥（右）的合影。

说到这里，不得不简述阎书堂的大略经历 。阎书堂早年耕种之余，不弃经商。曾开一“阎德盛”银号 ，有盈余后又开“裕晋”银号 。虽然所获丰盈，但终年劳作有时，不轻易赴省城时尚一二，粗布短服而厌锦绣。到阎锡山为督军时，阎书堂犹自耕种。阎锡山不忍乃父辛劳，百请尊养。阎书堂屡有鄙视，不愿肩息，仍简朴异常，丝毫不肯靡费一柴一草，家人节俭尤甚于常人。阎锡山虽坐镇太原，但时常返河边村省视乃翁，每每行至距村口前三里，或下马，或弃车，或亲自肩负时鲜果蔬而步行回家，以免老父瞠怪。读者以为过誉？回想当年阎锡山初任督军，曾带卫队回乡过于招摇，遭老父怒斥。此后，他每返回，辄自带卫队口粮，不敢繁至老父一丝不快。30 年代初老父得肠胃病，后又因中风而跌倒，不能出行，但他经营的所有账册仍独自过目核算，经阎锡山跪乞，苦苦力劝而罢。

阎锡山为此常年特聘中西名医各一人，西医为毕业于日本帝国大学之霍某，中医即为北平大名鼎鼎的施今墨，施诊视后开一常服良方，颇见功效。秋后病复见重，阎锡山守视多日。一个多月后，1934 年 12 月 17 日，阎书堂终因患脑溢血去世，年 74 岁。当时蒋介石在溪口扫墓，得知后下令拨“治丧费”10 万元，为其隆重治丧。阎则以“丁忧”辞本兼各职，蒋力加挽留。1935 年 1 月 10 日，阎家开吊，蒋派何应钦为代表，到河边村致祭，并携蒋亲书挽联：“德昭颜训，勋业付儿曹，多士讴歌思元老；数备箕畴，声名垂党国，吾公福命是神仙。”何应钦严格恪守蒋的旨意：他先代表蒋致祭，三鞠躬后，走出灵堂，再返回以自己身份鞠躬。阎书堂的棺木上覆盖着林森题写的“勋五位子明阎太公之铭旌”。阎书堂原本只一个土财主，也算是享尽“哀荣”了。

二、追悼继母

在 1949 年国民党的大失败、大混乱、大溃退时，蒋介石却“有”闲暇、有耐心，于 6 月 4 日在台北举行一次隆重的葬礼。包括阎锡山、何应钦夫人、祝绍周、俞鸿钧、傅斯年、关吉玉、陈诚等在内的数十位“党国”要员，从大陆的各个战区，赶来致祭。那些由于种种原因不能前来者，如于右任、吴稚晖、熊斌、徐永昌、贾景德、刘攻芸等也纷纷派代表在灵前行礼。蒋本人虽未亲赴会场，但是，与祭者却能处处感受到他谕令治丧的“奉葬”场面，台湾省主席陈诚代表“蒋总裁、何前院长应钦、李代总统致祭”，并恭读蒋、何、李三人的祭文。

是何人有如此大的派头，享受如此哀荣？说来人们就会哑然失笑，因为逝者绝非党国政要，而仅仅是阎锡山的继母陈秀卿。

蒋介石此时大肆排场，不吝耗资，厚葬陈太夫人，绝不是无由的心血来潮，而是深思熟虑过的。其中既有历史渊源，又有现实必要，可谓是“公私兼顾”，恰当其时。内幕只有蒋、阎心知肚明，他人难以

◇ 1949 年，试图扭转败局的蒋介石、阎锡山。

揣摩。

1949 年 1 月，蒋介石第三次下野后，以李宗仁“代总统”为过渡，但是为制衡李，先以何应钦为阁揆。3 月，何走马行政院，执行蒋的密令，一面加紧编组兵力布控长江，图凭借长江天险阻挡解放军的攻势；一面与李宗仁派出和谈代表北上与中共佯作谈判。到 4 月 23 日，解放军渡江成功，占领南京，又向沪杭推进，在武汉、九江一线摆开架式。而国民党军的布防连遭重创，开始不听从何的指挥，直接听命于蒋。何见大势已去，又无实权，乃于 5 月 21 日在广州辞行政院院长。

就在蒋介石为阁揆后继人选发愁时，从太原逃出来的阎锡山被蒋看中：阎借蒋、李之间的矛盾，居中调停。蒋暗自庆幸：“我正欲困觉，来个枕头！”因蒋不知战局如何发展，也难以预料到台湾后，中共何时攻打？台湾是否能确保？所以他对阎还要倚重。阎于 6 月 13 日出任迁往广州的国民政府行政院长兼国防部长。他就职后宣称“以争取胜利为第一要着”，要在“束手无策，坐以待毙”的局面下，“不惜一切牺牲，不顾一切障碍，勇往直前”。还发行“银圆券”以代替如同废纸的“金圆券”；又提出“扭转时局方案”和“反共救国实施方案”等一系列措施，希望扭转局面。

当此关头，5 月 29 日下午，阎的继母陈秀卿在台北寓所去世，得年 79 岁。她在弥留之际，叮嘱不要告知在广州的阎锡山，要简单料理丧事。阎匆忙于 6 月 2 日上午飞赴到台北，跪拜之后作了吩咐：“当此国难，一切从简办理，不登报、不发讣，不收礼。”阎原准备在 6 月 3 日主持葬礼后，很快返回广州，过一番阁揆瘾。但蒋另有打算。说实在的，在“党国生死存亡关头”，除蒋之外，包括阎在内，谁都没心思关注此丧祭。蒋却要尊诔厚葬陈太夫人，借以笼络阎，同时也对其他败将予刻意安抚。还要还 13 年前的“愿”。所以葬礼推迟一天，于 4 日举行。蒋特派人把挽额“女宗安仰”和祭文送达。

三、历史渊源

说起蒋介石与阎锡山的继母陈太夫人的历史渊源，还要追溯到阎父阎书堂去世。1934 年 12 月 17 日，阎书堂病逝于故里，蒋除哀以挽联外，又下令拨款 10 万元治丧，派何应钦为代表前去吊唁，并主持祭礼。就是这 10 万元葬费，使阎家的丧事性质改变了，后来阎锡山编写的其父安葬过程取名为《阎子明先生奉葬实录》，仅一个“奉”字，足以说明，由于蒋的拨款，使阎家丧祭从家丧（原充其量是省级）变为国家级别的“大事”，阎家上上下下都可以趾高气地的号啕大哭，声震九州了。

最感到自豪的还是比阎锡山年长 12 岁的继母陈秀卿，她认为这是提高了阎家的地位。而实际上，在她心中还有更深层次的原因：阎锡山 6 岁时生母曲氏病故，阎父续娶 18 岁的陈秀卿，陈是大户小姐，以坚决不养前房遗子为条件，阎父只得把唯一儿子迁居到阎锡山的外祖母家生活，使幼年的阎锡山尝尽世态炎凉。后陈未生养，阎父又对阎锡山看重起来，送他读书，教他理财经商。如今，丈夫去世，陈在阎家靠山即倒，一旦阎锡山对自己不好，今后无如之何？陈虽然没有多少文化，却有一点政治心机，她认为蒋 10 万元钱的治丧款，其政治意义可使自己余年无忧。

其实，阎锡山对继母是很敬重的。义和团运动发生时，西太后仓皇向西避走，八国联军紧追不舍，五台山一带内有清军滋扰，外有强敌逼近，加之土匪乘机作乱，乡民无奈组织起来保境自卫。年仅 19 岁又见过世面的阎锡山被推为“纠首”。当时村里没有防务费用，阎偷偷将继母的首饰当掉，用于购买枪械。

继母知道后未加责备，也没有告诉丈夫。义和团运动结束后，因村里安然无恙，阎氏母子以“母义子勇”而传为佳话，受到推重，阎父这才知道。阎也改变对继母的态度。到阎锡山成为山西土皇帝后，对继母依旧侍奉如亲娘，并无半点不敬。阎认为，对继母之尊，就是对生父之孝。1929 年 5 月，阎锡山在家乡河边村建一所医院，就是以继母名字命名为“秀卿医院”。

四、八十七万买飞机

虽说阎锡山对继母的孝敬，口碑远播。可早年驱赶养子，犹如挥之不去的阴影，让陈秀卿寝食不安。至于想象的最高当局拨款厚葬的“庇护”，后来她才明白，那是看在养子的面子上。陈氏尽管生活无忧，却总感诸事多不顺心。

1936 年 10 月 31 日，是蒋介石五十大寿，陈立夫提出“献机祝寿”运动，号召社会各界捐款购买飞机，巩固空防，为蒋祝寿。不少海外华侨纷纷响应。国内官员、富室捐款一般以 10 万为限。陈秀卿未与阎家任何人协商，独自捐出 87 万元，购机祝寿。一来感谢蒋当年拨款厚葬，荣耀家族，泽及三晋；二来也为自己今后作个谋算。

消息传来，如石破天惊。各大报纸，有专题介绍，有玉照刊载。这笔可等同于两万头牛的巨款，让社会各界议论纷纷。最高兴的是陈立夫，他没想到，自己的提议，竟有这样“识大体”的慷慨拥护者。蒋的诸多喜悦自不必说（蒋曾对夫人说过将来要对陈给予回赠），仅让夫人寻机看望陈秀卿（去否？不得而知）就可以表明一切了。

在继母提出捐款时，阎锡山曾得到一点消息。阎认为，捐一点钱未尝不可，但如此巨款，让同僚怎样评论？那些想捐而没钱的人，又会怎样看待阎家？就设想劝说继母少捐一点，但想到父亲丧祭时，因自己没有与继母协商，便私自决定五服内亲属，每人批五尺白布做孝服曾惹继母不悦。陈秀卿认为这样不分亲近远族关系，会使本家人不满，更是看不起她这个继母的表现，一气之下大闹灵堂，扶棺长哭不起，任凭阎说尽百般好话，最后又跪在她面前赔罪，经乡贤长辈劝说，才作罢休。阎可算领略继母的威严了，他也博得孝子的美名。

五、名分之争

于是阎锡山让妻子徐竹青劝说继母。而这又有另一层因缘。徐与阎感情深厚，但徐婚后多年未曾生养，阎父知道是徐的原因后，劝说儿子娶小，以延续香火。开始儿子不同意，还为徐说好话。但他终究不能违抗父亲的旨意，阎父则暗中打听、四处讨买。这样，14 岁许姓姑娘便来到阎锡山身旁，没有几句话，阎就喜欢上这个连眼睛都会说话的大美人，高兴地为她改姓为徐，取名叫徐兰森。婆母便为徐竹青和徐兰森宣布阎书堂制定的家规：两人以姐妹相称，竹青为长，兰森为幼，兰森将来生了孩子，要叫竹青“妈”，叫兰森“姨”。我和你爹在，要听你爹和我的，我们不在，要听竹青的。徐竹青满心欢喜。徐兰森先后生五子一女，徐竹青对他们视若己出，疼爱有加。可是后来她知道孩子们背着自己叫徐兰森“妈”，徐用一肚子的委屈与阎锡山大闹一场，阎氏父子多有偏袒兰森之意。一个没有生过孩子的乡村妇女，是多么盼望有人喊自己“妈”，更何况这些孩子和自己有了很深的感情。

◇ 阎锡山与家人的合影上了美国《生活》杂志。

有了孩子，阎渐渐淡化了与徐竹青的感情，但他是一个做事周全的人，怕徐心里不痛快，对她较为体贴，常有意让她代表自己到家乡看望长辈。遇有婚丧大事，社会活动，也尽可能让她出头露面。1928 年 12 月 12 日，阎偕徐到南京参加编遣会议，受到蒋氏夫妇的热情接待，新婚不久的宋美龄头一次接待地方大吏的正妻，格外用心，与徐相处极为友善。此后阎又带着徐接待过冯玉祥夫妻，冯妻李德全在晋祠生孩子亦得到徐的关照。这些活动，不仅使徐地位提升，大开眼界，也得到社会各界的好评。但她的无子与婆母同病相怜，有时与阎争吵后，索性住到婆母的房里，与婆母无话不谈，相依为命。所以阎请徐竹青劝说继母是顺理成章的事。

六、大用处何所指

陈秀卿一听徐竹青的话音，就明白八九分，细言轻语地说："娃儿啊，你说钱多少是个够？这些钱对咱家不算什么（阎书堂去世时，仅在他名下的财产就有六百多万），可是拿出去将来会对你对我，都有大用处！"徐不解地问："什么大用处？"陈笑了："这我说不好。过日子，宽余时要想到窄巴处，你看吧，将来肯定会有大用处的！"

徐一直猜不透婆母"大用处"的含义。在婆母追悼会上，才猛然醒悟，不禁对她产生一种敬佩。不由得思量，自己会怎样享受这 87 万捐款带来的"大用处"？

1960 年 5 月 23 日，阎锡山在台湾去世，年 78 岁。蒋亲往致祭，并颁"伦怀耆勋"挽额。8 月 1 日，蒋明令褒扬。12 月 6 日，举行安葬仪式。徐竹青全程恭与葬礼（徐兰森于 1946 年底因脑血栓病故，48 岁）。

在阎锡山去世 10 年后，徐竹青于 1970 年 3 月 18 日，瑶池添座，寿享 88 岁。4 月 5 日，在台北市立殡仪馆举行公祭，蒋题写"懿德永昭"悼之。严家淦、张群、黄少谷、张维瀚、郑彦　、郭澄、关吉玉、陈庆瑜、谷正鼎、张庆思、陈良等 500 余人参加祭礼。公祭后，与阎锡山合葬于阳明山青山墓。徐竹青虽然一生无出，但徐兰森的五个子女均在"讣告"、"谢启"中尊称她为"先母徐太夫人"。不知早年陈秀卿所说的"大用处"，对徐竹青来说，是指蒋的四字挽额，还是"先母徐太夫人"名义的盖棺回归？

◇ 1960 年，阎锡山大殓，蒋介石前往灵堂致意。

第六节　委婉数语欲罢不能

蒋介石在败退大陆前，派出许多人，进行了一场"劝说运动"，就是把民国党元老、社会名流、科技俊杰劝说到台湾去。其中不乏胁迫之举。对有的耆老贤尊，蒋甚至亲自出面劝说，如他对南开大学校长张伯苓，曾三次登门，反复劝说，但未能奏效。

司法院长居正早年曾是蒋介石的上级，后来却被他这位下级关押起来。1948 年总统选举时，又上了蒋的当，参加竞选，受到黄埔系的奚落和为难，说居是"无为而治的院长"。后来在蒋的劝说下又尴尬地退出竞选，令他窘迫不堪。气愤的他提出辞去司法院院长，蒋立即接受，改以王宠惠接替。吃够苦头的他，发誓再也不上蒋的当了，并表示坚决不去台湾。

可是蒋对此很有信心，他要亲自劝驾。相见后，蒋殷殷探问居正的身体健康，又提出去居父母的坟上扫墓。这在当时的军政形势下是根本不可能的，但这一句话，却勾起居对往事的回忆。

◇ 1916年居正（中）任中华革命军东北军总司令，在山东起兵讨袁，蒋介石曾是其部下。

1921年6月14日，蒋母王采玉病逝于溪口，蒋在家依礼守制葬母。居正、戴季陶、陈果夫等人赶来，为蒋母治丧，居还题写墓碑，蒋十分感谢。

1922年冬，居正母亲胡太夫人去世，转年6月1日在上海杨行本宅开吊，孙中山、蒋等人均有题诔。1926年3月，居正父亲在原籍弃养，居正原本要回籍奔丧，因当时正召开国民党第二次全国代表大会，居被全代会同志苦苦留住，只得在上海杨行设奠遥祭。蒋有慰唁。1934年，居正父母归葬原籍，蒋得知亲笔题写碑文，致送赙仪金。后来居正的女儿想赴美留学，因没有名额，还是蒋出面解决的，临行前，蒋又赠款相送。1935年湖北发生大水灾，居正担心祖茔浸水，请假修整灵寝，蒋予以慰问。（以上参考《菩萨心肠的革命家——居正》、《大公报》、《大汉报》等1935年报纸编写）

1942年5月3日，居正的长子居伯强在西安患脑膜炎去世（曾留学欧洲专治陆军，时任某集团军装甲兵团长）。蒋于5日得知，立即电唁居正："居院长觉生先生大鉴：惊悉伯强世兄病逝西安，英才甫展，而遭殒 年，悼惜何巨，先生遽此丧明之痛，自必伤悲逾恒，务望勉遗悲怀，善自葆靖。适有会议，不及亲趋握谈。谨电致意，惟得鉴纳。蒋中正叩。鱼。"居伯强与蒋纬国是留德同学，要好朋友，他对电视原理有研究，曾向国人介绍这门新兴科学。1945年3月10日，留欧同学会为纪念他，在重庆发起成立"伯强电视研究所"，蒋纬国是发起人之一，并报告给蒋介石，得到蒋的支持，还推举戴季陶为董事长。（《中央日报》1945年7月3日五版）

1945年2月1日，居正五弟弃世。11日，蒋介石偕戴季陶到居宅吊唁。居正在日记中有："……诣灵前行礼。伯齐儿答礼，绍强呆立一旁，颇失礼，蒋询问是何小孩？"（《居正日记书信未刊稿》17页）

想到这些，居正坚决的心软了下来，对蒋的态度也变了。最终，蒋没有去扫墓，居正却跟着蒋到了台湾。

1951年11月23日，居正无疾坐化于台北寓所，年76岁。蒋介石两度亲临吊唁，又派蒋经国致祭，并明令组织治丧会，致诔辞"硕德丰功"，颁《褒扬令》。12月2日公祭，蒋亲自宣读祭文。（台北《中央日报》1951年11月24日至12月3日报纸）

1956年2月20日，居正妻子钟夫人瑶池添座于台大医院，年65岁。

1969年3月15日，居正第五女居瀛九病故，年56岁。居瀛九毕生从事教育事业，其夫张惊声为淡江文理学院创办人，张去世后，居瀛九负责校务，如今这所声誉显赫的著名学府，就是她一生的纪功碑。3月24日举行追悼会，蒋题"教泽流芳"。

居正年长蒋介石11岁，可是一家三代有六位在去世后，得到蒋的诔辞，成为蒋诔辞史上的奇闻。而诔辞艺术在蒋的权谋驰骋中，得到又一次极致的发挥。

第七节　山村里的皇家葬礼

◇ 1931 年的植树节，南京政府的党政大员在自己植的小树旁合影留念。右起：居正、褚民谊、陈立夫、吴稚晖。

这里所谓的“皇家葬礼”，不是说场面的奢华、礼节的繁缛、财物的糜费，而是指与祭官员之众与级别之高，舆论渲染之烈，形同帝王之葬。

1936 年 12 月 12 日，发生了震惊中外的西安事变，又称“双十二事变”，这次事变，改变了中国近代历史的发展，也改变了世界的局部格局。消息传到奉化溪口，事变的主角之一，蒋介石的同父异母长兄蒋介卿，正在武山庙小酌看戏，他本患有高血压，闻讯惊骇而中风跌倒，回家后一病不起。蒋介石于 12 月 25 日返回南京时，他已病危，蒋介卿的养女蒋华秀打电报向蒋介石陈述病况，并请求人参配药，蒋复电说：“昨日接到华秀电，长兄有病，在家静养，派人送参。”次日，果然送来人参十枝，可是蒋介卿已病入膏肓，于 27 日谢世，年 62 岁。当时，浙江省政府拟大事操办，蒋得知后打电话给陈布雷：“布雷先生，先通个电给浙江省府，兄丧缓办，作临时入殓，停柩在家。”

翌年 1 月 3 日，蒋介石从南京返回溪口养伤。不久胞妹瑞莲带着女儿竺培英来看哥哥，那时蒋的身上带有治疗的金属器械，表情悲凉，兄妹如此相见，不免低泣无言。当瑞莲向蒋介石谈起大哥蒋介卿时，更是泣不成声，继之种种述说，让蒋介石觉得长兄之不幸，自己也有责任，故心中充满愧疚。经过一段时间的治疗和修养，蒋的身体逐渐恢复，决定于 4 月 12 日，为长兄举行家祭和殡葬，并设立治丧处。蒋宅因例行新生活运动，对此概从简约，寄发讣书，仅以蒋家亲属、蒋介卿生前至友为限。

一、欲扬故隐

蒋介卿虽仅为浙江省政府委员，但国民党中央、国民政府以他与蒋介石的关系，决定派代表致祭，行政院除派定何应钦、张嘉璈、俞鹏飞、王世杰、徐堪为代表前往致祭外，考虑到众多人员齐集溪口，对各院、部、会长官的乘车、船时间以及住宿，返程作了安排。各省军政要员也定于 11 日、12 日赴溪口吊奠，难以脱身者也派有代表。蒋介石闻知，特于十日致电行政院代秘书长魏道明：“各部会长官公务冗忙，乡曲僻小，诸多简陋，万万不敢劳驾，免使中不安……”魏道明奉电后，当即分别转达各院、部、会知照。（《镇海报》1937 年 4 月 11 日一版）

奇怪的是，蒋介石的这一劝阻电，反到成了“动员令”，原本派代表的，却要亲自来了，原本已经派定人员的机关，后又增加了人数，原本不来的，却不得不来了。试想一个只有几百人口的小山村，陡增数千人（包括这些官员的家属、随从、警卫、司机等），不但对乡民正常的生产生活有干扰，而且道路的拥挤，喧嚣的人流，以及安全保卫、停车、住宿、食品供应、甚至如厕等都是问题。蒋介石不得不作考虑，出殡的时间也向后推延两天，所以，他自己的祭文日期是 4 月 12 日，而林森、汪精卫、阎锡山、孙科、孔祥熙等人的祭文却是 4 月 14 日（《镇海报》1937 年 4 月 16 日二版）。最终确定：12 日家祭，13 日成主，

14 日祭奠，15 日安葬。

蒋府治丧处为便利与祭各要人行程，派专人在杭州、宁波、奉化、溪口设接待处，其中宁波各大旅社均为“蒋夏房”（蒋家早先设在宁波的办事机关）租定。到 13 日，不得已又将招商局的“新江天轮”租为水上旅邸，原定对外航运取消。虞洽卿的三北公司“宁兴轮”被临时征用三天。宁波的各大餐馆生意格外红火，一般商客订餐要预约到 16 日以后。俞飞鹏奉蒋旨意，准备在宁波宴请与祭代表，却苦于找不到一个安静、体面的酒店，拖了两天，到 14 日晚，是在“新江天轮”上尽地主之谊的。而奉化县原有的衡通、大同、东亚、华安四大旅社及鄞奉汽车站，均由治丧处包租，为安全计，派由宁波公安局长俞济民（俞济时之胞弟）为总招待。在溪口则设有武岭学校（蒋介石所创办的私立学校，人称“溪口的励志社”）、萧王庙后竺村竺芝珊（蒋介石胞妹瑞莲嫁与竺芝珊）宅、王世和（蒋介石之舅表弟）宅、朱孔阳（蒋早年同学，结拜兄弟）宅、武岭公园中国旅行社招待所等五处，由陈布雷、钱大钧为总招待，五处另有各自招待员。显然溪口无法接待这数千人，治丧处实行分流：白天与祭，晚上一部分到奉化县城就宿，一部分到宁波，甚至还有一部分远到杭州“安寝”了。

行政院各部就本部门的与祭行程，大都在南京就作具体安排，如交通部派总务司长沈士华为总负责，并陪同全程。当时从上海到宁波的客船舱票紧张，沈士华知照各机关人确定数及代表名单，才可预定舱位。并规定来回行程：12 日夜由南京乘火车到上海，13 日搭乘客轮赴宁波，14 日晨由宁波乘汽车往溪口客祭，下午游停云山庄后回宁波，15 日早由宁波乘汽车至溪口送殡，下午游览各地名胜，16 日晚乘原轮回沪返南京。

二、途之为塞

最早一批到达溪口的是：监察院长于右任派监察院秘书长王陆一为代表，另派监委毛思诚、杨亮功代表监察院，十日晨作首途南行。审计部次长刘纪文代表审计部。（《申报》1937 年 4 月 11 日四版）陆军大学校长杨杰、南京市社会局长陈剑如、上海市财政局长徐桴等。

11 日到达的有：卫生署长刘瑞恒、青海省主席马麟、甘肃省绥靖公署主任王树常、赈务委员会委员朱庆澜、国府侨务委员陈树人、广东省侨务局长谢作民、冀察经济委员会主席李思浩、教育部长王世杰、立法院代表吴经熊、中央委员张冲等。

12 日到达的有：乘波音飞机而来的宋子文夫妇及宋蔼龄、宋子良（广东省财政厅长），汪精卫代表张群、军政部长何应钦夫妇、中宣部长邵力子夫妇、阎锡山和赵戴文代表李鸿文、驻闽绥靖公署主任蒋鼎文、淞沪警备司令杨虎、骑兵司令何柱国，以及蒋百里、王伯群、钱新之、虞洽卿、杜月笙、张啸林等。

13 日到达的最多，计有：五十一军军长于学忠、军事参议院院长陈调元、宋哲元代表戈定远、驻美大使王正廷、交通部次长张道藩、外交部长王宠惠的代表是外交部常务次长陈介、内政部长蒋作宾、首都警备司令谷正伦、江苏省主席陈果夫、二十七路总指挥冯钦哉、中央执行委员陈立夫，以及苗培成、刘建绪、孙连仲、朱家骅、甘乃光、洪陆东、张治中、于斌、周作民、马占山、谷正纲、周象贤等。

因 14 日上午 8 时开吊，到达的人员极少，仅有浙江省财政厅长程远帆、省委员楼光荣等，而最晚到达的是司法院长居正、湖北省主席黄绍竑等，于 15 日匆匆赶上了送葬。

蒋介石自幼受母亲影响，原信奉佛教，与宋美龄结婚后，改入基督教，故此次葬礼不请僧道做法事。但上海各寺庙事先均经上海市佛教协会通知，故一律于 14 日上午 8 时，齐集僧侣，唪经回向至 10 时，前后两天。上海菩提学会，暨其他佛教团体齐集缁素居士，举行同样回向仪规。（《大沪晚报》4 月 15 日四版）

三、挽联与祭文

尽管蒋介卿已病故多时，但到此时开吊，仍有唁电致慰蒋家，如褚民谊、李思浩、陈调元、周雍能、上海中西大药房的周邦俊和夏习时、许晓初，以及王直克、张作民等。

各界所送挽联极多，但对于这样一位生前声誉不雅的“皇兄”，人们又会怎样的褒饰？且看林森的挽联：

“凤翙兴才，善政早宜留两浙；鸽原急难，孔怀风义亦千秋。”汪精卫挽联：“孝友出儒门，共见光辉歌棣萼；交期思策府，晚闻绩效在枌乡。”冯玉祥：“何尝家愁，适兹国难；有怀明德，痛悼元方。”孔祥熙：“巍峨天柱属君家，韶舞继赓飏，五凤八龙多逊色，管榷浙关为我助，荩筹余薤露，六桥三竺景风流。”吴稚晖：“一州同哭越波咽，四牡方劳姜被寒。”钱大钧与陈布雷合挽：“扈跸忆东行，风义难忘，模楷更资天下式；警尘伤北望，忧虞甫毕，艰危犹系九原思。”蒋介石给兄长写的挽联是：“人间难得兄弟，岂其行役增忧，竟以参商成永别；地下倘应觐父母，为报余生许国，终扶华夏慰吾来。”

另外，蒋介石的祭文也是很有看头的：“维中华民国二十六年四月十二日，期服弟中正，谨以香花清醴致奠于伯兄大人之灵曰，呜呼，吾伯兄竟自兹长逝耶，何吾家之不幸，一至于斯耶。溯自中正九岁，先父见背，越三年而有季弟周传之丧，早慧夭折，痛之毕生。及中正三十五岁，而慈母又以尽瘁吾家殒于下寿。自兹以往，嫘然在疚，长为鲜民，唯与吾兄形影相依，出入相慰，家族乡里之事，唯兄以一身承之，而俾吾得驰驱国事。弟之疏漏，唯兄谅之，弟之事业，唯兄成之。今何不幸而兄又弃我而去。而今而后，孑然一身，助我者谁欤？知我者谁欤？每诵昔人父母俱存兄弟多故之语，益慨其言之真切有味也，吾兄宅心笃厚，秉体复强，习劳靡倦，素鲜疢疾。昨岁春日，偶抱微疴，弟适扫墓返里，病榻执手，见吾兄容颜黯黑，尫羸异于平时，忽凄然心动，徘徊而不忍遽去。孰意此别，竟无再见之期，手足同气，岂真有感召于不知不觉间者耶。兄病笃之时，弟适遘西安之变，问医求药，未尝一日躬亲，及由洛返京，次日接得吾兄之凶讯，力疾驰归，仅得扶棺一视，而兄之遗言终不得闻矣。闻家人言，弟遭难西安之日，兄犹出游社庙，闻讯而惊痛以归，然则兄病之增剧，乃由于弟之患难，兄以忧弟而病，弟归而兄乃不及见，茫茫人天，此恨宁有终极耶。自今以往，唯有益秉先人之训，尽力国事，期无忝于家族，用孚吾兄九原之望，而于敦宗恤里，整饬户庭之事，悉秉兄之遗绪，继兄之志，慰兄之灵，如此而已。呜呼，武山苍苍，溪水湛湛，而吾兄之笑语，今后不可复接矣。薄奠一卮，唯以告哀，兄其有灵，庶几来格。呜呼哀哉，尚飨！”（杭州《正报》1937 年 4 月 15 日一版）

◇ 离开大陆前，蒋介石率儿孙最后一次到兄长的墓前祭扫。

看了蒋的祭文，都不知道他说的是谁了。

最高法院院长焦易堂赠大理石之归窆纪念石，“归窆”文系焦氏撰写。

四、开吊与出殡

蒋介卿灵柩停于三房祠中，灵堂陈设，朴素庄严，祠堂外东西向各搭建素采牌楼一座，大门里面搭哀荣台。12 日的家祭，由蒋亲自主祭，蒋偕夫人宋美龄在灵前致祭，蒋氏泪流满面（蒋家定有规矩，祭拜不哭泣）。另有蒋原配毛福梅、第二任妻子姚冶诚也在灵前上香行礼，此时在家谱上，毛福梅已归于蒋母王采玉之养女，那姚冶诚又是何名义？

由于与祭人员过多，溪口没有大的开阔场地同时致祭，治丧处将来人分为两种，一是家人和至亲，重要人物在祠堂致祭，二是在溪口公园门口设灵位实行“路祭”，更多的次要人员以及一些因故来晚的外地人员、三村五里的乡民，均在此签名行礼。14 日晨 8 时正点起，蒋氏祠堂开吊，由各机关代表致祭：国民党中央代表吴稚晖首祭，十分钟。然后依次是中政会代表兼汪精卫个人代表张群致祭，十分钟。国民政府代表朱家骅致祭，十分钟。行政院代表魏道明致祭，十分钟。此后是中央各院、部代表分别致祭：如钮永建代表考试院，王陆一代表监察院及于右任、吴经熊代表立法，焦易堂代表司法院，罗桑坚赞代表班禅。此后为中央各军事机关代表致祭、中央各军事教育机关代表致祭、各省市边区各机关团体代表致祭、浙江省政府代表致祭、宁波各团体代表致祭、奉化县政府与各团体代表致祭。这样就到了中午12点。下午是军政要员个人、社会贤达、蒋介石、蒋介卿的亲友分别致祭，一直到晚上才结束，与祭人员达千余。蒋因在修养中，派黄仁霖、汪日章、何云于当晚款待上述人员。（《正报》1937年4月15日头版）

作为军事委员会副委员长的冯玉祥，被高规格安排在武岭公园中国旅行社招待所的“漪澜厅”。早上为他准备的是牛奶西点，他吃不惯，出去买了大饼油条，又应雪窦寺高僧太虚之请，题写“抗日救国”。冯曾到蒋宅各屋参观，其中一间“面向南，以北为上，光线极佳”的房子里，有段祺瑞的相片悬于东墙上，对面西屋墙上有他为蒋五十寿所作诗：“担当乾坤七尺身，中年大抵感艰辛，高歌劝进黄龙酒，海内苍生切望君。介石吾弟五秩大庆”，此诗所挂之处，迎面即可看到，使冯异常喜悦。（《冯玉祥日记》第五册，136页）可见，由此小事蒋都作足对冯的表面功夫。冯还对蒋为此次出殡提倡“不烧纸、不念经、不叩首、不哭泣”的“新生活运动式”葬礼大加赞赏，认为有提倡必要。（1937年南京三户图书社出版发行《冯在南京第二年》，72页）

15日为出殡日，早8时，军乐队奏哀乐，各处派岗，军警枪口向下。出殡队伍于8时半出发，9时出灵，由宁波公安局长俞济民任总指挥。他们先在武岭学校礼堂和操场集合，每八人一排肃立待令。蒋氏夫妇在俞济民指挥下缓步而行，所有人员鱼贯其后，参加执绋者数千人，队伍绵延三四里，加之各地记者和围观者，全镇人流如织。浙江省政府、省党部及其他浙江代表，在溪口公园门口路祭，由朱家骅主祭，送殡队伍到此止步，有情愿继续跟随蒋夫妇者，均被蒋氏劝回。蒋夫妇及蒋氏族人与亲属则徒步送至桃坑墓地，蒋含泪扶棺入葬。（杭州《正报》1937年四月16日一版）武岭学校停课，责令全校童子军维护秩序，站岗放哨。事毕，中午用餐，每桌加菜两碟。（《奉化文史资料》第一辑，80页）丰镐房也备有斋饭，一般官员中午大多在此就餐，而远近赶来吃斋饭的村民，就安排了千余桌，其场面之宏大可想而知。

丧事的费用由丰镐房支付，蒋介卿妻子单氏认为机会难得，私下对总管蒋孝祥说：“阿叔（指蒋介石）花钱是不在乎的，他帮我家的忙也只有这一次了，你在账目上可以多报一些。”所以棺木报了3000元，出殡费9000元，实际总费用也仅8000元左右，单氏乘机还捞了一笔钱。（《传记文学》第六十一卷第六期，47页）

丧事结束后，这些官员立即返回，有的分头游览雪窦寺、育王庙、天童山等各处名胜，还有的顺道在杭州小住几日，以便享受闻名遐迩的“西湖醋鱼”。另有杜月笙、张啸林、王晓籁请客，邀请官员到绍兴一游。何柱国、于学忠则上雪窦山往访张学良。蒋介石因连日操持，颇感疲惫，对所有官员均未接见。但15日中午派人嘱冯玉祥、张群、邵力子、王世杰、陈果夫、于学忠、何柱国七人稍留，等待约见，显然有要事相商。

五、谁没参加

虽然此次形同“皇家葬礼”的出殡，与祭者之众，职位之高，实数罕见。但仍有几位显眼人物出缺，而出缺者，有的派了代表，送了诔词，有的则不理不问。比如林森，远赴广东于4月4日在广州致祭黄花岗烈士，这是国民政府会议安排的。1936年7月18日，蒋介石收买陈济棠的空军司令黄光锐，将要北上讨蒋的两广联盟随即瓦解，陈济棠当日逃往香港，蒋收复对广东的统辖，并委派亲信出任广东省主席，为安抚粤籍人心，应呈请，花费巨资重新修建了广州黄花岗烈士墓园，此时新墓园落成，林森代表国民政府揭幕并致祭。致祭后顺便游历、考察各省，10日由桂林转长沙，13日在湖南游岳麓山，17日由南昌回到南京，并立即接见日使馆参赞川越。（《正报》1937年4月16日头版）

汪精卫早于本年2月间，赴国外治病、疗养，但他有挽联，祭文，派有代表。

吴铁城没有去，是赴广州就任广东省省长，这是蒋介石委派的，他有代表致祭，有诔词致送。

孔祥熙之所以没有参加，是因在4月2日下午，由上海启程赴英参加英王加冕大礼。15日船到孟买，即在中国领事馆打电话向蒋问候，对蒋介卿之丧表示哀悼。到了英国，更是常向国内打电话，又向家里打电话问候夫人贵体无恙，再向行政院、财政部里打电话问候各位部长安好。据当时中英间的约定，他打电话每天的代价折合法币为490元，时间只有三分钟，4天就花去近2000元，令人咋舌。杜月笙与孔的关系融洽，听说后曾想打一个电话到伦敦问候他，因时差的原因，正是深夜，没打通而脑不已。（上海《铁报》5月12日二版）4月26日，中国与意大利间第一次无线电通话，就是孔打给宋美龄的，孔先问委员长健康，继问夫人健康，再问……就因天气缘故，声音很不清楚。（《申报》1937年4月27日九版）孔虽然不能参加，但有代表、有挽联、有祭文。

阎锡山之没有参加，也派有代表，送有祭文。

◇ 西安事变后，蒋介石与同他一起被扣西安的随行人员合影。

戴季陶与蔡元培是既无代表，也无诔词。戴曾请假两旬，于4月9日返吴兴扫墓。他为何不早不晚请假，偏偏在这个时间？大概与西安事变有些关系。西安事变发生后，戴在政治会议上力主武力讨伐，何应钦正中下怀，于右任、孙科等也认为应该如此，但不愿先表态，经戴慷慨陈词后，才附和他，讨伐案遂成立。但宋子文认为这样做等于送蒋的命，立即往访戴，戴对宋说：老实说我同蒋的关系，不比你们浅，我不会害他的，你们搞你们那一套，我主张我的一套，你们不要管我。宋无奈而退。但不管怎样说，事后蒋介石和宋家兄妹等主和派，还是对戴有看法。到《西安半月记》发表，文中对主张讨伐的人进行抨击，戴看了很气恼宋美龄，又迁怒蒋竟然同意发表，气极之下，用鸡毛掸子把家里的花瓶都打碎了。由此戴还对宋美龄的亲信也“怒屋及乌”了。在重庆有一次夏天，他在路上与黄仁霖碰面，黄一手插在短裤兜里，头发油光铮亮，用洋人口吻打招呼：“哈罗，戴院长！”（黄曾在美国留学，抗战时期负责接待照料在华的美、英盟军将士，作风洋派）戴见他如此，怒不可遏，举起手杖连打两下，骂道：你是什么东西？敢用这种态度对我！黄抱头而逃。（全国政协文史资料委员会编《文史资料选辑》第93辑，82页）以戴的脾气性格，请假避之，也就可以理解了。

于右任有代表，又布置了监察院的致祭事项，为何没有参加？一则是足疾不堪久行，二是4月30日为于右任六十大寿，蒋提出为于祝寿，于托词养病，提前避寿上海。至于蔡元培、张继、李石曾等人为何没有参加，也没有看见他们的诔词，就令人费解了。

第二章
母子篇

第一节　孝园往事

成都曾产生过两位国民党政府的高官，这两人都与蒋介石有深远的历史关系，都与蒋是留日同学，又都与蒋有金兰之谊，而且都尽心尽力辅佐蒋的“党国大业”，同为蒋所依靠的重臣。这两人就是张群和戴季陶。

张群和戴季陶虽为同乡，却并未见两人彼此结盟或共谋利益，颇有各自为政的味道。虽说都是为蒋服务，但两人对蒋的服从程度是不同的，蒋对两人的利用方式也有所区别。张群对蒋毫无怨言，任凭驱使；戴对蒋的缺点失误，敢于规劝，甚至是顶撞，以至于引起蒋的反感，甚至拳脚相加，但过后，又幡然悔悟，不得不向戴道歉。在官职上，张群有时是封疆大吏，权倾朝野；有时是外派钦差，颐指气使；有时又辞官为民，做了海派寓公。戴则不同，自 1927 年国民党在南京建政，就稳坐中枢要隘，以理论家的资格，从事对国民党、国民政府的理论建设，对政权、制度、规章、典籍的研究和确立，做出过巨大的贡献。戴的晚年，与蒋的关系疏远，也少了当年锐气。而张群始终得到蒋的信任。退一步说，就是在尊亲去世的丧祭方面，蒋对戴、戴对蒋，都与张群截然不同。

一、噩耗惊传

1929 年 2 月底，国民党中央常委、宣传部长戴季陶，正忙于筹备国民党第三次全国代表大会的组织工作，并负责起草大会宣言。27 日，他连接川中两份急电，报告母亲黄太夫人于 25 日化羽仙游。多病善愁嗜哭的戴季陶，突接噩耗，当即昏迷，醒来后大哭一场。他想到去年 7 月，大哥传薪病逝，母亲因哀伤过度，致病卧床。今年 2 月初接侄儿来电，谓祖母病重，水米少进，可否来川一行？戴

◇ 国民党的理论家戴季陶。

焦急万分，决心摒挡一切，坚决返川！当即向蒋介石请假，蒋以再稍延数日即可。几天后接向传义和姻亲范禀武先后来电，均称经医治已有起色，面色发光，每日可饮牛奶蛋花，戴这才略微宽心。后来他隐约感觉到是蒋委托张群，通过川省当局延请名医施诊的效果。

他拿着电报找到蒋，要求请假即日奔丧。他了解蒋，料定他不外是“移孝作忠，在京成服”那一套，所以想好了应对的办法。没想到蒋除了殷殷慰语，还爽快地答应了，又说让典礼局准备丧仪金。蒋看到戴心情平静下来，又对他说：川局近来极不平静，某某闹得厉害，某某又怎样倾向和平，某某可以利用，你去看看，谁可以争取过来？戴这才明白蒋爽快的原因，是要他公私兼顾，谋求川政。他没说什么，也没向蒋告辞就不客气地走了。

二、哀思连寐

回去后，他脑海里反复出现的图像，只有家乡和母亲。外祖母家在湖北黄州，世代经商。母亲生有四子三女，季陶居末。他后来为母亲作传称：“侍尊嫜以孝，抚儿女以慈，族戚邻里无闲言。”母亲不但女红美誉赫然，而且得丈夫医术秘传，先协助丈夫行医，后又独立悬壶。她曾想把这神奇异术传授给季陶，但儿子匆匆远赴国外留学，致使秘籍失传。1905 年他 15 岁赴日留学时，家中贫困，大哥做主，卖掉祖田 30 亩，祖母、母亲又当掉首饰，凑了 700 元，满足他的心愿。没有了祖田，以后只有靠母亲行医、大哥教书，聊以度日。

他自言自语：吾戴家真多难也！三位哥哥，均先于母亲去世，家中仅余三位寡嫂相协度日。凡有出息的侄辈，无不在外求学、谋生。如今，母亲去世，何人在料理丧事？先严当与慈母合葬，祖茔怎样安排？坟前种树几许？……他实在放心不下，真想立即就赶回去。

可是蒋允许他奔丧的条件，是为蒋图谋川政归于中央！不禁让他想起一句俗语：吃着碗里的，看着锅里的。只是你蒋中正有没有这般胃口？那川政是“好图”的？你蒋中正有没有听说过欧阳直公在《蜀警录》里的名言：“天下未乱蜀先乱，天下已治蜀后治”的警告。

戴之所以畏惧“图川”，是有历史的教训。当年孙中山在遭到陈炯明叛变后回到上海，希望借助其他地方军政力量，恢复对广东的管辖，于 1922 年 10 月底，派他入川，对各派川军进行联络、争取。他很高兴，一来可以回到离别 17 年的家乡；二来要为次年母亲七十大寿做生日，好好庆祝一番。当他赴宜昌途中，得知川军内战一触即发，根本无法联络，即大失所望。他在四川住了一年多，深切体会到，四川的大小军阀数量，全国最多；四川境内的军阀战争次数，全国最频繁；四川军阀的派系矛盾，全国最复杂，他根本无法完成孙交给的任务。这期间，他因“公私的前途，都无一点光明”，而投江自杀，幸为渔民救起。此一经历，让他刻骨铭心。他想找到一个办法，既得以奔丧，又拒绝蒋的“图川”委托。

三、无奈屈服

各界对于黄太夫人去世，纷纷表示哀悼，戴家收到的第一封唁电，是林森与吴铁城的联名之哀，其次为朱家骅、邓锡侯、陈大齐、张之江、陈布雷、潘公展、何西亚、刘文辉、陈铭枢、石青阳、冯玉祥、张学良等。报界对此格外关注，如南京的《民生报》在 1929 年 2 月 28 日三版的“要闻简报”中有题目为：《戴传贤即可奔丧回川，定明日成行》。内容是“戴昨日得川电丁内艰，已向国府请假奔丧获准……”《中央日报》发表署名“紫唇”的文章：“用革命的精神来吊革命的母亲”，称黄太夫人是“笃勤”的母亲。

戴宅治丧处将讣告遍发各亲知友，讣内影印黄太夫人手书孝经、著名人物题跋的珍贵墨迹多幅，殿以戴手笔的哀启，合成精致一册。戴宅在全国多家主要报纸，如天津《大公报》、上海《申报》等刊出“讣闻”，其中南京的《中央日报》同时登载“戴宅报丧”、“戴宅治丧处启事”、“戴太夫人讣告”三种启事，一连 12 天。而最具权威性的是 3 月 2 日《中央日报》头版刊载的“丧闻”：“戴季陶同志之母黄太夫人于 2 月 25 日寿终于成都，噩耗到京，同深哀悼，即日起在首都毘庐寺设灵，凡我同志可随时就近致吊。蒋中正谭延闿蔡元培胡汉民王宠惠孙科等同启。”以蒋名列首位，为结拜兄弟之母丧祭，发布“丧闻”，在

◇ 戴季陶任国民政府考试院院长 20 年之久，自称其办公室为“待贤馆”。

蒋一生中只有这一次。

当时蒋介石上台不久，对于报刊舆论的重要作用认识不够，对文化宣传的统治经验不足，对报刊的控制也没有形成有效制度，不知怎么就把蒋要戴“图川”的事给抖搂出来，而最先报道的竟是国民党中央的机关报《中央日报》：“……戴氏以年来奔走国事，对于先人怡养，深疚失职，故悲痛异常，昨日即呈具国府请假，俾能即日赴川奔丧。蒋主席之意，将命戴乘入川之便，调度川局。”其他报纸也争相刊载。本来是秘密进行的事，现在公开了，令蒋很尴尬。这样一来，蒋认为戴没有必要再回川了。蒋知道戴不同于随便摆布的张群，于是他不出面，暗中布置，3 月 2 日下午，中央举行常委会议，议决：“因戴氏任务繁重，不便返川，决定给假十天，在京遵礼治丧。对辞职一事，毋庸再议！”又给戴安了个头衔“三全大会秘书长”，到大会闭幕后，再给你老太太治丧，这下看你还能脱身？还动员众多元老，以慰问为名，恩威并施地警告：“党国大政离不开戴季陶！”

而戴辞意坚决，奔丧不改！他也知道蒋会有新办法对付自己，于是从 3 月 2 日起，戴闭门谢客。于右任、叶楚伧、居正等也一概不见。到 5 日，有近百人吃了闭门羹。四天里，他只见了两人，这就是蒋氏夫妇。据等在门外的记者说，蒋氏夫妇在戴府二十分钟，才面带笑容向记者颔首离去。

聪明绝顶的戴，这次和蒋、宋怎么谈的？不得而知。不过他知道胳膊拧不过大腿，僵持下去，会与蒋的情面过拂，今后怎么办？况且如此多的老朋友，总不能都得罪吧。最重要的是，该死的记者，把蒋要他“图川”的目的捅了出去，就是回去，那些个个都不好斗的川将和军师，处处都会提防自己，少不了门前按哨，身后尾随，那又有什么意思？不如卖个面子，随了他们。想通了后的戴，于 3 月 5 日，率其亲属到毘庐寺万佛楼成服，考试院的同仁及治丧会的所有办事人员均到场致祭。戴氏为世代尊佛之家，其祖母、母亲，均笃信佛教，戴自幼年，耳濡目染，颇通佛理。夫人钮有恒自幼礼佛虔诚而不亏一日。如今，更是每日黎明，夫妇同往毘庐寺灵前诵经，常至泣不成声。

在这期间，考试院无人主理，行政院不得已，致电该院秘书陈大齐，从速返京，辅助副院长料理院务。

四、哭搅三全会

3 月 15 日上午十时，国民党三全大会在中央军官学校大礼堂举行，出席代表 213 人，出席人数 399 人，列席 60 人。推定主席团为胡汉民、谭延闿、蒋介石、陈果夫、潘公展、陈耀垣、孙科、于右任、古应芬。蒋致欢迎词，并作党务报告，何应钦作军事报告。

戴本为秘书长，因守制期间，故暂由叶楚伧代理。在代表们坐定后，那些吃了闭门羹者，见到戴，纷纷前来与戴握手慰问，戴则默然还礼，一时间堵了通道。秩序恢复后，戴才坐在张静江和李石曾两人中间。戴略与两人寒暄，张则调侃道：“你有什么冤屈的？比我强多了，两年前，我是在广州成服的，你的南京是首都，比广州大多了……”这一句话，又勾起戴的哀伤，竟控制不住地大声哭起来，代表们有的过来安慰，有的起身观望，会议不得不暂时终止。

蒋介石的态度如何？他好像当没有发生此事，“在会场上态度雍容，当有人向他谈话，则立起与其握手，笑容可掬，略道寒暄。”三全会结束后，3 月 28 日起，戴家开始筹备公祭，蒋以戴确有“哀怨”，又给假三天，理由是：守制期间，适有会议，不得已，销假出席，现在弥补。

五、葬礼

黄太夫人之丧，从 3 月 30 至 31 日，开吊两天。国民政府典礼局先期发出通知，安排好具体事项。南京西华门毘庐寺从大门到礼堂，高扎素彩，内外遍挂挽联，一望洁白。蒋介石、冯玉祥、阎锡山、蔡元培、张学良、于右任、唐绍仪、胡汉民，以及日使芳泽，其他各省官员，机关团体的挽联、挽幛、花圈两千多件。礼堂外由市政府特派素服专警十余人，仗剑守卫。礼堂正中，隔以孝幛，内悬黄太夫人的传神油画像，是大画家徐悲鸿根据去年冬寄自川中的照片精心绘制，只见她面带微笑，手持佛珠，慈眉善目。周仲良、杨熙续等所赠银铸相片也陈列在架案，极为精美。

早六时，戴率眷属举行家奠。八时，公祭开始。程序是：来宾先在大门前签到，由招待员导至礼堂行礼如仪，戴氏及其夫人、子侄辈在帏内答礼。礼毕，招待员带入客厅，上香茶美点。来宾有谭延闿、王宠惠、何应钦、古应芬、冯玉祥的代表鹿钟麟、阎锡山的代表刘朴忱、张学良的代表宋朱光沐（女）、许世英、陈果夫、张维瀚、焦易堂、刘汝贤、张治中，考试院及其他机关、团体等四百余人。在外国来宾中人数最多的是，被戴称为做妾行盗的日本方面（戴季陶有一个形容中日关系的著名论断：中国强，日本是妾；中国弱，日本是贼！），如日使芳泽、芳泽随员崛内有野、日驻沪总领事重光、领事上村、驻京领事冈本、副领事岛田及梅屋庄吉等 50 余位。其中海军中佐柴田从上海乘日舰赶来，只为送两个花圈。

31 日，举行追悼大会，由行政院院长谭延闿主祭，恭读蒋的祭文：

维中华民国 18 年 3 月 31 日，国民政府主席蒋中正，及委员职员等，谨以香花酒醴之奠，致祭于戴母黄太夫人灵曰：呜呼，伏女云，宣文已邈，徒象无闻，遗经熟绍，琼哉贤母，实为女师，扬芬锦水，毓德峨嵋，生禀懿纯，长称淑惠，和喈远闻，来宾于戴。鸡鸣礼肃，鸿协心同……

上海大中华影片公司拍摄了两天来的全程新闻纪录片，留做纪念。

六、戴季陶死所

1948 年 12 月 28 日，戴季陶经不住多方劝导，偕赵夫人乘美龄号专机，飞抵广州，先住在广东省政府招待所的“迎宾馆”，后转往更为幽静舒适的“东园”宾馆，备受政府礼待。

次年 2 月 8 日在广州举行的国民党迁广州后的第一次常会（即第 177 次会议），戴季陶在会议的纪录上签名时，手抖得很厉害，郑彦棻看见他从烟灰碟上拿起烟，慢慢地将燃烧的一头儿放在嘴里，“很像已经失去控制一样”。这是戴去世前四天的精神状态。（《四川文献》第 181 期，62 页）这期间，蒋介石要戴做去台湾的准备，戴置之不理，却想回老家成都，所以，他的一部分行李一直没有打开。中央社在报导戴季陶逝世的消息时，说戴是逝于广州的“东园”寓所，这不由得让人联想到不久前，国民党政府刚南迁广州时，中央社说“东园”这片地方，将来也许会在政治上有重要作用，要新闻记者们多予以关注，隐含誉之为“风云际会之地”的意思。没想到中央社这个乌鸦嘴，果然灵验，一语成谶。为什么“东园”如此受到关注？不管是从香港北上，还是从汉口南下，只要你是乘火车去广州，在快要到当时的大沙车站时，便会看到一座华美的建筑上有“东园”两个大大的金字，那便是罗卓英的手笔。“东园”的前身是“退思园”，一个很雅致的名字，而白崇禧解释的灵透：“罔乎之‘退’，妙乎之‘思’”，因为那是陈济棠时代集会议政的场所，也可以说是当年李宗仁、白崇禧与古应芬、陈济棠谋划反蒋，在政治上的策源地，在军事上的大本营，在经济上的总“司库”。后来胡汉民在此多次宴客，也少不了与反蒋有关，而他的宝贝养女胡木兰与夫君闹离婚，也多次避居于此。1936 年蒋与李、白在广州谋和，又与“退思园”牵扯到一起。“退思园”连同这块地产，原是粤汉铁路局所有，可一向被政府占用，陈济棠是“南天王”，谁也惹不起。陈垮台后，“退思园”一度归还，但仍少不了被公用：1936 年 10 月 19 日，孙科在此召开中山县训政会议，商讨该县兴革事宜。

1945 年 8 月底，罗卓英被任命为广东省主席，这是他初次就任封疆大吏，颇有为乡梓效力的信心，还制定了“建设广东五年计划”。他需要一个安静优雅的环境，招待外宾和中央来穗大员，于是他也看中了“退思园”，大兴土木，把“退思园”修葺一新。因地处广州东郊的东山，罗卓英又是广东东江人，便改名为“东园”。两年后，陈诚被任命为东北行辕主任，以扭转东北战局，在陈诚的要求下，罗卓英被调去沈阳为副主任，辅佐陈诚。那时“东园”的“音乐台”还没有完工，罗在“音乐台”的台阶下，徘徊于用碎石铺成的弯曲小路上，长吁短叹，久久不忍离去。

宋子文于9月13日取代罗卓英，成为广东省新主席，11月15日又兼任广州行辕主任，集广东军政大权于一身，颇有一番雄心壮志，但他与罗卓英注重市政建设，扫除“怠、昏、私、顽、散、伪”陋习不同，而是侧重发展经济，设想利用美国资金，在广东建电厂、煤矿、糖厂、开铁矿等。在宋未到广州前，那时行辕主任的兼职还没有发表，张发奎做行辕主任，他对罗任命的秘书长丘誉威逼说，宋子文不能住行辕官舍，丘誉很为难，于是转缓说，有一个“东园”可以让他住。等到宋子文一下飞机，一帮迎接他的“广东佬”，嘻嘻哈哈地送他到“东园”去“休息”。宋在“东园”转了一圈，看到环境虽好，但有的房间还在粉刷，砂石木料堆放在过道等待清理，四周是矮矮的冬青疏棘，很不宜警卫，提出要住到行辕官舍。张发奎板着面孔说：那是国府主席的行辕，省主席不能住。宋争辩道：以前我来广州时住过那里。张发奎变了态度：你那时的身份是行政院长，现在……结果宋还是住到了行辕里，他也大兴土木，修建了豪华的会客厅。宋夫人不可示弱，不但开辟房间，安装下水管道，修建了功能齐全的厨房，还进口了一些电器设备，大有长久安居的意思。不久，张发奎离开，宋子文成为行辕官舍的唯一主人。

至于“东园”，则成为他的智囊团的宿舍，戴季陶来“东园”后，只占用两个房间，并不是如中央社所说的是他自己“寓所”，(《宁波日报》1949年3月17日四版)因为大批南下的要员也都住在“东园”。孙科来广州后，巡视到“东园”，竟然看中了戴家的房子，先是与戴商量，但未等答复，就把戴季陶的行李搬到另一处，那里原是市配售处副处长蔡国英的温柔乡。后来戴季陶见给他新安排的三幢二楼十九号的房子简陋，大为不快地说：“孙科也太看不起我了。”还有于右任也住在那里，2月12日一早，于有急事要去上海，而且已经坐在往机场去的小车里，接到别人转告的戴身体“不适”的电话，还是下车匆匆赶到戴的房间。据当年报纸报导：“于院长紧握戴先生的手，觉已冰冷，气息奄奄，不禁潸然泪下。”

李宗仁以代总统名义，拨50万治丧。(《申报》1949年2月15日一版)蒋介石题挽匾“痛失勋耆”。

第二节 体贴入微的“御厨”

有人评论张群与蒋介石的关系，认为张最了解蒋，正因如此，张对蒋奉命唯谨，从令如流，不求闻达，当求无过，更不透露其与蒋的特殊关系。所以，深得蒋的信赖和重用，蒋的很多重大决策，他都参与其中，是蒋的高级幕僚和智囊人物。蒋溃退台湾后，张群仍然效命如前。曾经有人评论说：“岳军？只能呼为蒋之使女而不得称为如夫人，以如夫人尚有恃宠撒娇时，而张并此无之，惟知唯唯诺诺，蒋欲如何便如何，无一丝违抗。”不过，对张、蒋关系最形象的比喻，却是张群自己。他曾对卢汉说：我与蒋的关系太深了。1957年，张群访问日本，有记者问：“你追随蒋先生最久，和他关系最好。大陆失陷，你是否也要负一部分责任？负一部分没有进言的责任？”这个问题很不好回答，搞不好要得罪蒋介石。但张群却轻松地说：“我只是个厨子，主人喜欢吃什么菜，我做什么菜。”这句戏谑之言，出自张群之口，令人大为意外，于是遭来更大的议论和嘲讽，张群不以为然，认为他的这个“著名比喻”，这还不够直接和明了，干脆直截了当地说：“张群何人？蒋介石走狗也！”这下人们再也没有话可说了。

那么，张群在自己尊亲去世后，治丧时，是如何烹调出主人满意的佳肴？

一、家庭情况

蒋介石身边的人，哪一个不是侍奉尊亲至孝？这是蒋所看重者，人品中最基本的一条。如戴季陶、戴笠、陈诚、胡宗南等。张群也不例外，是当时国民党高层孝亲的典范。

1958年3月4日，时任“总统府”秘书长的张群，其母姚太夫人以94高龄，在四川华阳原籍驾返瑶池。

◇ 张群（前排左）与蒋介石（右）在东京振武学校留学时即是同窗好友，辛亥革命光复上海后又成为结拜兄弟。自喻为蒋的"厨子"不过是戏谑之言，但他在六七十年间一心一意地侍候这位义兄却是实实在在的。

由于两岸军事对峙，信息封锁，到第二年的 8 月 4 日，张群才通过香港有关方面得知噩耗，令他悲痛不已。对于母亲，张群是有愧的，首先是"不奉养"，其次是"无救难"。他在"讣闻"中称："不孝群，越在台湾，顷闻耗，违侍十年，久亏子职。罹此鞠凶，痛疚曷极。"也算是情真意切了，只不过这样的"痛疚"，来得太晚了。

张群，1889 年 5 月 9 日生于四川郫县，其后寄居华阳。其父为人纯朴、敦厚，以作幕为生。张群兄妹四人，他居长。二弟张彻，字达泗，才能平平，曾任成都营业税局局长。三妹嫁与伍某。四弟张骧有纨绔劣习，故张群对两弟多有不满。1929 年，张任上海市市长，张骧找来，张群拒不见。张骧于夜潜入认错，被张群拖至其父遗像前痛杖。1942 年张群在成都坐车出行，适逢张彻欲搭车，张群说："这是主席用车，你不能搭乘！"此事传出，张群有"公私分明"美誉。张群居高官，从无问舍求田，也从不为亲属谋官职。张彻、张骧做官与张群无关，而是地方大吏为向张群示好。1949 年张群赴台，两弟均留在大陆，张彻先于母逝，张骧 1959 年病故，葬于成都北郊磨盘山其母墓侧。

◇ 1928 年 7 月，张群（左一）、罗家伦（左二）、陈布雷（右二）等随北伐军进入北京，次年 40 岁的张群出任上海特别市市长。

张群为政圆滑，喜交结，朋友遍及社会各个阶层，甚至包括乡绅、会党。

二、亲娘与岳母

1912 年 9 月，张群与马育英结婚后，笃信基督教的岳母彭金凤，就由女婿恭迎奉养，而母亲姚太夫人则由张彻、张骧轮流赡养。到张群显达后，两弟在四川得各路军阀多方照顾，境遇转好。但姚太夫人仍欲使两弟减轻生活负担，提出与张群同住。姚太夫人在张群家，颇感不适，如张群生活崇尚西化，规矩刻板难耐，用度过为"严谨"，即使饼干也要论块计算分食。而姚太夫人喜乡间自由散漫生活，做事也趋随意性。更重要的是，两亲家言语不解，习惯不同，宗教信仰尤异，一捻珠吃斋诵经，一祈祷上帝虔诚，家中宛如两台戏对唱一般，很是热闹。据说有一次，张彻来哥哥家探望母亲，恰逢张群回家，见弟弟正与母亲分食水果，张群笑道："你们现在是靠我生活而已吧？"张彻低头不语，母亲仰面干笑相对。过了几天，张彻仍然将母亲接回自家中。1933 年张群出任湖北省主席，岳母则随住省府。四弟张骧任汉口电报局局长，母亲就随张骧住电报局，两家相距不远。张群有时将母亲接来省府午餐，饭后又送回电报局。倒是马育英善解细微，常有精备时鲜果蔬，过往探视婆母，问寒嘘暖。此外，张群有时忙于公务，无暇兼顾，就经常命两个儿子去看望母亲。抗战时期，为躲避日机轰炸，张群与母亲协商，由张群妹妹接到华西坝，侍奉晨昏。

1949 年，国民党高层作退居台湾打算，蒋介石要求务必将家属子女先行接去。张群最后一次去成都，就是去接母亲转道赴台。可是这时蒋有一个重要使命，第二次亲自前往重庆南开中学教工宿舍"津南村"，劝说避居于此的考试院院长张伯苓去台湾，并准备接受张所提出的一切条件。这一细节，在蒋氏父子的日记中，均有记载。蒋深知自己言辞不达，欲找一位能言善辩亲信同往。这次，蒋介石、张群、蒋经国就又一次碰了张伯苓的软钉子。此次相劝，趣事颇多，蒋相劝无效，心灰意冷，在上汽车时，额头在车门框碰了一个大包。张伯苓夫人还提出让蒋批准张辞去考试院院长职务。张群也失去接母亲赴台的机会。这次行动，实为一着险棋，因为他们飞到重庆后仅两天，重庆即被解放军合围。离开重庆十天后，重庆就被中共接管。

张群为尽对人主之忠，又一次放弃事亲。但他对母亲实在放心不下，离川前，侧面探知邓锡侯、潘文华，并料定两人不会离川赴台，即以老母安全相托。到台后不久，才知可笑，哀叹道："覆倾之下，岂有安危可托？"果然，这两人不久就自身难保。每念于此，张群就痛苦不堪，自责不已。得知母亲去世的确切消息，张群失声痛哭："是自己不孝，临终也未及一视慈颜，痛哉！悲哉！呜呼哀哉！"

三、化解难题

姚太夫人去世的噩耗传来，给蒋介石、张群都带来一种尴尬。蒋对其题诔和不题诔，都不合适。蒋为什么力求高官的家属务必先行赴台湾？就是怕他们落在中共手里，难免会做出令其难堪的事来。

果不出蒋所预料，1956年，姚太夫人在成都的四川省人民广播电台，公开发表对台谈话，宣传祖国的大好形势，希望儿子幡然悔悟，不要再为蒋家王朝卖命了，唤其赶快回到大陆来吧，为社会主义建设尽一点力量。台湾的情报系统立刻将这一情况报告蒋，蒋自然不会对姚太夫人满意。而现在，张群清楚地掂量着，如果蒋不为母亲题诔，必定会引起社会各界的议论，这种事又不能明说。如果蒋为母亲有所题诔（这是绝对不可能的），那不是滑天下之大稽嘛，他怎么会为一个骂过自己的老太太死后歌功颂德？如果他果真那样做，胸襟也太开阔了吧，人们会怎样议论？中共方面又会否有新动作？果真如此，蒋的丑可就出大了。张群陷入深深的思考中。

我们且看这位为蒋介石做了几十年美味佳肴的"御厨"，此次又会怎样为主人烹调一道满意的小菜？1959年8月20日，张群与夫人马育英率子媳及孙辈，在台北《中央日报》头版刊发"讣闻"，称已"奉准给予丧假三周，即日成服居家守礼。当兹国步方艰，新遭灾患（当时台湾发生大水灾），不敢举行任何仪式，吊唁礼赠，敬谨恳辞。一俟大陆重光，再行择期展奠。"该报又在"讣闻"相近位置，对张群丧母，作相同的说明，也完全是根据张群的口径，希望人们不要前往吊唁，不要致送诔辞、挽幛和赙仪。

于是，姚太夫人遥奠丧仪，在没有治丧会，没有公众仪式，没有诔辞挽幛，也没有哀乐，更没有吊客的情况下完成。这样一个冠冕堂皇的借口，真是做得滴水不漏，既可使张群在对外的面子上，对子女孝慈的示范和传承上，都尽到应尽的责任，蒋又不用考虑诔辞问题，外界更是无从议论了。

蒋介石是一个讲究礼尚往来的人，他对于自己不能为"契母"之丧题诔，也是感到有所不妥的，只好用其他方式弥补，如张群生日、张群夫妇结婚纪念日等，隆重庆祝，题写寿轴，亲往祝贺。就是张群夫人生日，宋美龄都不错过机会。

四、夫人之丧

1974年7月6日下午，张群夫人马育英因心脏病，蒙主恩召，魂归天国，年86岁。

此时的蒋介石，已是重病在身多时，连坚持多年的日记，也罢笔于不顾，哪有精力再为他人题诔。而这一时期葬礼上所出现的蒋氏挽额，多为他人代笔。这种事，一般外人不知，为蒋主厨60多年的张群焉有不解？在这种情况下，如果再由他人代笔，以蒋名义题诔，岂不是蒋、张都十分难堪吗？张群要此题诔何用？张群深深体谅蒋的难处，于是，张群又开始准备"作料"，为蒋烹调雅致可口的"羹汤"了。

1974年7月8日，台北《中央日报》三版刊载消息："总统府"资政张群夫人马育英因心脏病，于7月6日去世。由于马女士生前为虔诚的基督教徒，亲友将择期举行追思礼拜，其遗体将火化，同时婉谢各界悼念文辞及赙仪。

当时，台湾当局对如张群这样的老资格高官及亲属之丧，无不是在仙逝后的第二天，即公布丧祭消息。

◇ 张群夫妇的合影。

而张群夫人非如是，却在两天后，才以如此简短文辞，了了付之。显然是张群有意降低丧事影响和规格。而这拖延的一天，正是他思考如何准备“羹汤”的“作料”，所耗费的时间。这是张群发出辞谢“挽辞”的第一次，也是他为蒋不题诔，做第一次铺垫。

7月20日，台北《中央日报》三版，又对马女士丧事，作一简短报导：“张群夫人之丧，20日上午9时起，将在新生南路三段90号，浸信会怀恩堂举行追思礼拜，骨灰安葬阳明山公墓。今天的追思礼拜中，挽联、挽幛、花圈、花篮及赙仪金等礼物，均辞谢。”这是张群第二次明确“辞谢挽辞”，为蒋不题诔再次做铺垫。其低调做人处事，可窥一斑，而为蒋所调制的“羹汤”也在这一天出锅。

安息礼在没有治丧会、没有诔辞、没有挽幛（安葬礼后，也没有“谢启”），只有哀乐的气氛中，在周联华牧师主持下举行。圣坛上摆放着两个黄色菊花组成的十字架，一是由蒋、宋联名致送的，另一个是由严家淦夫妇赠送的。十字架旁边是白色剑兰和一片翠竹。宋美龄代表丈夫，在蒋经国的陪同下，参加安息礼，并同张群和他的家人一一握手致慰。严家淦在安息礼后，又亲临阳明山公墓参加安葬礼。张群夫人，在数千亲友的追思、诗歌和虔诚的祈颂中安息。她的灵骨被安葬在母亲彭太夫人墓旁。

蒋氏倥偬戎马，坎坷谋国，得一如此体贴入微的高明厨师，一生足矣！

第三节　芝麻西瓜笑话一筐

近瞻儒雅，远仰威名。孺慕独殊常，共羡板舆承色笑。

内明勤劳，外观兴废。慈恩方报称，不堪墨绖动悲哀。

如果说上面这副挽联，是蒋介石为石友三去世的母亲所作，了解民国史的人，大概会先惊讶而后笑了，的确，后来它就成为蒋的笑柄。

民国时期，实力弱小的军阀，在复杂变幻的政治风云中，为求自保，见风使舵，叛主倒戈是常有的事，如张宗昌、孙殿英、韩复榘等人大多如此。但说到石友三就不同了，仅人们对他的评价，就是一部《笑史》，如“倒戈元帅”、“朝秦暮楚”、“反复无常”、“近代吕布”、“倒持太阿，授人以柄”、“以无主义之人，行无意识之事，不足挂齿”（《大公报》语）、邵元冲以“狡诈无常，宜其有此”评价他（《邵元冲日记》上海人民出版社1990年，754页）、刘峙则称他是“狂妄无知的傻子”、阎锡山有“生性好乱，反侧不常”的戏语、连孙殿英也说他“忽上忽下，忽东忽西”、张学良气愤地指责他是“国民的公敌，人类的蟊贼，此种全无廉耻，不讲信义的小人”、蒋介石骂道“……稍有识者，无不疾其暴而悯其愚”（《蒋中正总统档案·事略稿本》第十一册，452页），“真是个亡国奴心肝，尚只图私利”。（见《中央日报》1931年7月29日一张三版）著名作家周瘦鹃认为：“石友三军事知识远差，但骁勇善战，性躁而临事不果”，还戏弄他，给他改名为“石反三”，别人听了，抚掌笑对：“良不诬也”（成都《新新新闻》1930年10月21日十四版）。当石友三二次反蒋失败后，又欲以同乡关系投靠张学良，东北军将领对石很担心，纷纷劝诫张学良。石竟然将自己的老父亲送到沈阳作为人质，又派人巧舌如簧地劝说，终于获得张的信任。这时，阅人经验丰富的胡汉民对来访者讥笑张学良，并警告说石友三是善变的“石猴”，还以对联来预测张、石密交的结局：“友冯友蒋再友张；反冯反蒋必反张”，不料，此联果然成谶语（参考《上海报》1930年11月3日二版）。可见像石友三这样的人确为少见。他曾三次叛冯（冯玉祥）、三次投蒋又反蒋打蒋、投汪（汪精卫）反汪、投阎（阎锡山）反阎、投张（张学良）打张、联共打共遭惨败、投日抗日再做汉奸。以他的实力和谋略，如此广泛树敌，不是自不量力的笑话又是什么？最后遭到活埋的下场就不足为怪了。

一、两次叛冯

石友三（1891~1940）乳名文会，字汉章，吉林省长春东卡屯人。兄妹五人，他居长，幼年家境贫寒，父亲靠赶大车、做长工维持生活。石早年入伍任冯玉祥部的马夫，因机敏会来事儿，得冯赏识，提为贴身护兵，后升迁很快，与韩复榘等同为下级军官中“十三太保”之一。1924 年，冯玉祥出任西北边防督办，提升他为第八混成旅旅长驻防包头，任包头镇守使。

◇ 石友三。

1926 年 5 月，当冯玉祥的国民军与直奉联军在南口大战时，阎锡山出兵晋北，抄袭国民军后路，石与韩复榘等奉命率部开往晋北。石在雁子门、左云一带同晋军作战，很卖力气。可是到 8 月，国民军在南口失败，不得不向绥远等地撤退。国民军给养发生困难，军心涣散。此时，石的小学老师商震，正是阎锡山麾下的一员骁将，由于这种关系，石、韩便与商震联系，接受阎的收编。这是石第一次叛冯。

同年 9 月，冯自苏联回国，在五原就任国民军联军总司令，招石归来。石深有疑虑，经冯派人解释，加之石父石玉琨严责儿子不该忘恩负义，石才回心转意。一见到冯，他就跪下抱住冯的双腿，哭起来。冯把他拉起说：“过去的事咱不提了！”又任命石为援陕第五路军总指挥。

冯玉祥之所以不计前嫌，招抚石友三，还是因为石善于练兵，石自己对于基本战技如跨木马、盘杠子、过浪桥、越天桥、攀绳梯、爬城墙、劈刺刀、各种姿势的射击，无不精通，训练时以身示范，士兵们心服诚悦。所统率的部队有较强的战斗力，其中有一个“王牌二营”不但装备最好，还以敢打硬仗闻名。有一年，冯玉祥与陕西督军陈树藩激战，先后换掉几个团都屡攻不下，最后冯交给石解决。石只从二营中挑选了 40 人，每人塞给五元大洋，就带领他们一攻而入。冯曾这样赞赏石：“用兵最神速者也，敌在兰封时，饶攻迅速，因奏奇效，后到砀山，助贺耀组追敌至济宁。嗣因豫西事急，奉命后于 2 日 1 夜间之短时间内，由鲁西交通不便之区，达到荥阳目的地，出敌不意，遂解巩县之围，是真所谓静如处子，动如脱兔，自天而降之飞将军也。”（见《冯玉祥日记》第二册，549 页）石在作战中，有不怕死的劲头，常手提一根马鞭，不弯腰，不躬背，在阵地前沿往来督战。张之江、鹿钟麟等人也曾赞赏石的骁勇善战，张之江曾有言：每临战，石不管情况如何，也不管自己兵力强大于对方多少，总是火急火燎地要求增援，指挥部还不能说没有兵力可派，于是就敷衍加夸奖，但他常常是凯旋而归。

冯看重石的另一面是他关心部下，笼络部属有一套。如他对有战功的连、排长们不但犒赏生活用品，而且亲自请客，大碗喝酒，大块吃肉，最后还有赏钱。如果他们有难处要借钱，一般都会得到满足。平时见了面，还要嘘寒问暖地唠上几句，让他们感念不忘。他在包头任镇守使时，镇压土匪，整顿军纪，对维护社会安定起了一定作用。有一次，他的一个卫兵不慎枪支走火致一农民死亡，找到石要求法办卫兵遭拒绝，再找石父石玉琨，石玉琨穷苦出身，深知百姓疾苦，当即塞给一把钱，就赶去要儿子枪毙卫兵，石友三宁肯跪在父亲面前，任由父亲先骂后打也不肯，石玉琨只好自己再次出款了结。此事传出，士兵们对石更加俯首帖耳。但他的个人生活同其他旧军阀一样挥金如土，他娶有五个老婆，还酷爱名马，常不惜重金买马，他的马每天都得洗涮一次，稍有污臭，就把马夫打得头破血流。他还公开用人参水熬大烟吸。

正因如此，蒋也对石早有关注，公开和私下的均予拉拢。1928 年 4 月 23 日，蒋电石友三，给犒赏费 5 万元，藉资补充，希派人来兖（兖州）领取。同时又电冯玉祥：“石汉章攻取济宁之役，最为努力，此次溃敌窜扰后方，辎重散失，前弟犒赏 15000 元，一并失去。知深系念，兹再发予 5 万，俾便补充特闻。”

（《蒋中正总统档案·事略稿本》三册，182 页）

1928 年秋，冯玉祥对蒋的编遣方案极为不满，借故离开南京，蒋、冯关系近于破裂。那时蒋打败新桂系，武汉战事结束。冯看出蒋的指挥刀即将指向自己，认为晚打不如早打，便动员阎锡山一道反蒋。随即把西北军改为“护党救国军”，以石所部为第三路军。这时韩复榘因故受到冯玉祥的训斥，加之军饷不公，弹药补充不足，对冯极为不满，蒋乘机拉拢韩。而韩与石早有默契，韩看到时机成熟，于 1929 年 5 月 22 日在洛阳发表“主张和平，拥护中央”的通电，石与马鸿逵以及他们的旅长一级军官名字都被列在通电内。蒋大喜过望，6 月 8 日，以国民政府名义通令嘉奖三人，接着派钱大钧到许昌劳军。石在欢迎钱的宴会上，对钱极尽媚态，又把过去抱腿哭着喊着“大恩大德”的冯玉祥骂个狗血喷头，还列举冯的十大罪状。石由冯的“第三路总指挥”，摇身一变，成了蒋的“第十三路总指挥”，那些不识字的大兵们听说了新番号，高兴地夸耀道：“咱们总指挥真厉害，几天时间，就增加了十路大军！”7 月 28 日，蒋宴请石友三，为其洗尘。何应钦、宋子文、赵戴文等作陪。石端起酒杯，感到自己现在真是个“人物”了。这是石第二次叛冯。

韩复榘、石友三的二次叛变，对冯玉祥是沉重打击，他在日记中自责道：“韩石事变，余为总司令而不知，余之过也，故余决心终身绝对不提及韩石一坏字，惟盼望其及早识破奸计，幡然悔悟，免使余心常为挂念也。”（见《冯玉祥日记》第二册，641 页）

二、64 大杠的排场

蒋介石令石友三部由许昌移师亳州，途经德州，石友三致电何成浚：山河可改，此志不移，坚决拥护中央（《中央日报》1929 年 9 月 26 日四版）。就在他与陈调元合兵请缨，高呼“拥护中央，剪除叛逆”时，9 月 27 日，石友三的母亲高太夫人在北京后门里三眼井本宅病故，年 57 岁。石当日接家中丧电，即在营中设灵位，又急派夫人从德州星夜奔丧，并由夫人转告老父：可否延迟到 10 月 16 日开吊？以便自己能妥为安排，赶赴奔丧。同时也一面安排部署，做奔丧准备，一面先给南京的蒋、后给北平行营主任何成浚各发丧电。而蒋接电后，深知当此关头，万万不可让石北返，否则前功尽弃。他先给石拍发唁电，后又电示何成浚如此这般。可还是不放心，继派典礼局局长张希骞，携带他的挽联、祭文以吊唁为名，亲自前往劝说，随从有交际科副官卞鸿举等数人。当张、卞到达德州营中时，石正焦急地等待着他们。张代表蒋在灵位前致祭，并宣读蒋的祭文：

维中华民国 18 年 10 月 28 日，国民政府主席蒋中正，谨具秋芳新酌之仪，遣典礼局长张希骞，致祭于石母高太夫人之灵曰： 为贤母，淑纯其行，来嫔高门，诞生虎将。义方之训，宗阳祧孟。仁泽之沛，多士挟缠。令子护党，用申素尚，左之右之，实赖母相。卓马其识，伟哉其量。近世所军，群流所仰。胡天不吊，大命忽竞，孝子哀号，同胞凄怆……

之后，张转达蒋的嘱咐：当此南中谣诼纷纭，北方更应稳定。嘱石移孝作忠，万勿离开德州。但据张分析，石似并无接受蒋的劝告之意，于是执行蒋的第二方案，向蒋复电后，又北上赴三眼井石家劝说石父。何成浚当时正在由汉口赶往北平的路上，连接石、蒋两电后，按蒋的指示，先电令派北平行营副官长白恭甫为代表赴石家吊唁，再急电复石，转告蒋的旨意:拨赠赙仪金 1 元，给丧假 7 天，在军中守制，安慰石不必过度哀伤，当以国事为重云云。何本人则于 9 月 29 日赶到北平，亲临石家吊丧，转达蒋的致意，希望石老伯劝说友三以国事为要，遵从中央安排。石玉琨很爽快，立即发给儿子一通电训：

急！德州总指挥部友三入览：俭发汝一电，谅已收览矣，所嘱各节，务要仰体我意，切实遵行，并节哀顺变，以国事为重，尽忠即是尽孝，汝能明白此理，既是克全孝道，汝母亦当含笑西方。此间诸事已由余主持办理，诸事均甚妥当，已于艳已入殓，汝不必挂念，至要！父泣嘱。艳（29 日）。

石友三接电后立即复电何成浚：

急！北平何主任雪竹兄勋鉴：密，俭（28 日）电敬悉，先母见背，承派员到敝寓慰问，休戚关怀，至深荣感。复奉总座电谕，准假一星期，着在军守制，并颁给治丧费万元。北平之行固以中止。白云亲舍，陟屺徒悲有电，祇颂勋绥。弟友三叩。

10 月 16 日，石家开吊。来宾有第十一路总指挥刘镇华、辽宁驻平联络处处长危道丰、四十九师师长任应岐代表耿杰临、银行家周作民，以及河北省、北平市两府官员及其他各界代表。由十三路总部参军王延堂、李晋三，军务处长朱祖燕、少校副官王守伦主持丧仪，并分任招待。蒋的挽联挂在显著位置，其他送挽联者有何成浚、刘镇华、赵丕廉等数十人。17 日候奠，18 日上午 10 时移灵，由 64 人大杠（其中有的人是做过袁世凯、黎元洪的杠夫），全份仪仗，并有松狮、松亭等陈设。出殡队伍由北平地安门三眼井出西口，经景山、北池子外出东华门大街，过八面槽，沿东四大街往北新桥，环北经交道口……沿途有僧道番众恭送，围观者人山人海，不得不派军警维护。到中午 12 时才抵达火神庙内配房暂厝。

不知是蒋有意安排，还是无意巧合，就在石家开吊的 16 日早晨，蒋任命石友三为安徽省主席的通令向全国发表，石友三激动地立即复电给蒋："待荡平西北叛乱，再做主席！"当天中午，消息传到石家，丧宅里上下哭声，格外嘹亮，大有声震屋瓦之势，那全猪全羊等各色祭品不断运来，松柏枝压叶扎成的素彩寿亭、牌楼、车与、神位等沿街排列半里之外。围观者无不窃窃私语，互相询问：瞧那架势，莫不是变成"喜丧"了？石友三由十三路总指挥兼安徽省主席，提升了 18 日出殡的哀荣等级，否则，那 64 人大杠的排场，是随便人敢摆的？

三、半粒芝麻和西瓜

蒋介石重丧尊诔，万元厚葬石母，引来麾下将领的一些不满，关键还在于石的身份：他一个二次叛将，就这样神气起来了？而作为海军部次长的陈绍宽，就更有切身体会，所以牢骚满腹。两个多月前的 7 月 17 日，陈的父亲陈兆雄，以 77 岁在福建原籍仙游。陈两次含泪向蒋请假奔丧，蒋一次慰以"在军成服"，一次避而不见。闽乡习俗，犹重丧祭，悖情者或死不得入祖茔，或生而名不予列族谱。陈第三次接家中催电，愤怨至极，并对下属说将再次向蒋请假，又做部务交代。蒋这才一通唁电到闽侯，算是为陈解围。又拨 5000 元给陈治丧，特嘱给假 7 天，"在军成服"。陈无奈，囿于"主席盛意，未便过拂"，只得在南京　庐寺设灵位，于 8 月 4 日遥奠。

◇ 陈绍宽。

蒋桂战争爆发，陈绍宽奉命第二次西征，3 月 29 日乘"应瑞"舰讨伐桂军。打李宗仁非陈所愿，因李与陈私谊交好，在海军困难时，李曾予以资助，钱虽不多，毕竟是心意，所以当时出版的海军刊物，多有李宗仁的题字。但陈一向忠于职守，抱定服从为军人天职信念，为蒋的二次西征立下汗马功劳。蒋论功行赏，在占领两湖后，犒赏海军 5 万元，任命陈为湖南省政府委员，后又授予他一等宝鼎章。1929 年 6 月 1 日，海军署改为海军部，杨树庄为部长，年仅 40 岁的陈任政务次长兼第二舰队司令。因杨当时还兼任福建省主席，常驻福州，所以，陈实际负责海军部务。蒋在闲暇时常回溪口祭祖省亲，当时交通不便，蒋多是在南京乘军舰，出吴淞口，绕海岸在镇海登陆，再转车归里。而每次负责蒋乘舰安全，并陪同全程的，多为陈车前船后的服侍，实际上成为蒋在舰船上的大保镖兼侍从。陈以自己的功劳和叛将一对比，对那 5000 赙仪金，感到心里不平衡。于是找个借口提出辞职："请缨无路，难比昔贤，报国有心，敢期异日。"

其实，在石友三看来，蒋的这 1 万元治丧费，只不过是一粒芝麻。

1929 年 6 月，石二次叛冯投蒋后，蒋派钱大钧慰劳石部，带来的不仅有大批委任状，还有沉甸甸的 300 万犒赏（另一说为 500 万）。此外，在石母治丧期间，10 月 14 日，石派驻平办事处的少将参军王清森，从军部领取 25000 套棉军装及其他军需用品，合计在 10 万元左右。石母丧事后不久，蒋又暗中给石个人

50 万，进行二次收买。要是陈绍宽知道石所得三个“大西瓜”，又会怎样？

四、炮轰南京

石母丧事结束后，10 月下旬，石奉蒋令率部进驻安徽蚌埠。在石友三看来，蒋所犒赏的“西瓜”中，他最得意的是安徽省主席这个职位。多年戎马征战的奔波，使他久欲得一地盘，一来可以过几天安稳日子，二来可以就地筹饷，扩充势力，不再仰赖他人鼻息，现在实现了……他越想越觉得这西瓜真甜。蒋对两次叛冯的石，确实不放心，但并无消灭之意，只是要好好地利用他。在石尚未正式接任省主席职务，又电令他抽调部队南下援粤，扑灭李宗仁、陈济棠在广州的“反叛”。石不忍放弃尚未到嘴的“西瓜”，又担心蒋欲分解他的队伍，心生一计，电呈蒋，要求准许他全军一同南下，蒋若不允，他就有借口。谁知蒋立即照准，并改以广东省主席相诱。这让石进退两难，大伤脑筋。这期间，蒋、广东方面、唐生智三方代表齐集石部，各有说辞。而让石信服的是，广东方面代表邓芝园的分析：蒋要在你军乘船中各个消灭。原来，蒋的习惯历来是将下属作战的具体细节，一一安排妥当，有的正确，有的就不切实际。他要求石部由南京浦口分乘木船先到上海，再由吴淞口乘海船往广东。木船载兵有限，距离又拉得较长，遇事很难照应。邓把石捧为曹操，说类似三国火烧连营的悲剧将再现。

没有脑子的石友三，也不想想，当此关头，花了几百万的蒋介石，为什么要消灭他？却急忙于 12 月 1 日在浦口车站召开紧急军事会议。他已定好了反蒋调门，还要听别人怎样唱。一位对石家有恩的老参军，壮着胆子说：“他（指蒋）的赏咱领了，太夫人之丧，他也‘哀’了，家主也‘荣’了，咱再这样做合适吗？”立即遭到石的训斥。会议一结束，先把蒋介石的代表、兵站总监卢佐扣押。接着调遣几十门大炮，从浦口江岸向南京城突然猛烈轰击，并派便衣混入南京城里四处骚扰。蒋介石没有防备石友三会有这一手，所以毫无准备，南京一片混乱，政府各机关纷纷外逃，市民则哭天喊地……当时邵元冲与马超俊欲往常州公干，因铁路被石毁坏，气愤的他在日记中发牢骚：“午前赴中央政治会议，谂石友三部昨日在滁县哗变，大掠浦口，且发通电诋中央政府，其悍戾终不得改也。”（《邵元冲日记》，584 页）炮轰之后，石部立即北撤，沿途能抢的就抢，不能带走的就毁坏。又将津浦铁路的车皮全部带走，还把其他驻军全部缴械，以防蒋的追击，最后安全退居河南商丘一带。之后，石友三故伎重演，随即发表通电，列数蒋的罪行，宣传自己如何希望和平，反对蒋对广西、河南用兵。又于师退蚌埠，在滁州通电，就任“护党救国军”第五路总司令，宣称“谨率十万健卒直取南京，还我国都”。他的这一惊世之举，马上有人叫好：12 月 3 日，唐生智、刘文辉、徐源泉、何键等 53 人联名通电响应。（《中华民国大事记》19 卷，1070 页）

五、惟有一骂

蒋介石对石友三的炮轰，很无奈。因马鸿逵、韩复榘与石一同叛冯投蒋，早有密约，三部驻军又都环绕在南京西部及北部，如果追击，恐引起三部同时兴兵。而且唐生智在石的炮轰壮举后，立即于郑州以“护党救国”为名通电讨蒋，所部正沿平汉路南下，将主力集结在驻马店一带，对蒋构成威胁。所以蒋对石只得作罢。

从蒋介石为石母拨款治丧，到他炮轰南京，不过 65 天。更让蒋没有料到、又哭笑不得的是，炮轰一个月后，1 月 3 日，石通电全国，声明悔过。在 20 天内，他又两次向蒋发出“悔过电”，称：“此后一意练兵，远避政治；只乞月给资粮，别无他求。”瞧！他还惦记着蒋的“西瓜”呢。

各派势力听说此事，认为石友三是在玩老鼠戏猫，无不笑做一团，连外国通讯社也作奇闻报导。此事又助长北方的冯、阎，广州的李、陈后来的“反叛”声势。冯玉祥在谈到石友三的反复无常特性的根由时，一连用了五个“太”字：“年岁太轻，知识太差，读书太少，要官太急，搂钱太贪。”（见《冯玉祥日记》第四册，643 页）

蒋从军多年，有胜利、有失败，也有过下野，但这种怪事，他没见过。他算计过多少人，却没有算计好石友三的炮口方向。那口气，让他说不出，咽不下，又不能暗杀。为什么不能？蒋搞暗杀，有两种情况：

一是摆不到桌面上的那种，如对史量才、闻一多等，仅凭蒋个人恩怨的；另一种是如果暴露，可以摆在桌面上的，如对张敬尧、张啸林等有历史污点、有民族义愤的人。而像石这种人，一旦遇刺，不管是与不是，人们都会众口一词指责蒋，以蒋的地位，没有必要担当这种不光彩的名誉。

既不能打，又不能杀，还咽不下这口气，那就只有骂了。怎么"骂"？蒋早年绑过票，也亲自搞过暗杀，就是没骂过人，现在是国府主席，骂人得讲究点艺术性。于是找刀笔吏来个"文骂"，题为《请看石友三之为人》，在 1931 年 8 月问世，广为散发。那洋洋洒洒的两千多字，完全不顾蒋在吊祭高太夫人的祭文中，对石的夸奖，不厌其烦地把张学良、阎锡山及石父石玉琨等人对"无信义、无廉耻、无知识之丑恶军人"的石友三的谴责，一一列举。骂石是"毫无心肝，毫无恩义"、"不忠不孝"、"口血未干，既背誓食言"、"无政治观念，有狼子野心"，说石是"与父绝"，"置父于鼎俎旁"（石投张学良时，为取得张的信任，将父亲做人质送往沈阳，他第三次反蒋打张学良时，张正病重卧床）的吴三桂。你看，骂他还不忘抬举，要是他石友三真有吴三桂的军事才干，也不枉挨骂了。

1931 年 7 月，驻防河北中部的石友三，暗中接受广州陈济棠的"国民政府"所委派的第五集团军总司令的任命，准备向北推进，与张学良部决战。张学良虽在病中，仍与蒋联手，蒋派刘峙调动大军，南北夹击，"迅告剿平"，石友三逃往山东，依附韩复榘闲居。

六、终有一劫

抗战爆发后，石友三一度归宋哲元，在沂蒙山区进行抗日游击，所部扩编为第十军团，任军团长。1939 年 2 月，再扩编为三十九集团军，任总司令，下辖六十九军和新八军，实际只掌握六十九军，新八军仅遥受节制。新八军军长高树勋本与石不睦，所以石感到人少势孤，与冀南八路军保持合作关系。蒋哪能视而不见，派臧伯凤为六十九军政治部主任，对他进行监控。石的反复无常本性，一有机会，就会暴露无遗。不久便与八路军发生摩擦，对八路军进行偷袭，遭重创，率残部逃出。

说到石与八路军的摩擦，还有一段笑谈足为消遣茶余。石友三初到冀南，和八路军的一二九师师长刘伯承相处还算融洽，杨秀锋、宋任穷等人亦为其座上客，1938 年冬天刘在冬衣问题上帮了石的忙。当石逐渐取代鹿钟麟控制冀南，站稳脚跟后，和八路军的摩擦就越演越烈。经一二九师政委邓小平与石谈判，争取到石的中立。可是八路军在与国民党第二游击区的张荫梧激战并打败张后，石感到唇亡齿寒，更加暴露出本性，利用他擅长的战术——偷袭，并缴获不少枪械弹药，俘虏人员。让八路军大伤脑筋。还是刘伯承有办法，他带领十几个宣传队员，亲自找石归还。据当年服役于石友三部队的李振武回忆：他们沿途由宣传队员张贴标语"石总司令是民族救星"、"拥护石总司令抗战到底"、"石友三是抗日大英雄"等，满街满地的都是标语。当快到石的总司令部时，队员又高呼这些口号。早在 1932 年秋，石经日本特务诱惑，在日军保护下从烟台乘船潜入天津，与土肥原拉上关系，正式投日，成为臭名鼎鼎的汉奸。现在八路军竟呼喊自己是"抗日大英雄"，既让他意外，又使他感动，于是就飘飘然了；亲自到大门口迎接，又拉着刘伯承的手走进屋里。一转身，刘还对着石高喊口号。石以为与刘个人感情还是有的，于是在与刘洽谈后：人！放回。马！拉走。东西！全部归还。

送走了刘伯承，石正在得意之余，不免遐想连连……偏偏来人报告：街上的标语全都换成了"石友三是大汉奸！"、"打倒大汉奸石友三！"、"要抗日，就要打石友三！"让他这个气呀，又是骂人，又是摔东西，还把侍卫踢了两脚。

石与八路军的全面开战不可避免。而刘、邓（小平）早已做好准备。石又来偷袭，结果如前所述。这回石真正成为孤家寡人了，但他不甘心，一方面寻找新的靠山，一方面希望与部下高树勋和解。1940 年 6 月，石友三派其弟石友信等人与日军秘密联系，接受日军的"联防协议"，日军准备给石以河北省省长兼治安军司令名义，要石公开投降，并要求他宣布与华北伪政权合流。被蒋介石探知，于是下了暗杀令，他利用石与高的矛盾，又收买石的总参议毕广垣，迷惑石。1940 年 12 月 1 日，高与毕广垣、臧伯凤，制定了杀石计划，诱骗石来高部洽谈和解时，高将石扣押，当夜活埋。

石的特性嗜杀不吝，动辄活埋，以数十人计，有“石阎王”背名。他或许没料到，在自己炮轰南京整整 11 年后的这一天，自己也以所嗜好的方式结束生命，可谓佛法无边，轮回报应。杀了石友三，蒋介石总得对社会有个交代吧。中央社于 1940 年 12 月 7 日向全国发表通电：“石友三秉性轻佻，反复善变，以末卒虽积功至偏裨，然终觉未能发挥其野性，故利用机会，任意扩张部队，以遂私图。我中央向以宽大为怀，容其既往，并寄以专门，使在大河南北，立功自赎。不意故习难改，野性难驯，近来对于中央作战命令，阳奉阴违，有所调遣，亦多不遵行。其弟石友信，尤多不法，中央未便再事优容，若留此败类，适足影响军纪，乃下令卫长官于本月 4、5 日，就地先后枪决，以伸国法。”石死后，高树勋与六十九军的高级将领联名电请蒋，保举孙良诚继任六十九军军长。蒋复电却发表为毕广垣。因为在蒋看来，此次事件，毕的作用最大，论功行赏，非毕莫属。（参考：黄广源，《反复无常石友三》，《民国政要百志》，317~336 页；高树勋，《石友三酝酿投敌和被捕杀的过程》，《传记文学》第六十七卷第二期，124~132 页；及《中央日报》相应各期报纸）

第四节　恭倨有度 结盟无信

在蒋介石的几十位结拜兄弟中，最终反目成仇，严重敌对者，有两位，一是冯玉祥，另一位是李宗仁。不过，冯玉祥早逝，惟李宗仁寿享七十有九，又做了副总统，后一度代蒋而“总统”了，所以，他的与蒋敌对，乃至算不清的越洋“口水仗”，颇为引人瞩目。要是人们关注蒋、李“蜜月”时期的某些细节，则更有助于了解蒋、李关系。

蒋、李有金兰之谊，据李自言，是蒋先提出来的，这似乎可信（根据当时蒋、李的地位分析）。

一、结盟

关于蒋、李义结金兰的过程，有不同的说法，其一如是说：

1926 年 5 月，蒋介石就任国民革命军总司令。8 月 14 日，蒋在长沙东门外大校场举行阅兵式，检阅当时在长沙的第七、第八两军共两万余士兵。当蒋骑着一匹枣红马顺利走过第七军队列，刚进入唐生智率领的第八军队列时，枣红马突然受惊狂奔，蒋从马背上摔下来，但右脚仍套在马镫里，被马拖了几丈远。阅兵被摔下马，自古即是“大不吉”的事！蒋狼狈不堪，数日闷闷不乐。不久第八军传出一种说法：蒋总司令是过不了第八军这一关的，日后必被湖南人打败。

◇ 北伐时期的李宗仁。

有一天，在总司令部里，蒋突然问李宗仁：“你今年多大岁数？”李奇怪地看着蒋，回答：“37 岁！”蒋高兴了，又说：“我比你大 4 岁，我要和你换帖。”李更加诧异了：“我是你的部下，不敢当啊！再说，我们是革命队伍，不应该再讲过去那一套旧的东西。”蒋连说：“没关系，没关系。你不必客气。我们搞革命，和旧传统并不冲突，换了帖子，使我们更加亲如骨肉。”说着，从抽屉里取出一份事先准备好的红纸，递给李。李不肯收，再次推辞说：“实在不敢当啊。”蒋接过红纸，塞在李的军服口袋里，说：“一定不要客气，你人好，又很能干……”

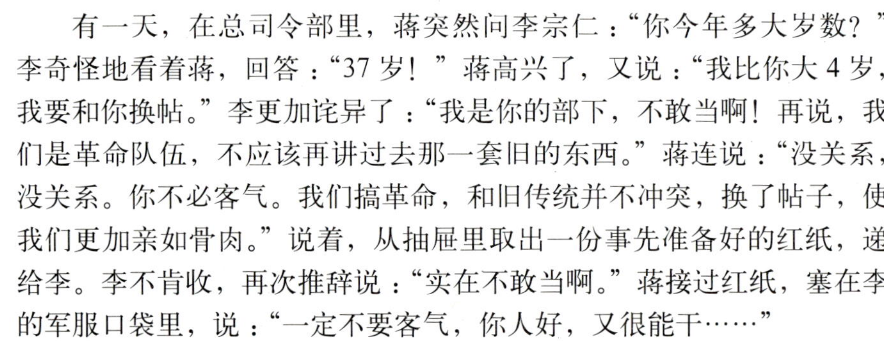

李回去后，看到红纸上写着蒋的生辰八字及四句誓词：“谊属同志，情切同胞，同心一德，生死系之。”在签名“蒋中正”下面，另附有“妻陈洁如”。李那时新娶侧室郭德洁不久，郭长得漂亮，又有文化，成为李内政外交的难得助手。李就将此事告诉郭，郭看到兰谱上有“妻陈洁如”，大发感慨。当时，人们把李的元配李秀文称为“大夫人”，对郭德洁称为“郭夫人”，郭十分不满，想通过与蒋结拜兰谱，确定她的“惟尊”

地位，便极力赞同丈夫顺应蒋的要求，但李还是犹豫不决。

以后，蒋每见到李，就催要兰谱，李出于无奈，只得接受郭德洁的意见，郭认真准备兰谱，并模仿蒋的兰谱，在“李宗仁”的名下，附上“妻郭德洁”，由丈夫交给了蒋。岂料，两年多后，蒋、桂战起，蒋挥师进驻武汉，桂系全军瓦解。蒋还不解气，一直打得李在国内无法立足，跑到越南西贡去喘气了。兰谱中所谓的亲如兄弟，同生共死，转瞬间，竟变成了兵戎相见的你死我活！李宗仁气得大呼：“结拜这种盟约何用？”

二、桂林拜“伯母”

七七事变，蒋、桂捐弃前嫌，以民族存亡为要务。李深明大义，接受蒋的领导，并指挥了震惊中外的台儿庄战役，毙伤日军两万余人，有力地打击了日本侵略者的嚣张气焰，振奋了中国军民的抗战热情，成为抗战史上的光辉一页。台儿庄大捷，使蒋又一次对李的军事才能，不得不刮目相看。加之对日作战，还得有赖于李的用兵，所以，抗战时期，成为蒋、李，乃至蒋、桂的“蜜月期”。

1938 年 10 月武汉失守后，战局一下变得严峻起来，蒋感到在军事上更加有赖于桂系。除了向李宗仁颁发“青天白日勋章”外，令宋美龄率领各党派组成的“新生活运动妇女指导委员会”，到湖南、江西、广西等地开展“鼓动妇女救亡工作”，以鼓舞抗战士气。11 月间，宋来到桂林。当时，台儿庄大捷虽过去半年有余，但仍振奋国人。宋所到之处，都能感受到李宗仁成为家喻户晓、人人称赞的抗日英雄地位。她这次就是专程去李的家乡，看望这位抗日英雄的母亲刘肃端老太太。

刘肃端（1867~1942），是李宗仁故邻古定村南寨人，终生务农，贤良治家，宽厚待邻，乐善好施，豁达明理，颇为乡里称赞。1924 年起，刘老太太先后在上海、广州、香港等地游历或暂居，因此也算是见过大世面的人。

◇ 李宗仁。

12 月 1 日，宋率领“指导委员会”回到重庆，在重庆的妇女团体联合举行盛大的欢迎仪式，主持人沈慧莲邀请宋美龄演讲。宋激奋地说：“我在广西见到李宗仁先生的母亲，这位 73 岁的老太太说，日本没有什么可怕，我们中国妇女每人拿一把菜刀就可以解决那些日本军阀！”顿时，会场上许多妇女代表都为李母的民族大义而感动。宋美龄此次看望李母，虽未留下照片，但刘太夫人的豪言壮语通过宋的转达，已见报端，影响全国。

宋美龄第二次看望刘太夫人是 1940 年 12 月 4 日上午，陪同丈夫同往。当时正是夺取桂南战事最终胜利后，蒋乘兴专程来桂林拜望李、白（白崇禧）两家太夫人。刘太夫人知道后，认为天气很冷，道路又不好走，恳切传话说：“委员长为抗战日理万机，就不要为一乡妇如此耗费时日了。”蒋却坚持再三，还不满地说：“我与李司令长官是结拜兄弟，他的母亲就是我的伯母，我到了广西，哪有不来拜见伯母的道理？”并谕令各方做好接待准备。

于是，除了官方忙碌外，还忙坏了李、白两家。蒋先到临桂县两江镇看望刘太夫人。4 日上午，在副总参谋长、桂林行营主任白崇禧的陪同下，经乡路一个多小时的颠簸到达李府。此时，李宗仁以第五战区司令长官，拥兵坐镇鄂北老河口前线，得知消息，因不能分身，特派夫人郭德洁和大哥李宗唐、小弟李宗藩，搀扶母亲和叔叔李春华等家人，在大门外恭候。那天天气的确很冷，蒋、宋却热情很高。车队驾到李府，经白崇禧一一介绍，蒋、宋与刘太夫人、李家叔叔、兄弟等一一躬身握手，频频颔首微笑。蒋见到李府二门上有一副对联：“山河永固，天地皆春”，横批是“青天白日”，很是高兴。特意与宋在门

◇ 上世纪 30 年代，李母刘太夫人与孙辈在故居合影。

前留影，宋又与郭德洁分立刘太夫人两旁合影；蒋则与李府叔叔、兄弟和白崇禧拍照多幅。进到室内，蒋氏夫妇待刘太夫人安坐后，始向刘太夫人问安，祝贺她 75 岁的高寿（实为 74 岁，蒋有虚增人寿的习惯）。接着，宋向刘太夫人赠送景德镇瓷器等见面礼。蒋又对刘太夫人说："德邻在外为国守土，不能定期归省，还请多多保重。"接着又嘉勉了李宗仁一番。宋则好奇地对与江浙风格截然不同的李府建筑问这问那，白崇禧、李宗唐则一一解答。

谈笑一番后，蒋提出要"到培英公的墓前尽礼"（李宗仁父亲李春荣，字培英）。刘太夫人立即说："折寿了，折寿了。"再三表示不敢当。蒋又一次搬出兰谱，微笑着说："我与德邻是结拜兄弟嘛，培英公是我的父辈，理应去拜奠，以表敬意。"宋也在旁说："应该的！"刘太夫人只好称谢，一同前往。蒋氏夫妇在墓前鞠躬行礼，极为恭谨。分别时，宋对刘太夫人极表好感，说她是"有大贤大德，应该称之为女圣人"。

三、蒋、李结姻

桂系人才辈出，其中"了不得"的韦永成，被桂系目为李、白所倚重政治新秀。韦对李尊称舅舅，人们又根据他两度由李资助赴苏留学（第一次是李私人资助，第二次是桂系出资赴德国考察军政），故对他的身份确认无疑（连黄绍竑晚年所写回忆录也还认为韦为李的外甥）。王公度被杀后，韦接管王的工作，成为桂系的政工首领，年仅 30 岁，竟获中将官衔。1938 年李、白力主推荐为第五战区政治部主任，可谓少年得志。1940 年就任安徽省民政厅长。韦谋政颇有方略，据说他"左拒 CC 系，右挡土木帮（陈诚派），挥洒自如"。

当时，民政厅会计主任徐祖铭的妻子章竞平，与蒋介石的侄女蒋华秀是同学挚友。看到韦年轻有为，而华秀待字闺中，欲成良姻。章两次往返大别山与赣南，终于促成韦、蒋鸿雁往还，照片互赠。蒋小姐貌如其名，秀美天成，她希望见韦一面。韦身为省府要员，且有李、白多年栽培，又军政大事相托，哪能擅离职守。而蒋小姐这边也为难，一来兵荒马乱，二来哪有以女相夫？更何况是贵为"国亲"，让人知道了，成何体统？好在章的丈夫做的是桂系的官，自然要为桂系说话。章美言相劝，蒋小姐豁达，与章相偕赴皖，一见倾心。黄绍竑笑称他俩是"天生一对"。随即，蒋华秀与韦永成联名电呈叔父蒋介石，请求结婚。

蒋看了电报大为不悦："我们不是没有门庭的人家，也不是没有做主的家长，怎么好随便自己提出来呢？"宋美龄知道丈夫因战局而心情不好，劝解道："你太累了，就别操那么多的心，我看交给经国办好了。"

蒋经国对这位高出自己一头的留苏老同学，有着"两人印象，互不看好"的过去。现在不同了，韦官职高过自己，又有李宗仁的背景，特别是韦实为桂系的后生猛将，前途无量。他与父亲相商。老蒋还是不情愿。小蒋一番劝解，让老蒋龙颜大展。原来小蒋欲借助小韦，一来瓦解、分化桂系，二来拒绝中共统战。他告诉父亲：中共对桂系的统战口号是"联系李宗仁，争取韦永成"。老蒋自言他轻视了小韦。

1940 年夏，韦永成在一对秘书夫妇的陪同下，来到赣南正式向蒋经国提出求婚。两年后，轰动一时的蒋、李联姻仪式在桂林市中心的乐群社举行。礼堂里挂满了喜幛、花篮。蒋经国代表家长主婚。老蒋送了什么？一只热水瓶。达官显贵，哪个不来庆贺？怎能不来庆贺？人们津津乐道：抗日大英雄的外甥成了“驸马爷”。至于贺礼，仅以金银珠宝、字画古董计，车运船载，堆积如山。〔参考《文史数据存稿选编·军政人物（下）》，818 页〕

小蒋政治经验毕竟有限，失败在所难免。原来韦永成并不是李宗仁的亲外甥。李在回忆录中有记载：培英公的老师李小甫与李家同姓不同宗。这李小甫的长女，就是韦永成的母亲。（《广西文史资料专辑·李宗仁回忆录》，15 页）李宗仁在回忆录中说他父亲一生为人行事，都以小甫先生为模范。李宗仁发迹后，自然对有政治敏感的韦永成视若子侄，关心培养，藉为己用。胜利后回到南京，小蒋经常出入韦家，一为监视，二为拉拢。然而 1948 年的副总统选举，韦不顾他的“驸马”身份，毅然投入帮助李宗仁的竞选中，他为李设计了许多助选传单，大都新颖有趣，其中有一张中间印着一颗红心，用黑色黑体字写着郭德洁为丈夫竞选的著名口号“请投良心一票”，又花两千万接办了一张报纸，着力打击孙科，气得小蒋绝迹韦门。1949 年后，韦氏夫妇去了台湾，小蒋看在堂妹面子上，没有为难这位“不争气”的妹夫，据说他们日子过得相当不错。

四、李母之丧

1942 年 1 月 14 日上午，刘太夫人病逝于桂林两江浪头村，年 76 岁。国府主席林森、于右任、孔祥熙、何应钦、薛岳等均致电李宗仁慰唁。蒋指示尽快成立治丧委员会，隆重治丧，又电托李济深作为他的代表，前来致祭，并主持治丧。蒋、宋联名送去挽联：“大地遍干戈正倚贤郎同扫荡；寸心怀饥溺遥瞻慈范更低徊”，挽额为“母教典型”。于右任、孔祥熙、冯玉祥、何应钦、李济深、蔡廷锴、田汉、李四光、徐悲鸿等人均有挽联、挽诗祭悼。治丧会收到的唁电、唁函、祭文、挽联、挽词等，总计不下千数，从内堂各屋、侧屋、厨房一直挂到大门外。

至此，上自中央要员，下及地方机关团体，都派人设祭凭吊，几天时间，吊唁者达万人之众。至于李家，至亲及五服之外，或属附近乡亲，均协助治丧。一连三天，无论男女老幼，凡来灵堂者，人手一炷香，一吊纸，面对遗像，先行跪拜，频频拭泪。这些人中，有许多是受过刘太夫人的恩惠。丧筵如潮，杀猪不计其数，后来把打谷桶都抬来盛猪肉。桂乡习俗，高寿逝者，凡有来吊丧者，吃罢酒饭，必例行发给寿碗。以至于有人担着水桶前来吊丧，餐后，前面挑猪肉，后面挑着碗回去，李家则来者不拒，一概听便，用度如流水。

李宗仁看到太过铺张，便提醒道：“国难期间，一切从简呐！”遭到全家的反对，大哥李宗唐更是不买账：“你在外面做好你的官，管好你的千军万马。但是在家里，可得由我做主，无论如何我也要把娘的丧事，办得要怎么好看就怎么好看，就是卖田卖宅院，也要对得起她老人家一生的辛苦。更何况中央还派了这么多大官来主持丧事，不能让他们看笑话。”李宗仁感到自己多年戎马在外，未尽孝亲，既愧对母亲，又愧对兄弟，不禁热泪挥洒，叹一口气：随他们去吧！

出殡那天，人山人海，中央大员、桂省政要及各方代表、地方士绅、平民百姓，加之围观者三万有余。灵柩前，有成百军乐队和本乡数十吹鼓手待命。爆竹一声，哀乐奏，悲鼓鸣，哭声震天，纸钱飞撒。刘太夫人的葬礼盛况，传为桂省多年之最。不但体现出李宗仁的历史地位，也折射出蒋、李关系的曲折轮回，在特殊时期的偶然性。

五、大哥之丧

李宗仁的大哥李宗唐，字德明。1889 年生，幼年曾略读私塾，成年后在家种田。农闲经商，贩卖茶油等生活用品，也私下运销鸦片。李宗仁发迹后，李宗唐出任过国民党桂林第十区党部监察委员。期间，经营桂林至两江客运的“桂益行”（任董事长）。李宗唐被乡里称为李家的“总管”，几十年来，经手的钱款上千万，但他依然十分节俭，赶圩或外出，从不摆阔气，不坐车乘轿，更不上馆子大吃大喝。李家的

◇ 1948年4月19日蒋介石、李宗仁在"总统""副总统"就职典礼后与众人的合影。前排左起：王宠惠、戴季陶、居正、孙科、郭德洁、宋美龄、蒋介石、李宗仁、张群。

大型工程，如挖塘造屋等，都是他一手经办，既省钱又牢固。他还谨记母训，乐于助人。1946年胃病复发，急赴南京求治，终因痼疾多年，药石罔效，享年59岁。

此时，因李宗仁不顾蒋的反对和阻挠，执意参加副总统的竞选，与蒋对立日益严重，蒋对李的提防，也日甚一日。到李竞选成功，李竟被蒋目为除中共外，第一大政敌。李欲请假回乡为大哥吊丧，蒋再也不提结拜兄弟之事，也把"你的大哥，就是我的兄弟"的慰语抛到九霄云外。竟然拒绝李的告假请求。不过李宗仁在他的《李宗仁回忆录》（唐德刚著本）中，对此有如下描写：

我返京不久，长兄德明忽然在桂林病殁。大哥以半商半农为业，胼手胝足，一生劳苦。我历年驰骋国事，对他亦未有太大的帮助。骤闻殂谢，忆念手足之情，颇思返桂林吊丧。因赴蒋总统官邸，拟当面向他请一两个星期假，俾便返里。谁知蒋先生多疑，他深恐我乘机与两广人士又有联络，对他不利，竟不准我请假。我一再坚持，他仍是不准。最后才笑着说："嫂夫人很能干，让嫂夫人去料理好了。"我不得已，只好打消此念，而由内子飞返桂林吊丧。自思我身为副总统，在中国真可说是"一人之下，万人之上"了，但是先兄去世，我连吊丧的自由都没有呀！

但是，据笔者所了解，李宗唐是1947年死于南京的医院里。李宗仁获选副总统是1948年4月底，向蒋请假是7月的事。如此说来，蒋的提防不是没有道理。但不知是李宗仁记忆有差错，还是唐德刚撰述有忽略？或是笔者数据有误？

第五节 "母仪"何哉？

蒋介石一生为许多著名人物的母亲去世，题写过诔辞。如为唐淮源之母题写的挽额是"岳欧懿范"；为白崇禧的母亲赠以"懿德永昭"；为马超俊母亲黄氏题赠"柔嘉雒刚"。尤以对陈诚的母亲所颁赐的尊诔规格最高。1953年8月17日晨3时，陈诚的母亲洪太夫人因心脏病复发，逝于信义路本宅，年85岁。当时陈诚夫妇及其兄正修、弟勉修均陪侍在侧。此时国民党正在推行改造，陈诚的地位如日中天，虽因几次失误主动提请辞职，都被蒋诚挽留任。于是有人说，辞修真是越"辞"越"修"，官越大。所以仅在17日上午，前来吊唁者就达二百多人，各国驻台使节也于下午纷纷依中国习俗吊唁。蒋及夫人于午间12时半，轻车简从，亲赴殡仪馆吊唁，并慰问家属。蒋在这时最怕的是陈诚提出辞职守制，因为他对陈诚还有更大的任用（不久，陈被推做"副总统"），所以向他讲了几句忠孝之间的关系。但是，陈诚不知是没明白蒋的意思，还是故意要走一下形式，不过有一条他深知，一个不重孝道的人，不管他的地位有多高，才能有多大，蒋都是鄙视的。所以陈仍以"母丧哀恸逾恒，深恐贻误公务"，向蒋提出辞职。蒋似乎生气了，在批示中直接告诉他："移孝作忠，古有明训！值兹国难时期，务望以所报亲者报国，所请应毋庸辞。另准给假十天，以全孝思！"为了进一步安抚陈诚，他为洪太夫人题颁的挽额，赫然竟是"母仪群仰"。以当时台湾政局而论，陈诚作为一人之下，万人之上，太夫人得此尊诔是极大的哀荣。此中的一个"群"字，能看出蒋煞费苦心，反复修改的痕迹。可以说，蒋用字十分到位，除此字外，再也找不出更适合的字了。同时只有他才能这么写，也只有他才敢这么写。

第六节 小诸葛大失误

1945 年 7 月 27 日上午 9 时，国民政府军事委员会副总参谋长白崇禧的母亲马太夫人归真，年 93 岁。由于白氏是回族，敬依伊斯兰教典，于 28 日下午 2 时，在铜梁西泉本斋举行殡礼，29 日上午 10 时安葬于西泉老鹰岩。

7 月 28 日，“孤哀子”白崇勋、白崇禧在报上刊出哀启。

一、夫人与代表会

当时面临抗战胜利，蒋介石最大的要务是，解决共产党的问题，不愿看到桂系的再度与他兵戎相见。为了安抚桂系，拉拢白崇禧，蒋对白家的丧事很重视，首先提议成立治丧处，除西泉安葬仪式外，另择期在重庆举行追悼会。但是选派谁作致祭代表更合适？够级别的人选，不是被派往前线做接受日军投降的准备，就是派做与中共争夺地盘的筹划，还有就是筹备成立联合国的事项。最后选定钱大钧为代表，但反复思考，觉得分量不够，又把儿子蒋经国搭上，全程参与，跟随行祭，以尽殡礼。

29 日，钱大钧、蒋经国携带蒋介石题颁的铭旌状，来到白府一看，怎么来的人尽是女人？再仔细一看，有李宗仁夫人、陈诚夫人、张治中夫人、王懋功夫人等十余位女士，原来他们都是丈夫的代表。除了女代表外，还有男代表，如何应钦、徐堪、余汉谋、宋希濂、贺国光等人都委派了代表。也有一些熟悉的面孔：于右任、孙蔚如、冯玉祥、鹿钟麟等无实权而名重者。钱大钧暗笑：此乃夫人与代表之会也！

◇ 北伐结束不久的“小诸葛”白崇禧。

8 月 3 日，何应钦、程潜、李宗仁三位大员联名在报上刊出《追悼白母马太夫人启事》：订于 8 月 14 日在重庆夫子池举行追悼仪式。然而 8 月 15 日是日本投降日，无法举行。何应钦也因重任在身他往，更改后的日期订为 9 月 3 日，落款也变成“军事委员会办公厅第二组谨启”了。可是 9 月 3 日是盟军胜利纪念日，又不能举行，再次改为 9 月 4 日。最后是在 13 日终于举行了。蒋题颁“懿德永昭”。人们对一拖再拖的追悼会已失去了耐心，况且到处是欢乐庆祝的气氛，与白家本意相违，参加追悼者无法抑制住抗战胜利的喜悦，而强装悲痛。

◇ 白崇禧为母亲 90 大寿所铸制的纪念章。纪念章正面刻着“白母马太夫人九秩荣寿纪念”，头像下面刻有“民国三十三年三月”。背面是一个孔雀开屏的图形，在雀屏上刻有“克享遐龄”，足见白崇禧 对母亲的孝敬。

一年后，国共战事不可避免，蒋在军事上还有赖于这位兵甲满腹的“小诸葛”，几多弼助，于是在 9 月 18 日，批准由“国民政府指令行政院”，颁发对马太夫人的《褒扬令》。与《褒扬令》同时转饬的，还有一方蒋氏手笔的“懿德永昭”匾额。

马太夫人获得《褒扬令》，为民国史上，因子尊而母贵，获此殊荣的第二位（第一位是宋子文之母倪桂珍）。

马太夫人的葬礼前后，是白崇禧人生、事业、声望的最高峰时期，此后，作为军事家的白健生就江河日下，物是人非了。

二、致祭代表 羞辱专使

蒋介石一生戎马征战，坎坷谋国，积累了丰富的为政经验，其中就有利用各种机会，巧妙地使人难堪，甚至是羞辱人的技巧。而对白崇禧的难堪与羞辱，足以让人深思、惊醒，也暴露了蒋在大仁之中的小孽特性。

◇ 1949年8月8日，李、白合影于广州沙面"交通部第六区电信管理局"里。

白崇禧在国民党高级将领中，以能征善战、机智过人而闻名，人称"小诸葛"。然而在决定他晚年命运的关键时候，却棋错一着。1949年白崇禧败退到海南岛后，恐蒋加害，本已做好再走海外准备。这时因李宗仁已在美国，蒋还需要利用白牵制李，先派军需署长陈良到海南岛为白的残部补发军需，再派陆军副总司令罗奇带去他的亲笔信请白崇禧到台湾共商善后，罗奇还告诉白，蒋准备复职后，请他出任行政院长，白犹豫不决，便派李品仙前去探个究竟。李到台后很快来电，一再说确有其事，蒋也很有诚意。经不住诱惑的"小诸葛"终于在12月30日飞往台北，从此再也没能走出台湾一步（《去台高官生死录》，长征出版社2002年，220页）。

此前，在涉及去台湾与否时，白崇禧曾试探李宗仁，李气得大骂"乌龟王八蛋才去台湾！"实则是警告他不要去台。周恩来在与程思远谈到这件事时指出："白健生颇自负，其实在政治上无远见，竟听信蒋介石的话，给骗到台湾去了。"

（一）给白崇禧的难堪

蒋在台湾要复任"总统"，但根据宪法，代理"总统"先得辞职，或去世，要不就修改宪法。于是蒋给白一个难堪：1950年1月6日，白崇禧不得不奉命致电在美国的李宗仁，转告蒋对他进退的建议：要么马上返台仍代"总统"，要么辞去代"总统"由蒋介石复职。白崇禧在电报的最后写道：不辞代总统，又不返台，对德公最为不利。

◇ 1960年，台北回教清真寺落成典礼上，出席贵宾冠盖云集，第一排中间即有白崇禧、陈诚、张群等人。

1952年10月国民党召开七大会议，所有在台的国民党六届常委都被任为"评议员"，唯独白崇禧例外。这显然是蒋又给白崇禧的一次难堪。一些国民党元老觉得不公，便推德高望重的于右任、居正等向蒋陈情。蒋说："健生的事，我知道，我知道！"然后客客气气地把他们送走了，以后再无下文。还有一次，白夫人马佩璋去香港，刚到机场，奉命盯梢的特工就对她说："你的皮包里如果有信件，应该交出来由我们代你寄出，不应该由你带去。"马佩璋对此很生气，从包中取出信，随手撕毁，说不必麻烦你们了。甚至连女儿在美国的婚礼，白也不能前往参加。

有一次白崇禧跟几位朋友在一家咖啡店喝咖啡，临走时白将另外两桌客人的账也付了，白的朋友对此莫名其妙。白偷偷解释说：我看出他们是监视我的人，这个客我应该请。后来这件事传开，那些不速之客承认那么多桌人中，确实只有这两桌是有监视任务的。

1954 年“国大”一届二次会议在台北召开。蒋介石不仅指使人弹劾白崇禧，而且还要他在罢免李宗仁问题上表态。白崇禧与李宗仁从统一两广到北伐、抗战，数十年如一日，患难与共，结下深厚友谊。如今老朋友远在美国，已经被蒋整得凄惨连连，现在又落井下石，白实在不愿表这个态，但又过不了关，最后托不过去，只好在罢免李的联署书上签了名。以后凡是回击李宗仁时都要白出来说话。1964 年 2 月 12 日，李宗仁在纽约《先锋论坛报》上发表公开信，要求美国效法法国，承认中共，立即遭到台湾的攻击。白也奉命致电李，指责他“迭发谬论”，要他“幡然悔悟，以保晚节”。好在李知道白身在其中，言不由己，并不计较。

白崇禧信奉回教，到台湾后蒋为让他牵制台湾的回族势力，仍然委以“回教协会理事长”。1955 年，约旦国王胡笙访台，当面邀请白崇禧以回教协会理事长的身份访问中东，未能成行。1959 年，马来西亚共和国成立时，该国总理拉赫曼电邀白崇禧以回协领袖身份前往吉隆坡观礼。但是蒋介石宁肯驳回“友国”的面子，也不放白崇禧离开台湾。此后台湾回教协会改选，他连理事长的头衔也丢了，除“战略顾问委员会”副主席这个空头衔之外再也没有任何职务了。

更有甚者：一天，国安局大批警员突然前来抄查他的住所。家什物品被翻得乱七八糟，连地板也被揭开检查，还搜走了不少黄金，身为党国大老的白崇禧咽不下这口气，电话质问负责情报部门的蒋经国。蒋经国说他是奉命行事，不信可问“总统”。白又打电话给蒋，得到的回答是：“我知道此事，不仅对你如此，人人都应该这样来一次。”其实只有他与薛岳两人享受这等“礼遇”。

（二）白夫人马佩璋

甚至连白夫人马佩璋去世，都被蒋作为羞辱白崇禧的好机会。

马佩璋是桂林“东利全”商号老板马荣熙的千金，当年桂林有名的美人，以品学兼优毕业于桂林女子师范学校。马父择婿甚严，加之非教门不通婚的回教规例限制，所以很少有年轻才俊被他看在眼里。恰逢白崇禧祖居在马家邻村，又是同教中人，1925 年春，身为师长的白崇禧，成为马家乘龙快婿。白、马两人共患难三十七载，养育七男三女，且感情深厚。

马佩璋是个做事极为细致周到的人，对政治不感兴趣，也不喜欢抛头露面，很乐意当一辈子家庭主妇，把全部身心都扑在了儿女身上，但她对丈夫更为关心。一次她听说丈夫在前线阵亡，便不顾一切地冲破层层封锁，终于在前线与丈夫会合。1927 年 1 月底，蒋介石在南昌总部东花厅与白崇禧商讨战事，蒋对白说：“第一军在浙赣前线作战不利，并不是兵力不够，而是指挥不当，我们两人必须有一个到前线指挥。你以为如何？”白知道蒋实际是要他去，而又委婉以不强加于人之意，便表示：“统帅怎好去指挥局部战事，还是我去吧！”于是白被调任东路军前敌指挥（蒋为总指挥）。白开拔不久，马佩璋就来到南昌，蒋一面招待马，一面致电白道歉：“兄出发之次日，嫂夫人即前来。夫妇不能相见，此中正之过也。”

◇ 白崇禧夫妇和孩子们于 1946 年的合影。

抗战初期，宋美龄聘请马佩璋出任广西全省妇女工作委员会主任委员，马婉为恳辞，推荐李宗仁夫人郭德洁担任。中国回教协会提请她为理事，又婉谢再三。1948 年“回教教胞”、“桂林市民众代表”两方同时推选她为国大代表，均谦辞未就。她一生中唯一的一次关心政治，就遭到蒋介石的嫉恨。那是为李宗仁竞选副总统，桂系全力以赴，白崇禧利用国防部长的身份，对军方施加影响，并凭借他到中央任职多年形成的关系，去各方活动，还利用“中国回教协会会长”身份，拉拢宁夏马鸿逵和青海马步芳。马佩璋这时毅然投身其中，款待“二马”的夫人，并到处请一些要员的夫人打麻将，进行内线活动。又在桂林造了一台榨米粉的小机器空运来南京配合竞选活动，因而宾客可以在白公馆里尝到地地道道的桂林米粉。当时的白公馆成了李宗仁竞选副总统的大本营，马佩璋就是大本营的女主人、大总管，怎能不招致别人的嫉恨？

（三）对马佩璋的难堪

1962 年 12 月 4 日，马佩璋因高血压与心脏病复发而不治。白念及夫妻数十年的情义，特别伤感。按照回教规矩，亡者 40 天内，家属须每日清晨到灵前诵经，白崇禧以 69 岁高龄，每日清晨率子女到马氏灵前诵经祈祷，风雨无阻，从未间断。

在当时，像白崇禧这样高官的夫人去世，少不了有老友部下在报上发表文章，敬以追忆或纪念，但此时却没有。伤心至极的白崇禧，自己在《中央日报》发表《敬悼先室马佩璋夫人》，文中历述妻子种种懿德淑行：“……与夫人结缡 37 年，子女十人，提携抚抱，以教以育，备极劬劳。今则进德修业，均有所成……夫人对子女教育，至为重视，无论家中任何喜庆，概不许请假，免致荒废学业。如有过失，则谆谆告诫，予以启迪……民国 38 年旅居香港，某补给司令派员手持黄金千两送至寓所，先室即告以该巨额黄金如系公有，理应归公，如系私有，我不能无故接受，严词拒绝……更有一次戚友多人在台北寓所闲谈，有问及我国四星上将共有几员？余告以在大陆时共七员，来台者四员，先室对余问云，你是几星上将？”（《中央日报》1962 年 12 月 10 日）

于右任还是较为公正的，他为马氏所撰“墓碑”赞扬道：“……结缡之后相敬如宾，历时 37 年，国步艰难，不遑宁处。健生将军初则戡定广西内部，肃清军阀余孽，继而参加北伐，直捣幽燕；旌旗所指，迭奏膺功。尤以八年抗战，争取胜利。每遇战局艰危，夫人必多方鼓励，善为安慰。民国 38 年……，退处台湾……当时国际形势，于我不利。夫人毅然携同儿女，由港来台。平生修齐，类多淑德懿行。最注重儿女学业，不容旷废；如有过失，唯谆谆告诫。健生将军既无内顾之忧，而儿女成行，亦复砥切磋，比肩竞爽，要皆夫人积德累行，有以致之。”

12 月 6 日下午，马佩璋遗体安葬仪式在台北市六张犁回教公墓举行，前往致祭者有于右任、张群、黄国书、何应钦、莫德惠、谢冠生、顾祝同、李石曾、蒋经国、谷正纲，及回教国家驻台北使节等千余人。“副总统”陈诚夫妇亲往松江路看望白崇禧一家，蒋介石不但以夫妻名义送了花圈，也派了代表致祭，是谁呢？他的侍卫长胡忻（《中央日报》1962 年 12 月 7 日第三版），这是很少见的“礼遇”，让人不由得想起当年史迪威被蒋逼走返回美国时，蒋为羞辱史迪威，准备派一名级别很低的小军官，向史颁发勋章，史迪威非常气愤，又派一位级别更低的人来向蒋宣布拒绝接受。而现在，白家连拒绝的机会都没有。

◇ 蒋介石出席白崇禧丧礼时，向遗族慰问。

1966 年 12 月 1 日夜，白崇禧在台北去世，年 75 岁。对于他的“遽然　”而逝，人们又太多的议论和猜测，与白崇禧交往颇深的孙绳武回意说：12 月 1 日中午，白健生给他打电话与他商量，要以中国回教协会名义，致电沙特阿拉伯国王费赛尔，感谢他在联合国大会上对“台湾代表权”问题的支持，两人交谈愉快，白连称好好。不料第二天早晨回教协会来电话说：白先生去世了。孙说他：惊闻之下，不啻晴天一个霹雳，立刻赶往白公寓邸……孙又回忆说：白公逝世前夕，应以回教友人之宴，笑谈风声，毫无病容。归寓后还写信给国外一位回教友人，谁知竟一眠不起。令他怎么也不相信是病逝（《中央日报》1966年12月5日第三版）。蒋对于白之丧，一如往故，题颁“轸念勋猷”以及《旌忠状》。12月9日在台北市殡仪馆举行公祭，蒋亲临灵堂并向遗体鞠躬，并献花圈。

第七节　内战有恶名抗战留英名

一、很有特点的人物

刘湘在民国时期的军阀中，是很有特点的一位人物，他貌似忠厚或近于愚笨，实则精明过人。自1910年入四川陆军讲武堂，两年后从军，历任陆军营长、团长、旅长、师长等职，直到1934年出任四川省主席，22年间历大小四百余战，是以打内战的恶名举国蜚声。

但是在抗战爆发前，他向中央密陈：四川可担当抗战基地，抗战爆发后的第二天，刘湘即电呈蒋介石，同时通电全国，吁请全国总动员，一致抗日。8月7日，刘飞赴南京参加国防会议。会上他慷慨陈词近两小时，提出为抗战，四川可出兵三十万，供给壮丁五百万，供给粮食若干万石！会后不久他被任命为第七战区司令长官，兼任集团军总司令。当时他已重病在身，省政府秘书长邓汉祥等人，劝他不必亲征，留在四川指挥便可。刘说：“过去打了多年内战，脸面上不甚光彩，今天为国效命，如何可以在后方苟安！”

◇ 刘湘。

刘湘终于在前线吐血病发，临终前他留有遗嘱，激勉川军将士：“抗战到底，始终不渝，即敌军一日不退出国境，川军则一日誓不还乡！”在很长一段时间里，前线的川军在每天升旗时，官兵必同声诵读一遍他的遗嘱，以示抗战到底的决心。

（一）二刘与蒋之关系

1931年4月，刘湘就任四川省善后督办的同时，向蒋介石电告川省形势，27日他收到蒋的复电：“刘督办勋鉴：感电悉，川省善后事宜，百端待理，执事新承特命，勋望并隆，绥靖裁编，具有成算，冀抒荩略，力策进行，副中央之倚畀，出川民于水火，有厚焉。蒋中正，支四日印。”（《国民公报》1931年5月13日五版）

当时四川的军政形势，在表面上刘文辉为省长，刘湘执掌军事。二刘虽为叔侄，刘湘也口称刘文辉“幺爸”，但为争夺对四川的“统一”权，早在1930年就暗斗不断。到1931年1月刘文辉支援陈鸿文进攻李家钰，李兵败退走，刘文辉进至顺庆。刘湘支援杨森，罗泽州进占广安、渠县。3月，刘湘动员三个师进占合川，驱走邓锡侯部陈书农，陈退走遂宁依附刘文辉。从此二刘壤地相接，形成对峙局面。（《四川文史资料选辑》第五辑，147页）也是二刘大战前的酝酿阶段。

在对待蒋的态度上，刘文辉支援中原大战中的阎锡山、冯玉祥。刘湘则看清形势，支持蒋介石的中央军“讨逆”。

而蒋介石这方的形势，是既要加紧“围剿”江西的红军，又要面对不稳定的两广局势。所以他迫切希望四川息兵，以便刘湘抽出兵力，协助他镇驻武汉。

（二）报丧

◇ 刘文辉一家。

这一年的5月8日，刘湘母亲乐太夫人在大邑县原籍仙逝。当天，刘湘向南京发出两通电报，一是给南京中央党部的丧电："火急！南京中央党部各部院长赐鉴：顷接家电，湘母于本晨在大邑原籍因病弃养，猝闻噩耗，惨痛曷极。除呈中央请予开去本兼各职，并克日匍匐回籍奔丧外，泣电陈闻，伏祈矜察。棘人刘湘叩。庚（八日）印。"（《国民公报》1931年5月17日五版）

另一是发给蒋介石、张学良的丧电："火急！南京政府陆海空总、副司令钧鉴：顷接家电，湘母于8日晨刻，在大邑原籍因病弃养，猝闻噩耗，心胆俱摧。伏年湘待罪戎行，子职未尽，惨遭大故，昊天罔极，除星夜匍匐回籍奔丧外，伏恳俯念下情，开去本兼各职，俾得终丧守制，藉补不孝愆尤，泣血陈词，统祈矜鉴。棘人刘湘泣叩，庚（八日）戌印。"（《国民公报》1931年5月17日五版）

第二天，在上海的蒋介石复电："渝转刘督办甫澄兄礼鉴：顷接庚电，猝闻太夫人仙逝，曷胜惊悼，我兄至孝成性，自必哀毁。惟太夫人福寿全归，实已毫无遗憾。川事正赖整理，大局尤待匡扶，务望节哀顺变，移孝作忠，治丧稍竣，仍照常视事，所谓请开去本兼各职，应无庸议。专电奉唁，并颂礼祺。蒋中正，佳9日印。"（成都《商务日报》1931年5月12日七版）蒋同时派吴指导委员为代表，携带他的赙仪金、挽联、挽额前往致祭。

南京方面有张学良、于右任、戴季陶、张群、何应钦、朱培德、王柏龄、刘峙等在9日均有唁电致慰。10日则有中央党部，各部部长，各省主席，各军政要人相继发来唁电。至于川省各将领，如杨森、刘文辉等亲来吊唁。重庆、成都两市各机关团体，皆送有奠仪、挽幛、挽联等。驻渝外国军舰舰长，各国领事均有专函唁慰。（《国民公报》1931年5月26日九版）

鉴于刘湘执意返籍奔丧，5月11日，重庆市商会、各同业公会、市团务局及巴县教育局，财务、实业各局代表偕往刘公馆，一面对刘予以慰唁，一面"说明大局多故，川事未定，中央既有电挽留，在一般人民亦具同情，请以大局及地方为念，暂缓奔丧，就渝请假治丧，以期两全"。刘湘答词极为凄楚，并告知已定好轮船云云。经各代表再三婉请，最终托词"容加考虑"。15日，刘终于决定暂不回籍奔丧，在夫子池设治丧处，并致电大邑县原籍：请将母亲照片寄渝，以便在渝举行祭奠。同时致电大邑县乡绅胡戎生参赞，嘱其对于丧事等，务必从简开支，并从速择期开吊。又嘱咐道：湘之介弟，现正在家中，可会同他一同办理。川省各将领，听说刘已定不回乡治丧，一面赴回水沟慰问，一面准备前往大邑县吊唁，被刘湘劝止。（《国民公报》1931年5月15日六版）刘湘于16日"墨绖从公，颇极哀痛"而成服。

（三）丧假之争

当时有身份的孝子所请丁忧丧假，有一个习惯：一般尽量争取更多的时间，以表示尽抒哀思，并以此为孝（并以不过问政务为佳）。而作为上级，在表示哀悼、慰问的同时，丧假批复的时间越少越好，甚至是拒绝，这表明对你的重视，大政要务离不开你，也使孝子很有脸面。所以一般孝子在遭到拒绝后会再次申请，如果所给丧假确实不足，也会再次申请延长。蒋介石对一般官员丁忧辞职，大多是拒绝，否则遇到丁忧，都请假个三年五载的，那他这个委员长还怎么当？但对刘湘丧假的长短，就拿不准了，所以把这个难题交给了文官处。文官处复电给假5天，刘湘不满意，再电请增加。15日，刘湘接南京文官处电报："渝刘督办礼鉴：文电计达，现奉主座谕，该督办丁艰，着给假3星期，在重庆治丧，免遵前电，毋庸辞职，等因特达。民国政府文官处删（15日）印。"（成都《商务日报》1931年5月20日十一版）

刘湘仍不满意，于19日又电蒋介石，谓：已遵谕在渝治丧。署务即交郭参谋长代行拆……蒋对此未作答复。刘湘于5月28日，再电蒋请求增加假期："急！南京国府蒋主席钧鉴：晶密：顷奉文官处删电，转奉钧谕，该督办丁艰给假三星期，在重（按：原文如此）治丧，勉遵前电，无庸辞职等因，奉此，殷劝训勉，敢不凛遵。惟先母乡居，不遑尽养，猝膺大故，肝胆为摧。昨已遵谕在渝治丧，所有假期内，一切事务，统由职署参谋长郭昌明暂代行拆，不虞废弛。伏恳矜察愚忱，特自5月8日算起，给假49日，俾伸孺慕悲思，徐仰答高厚，一俟假满，仍即照常视事。谨沥哀忱，伏候核示。棘人刘湘叩。效。"

蒋有没有答复不得而知，但刘湘一再要求增加假期，绝不是胡搅蛮缠，而是有他自己的打算。5月25日，在广州的唐绍仪、邓泽如、古应芬、林森、萧佛成、汪精卫、孙科、陈济棠、李宗仁、陈友仁、许崇智等人，联署通电要求蒋介石在48小时之内下野。27日，汪精卫、孙科、邹鲁等在广州召开"国民党中央执、监委非常会议"，成立"国民政府"，28日举行典礼仪式，与南京政府对峙。陈济棠更是声称将联合桂系北上讨伐独裁政权。刘湘料定，两广驰军，蒋必会借重川军东进参战，这是他极为不情愿的，所以他刻意要求延长丧假，既可有"居丧期间不理政务"的借口，婉拒蒋的出兵要求，又可拖延时间，静观时局变化，"择善而为之"。

（四）巧妙为难

刘湘对于蒋所赠赙仪的回报是，5月10日再次通电指斥广州另立政府和陈济棠的荒谬（5月7日刘湘、刘文辉曾通电斥广州事变）。蒋以为自己的赙仪和哀悼起了作用，便于5月15日，电令刘湘接济陈炳堃部。陈炳堃属于"民军"系统，拥有几千人马，自任总指挥，但兵力散居开江一带，且饷械无筹，不知通过什么关系，与蒋搭上话茬。要是在以前，蒋对这种武装势必遣散无疑。可是现在不同了，搞不好，与陈济棠或许有一场血拼，正是用兵之际；况且陈炳堃在请兵讨粤时，还言之凿凿，历数所部如何骁勇善战，又信誓旦旦，他本人怎样对蒋忠诚不二。于是蒋传令谓，已电令刘督办切实援助，嘱陈与刘湘接洽。陈炳堃带着蒋的电报，兴冲冲于5月18日由开江抵达重庆。（参考《国民公报》1931年5月20日五版）

刘湘在他的回水沟官邸，先接到蒋的电令，再得陈炳堃的晋谒请求，便传话让他略等三五日，抽出时间，详尽晤谈。陈左等右等，就是不见刘湘的召见，他想：礼我也送了，灵堂也拜了，怎么就没有下文？不久却等来了报纸上的一则报导：6月6日《商务日报》七版上有："大邑县刘宅治丧费用，目前尚需五六千元，其弟益谦曾致电刘湘，请速予接济，电云：重庆刘督办甫澄大哥鉴：兹值母亲成服开奠，期间逼近，道场超荐，又在转瞬，开支浩繁，无一不需现款，窘极窘急，弟将无法维持矣……，务乞兑五六千元，电汇回家，以济急需。特此呈报，胞弟刘益谦叩。"另有报导，刘湘连日苦愁，为筹措丧费而远走他处。

人们看过报纸，有的赞赏刘湘清廉，有的大笑转暗笑不止，也有的鄙视于鼻息。但作为陈炳堃，却是另一番滋味在心头，没拍屁股就离开了重庆。

这期间，刘湘还做了一件让蒋介石说不出话的事情。财政部长宋子文为扩大税源，吸收存款，把他的中国银行触角伸到了四川，其中重庆的一个机构，就是为蒋介石日后控制川政在财政方面的铺垫。以统一四川为己任的刘湘，早就对此看不过去，但一直没有机会。到4月30日，广州的粤方监察委员邓泽如、林森、萧佛成、古应芬联名通电，不仅是弹劾蒋介石，还把宋子文也捎带上了："宋子文一穷措大耳，徒以贵戚之亲，得为援系，不数年间，立成巨富，其享用之盛，等于王公。其自粤至都，以迄南京绾财政者数年，未偿以收支造册报销。18年第二次编遣会议审查会令其报告财政概况，即托词辞职，避匿沪上。在粤任内，其支出名义无单据者，在数百万以上，广东财政厅及粤中央银行，犹有数目可查。又如受某烟商贿数百万，久已腾诮海外。至于购买钞票，勒加回扣，侵食烟赌款项，操纵金融，鬻官卖缺。晚近六载，财政未闻清理，滥发公债四万万余元。"（《宋子文政治编年》，福建人民出版社，177页）

此通电一经公布，舆论哗然，宋子文顿失颜面，曾两次提出辞职。刘湘认为机会到了，在向蒋示好、通电谴责陈济棠的同时，查封了重庆的中国银行，他认为不仅宋子文不会，也不敢怎样，连蒋介石也山高天远，奈何不得。所以他明人不做暗事，于5月11日，还电告宋子文，因什么什么原因，我查封了你的中国银行……

不管刘湘怎样想还是没法拒绝蒋介石的要求。6月19日，刘湘不得不遵从南京的再次电令，派兵出川，赴湖北为蒋介石震慑武汉。6月25日，刘湘的七七四十九天丧假期满，正式销假视事。

二、墓园与铜像

1938年1月20日，刘湘在武汉病逝，年48岁。

（一）挽联、挽额

蒋介石为答谢刘湘密陈用四川担当抗战基地，决意实行国葬，明令褒扬，追赠一级陆军上将，建陵墓园（建成后占地160亩，花费达140万），飞机抛撒祭文传单，铸刘湘铜像等，蒋还亲自为刘撰写挽联“板荡认坚贞，心力竭时期尽瘁；鼓鼙思将帅，封疆危日见才难。”横额“飒爽犹存”。

2月5日，刘湘追悼会在成都少成公园公共体育场举行，四川省政府秘书长邓汉祥主祭，治丧委员会主委崔泽晖宣读大会祭文，国府主席林森送了挽额：“永念忠勋”，蒋派成都行辕副主任贺国光代表致祭。

（二）妙挽联

“犹存”二字，在当时的四川人听来另有一番含义。原来在早先，四川督军刘存厚割据川东北，推行很重的苛政和捐税，弄得民不聊生，连地皮也要搜刮六寸。十年间，他竟将田赋预征到三四十年以后，最多的地方甚至征到了民国一百年之后。他在达县驻军十年，毫无善政可言，征敛之苛虐，甚至到了“父死子押，兄逃弟囚”的程度。民众对他恨之入骨，骂他是“刘厚脸”、“刘瘟牛”。1918年他率部进驻陕南，又大肆搜刮，并强迫人民种植鸦片，以筹饷扩军。（《民国高级将领列传》第六集，解放军出版社，183页）当他撤离汉中时，当地商会以对联欢送他：“早去一天天有眼；再来此地地无皮。”在政治上他追随北洋政府，对民主思想极端仇视。1917年7月5日，刘存厚驱杀樊孔周、戴戡、董炳南等人，樊孔周全身中弹数十处。樊孔周，名启洪，华阳县资深秀才。曾创办《四川公报》，又出任《成都商报》的社长和成都商会会长，是很有社会影响的进步绅士。1914年双十节，袁世凯加紧帝制作为，令四川军政首长陈宧在全省实行戒严，成都人心惶惶。樊在报社门口张贴对联：“庆祝在戒严期间，半是欢欣，半是恐怖；言论非自由时代，一面下笔，一面留神。”道出了樊的苦闷心态，也代表了广大知识分子舆情，被广为传诵，但也招致军阀们的嫉恨。（《四川文史资料选辑》第24辑，33页）

◇ 刘湘墓。

樊孔周的遇害，激起极大的民愤。民间幽默大师刘师亮（四川内江市椑木镇人，1876~1939，号谐庐主人，以擅长作诙谐、戏谑联称著）作挽联，以哀悼为名，对刘予以讽刺：“樊孔周周身是孔，刘存厚厚脸犹存。”

那么，他的脸有多厚？有六寸厚（绰号“六寸厚”，谐音刘存厚）！

这副挽联从写作艺术上可称是“千古绝对”，从讽刺性讲，令人拍案叫绝，成为茶余谈资，流传很广，一段时间里，似乎“犹存”成了骂名的代称。那些街头悍妇，茶馆泼皮，学堂顽童，至此有了新的文攻利器，初到蜀乡的外地客，往往被“犹存”礼遇后，又做了一次丈二和尚。

蒋介石肯定不知“厚脸犹存”的笑话，否则他是不会用“犹存”二字的。

第三章

唁电、挽额篇

第一节　雷同与敷衍

蒋介石的书法，既不像有人评论得那么好，也不是有人贬损得那样糟糕，而是很有特点，正所谓字如其人，充分体现了他有角有棱、血气方刚、做事认真、谦恭与傲慢同在的性格。可是到台湾后，有一段时间，他的字，被吹捧得天花乱坠，其中也包括日本首相左藤对蒋的书法的推崇，并称书法构成中日文化交流的重要一环。(《中央日报》1969 年 3 月 28 日二版)如果你要问:怎样好？对方想了一会儿，说:“永”字写得好！闻者无不捧腹喷饭。

其实这不是笑话，因为这个字他写得最多，写得多，自然就会写得好了。如果你再问：用在哪里？回答是：用在挽额上。这倒是事实。

晚年的蒋氏，挽额中所用较多的字，就是“永”了。信手拈来，比比皆是：

1947 年 3 月 12 日，蒋以“潮音永亮”哀挽太虚这位曾给自己指点迷津的佛学大师。1951 年 12 月 12 日，蒋为熊绶春题颁“忠烈永昭”。1952 年 5 月 30 日，为李应生题“永怀情操”。1953 年 7 月 22 日，周岩病逝于台北，蒋明令褒扬，颁“忠勤永念”祭之。1954 年为齐耀珊题“德范永昭”。1971 年 4 月 25 日，宋子文在旧金山去世，蒋题以“勋猷永念”，结束了两人 50 多年的恩怨。

不但如此，蒋的挽额中有许多是雷同的。1949 年 2 月 12 日，戴季陶自尽于广州，当时蒋已下野，国民党在军事上败得一塌糊涂，正筹划迁往台湾，蒋虽热心治丧，却无意为戴题写挽额，戴家非常失望，蒋不得已，勉强以“痛失勋耆”哀悼。1951 年 2 月，在戴去世两周年之际，台湾发起追悼活动，蒋又为戴题写“萦怀哲人”。可是仅仅过了 10 个月，即同年 12 月 12 日，在纪念邵元冲殉难 15 周年的大会上，蒋又题赠“萦怀哲人”。两位“哲人”让他都“萦怀”不已是肯定的，但不能不让人想起那句“江郎才尽”的成语。

如果是地位、声望、贡献、学养、经历相同或相近的两位，得到相同的挽额，也还不要紧。若是悬殊太大，很可能地位高者的家属，会对蒋要有微词了。

1947 年 12 月 15 日，国史馆馆长张继病逝南京，年 66 岁。理应实行国葬。可是当时国共战酣，蒋无暇兼顾。不久柏文蔚、覃振相继去世，两位也都是元老级人物。行政院、内政部催问丧事安排，蒋焦头烂额地在各战场飞来飞去，为勉强应付，索性搞了个“批发式”葬礼：将柏文蔚、陈其美、张继、郝梦麟、李家钰、覃振六位合并国葬。1948 年 5 月 19 日，国府通过了《六先烈国葬令》，连《褒扬令》也是同一天“批发的”。所以，当时蒋没有为张继题写挽额。到台湾后，张继的亲族、故旧、门生发起纪念活动，蒋题额“忠谟永式”。不久又为前国民政府秘书长李文范，颁赐内容相同的挽额。虽然李也是老资格的人物，但地位、声望远不能与张继相提并论。

蒋氏挽额，按人物的职业种类分，如耆老、军人、政界、文教界等，大致每一类人物都有相应的用词范围，如战死的将领大都为“忠烈千秋”、“碧血丹心”、“忠烈聿昭”、“精忠报国”等一类字词，所以造成雷同也就不足为怪了。

雷同产生的另一种原因，是蒋的敷衍，60 年代以后更严重。人都有生病的时候，有病了可以不工作而休息，蒋也有生病的时候，特别是在古稀之年。可是他却不能不题写挽额，不能不颁发褒扬令，因为这就是他的工作！所以有的逝者许久才得到挽额就不足为怪了。还有的挽额是在众多元老们的一再恭请下，才得到的。而这样得到的，能不敷衍、不雷同吗？至于是否假以他人手笔，只留得人们去猜度吧。

◇ 张继。

白崇禧、李建兴两位的母亲所得到的“哀荣”同为“懿德永昭”。蒋介石雷同最多的挽额是“谠论流徽”，笔者粗略统计竟有 103 人。开始他还只向报界人士题颁，后来范围扩大，学者等文化界也泛泛有之，再后来连将军也获得此匾了。

然而我们也应该理解和体谅蒋先生，一垂暮老者，要面对成百上千人，要将这成百上千、各色人等的经历、职业、学养、专长、德行、成就，以及他本人和家属对逝者的感情，都浓缩在这四个字里面，何其容易？如果没有雷同，那真是奇迹了。抛开政治因素，单从诔辞文采角度讲，他的诔辞，在中国丧葬文化艺术宝库中，应属上乘之作。

第二节　唁电文采

唁电是蒋介石诔辞数量中，所占比例较大的部分。对有的人，可能没有挽联、祭文或挽额，但是却有唁电。如果没有，那也许是他与逝者同在一地，不用拍发唁电。

唁电也许是他诔辞文采中，艺术成就最高的一个门类。

蒋氏唁电的高产时期，是在 1927 年至 1949 年的 20 多年间。在此前，蒋没有作为主要角色，登上中国政治舞台，所以唁电自然不会多。而此后，蒋败退台湾，政治局势相对稳定，去世的人大多在岛内，甚至就在台北，毋庸唁电。同时，随着权力的巩固，统治范围的减少，年龄的渐高，他也不用对些须小民的死，再像以前那样刻意地借机拉拢，执意安抚，也是唁电减少的一个方面。

蒋氏唁电的一个最大特点，就是与挽联相反，极为简练（这很让人奇怪），绝少冗言，一般在 50 至 70 字左右。虽简练，却又能顾及全面。集中反映了他的文学修养、思想意识、政治谋略。也是民国历史另一版本的注解，有一定的史料价值。

另一方面，从蒋的学历看，原本旧学根基并不深厚，可是你看了他 40 年代的唁电，却没有这种感觉，这说明他是通过撰写诔辞，不断提高旧学水平。另一方面，如果将他 40 年代的唁电，与 1929 年以前的祭文相比，会认为不是同一个人所为，也足以说明这个问题。蒋氏唁电的成因，主要是由他口述，秘书记录，然后由他作修改，随即拍发。

如果再细分，蒋氏唁电以抗战爆发为分界，抗战以前，字数较多，约在 70 至 80 字。抗战后则少一些，约在 50 至 60。到台湾后，唁电的字数更少，约在 50 字，这不仅是他的年龄问题，也是他的为政的心态。这些都说明一个问题：蒋介石的挽联、挽额、唁电，主要是他亲自拟就的，而祭文、褒扬令等长篇诔辞，是由他人代笔的。

字数最长的唁电，是 1945 年 4 月 13 日，为美国总统罗斯福之逝电罗斯福夫人致唁，达 270 余字。又如 1935 年 12 月 25 日下午，交通部常务次长、唐才常之子唐有壬在沪寓所遇刺身亡，年 42 岁。蒋得悉极为震惊，于 26 日电唁唐夫人："上海甘世东路廿村二三五号唐有壬夫人礼鉴：有壬先生闳通毅勇，吾党才，年来赞襄外交，劳瘁不辞。昨闻在沪寓突遭凶徒狙击某身故，极为骇悼。顷以严电缉凶，并分别呈请褒恤。佛尘先生为革命先烈，有壬先生复尽力国事，不避牺牲，实为党史之光，太夫人年高在堂，诸郎孱弱，尚望节哀顺变，以襄大事，至为盼祷，特电奉唁。蒋中正。宥。"此唁电长达 150 余字，在当时极为少见。而字数最少的唁电，为 27 个字，是 1939 年 11 月 16 日电唁吴光新家属："自堂先生仙逝，老成凋谢，惊悼良深，尚希节哀顺变，以襄大事。中正。铣。"

在蒋的唁电中，不乏思绪飞扬、文采绝佳，堪称唁电之式范。

1942 年 1 月 23 日，曾任江苏省省长的耆旧韩国钧逝世于苏北海安，年 85 岁。蒋哀以唁电："紫石先生高年矍铄，苍世耆贤，斥寇氛于海隔，伸六节于暮齿，腾宵正气，举国钦崇。远闻遽逝，悼惜殊深，尚希节哀，善承遗志。特电致唁。中正。丑。江。侍。秘。"此唁电虽仅 70 余字，但其内涵，其文字功夫，与于右任的唁电相类，不容争辩。

1941 年 8 月 10 日，印度诗人泰戈尔去世，蒋于 11 日电唁家属慰问："加尔各答国际大学谭云山同志转泰戈尔先生家属礼鉴：耆贤不作，声教无闻，东方文明，丧此木铎，引望南邻，无任悼念。谨电致唁。蒋中正。真。"

笔者认为此 60 字的唁电，是中国丧葬史典中的上乘佳笔。

第三节 字数最少的唁电

吴光新，字自堂，江苏宿迁人。与段祺瑞有姻娅之亲，为段氏元配夫人之胞弟，得段氏刻意培植。1903 年奉派赴日，入陆军士官学校。归国后因战功升至第二十师师长。1913 年加陆军中将。1916 年，段氏出任国务卿，已无兵力，乃调吴率师入京，使段氏得以一展龙虎韬略。此后吴某一生，与段氏荣辱相关。

30 年代，日本为使"华北特殊化"，而便于控制，拉拢下野北洋官僚为其所利用，一度瞩目段氏。蒋对段执门生礼甚恭（蒋入保定军官学校，段氏为军校总办，故蒋视段为师尊），极力邀请段氏南下。1933 年 2 月，段氏在吴光新和子段宏业的陪同下，来到南京，蒋驱车亲迎，并将段接入自己的车中，与吴分坐在段的左右两侧，殷殷问候，又将段氏接到自己的官邸。这是蒋与吴光新最亲近的一次接触，此外再无更深的交往。

段氏殁后，吴光新辗转流寓香港。1939 年 11 月 15 日，吴光新在九龙寓所逝世。17 日在香港小殓，并等候家属到港迁移灵柩至沪安葬。21 日，国府明令褒扬，追赠陆军上将，从优议恤。

16 日蒋电唁吴家属："自堂先生仙逝，老成凋谢，惊悼良深，尚希节哀顺变，以襄大事。中正。铣。"

此电文仅 27 字。何以如此，一言以蔽之：实在是没什么话可说的！就连《褒扬令》也极为精简，字数少于其他："国民政府令：军事参议院参议吴光新，精娴韬略，秉性安恬。抗战以来，感念时艰，劲草疾风，弥征节概。兹闻溘逝，轸悼逾恒，应予明令褒扬，追赠陆军上将，交军事委员会从优议恤。并将生平事迹存备宣付国史馆，用昭矜式。此令。中华民国 28 年 11 月 25 日。"

第四节 电唁卢夫人

1952 年 9 月 7 日晨，孙中山的元配夫人卢慕贞因心脏病复发在澳门去世，年 86 岁。当时孙科远在法国，

◇ 1912 年 5 月，孙中山、卢夫人与子女及宋蔼龄合影于广州。后立者左起为孙先生长女孙娫、长子孙科、秘书宋蔼龄、次女孙婉。

由其儿子孙治平陪伴在侧。卢太夫人在此时此地去世，给蒋介石出了一个小小难题。联想起 1947 年农历六月二十九日卢夫人 80 岁诞辰时，国民党内高层，特别是广东籍中委在南京发起隆重的祝寿活动。有的报纸特意刊出孙科搀扶老态龙钟的母亲，出见祝寿者的大幅照片。后来祝寿活动就无声无息了，孙科悄然与夫人偕二子返回翠亨村，在中山纪念中学举行母亲的祝寿。据说是遭到宋美龄的反对，有人分析，宋氏姐妹虽然在政治上分歧很大，但姐妹亲情笃深，美龄可能是怕由此刺激姐姐宋庆龄。

卢慕贞虽然没有多少文化，但她深明大义，性格开朗，以孝顺、勤劳和贤惠赢得赞誉。1913 年与孙中山离婚后移居澳门，粤军总司令许崇智出资在“荷兰园”建一套别墅为她颐养。晚年她仍关心家乡建设和国事，且善举不断，曾有某山民因赌负债，向卢告贷，伪称父丧，卢不疑有诈，如数与之还问够用否？后知其原委，仅一笑了之。1930 年冬，有追随黄兴多年的老同盟会员刘辉庭，为人忠直，因不善吹拍，至晚年贫不能存，乃赴澳门求助，卢抚慰有加，即为设法安置工作。卢夫人粗食布衣，赴市购菜，入厨烹调，皆躬亲自乐。居舍门外略种花草清幽。（成都《国民公报》1931 年 6 月 11 日三版）不时有国民党要人途经港澳时，到卢处做客，均得到她的招待。卢还是虔诚的基督教徒，1933 年被澳门浸信教会立为该会第一任会佐。

此刻卢夫人去世，不比当年，而且蒋介石为反攻大陆，笼络人心，对于 1947 到 1949 这几年战死的将领，一而再、再而三地找借口公祭、悼念、纪念。如今若不对卢夫人的去世有所表示，恐怕交代不过去。同时他听说“监察院院长”于右任、新任“立法院”院长张道藩已于 8 日上午电唁澳门，予以慰问。正在蒋思考对策时，国民党中央党部派人来问，党部对卢太夫人去世如何表示，是否拍发唁电？蒋马上说：“可以！”又命秘书随侍，由他口述一封以自己名义的致澳门唁电。随后又指示“外交部”，特派其驻澳门专员陈元屏为他的代表，前往祭奠，致送赙仪金，并照料丧事等一切。这是蒋介石特派“就近专使”致祭的得意之笔。

澳门浸信会为卢慕贞办理了隆重的葬礼，葬于澳门西洋坟场。

第五节　良莠参半毁誉参半

蒋氏为数千余人撰写过挽额，还有人得到过两份以上的挽额。如果仅从文学角度评判，这些挽额各有千秋，有严谨的、有平庸的、有经典的、有敷衍的、有高深莫测、有惊世骇俗，更有朴实无华而令人深刻者。人们对此的评价，也是毁誉参半，仁智各见。

一、惊世骇俗——尊崇程度最高的两位名人

1925 年 3 月 12 日，孙中山在北京病逝。蒋撰写挽联：“主义扬中外，精灵炳日星。”横额为：“高明配天，博厚配地。”此时的蒋氏，诔辞的写作还处于不成熟时期，大量模仿古代诔辞的形式和意境。这两份横额集中体现了这一点，大有让孙中山与孔夫子一争高低的意味。其实中华语言文字博大精深，辞采极为丰富，尊诔崇高的典章应有尽有，蒋介石大可不必效颦。

20 年后，蒋又有一次这样惊世的挽额。1945 年 4 月 11 日，美国总统罗斯福逝世，蒋为其题写的挽

额是“名垂宇宙”。20 年来，蒋的诔辞艺术，已是今非昔比，而且与时俱进，用上了天文名词。尊崇的程度也高得吓人，远远超过当年孙中山。

二、毫无新意

综观蒋氏挽额，有一个奇怪的现象，越是对重要人物，他的挽额写得越是不理想，有如运动员遇到更强对手而怯场一般。

1965 年 3 月 5 日，陈诚在台北去世，蒋赠挽联：“光复志节已至最后奋斗关头，那堪吊此国殇，果有数耶；革命事业尚在共同完成阶段，竟忍夺我元辅，岂无天呼？”挽额为：“党国精华”。如果说，挽联不敢令人恭维的话，那么挽额更糟，糟就糟在“党国”二字上。文学艺术，一旦黄袍加身，为政治服务，那就非糟糕透顶不可，这样的例子还少吗？

◇ 蒋介石挽陈诚联。

1943 年 8 月 1 日，林森在重庆去世，年 76 岁。许多人都认为，蒋的挽额一定是“一代完人”，更有人认为，非此四字即愧对于林主席。有人暗自“押宝”，早早把“千秋大老，一代完人”的挽联送到治丧处，以求得与委员长的相同，哪怕是与“完人”二字相同，也足以为荣耀。17 日蒋的挽额面世，竟是“民国典型”，令人大失所望，不但毫无新意，也毫无文采，作为国府主席的林森，其德行、学养、声望，决不是“典型”这两个字就可以交代的。当然，不是说“一代完人”就是如何的精彩，而是“定论”要与“盖棺”相符。

1936 年 6 月 14 日晨 8 时，章太炎病逝于苏州，年 69 岁。蒋颁“敦仁崇义”匾，又一老生常谈，与太炎先生的声望和崇高的学术地位，显赫的革命经历都不沾边。

1967 年 8 月 16 日，孔祥熙在美去世，年 88 岁。翌日蒋发唁电，颁挽匾“为国尽瘁”，也是毫无文采。

三、也有经典

瑕不掩瑜，蒋氏也有一些文采飞扬、标新立异、恰如其分的挽额，令人过目不忘。

著名佛学大师太虚（1890~1947），俗姓吕，原籍浙江崇德。曾坐禅杭州海潮寺，1918 年 8 月创办闻名遐迩的佛学刊物《海潮音》，它在佛学史上有极大贡献。后为奉化溪口雪窦寺住持，与蒋结缘，间或为蒋宣讲佛法，指点迷津，时有竟夜长谈。太虚东渡扶桑弘法，蒋得知派陈果夫追到上海，致送 3000 元游费。后太虚患半身不遂，寓沪医治。蒋介石邀他到南京洗温泉治疗，并偕游汤山。经由他提议，得到蒋的支持，成立中国佛教会筹备处。抗战爆发后，蒋为了争取国际社会支持，谋以佛教增进与东南亚各国交往，以援抗战。经与孔祥熙、张群、陈立夫等人商定，由政府聘请太虚大师任团长，出访缅、印、锡兰等国。行前蒋赠“慈悯为怀”条幅相送。出访期间，不但受到印度十万僧众的夹道欢迎，而且与泰戈尔、尼赫鲁、甘地等国际名流晤谈，争取到国际社会对中国抗战的声援和经济、物资、人员的支持，历时 5 个月，载誉而归。1946 年元旦国民政府授予太虚大师“胜利勋章”。1947 年 3 月 17 日，太虚示寂于上海玉佛

◇ 1928 年 11 月，太虚大师在英国伦敦。

寺。国民政府颁发《褒扬令》。蒋题赠的挽额为“潮音永亮”。此四字，既自然而又贴切太虚的经历和功业，内涵丰富。“潮”字代表杭州著名的海潮寺，“潮音”则明示了大师的贡献——创办的《海潮音》，还泛指佛教界，更是隐喻大师本人。一个“亮”字，是点睛之笔，既指大师的功业不朽，又喻示佛教永昌。

张一麐（1867~1943），字仲仁，号公绂，江苏吴县人。曾任袁世凯的机要秘书、徐世昌内阁教育总长、国民参政员。1943年10月24日去世，年76岁。蒋题赠“江左耆英”。在蒋的挽额中，颇有新意。

1940年3月24日，陈蝶仙病逝于上海寓所，年63岁。蒋颁“令闻孔彰”。

1944年8月9日，史学家朱希祖逝，公祭大会在重庆中央图书馆举行，蒋赠“渊表硕学”。

1947年11月19日，前复旦大学校长李登辉在上海逝世，年75岁，蒋挽以“学粹行修”。

1951年8月16日，青帮大亨杜月笙逝于香港，年64岁，蒋赙赠“义节聿昭”悼之。

1967年2月27日，陈静涛在香港去世，年81岁。蒋颁以“轸怀耆旧”。

1970年7月13日，盛世才在台北空军总医院逝世，年76岁。得到蒋一纸“志业孔彰”的哀荣。

以上这几条，并不是说写得多有艺术性，而只是在蒋的挽额中，用字新颖，颇具意境。

蒋初到台湾的几年间，以“反攻大陆”为号召、聚拢人心，连尊诔的规格也提高了。从1950年到1953年的四年间，他仅由挽额就“批发”了两位“师表”，一位“导师”。1950年9月3日，张静江在美国纽约去世，年74岁，蒋题赠“痛失导师”。1950年12月20日，傅斯年在台北病逝，年55岁，得到“国失师表”的哀荣。1953年10月30日，吴稚晖在台北去世，蒋颁“痛失师表”挽额。

如果在1949年以前，至少傅斯年的挽额不会是这四个字。所以这一时期的挽额，有他很强的心态特征。

蒋越到晚年，挽额的内容，越流于敷衍，而且雷同的越多。1972年7月5日，黄朝琴病逝于台大医院，年76岁。由于蒋迟迟没有题颁挽额，不仅追悼会无法举行（在当时的追悼会或公祭仪式上，蒋的挽额高悬在逝者的遗像上面，出殡时，由专车驮载于灵车前），连公祭仪式也一拖再拖，后来是由治丧委员会的全体委员一致“恭请‘总统’赐颁挽额”，治丧委员会终于等来“志业流芳”四字。其实，治丧委员会的各位委员当时有所不知，蒋此时重病在身，连自己坚持了几十年的日记也已经停笔了，哪里还有精力执笔题额，所以，“御笔亲书”的真实性，颇值得怀疑。

四、念念不忘的政治情怀

最令人意外，而又忍俊不禁的是他为许克祥题颁的挽额。

许克祥（1889~1964），湖南湘乡人。1927年5月21日，在国民党第三十五军军长何键的策动下，长沙驻军第三十五军三十三团团长许克祥率兵一千余人，公开打响了武装镇压共产党人的第一枪。他采取突然袭击的办法，查封了湖南省总工会、省农民协会、国民党省党部、省党校及其他团体二十多处，解除了工人纠察队和农民自卫军的武装，共产党人利瓦伊汉、夏曦等被抄家，贾云吉、李异云等共产党员和国民党左派及工农群众百余人被杀害，四千多人被逮捕，史称“马日事变”。

1967年3月13日，许克祥逝于台湾新竹，年76岁。蒋颁“铲共先锋”。抛开政治原因，单讲挽额写作艺术，如果首字为“反”，那就毫无新意，也不会有字字铿锵的感觉。一个“铲”字，把挽额写活了，似乎只有这个字，才能发泄蒋氏不尽的复仇情怀。这哪里是对逝者的怀念，简直是埋藏于心底几十年愤恨的大爆发。

第六节　辞修学步

在国民党的高层中，陈诚最得蒋的赏识，在政治、军事上的种种际遇毋庸赘言，就连陈的婚事，蒋也关心至切。虽然陈早年在家，遵严慈之命，迎娶一房裹脚淑妻，但夫妻关系不尚融洽。蒋、宋连手，据隙而作，硬是又为他介绍了前国府主席谭延闿的女儿谭祥，终于迫促陈诚停旧妇，娶新妻，其经过实则一个蒋介石第二。

到台湾后，陈诚更是得到蒋的倚重，蒋摒弃众多元老人物，独举陈为“副总统”，后又兼任“行政院”院长。而陈对蒋则惟命是从，在方方面面做得都让蒋满意。以丧葬和诔辞为例，陈对蒋的诔辞风格，也是亦步亦趋，学步之肖，当仁不让。

蒋的挽联形式，虽变化多样，但他更钟情于五七言式，即五字在前，是开场白，七字在后为结论。如1938年5月23日，黔军304团团长陈蕴瑜在台儿庄战役中殉国，忠骨无收。蒋为其题写挽联为：“裹革恨无尸，一夕苇楼埋碧血；报国原有典，千秋青史表丹心。”上联的前五前缀先说明没有为烈士殓到遗体，充分体现战争的残酷无情。后七字是对前五字的补充和肯定。1937年10月16日，在山西忻口会战中，五十四师师长刘家祺战死。蒋撰挽联：“御侮竟捐躯，卫国殉为天下重；糜身能扼敌，裹尸如见九原心。”还有为陆军上将饶国华题赠的挽联是：“虏骑正披猖，闻鼓鼙而思良将；上都资捍卫，昌锋镝以建奇勋。”

蒋的挽联写得不是很好，但他运用这种形式，还是很有特点。有学者从音韵学上分析，称道这种挽联形式。

陈诚对蒋的这种挽联风格，是否进行专门研究，不得而知，但是他的挽联中，却频频出现这种形式。特别是到了台湾后，更为突出。

1959年11月7日，田昆山去世。14日公祭，蒋题“永怀忠荩”，陈诚赠挽联：“翊赞着深功，定知志业归青史；凋零惜耆旧，缅想彭鬓在画图。”

1960年12月20日，陆军中将刘仲荻在台北陆军总医院病故。23日大殓，蒋题“忠勤永念”，陈诚送挽联：“早岁赴戎行，闻鸡每励中宵志；沙场传伟略，跃马犹怀旧日勋。”

1961年6月10日上午10时，空军司令陈嘉尚的母亲朱太夫人，因糖尿病并发症，在台北仁爱路寓所去世，年77岁。14日公祭，蒋题“教忠垂范”，陈诚题赠挽联：“云路早腾霄，特达足酬兼济志；慈徽成永慕，令终足慰显扬情。”

在挽额方面，陈诚亦学步维肖，蒋经常运用的字，屡屡被他成功嫁接。如为“国大代表”李朗星题“悼念贞勤”，为“立法委员”赵允义题“贞勤可则”，为海军中将王恩华题“帷幄风凄”。

甚至直接把蒋常用的挽额，一字不动，照搬过来，如“志业长昭”、“忠勤永念”、“英烈长昭”、“忠勤垂范”等屡屡颁赠逝者。这样难免不发生“撞车”事件。1958年5月2日，年仅50岁的“国大代表”刘竹丹病逝于台大医院。5日公祭，蒋、陈诚都派人送来挽额，治丧委员会的接待人员竟不敢让家属看见，原来内容都是“谠论流徽”，但家属还是看到了，令在场的家属、接待人员、送挽匾者都尴尬不已。

◇ 蒋介石与陈诚。

作为“副总统兼行政院”院长，陈诚经常要处理部属的丧事安排。对此，他也完全运用蒋的说教和手法，妥善解决。1960年2月10日早6时，台湾省主席周至柔母亲侯太夫人以93高龄仙逝。周氏闻讯，立即由台中飞台北奔丧，在筹办移灵极乐殡仪馆事宜后，周氏于10日上午电呈蒋，以丁忧故，要求辞去台湾省主席职务。12日，陈诚致唁电与周氏，他以当年自己丧母，蒋批示的“移孝作忠”、“以报亲者报国”的说教，转致周，在电文中强调蒋惯用“移孝作忠”法，劝解周打消辞意。并从10日算起，给丧假10天。3天后，陈又致函周，再次强调“移孝作忠”。

蒋于13日复电：“台中台湾省政府周主席至柔兄礼次：灰电悉，太夫人弃养，至深震悼！时际艰虞，切盼移孝作忠，节哀为国，取消辞意。已嘱‘行政院长’酌给丧假，特复致唁。蒋中正。丑。元。”

你看，蒋、陈的做法如出一辙，真乃师道相传不违例！

第七节　说论流徽立言不朽

从 1928 年 2 月起，先后有谭延闿、林森、李宗仁、陈诚、严家淦五人，做过蒋介石的权柄陪衬，而后三人更是名副其实的依附“副总统”了。此三人，以依附蒋的程度而论，由李宗仁起，一位甚于一位。说到严家淦，有人评论他是“好人，不是好官；是好国民，不是好公仆”。而江南先生就不太客气了，他评价说：“严的才具、建树，连勉强及格都困难。充其量只是一个循规蹈矩的政客，无条件服从的陪衬。”

1972 年，蒋第五次连任“总统”后，同样连任“副总统”的严家淦，体谅蒋急于让小蒋接班的渴望，提出辞去兼任的“行政院院长”，并建议由“副院长”小蒋继任。老蒋立刻就接受了辞呈。这下台岛内层震惊，高官无不猜测：是不是自己也该腾出位子，让给小蒋的班底？“司法院”院长田炯锦首先响应，向老蒋递上一纸情真意切的“自修书”，结果表错情了。老蒋并不是想大换血，只是想让小蒋一步一步接近权力顶峰，所以，蒋于 5 月 24 日批复：“本年 5 月 20 日呈悉，宏扬法制仍须继续努力，所请辞职，应予慰留，特复。”

◇ 蒋介石与严家淦。

如果说到诔辞方面，三位“副总统”，李宗仁的挽联较为具体，虽艺术性不高，但有针对性，感情真挚、强烈。陈诚则分对象，但大多数是空洞。严家淦则更有趣，挽联少，挽额内容漫无边际的多，他不像李、陈二人，对逝者有一定的接触和深刻的感知。因为严的资历太差，刚做“副总统”时，有的报纸对他的题诔不予刊载，后来才慢慢改变。

蒋晚年所用最多的挽额是“说论流徽”，如陈海澄、赵波、周兆棠、甘乃光、殷君采、陈博生、苗启平、熊东皋等百十余位。而严家淦“应付”最多的是“立言不朽”。如周治平、李子宽、游弥坚等十余位。

有时，蒋为某人送“说论流徽”，严则赠“立言不朽”。如黄及时、庄静、邵镜人、沈发藻、周芾亭、张志智、阎孟华等。

于是有好事者把这两挽额，连为绝妙的一副挽联，自然是蒋的为上联。又有人以为未尽其意，又找来蒋、严各自另一常用的挽额，续联为：“说论流徽，义方垂裕；立言不朽，谟猷长存”，送给某陆军中将致祭，家属感谢，闻者称道，严家淦则苦笑无奈，蒋或许不知情。

第八节　一“点”之谜

蒋介石诔辞写得多了，有时也要玩一点当年“王羲之飞笔点太原”的游戏。1939 年，国民政府为纪念抗战以来牺牲的烈士，开始筹划在风景秀丽的南岳衡山香炉峰下建“南岳忠烈祠”，于 1940 年破土动工，历时 3 年落成，是中国建筑最早、规模最大的抗日战争纪念地之一，也是国民政府在中国大陆唯一一处纪念抗战烈士建造的大型陵园。这里主要安葬有第九战区、第六战区的抗日阵亡将士。1943 年 7 月 7 日，在抗日战争 6 周年之际，举行“忠烈祠”落成典礼。主祭礼者为第九战区司令长官薛岳将军，他特意请蒋介石题写额匾。可是薛岳等人看到蒋所写的“烈”字中的“歹”少了一点，薛婉转地提醒蒋，蒋表情凝重地看着题字片刻，不做回答就转身离开。在题刻牌匾时，只得依题字而作。至今所悬挂的牌匾依然如此（“文革”时，被有心人摘下牌匾，藏了起来。1982 年重修忠烈祠时，得以重新悬挂）。当时人们纷纷猜测，有人认为：蒋介石题写时，故意少写一点，是希望在今后的战斗中，牺牲的烈士“少一点”，要以最小的代价，获得最大的胜利。也有人说：少写这一点，是想等到抗日战争胜利，把日本鬼子全部赶出中国，祭奠英烈时，再来添上，就跟当年岳母刺字时一样，“精忠报国”中的“国”字少刺一点，后来等时机成熟再加上这一点。还有人说：书法中多一点、少一点属于书法上处理的一种艺术方法，对文字内容没有什么影响。至于蒋为何着意少写一点，看来还是留得历史去评说吧！

◇ 蒋介石题写“忠烈祠”。

第九节　自沉玄武留“清操”

蒋介石是如何对待因对他不满而自杀的人？

1936 年 2 月 8 日午夜，中央监察委员杜羲因“忧国愤时”，自沉南京玄武湖，年 50 岁。

杜羲，字仲虑，河北静海人。清末入保定军官学校学习，在日留学期间加入同盟会。奔走革命，备极艰辛。与张继、柏文蔚、章太炎、周震鳞等结为知己好友。回国后在东北从事秘密革命运动，被捕入狱，几死不能。嗣又因诗文、书法结识于右任。辛亥革命爆发，辅佐姚雨平的军事，任参谋长，颇有才干。其后讨袁、护国、护法，诸次战役，无不躬亲。

他对佛学、文字学有精深研究，善篆荟诗，书法独到，当时有“南章北杜”（章太炎）之说。杜羲与蒋介石没有什么深交，但对蒋在济南惨案中的处置有微词，及至九一八事变，对蒋更加不满。此后他经常骂人，上至最高当局，下至小吏，甚至是记者，无所不骂。因为他骂人有资格（经历）、有资本（学识），无人敢回应。特别是他骂人很有艺术性，委婉到被骂者浑然不觉，还引以转述，津津乐道，令人哈哈不已。以至于骂到生活无着，也不肯与官方来往。1933 年 2 月，由监察院院长于右任提请国民政府聘为监察委员，真实目的是给他一份生活费。蒋介石倒也大度，未加反对。他在南京没有自己的住所，暂寄居在好友、同为监察委员的刘觉民家里，而此房正对玄武湖。（参考《中央日报》1936 年 2 月 9 日第二张第三版）令人奇怪的是，自从做了监察委员，他竟然很少骂人了，有人问他为何不骂了？他回答：今之官场如此尔尔，该骂者众众云云，你说，骂谁才好？对方不敢回答，灰溜溜地走了。此言传出，又成为茶余谈资，还有人添油加醋地借为酒桌助兴的一碟小菜。

对于他的死，姚雨平的挽联道出真情：“底事沉沙追屈子，多因失地痛中原。”也就是说，他是看到蒋介石对日军咄咄逼势的软弱，特别是东北失地，家乡变色，救国无望，对蒋极为不满才自尽的。那么蒋是如何对待他的自沉？从蒋的本意并不愿看到这种现象，可是现实他又不能不去面对。

杜自杀后，监察院及他的生前好友成立治丧委员会，积极为他争取名义，有人担心蒋介石是否会反对。当时一些著名人物的葬礼常常拖延许久，有的是因丧葬费难以筹集，有的是因政治原因耽搁，还有的是因时局不靖，地方割据。更有家属对当局极为不满，拒绝官方的追悼。而杜羲的葬礼为何一拖再拖？终于，在4个月后的6月20日，南京各界为杜举行公祭和安葬仪式，600多人参加，杜的老友邵元冲主祭，国民党元老于右任、吴稚晖、居正、丁惟汾、李烈钧等都带来了精致的挽联或挽额。张继代表中政会悼词说："先生与苏曼殊极相友善，而且两人又颇多相似，学识渊博、一身正气。并同因悲愤国事而自杀，但先生却是两度自杀未果，三度终成圣仁……"蒋介石则不失礼节地送来"清操嚼然"横幅，悬挂在会场中央。不但如此，国民党中央为表彰他"孤忠亮节，堪与楚大夫之沉汨罗江媲美，特意在端午节那一天葬于栖霞山幽居庵墓地"。

现在我们知道了，杜羲的葬礼为什么拖了四个多月，不是因为蒋的干预，而是要在屈原忌日的这一天来安葬他，更具有特别意义。

第十节　往绩与今况

1949年4月解放军渡江后，李延年的第六兵团负责防卫福州，结果李不战而退，福州失守。蒋盛怒之下，以"擅自撤退，有亏职守"的罪名，对李进行审判。陈诚力主处死，蒋因感念他的"往绩"，又考虑到"反攻大陆"在即，尚需黄埔学生用兵（当时有黄埔同学为李求情），正待安抚，只把他关了10年。李延年出狱后，一无军职，二无积蓄，三无任何技能，生活极端困苦，有时竟以辣椒盐水蘸馒头充饥。甚至连抽烟的钱也要向昔日的部下去借，开始时还有点"理直气壮"，后来"借"变成"乞"了。有的人，明知道他是有借无还，但不忍其惨况，还是予以济助。

1974年11月17日下午1时，李延年病逝于台北三军总医院，年71岁。黄埔同学看到他身后萧条，纷纷援手。19日由黄埔同学出面，成立治丧委员会，顾祝同任主任委员，黄杰、袁守谦、裴鸣宇、高魁元为副主委。跟随他多年的副官徐连三，出私款买了一口棺木为他收殓。人们又以诔辞为他晚景抱不平，他生前的债主们援手时不吝啬，这次挽联就不客气了，有人为他送了一副挽联："往绩堪念念不堪；今况叹悲悲更叹！"老实说，挽联虽然不能令人恭维，但却是现实的写照。令作者没有想到的是，挽联中的字词，竟然与蒋所送的挽额相同。12月8日，在台北市立殡仪馆景行厅为李举行公祭，顾祝同上将主祭，全体治丧委员陪祭，与祭团体有：中央军校同学会、山东同乡会、青岛同乡会等。何应钦、钱大钧、俞济时、刘玉章、孙运璇、于豪章、方先觉、王永树等七百余人参加。公祭后，发引、安葬于新店空军公墓之旁墓地。

而蒋介石所题赠的挽额是："往绩堪念"，却不提"今况"了。

第十一节　与希特勒斗酒，让墨索里尼接驾的外交官

1933年9月23日，在湖北省广济县一个名为西官坝的乡村，有一位92岁高龄的老夫人驾返瑶池。然而她的仙逝，却引起国民党高层的格外关注，包括蒋介石、林森、张群、孔祥熙、戴季陶、吴铁城、于右任、吴稚晖、何应钦、黄郛、刘峙、何键、居正、吴国桢在内的35位政要，相继为她题写诔辞致悼。西官坝村乃至整个广济县都为之震惊。

一、五世其昌

这还要从老夫人的孙子刘文岛说起。刘文岛，字永清，号尘苏，别号率真，1893年4月3日生。幼读私塾，17岁入保定军校，1918年留学法国，1925年回国，在黄埔军校工作，成为蒋所赏识的人才。1927年5月任国民军总司令部政治部副主任。8月蒋下野，以"誓与领袖同进退"为信念的刘文岛，也提出辞职，更加得到蒋的信任。刘曾两度出任汉口市市长，1928年第二次就任市长后，因受到何成浚的排挤，不得已去职。不久被蒋外派，于1931年9月16日任驻德国公使兼任奥地利公使，1933年9月13日转任驻

意大利公使。当时，蒋介石正热心于争取德、意两国军事专家的帮助，因此对刘文岛很重视。

◇ 刘文岛。

恰在离任履新的交接之际，祖母张氏病故。刘家为五世同堂，备极融洽，饮誉乡里。刘文岛之父刘细久，以贩鱼为业，在武穴下庙开鱼行。其母王氏操持家务，生育四男一女，刘排行第二。张氏 1841 年生，虽寿享九二高龄，但家人却以九四耄龄治丧。而当时的报纸就太过热心，逐步递进式地渲染增寿，其中南京的《中央日报》竟然报导为 98 岁（《中央日报》1933 年 9 月 27 日一张三版），可谓轰动一时。连远在上海的马相伯也以“九四叟马良”的名义致送挽辞。地方官员也较为重视，刘文岛之胞弟刘俊杰快电讣告德国，要求乃兄速速请假奔丧。国民党中央认为：当此关头，不可“以私误公”，蒋介石更是坚持此议，婉拒刘文岛的“告假”请求。为安抚刘家和刘文岛，在蒋的带领下，中央大员纷纷为老夫人撰写诔辞，因他们对张氏并不了解，所题诔辞大多为不着边际的四字“象赞”，如林森为：“寿母遗徽”，汪精卫为：“康宁　祉”，于右任的象赞最长：“蔼蔼贞柯，温温慈则……”当刘家最先接到的是蒋介石的挽额“贻厥孙谋”，竟吓了一跳，以为是弄错了，后来陆续接到国民政府的唁电，及政军要人致悼之后，才知刘文岛不能回国，即于第二年元月将老人安葬。

到 1934 年，处理完交接诸项事务后，刘文岛因洽商中、意（大利）使馆升格，于 8 月返国。9 月 4 日船到上海，5 日赴南京述职，拜见林森。6 日转牯岭见蒋介石，蒋赠五百元香火钱，并嘱代自己扫墓。9 月 21 日刘再次谒蒋，这次的拜谒促成他官职的升迁：同年 10 月 30 日，国民政府公布中、意两国使馆同时互相升格为大使级，刘文岛被任命为驻意大利特命全权大使，1934 年双十节，蒋赠刘文岛二等采玉勋章。

二、与希魔斗酒，让墨魔接驾

刘文岛是著名的外交家，他就任使节时间虽然不长，但至少有四件事情可以传为外交佳话。

一是刘在任驻德公使时，希特勒狂妄自大，对中国极为轻视，刘就不服这口气。有一次希特勒宴请各国使节，竟然提出与刘斗酒，两人同饮数十杯烈酒后，希特勒当场醉倒，在场各国使节，无不对刘喝彩。

二是兴登堡赠画。当时德国为希特勒当政，象征性的国家元首是一次大战名将兴登堡。刘文岛与这位年近八十的总统很投脾胃，时相过从，畅谈不倦。有一次兴登堡送给刘一幅油画，当时他没有在意，只是作为忘年交的友谊来珍视，无论迁居何处都悬挂在房间里。没料到十几年后，这幅油画正好是东、西柏林分割的图案，让他对这位老人的先知和警世，更加钦佩，更加怀念。有人不相信，经刘的指点，从画的正面看去，果然是站在西柏林的高处所能看到东柏林的轮廓。每当有人问起油画的含义，刘就严肃起来：“这还不懂吗，他这是一种警惕的寓意，意思是警告有一天德国会分裂为两个国家！”（台北《中央日报》1967 年 6 月 20 日第十版）

三是让墨索里尼接驾。刘文岛由德国转任驻意大利公使，在他到达罗马时，要求让墨索里尼来迎接他。这对当时中国的国际地位是不可能的，墨索里尼也感到非常意外，在听了有关人员对刘的介绍后，欣然前往。这在弱国无外交的当时，足以让中国人扬眉吐气。由此，墨索里尼与刘文岛建立很好的私人感情，此后他可与墨独往独来，私谈竟夜。刘文岛似乎有迷人的外交魔力，不久墨索里尼向蒋介石赠送一架飞机，这就让国民政府意外了。礼尚往来是外交官的基本素质，也是必修课。怎样回赠对方，蒋介石的希望是考虑政府的财力为前提，又把这个难题推给了刘。后来刘回国专门派人到湖南，寻找湘绣高手，为墨索里尼刺绣了一幅湘绣的肖像，刘在向墨索里尼赠送时介绍说：这幅湘绣是中国文化、艺术和工艺的结晶，也是我最喜爱的。墨索里尼当然也非常高兴了。

四是首任大使，也是终身大使。由于刘文岛与墨索里尼私人关系的日渐亲密，国民政府与意大利的

◇ 1940 年的希特勒和墨索里尼，表面上谈笑风生，其实各自打着自己的算盘。

交往日渐频繁，再加上刘的斡旋，墨索里尼欣然接受刘提出的中、意两国外交使节升格为大使级。当时中国的外交环境很糟糕，这个消息传出，对国民政府的外交界有如注射了兴奋剂一般。1934 年 9 月 26 日，两国互换照会，10 月 17 日，刘正式被任命为驻意大利大使，也是中国第一位大使。

由于当时的外交官中，只有公使，没有大使，人们对于“大使”这个新鲜的官职感到好奇，“刘大使”就成为人们口头的新名词。就在刘文岛春风得意，成为报端的热门人物时，发生一件让他“臭名远扬”的事件：有一次，某报发布“时人行踪”消息，将他的“刘大使”错印成“刘大便”，于是一片哗然，以至于他由此得了个绰号——“刘大便”。而报社在更正中说这是“技术差错”，国民党政府无可奈何，刘文岛更是有“臭”难言。

二次大战前，由于德、意、日结为轴心，意大利并承认伪满洲国，刘文岛挂旗归国。此后十余年间，国民政府始终没有明令免职，所以他这个首任大使，也成为他的终身头衔。

三、晚景与荣哀

刘文岛为人耿直，爱国心强，敢于直言，是国民党内公认的才子。但他在国民党内没有帮派，常自称“我是单干户”。

他留学时闹穷，学费经常不继，保定军校校长蒋百里不但予以援手，而且开导他翻译瑞士的《新军论》，实为间接资助他。后来这部译著成为共学社的丛书之一，蒋介石也是在看了这部书后，才予以重用他的。他的元配廖世劭是与他同时留法学生，廖的学养还高于刘。据万耀煌回忆（万与刘有“通家之好”之谊），刘文岛确确实实是写了 36 封情书，这才赢得廖世劭的芳心，于 1922 年在法国结婚。后来他居官做事，也真是做到了清廉二字。晚年他还是闹穷，廖夫人无出，继配陆夫人育有四子二女，均在美国“以穷”攻读。1966 年刘文岛卧病，长子共复与次女共定联袂返台省亲侍疾。后来共复毕业做事，但也仅够生活而已。转年 6 月 11 日，刘文岛病逝于台北，年 75 岁。此时，只有共复在侧，其他子女来信给老世叔万耀煌，陈述无法回国奔丧的苦衷，和对人子之道遗憾的哀痛：他们姐弟数人，是靠打工得以勤学，最小的弟弟也是以每天早上送报维持学业，所以他们根本无法回国奔丧。万耀煌以世叔的身份，慨允“其情可恕”。

6 月 20 日在台北市立殡仪馆为刘文岛举行公祭，蒋题诔“志业孔彰”致悼。（见台北《中央日报》1967 年 6 月 20 日三版）同年 11 月 3 日，蒋介石明令给予褒扬，成为蒋近 60 年诔辞史上，祖孙“同享哀荣”的少有特例。

第十二节 “在军成服”

蒋介石非常注重孝道，也以孝道治校（黄埔军校）、治军，乃至治国，但是在别人的孝道和他的（或他所代表的）政治利益发生冲突时，他又会找出种种理由，以古而有之的典故劝导对方，要求他们“移孝作忠”、“以所报亲者报国”等等。这既是驾驭的高明之处，也是掌控政局的必要策略。如为刘文岛祖母“颁赐诔辞”一事，是处理较为妥当的。然而有些劝导不了，就采取命令似的拒绝。

1926 年 11 月，蒋的同乡，时任黄埔军校及北伐总军需官的俞飞鹏丧父，向蒋提出回家服丧，暂时辞职。11 月 20 日，蒋致电俞，并嘱“在军成服”：“南昌俞总监鉴：呈悉。惊闻有失怙之戚，不胜怆悼。军事方殷，该总监转饷输粟，责任殊巨，古有缞绖从军之礼，况革命尚未成功之日，所望勉抑哀思，在军成服，所谓辞职，碍难照准。中正。号。”

与此同时，蒋的结拜兄长，比他年长10岁，时任广东国民政府代理主席（代蒋而理）的张静江，因其父张宝善去世，也提出同样要求。在同一关键时期，两位重要角色或缺，这是蒋所不能接受的。但当时蒋对张极为尊重，于25日致电张："广州张主席钧鉴：闻老伯逝世，吾公至孝成性，哀痛必不堪状。中忝属犹子，不能稍劾厥职，徒增吾公悲悼，罪戾益重，于心更戚。尚祈节哀全孝，成伯父在日之志也。中正叩。有。"

◇ 蒋介石的结拜兄长张静江。

在此电文中，蒋没有涉及他的回家服丧请求，这是一个策略。两天后，蒋又致电张："广州张主席钧鉴：有电敬悉。请在粤节哀主持一切，请勿回沪。中正叩。感。"

从三通电报的内容看，蒋对俞飞鹏和张静江的态度是不同的。

这样的事例有很多，甚至还有连死者家属都不通知的例子。抗战期间，汤恩伯的父亲在家乡病故，当时汤正在前线。蒋首先得知，嘱咐不得告诉汤本人，恐他分心军务。又下令出资为其治丧，并亲手书写碑文。抗战胜利后，汤返乡探亲时，才得知真情。他在跪坟的哭泣声中，真不知是对蒋感谢，还是怨恨？

第十三节　募捐最多的人

◇ 王一亭（左）与吴昌硕。

现在提起王一亭，许多人对他知之甚少，如若有知，也仅仅认为他是著名画家而已。

王一亭（1867~1938），名震，字一亭，祖籍浙江吉安，生于江苏南汇。王一亭的一生受三方面影响，而后他在这三方面均赫赫有成。幼时外婆用《孝经》为他启蒙，教他以绘画，打下他绘画基础，13岁画名已传遍乡里，终成为一代名家。王以书画会友，以书画赈灾，其中既有自捐，也有向外劝募。

他受母亲影响信佛，成为著名居士、慈善家。1926年任上海佛教居士林会长，1928年与施省之、关炯之、黄涵之等组织上海佛教维持会，1930年与李经纬等创办上海佛学书局并任董事长。致力各种慈善事业，参与发起华洋义赈会、中国救济妇孺会、普善山庄等。1937年与同人发起组成难民救济会，筹设难民收容所。14岁辍学从商，17岁考入江南制造局广方言馆，1907年任日清轮船公司买办，接受西方经营思想和管理方法，为他日后的经营打下基础。从清末开始，将历年积聚的资金大量投资民族工商业、金融业，成为实力雄厚的民族资本家。

早年蒋与王一亭还是有交往的。蒋母病故后，蒋精心修建墓庐。1923年蒋赴苏联考察前，特请王一亭画八幅"历代贤母图"，悬挂在墓庐内的素壁上。

1938年11月13日，王一亭病逝于上海，年71岁。1938年11月23日，国民政府颁发对他的《褒扬令》，令文一反往常，侧重于褒扬他在社会救济、慈善事业、募捐方面的成就。令文称："中央救灾准

◇ 傅泾波（右）的一生和司徒雷登（左）的事业紧密地联系在一起，两人间的关系在当时的燕京大学引人瞩目。

备金保管委员会委员王震，早岁倾心革命，赞助共和，继在上海致力社会慈善事业，凡所创办经营，咸具规模。其于各省水旱灾 募捐救济，先后逾一万万元。去夏抗战军兴，组织战区难民救济会，密计殚思，不辞艰险，愿力尤为宏伟，迩来避地明志，节概凛然。遽闻溘逝，殊深轸悼。应予明令褒扬，以彰卓行，而励来兹。此令。”令文十分贴切当时的抗战形势，配合政府提出的救济灾民，救助伤兵，号召民众踊跃捐献救国战费等种种号召。

民国时期产生了一批杰出的募捐艺术家，他们主要分布在两个行业，一是教育界，其中主要是私立学校方面。二是慈善救济救灾行业。前者如晏阳初，仅从美国就捐回三千万美元。又燕京大学校长司徒雷登，1936 年他 60 岁生日时，国民政府对他的表扬令中说他为学校募捐两千万。这个评价是较为公允的。南开的张伯苓至少也在千万元以上，其他如岭南大学校长钟荣光等人也在数百万元以上。救济救灾方面如朱庆澜、熊希龄、杜月笙等在数百万至上千万不等。

《褒扬令》称王一亭历年募捐达一亿元，的确是一个惊人的数字，应该成为民国募捐史之最。这一点得到蒋的肯定，蒋不但对家属给予唁电慰问，而且颁以“清标亮节”祭悼。后王一亭葬于上海虹桥公墓，墓前石碑为蒋介石所题，墓碑文由于右任书写。

第十四节　此地无银有唁电

有些人若做了亏心事，大凡会有愧疚感（如果连这都没有，真乃禽兽不如），或是作某种辩解，或是找证据来证明与自己无关，或是假装同情，义愤填膺地谴责。但这种辩解、证据、谴责在他不经意间，往往又会露出某种破绽，适得其反，为世人所哂了。蒋介石就有过一次这样的无银在此地事件。

◇ 史量才。

一、惊天大案

1934 年 11 月 13 日下午，在沪杭道上的浙江海宁县翁家埠附近发生一起谋杀，这就是震惊中外的史量才被谋害案。

史量才时任《申报》总经理，曾任国难会议会员、杭甬路董事、上海地方协会会长、上海临时参议会议长、农村复兴委员会委员、中山文化馆常务理事、红十字会名誉会长、杭州之江大学董事、交通部招商局常务董事、上海日报公会会长、国民政府全国经济委员会委员、中南银行理事、五洲大药房理事、中国道路协会副会长，他带头并出资修筑了杭州到上海间的 70 公里路段，但他没有料到自己竟会死在这条路上。

次日，《申报》第三版以醒目大标题刊出《本报总理史量才先生噩耗》及遗像，此后《大公报》、《时报》、《时事新报》、《新闻报》、《东南日报》等几十家大型报纸相继报道了这一噩耗。全国舆论一片哗然，评论、悼文、唁电及当局缉拿凶犯的电令如雪片一般，飞向各大报馆。面对史量才的惨死，人们不禁发出了这样悲怆的呼号：“法律是什么？枪杆是什么？人民的生命是不受保障的，这不单是报界的悲剧！”著名人士相继对这一恐怖行为表示愤慨，上海市参议会集体辞职，以示抗议，但遭到上海市政府拒绝。申报馆与史家收到的唁电有：居正、何应钦、孙科、邵力子、孔祥熙、黄绍竑、张学良、顾祝同、邵元冲、陈布雷、天津吴鼎昌、在莫斯科的戈公振、侨商黄奕住、德国驻沪总领事克里、日本东京电通总社光永星郎、大阪每日新闻社东京日日新闻二社总董事冈实等，以及各地主要报纸和新闻社、各大社会团体等。

行政院长汪精卫早年做过刺客，又具丰富的政治经验，对此暗杀主谋，应该心中有数，立即于14日电令严缉逸凶："江苏省政府、浙江省政府、上海市政府、杭州市政府钧鉴：据报，昨日沪杭国道匪徒袭击汽车，被害者为上海市参议会会长史量才等，查沪杭国道迩接首都，竟有匪徒白昼截劫伤人情事，殊堪痛恨。着各该省市政府，即日迅密缉捕匪犯，限期破获，务儆凶顽而伸法纪，对于各省国道交通治安，并应妥筹保护办法为要。汪兆铭寒印"

几个月前，司徒雷登到上海、南京为燕京大学募捐，得到史量才的支持和捐赠，与史量才有很好的个人感情，得知噩耗，十分震惊，当即致电史量才之子史咏赓："咏赓世兄阁下，顷读上海专电，惊悉令尊量才先生，在沪杭道上，遇暴徒狙击，遽尔逝世，骇悼莫名，谨此驰函奉唁，尚祈勉节哀思，珍卫贵体，努力仰承令尊不朽之事业，继续为国家社会造幸福，无任祝祷，专此祗颂素祺。司徒雷登拜启。11月15日"（《申报》1934年11月18日九版）

由上海市长吴铁城发起，上海市参议会、上海日报公会、上海市地方协会等81个团体参与筹备的追悼会，于同年12月23日在上海市总商会举行，1800多人参加，吴铁城主祭并作首席发言，继有沈信卿、王晓籁、俞佐廷相继作报告。

二、电令疑团

史案发生时，蒋介石正远在陕西巡视，但这并不影响他对此案的关注，即于次日发出两通电报，一通是电令浙江省保卫处长兼杭州警备司令俞济时，这通电报没有被公开，不过俞接到蒋电，立即从皖南祁门返回杭州，派警备司令部副官处长江志航赴翁家埠勘察、缉凶。（杭州《东南日报》1934年11月16日一张三版）第二通是电令浙江省主席鲁涤平破案："杭州鲁主席勋鉴：报载史量才先生在海宁被刺殒命，如果属实，应严缉凶犯，负责根究为要，并盼详复。如其家属在杭，妥为切实保护，并代中正慰问是荷。"（《申报》1934年11月16日3版）这通电报，一半是破案令，一半是对史量才家属的关怀和代慰令，若说它是唁电也不为过分。

◇ 蒋介石题写的挽文。

16日下午，史家在上海哈同路宅第举行大殓，上海市政府下令所属各机关，一律下半旗志哀，市长吴铁城、各局局长、各界领袖、各团体代表等两千余人前往吊唁，观者塞途。祭坛上有"敬辞跪拜"竖书条幅。灵堂悬挂治丧处挽联："死亦寻常，忍此一刹那痛苦，有舆论在，有事实在，复何遗憾？生逢多难，综公四十年贡献，为国家惜，为社会惜，敢哭其私！"入殓前，史夫人沈秋水一身缟素，头戴孝披，在遗体旁抚琴一曲，作《高山流水》之婉旋，以报答知音之恩遇。祭堂内外，素白一片，在众多的送挽中，格外引人注目的是蒋介石的挽额，上款为："量才先生象赞"，挽文为："哲人其萎"，落款"蒋中正题"（参看上海教育出版社1999年10月版《现代报业巨子史量才》，225页）。对此四字，人们没有议论，没有讥笑，没有鄙夷，有的只是肃穆的表情，也许还有心中的默念和评判。以此四字，还应赠蒋一顶桂冠——送挽高手！因为以史量才的地位和贤名，蒋若不送诔词，不但情理上说不过去，还会增加他的嫌疑。但是送什么？那就大有讲究了，和鲁涤平所送挽额"舆论同悲"相比，蒋介石就高明许多，用山野村夫的话来解释蒋的这四个字，竟然可以是不关痛痒，毫无意义的：一个聪明人他死了。杭州市长周象贤特意于16日晚1时从杭州赶来，他作为蒋介石、鲁涤平及全体浙江省政府委员的代表，下车后立即到史宅致祭，并与《申报》馆及相关人员，史家遗属恳谈一小时才离去。（上海《时报》1934年11月19日六版）

随着社会各界对于史案的关心，对暗杀的谴责，对破案惩凶的呼声日高，11月17日，回到南昌的蒋介石第二次电令鲁涤平破案，但这通电报没也有公开，社会上只知道蒋有此电令，因为这是蒋在18日第三次电鲁涤平缉凶令中，自己说的："……此案在浙境发生，实属骇人听闻，昨经电令严密追缉，务获究办在案，尚盼督励军警，会同邻封，悬赏购拿，限期破案，否则各级负责当局，必当严加惩处不贷。中正巧。"（《申报》1934年11月19日三版）可以看出，蒋不堪社会舆论的压力，要求缉拿凶犯的态度更严厉了，而且有悬赏、有期限、有惩罚，令人欣慰。

11月24日，江宁六县同乡会为史案，举行第二次会议，议决：以同乡之谊，为本会董事史先生惨遭不测，向蒋介石发出请电："……本会董事史量才，同乡邓祖询，前于沪杭公路途中惨遭非命，迄今多日，元凶未获，用敢电恳钧座，再限令所属军警机关，加紧缉究，务获正凶，以慰英灵而维法纪。"（《申报》1934年11月27日九版）蒋于25日复电，因电文未曾公开，内容不得而知。

12月8日，《申报》全体同人在贵州路湖社大礼堂，为史总经理举行追悼会，491位员工到场，每人胸前佩戴史先生纪念章，臂缠黑纱。大礼堂祭坛，以松柏枝叶扎成，上缀鲜花及蓝色电灯，作半环形状，下铺蓝白两色素绸作信道，信道上撒满花瓣和树叶，正中为史全身遗像，四周围以白稠，上题"人伦师表"，祭坛前悬"精神不死"白布横幅，全场肃穆，庄严寂静，令人油然哀感。追悼会后即席一致议决，分别电请："南京汪院长、蒋委员长钧鉴：本馆总经理史量才先生被害，迭蒙明令缉凶，迄将匝月，尚未弋获，本日全体职工，开会追悼佥议电请钧座严饬所属，加紧侦缉，以雪沉冤而申法纪，曷胜企祷之至。申报馆张蕴和、马荫良等四百九十一人同叩。庚"（《申报》1934年12月9日十一版）

汪、蒋先后复电，蒋的电文为："……张蕴和、马荫良先生：庚电悉。已再电饬浙沪两方当局加紧严缉，限期破案，以凭究办矣。蒋中正真秘京，印"（《申报》1934年12月12日九版）此电中的"已再电饬……"到底是打给谁，内容如何？因目前笔者没有查到，不得而知，但相信蒋会有此"电饬"的，因蒋要排除史案与自己的干系，不会在一两通电报上露出破绽。但这些都不重要了，因为即使蒋有再多的电令，也破不了这惊天大案。

综上述分析，蒋介石为史案，先后有八份诔词，其中七通电报，但令人遗憾的是，其中有四通没有被公开，笔者为此查找了当时上海、江苏、浙江的几十种报纸，仍无所获，究竟何因？

三、剖析唁电

蒋介石为史案，不厌其烦，有电必复，真是一位事必躬亲，认真负责，缉凶抚民的领袖。据目前笔者所搜集到的资料看，这是民国时期，各类暗杀事件中，蒋介石为破案，发出最多电报的一个案例。再推展而言，即使如谭延闿、林森，甚至戴笠这样他最信任、最亲近的人，都没有在故去后，获得如此多的诔词。日理万机的委员长，为何如此热衷于为史量才昭雪，难道真的像有人说得那样，是为排除自己的嫌疑吗？

如果再对蒋介石的唁电内容略加分析，就会发现，麒麟底下竟然露出了两个"马脚"。

第一个"马脚"

蒋介石的唁电，素以精炼、准确、全面而又绝少冗言为特点。但在11月14日发给鲁涤平的唁电，有："报载史量才先生在海宁被刺殒命"，其中的"报载"二字，就是第一个"马脚"。对于突发意外死亡者，蒋的唁电，大约有这样四种形式：

一种是"惊闻"、"惊悉"，这是最多的一种。这一类人物，或是社会地位显赫，或死后造成的社会影响巨大，或是事件本身有某些特殊性，或与蒋个人有特殊关系。如1936年5月13日电唁胡汉民家属："广州胡夫人暨木兰女士礼鉴：惊闻展堂先生逝世，悲恸之至。党国多艰，数月以来，靡日不宁，盼其来京，俾诸事物均有指导，今遽溘逝，岂惟三十年故交之私痛，实为本党与国家莫大之损失。道途遥隔，未能

躬临视殓，万乞夫人等勿过悲毁，谨电致唁，惟祈垂鉴。蒋中正叩元。”（《中央日报》1936 年 5 月 14 日一张三版）

又如为章太炎之丧，电章夫人：“……惊悉太炎先生溘逝，硕贤遽殒，学术有沦丧之惧，痛悼实深，尚望节哀顺变，以襄大事……”（《中央日报》1936 年 6 月 15 日一张三版）

类似的还有电唁尤列家属、马相伯家属、王正廷家属、《申报》主笔金华亭家属、万福麟家属、张静江家属，以及为居正长子居伯强病逝电唁居正等。

第二种是“顷闻”、“顷悉”。这一类人物，与第一种相比，居次要一些，蒋的个人感情也不那么强烈。如 1939 年 6 月八日电徐世昌家属：“天津徐菊人先生家属礼鉴：顷闻菊人先生在天津捐馆，老成凋谢，悼愕殊深。先生国之耆旧，为世钦崇，想望夙裁，无间南北，缅怀往绩……”（《中央日报》1939 年 6 月 9 日二版）

1938 年 3 月 12 日，电唁陕西省水利局局长李仪祉家属：“……仪祉先生学术精湛，治事忠勤，立身卓然，足为世范。顷闻在陕逝世，国丧贤良，震悼殊深，兹敬致奠仪一千元，藉表悼忱，并希节哀顺变为盼。蒋中正。”（《申报》1938 年 3 月 13 日二版）

此类唁电还有为美国总统特使威尔基去世电唁其家属等。

第三种是“遽闻”、“遽悉”，如 1946 年 1 月 26 日，为军事调处执行部派赴张家口执行小组随行翻译富毅翻车遇难，致电郑介民：“遽闻执行小组在张家口覆车，译员富毅死亡，美记者法伦受重伤，无任痛惜，请代表余慰问及吊唁。富毅经历及其家属情形，希望查报抚恤。”

又如 1937 年 3 月 21 日，电唁广东省主席黄慕松之丧：“广州岑秘书长勋鉴：慕松主席遽闻溘逝，惊悼莫名，务请代慰问家属，并照料一切为盼。中正马（21 日）。”（《中央日报》1937 年 3 月 22 日三版）

第四种是其他形式，如 1937 年 10 月 21 日，为郝梦龄、刘家祺殉国，电唁何成浚：“武昌何主任雪竹兄，分转郝军长、刘师长家属礼鉴：锡九铮磊两兄，为国捐躯，光耀寰宇。元良殂谢，痛悼殊深，在两兄求仁得仁，固无遗憾……”（《中央日报》1937 年 10 月 23 日四版）

又如 1941 年 5 月 28 日，电唁王法勤家属：“成都王委员励斋先生家属礼鉴：励斋先生革命先进，勋在党国。比婴痰疾，方冀回苍，何期遽返道山。闻耗致深痛悼，惟望顺变节哀，善承遗志，谨电驰唁。蒋中正叩俭。”（《中央日报》1941 年 5 月 29 日三版）

蒋介石有一支庞大高效，无孔不入的情报系统，一旦发生重要事件，他会在第一时间获得呈报，并迅速作出决策和处理。而蒋在此电中“报载”两字，一反往常之精炼，不拒繁冗地表明：我不是事先就知道，也不是有人报告，而是通过报纸得知，这不是此地无银又是什么？

那么蒋介石有没有其他类似“报载”的唁电？有！ 1949 年 8 月 2 日，他为谷正伦父亲古兰皋病故，所拍发的唁电：“纪常、叔常、正鼎同志礼鉴：闻报惊悉封翁仙逝，老成凋谢，无任怆悼……”此时的蒋介石虽然已经下野，但他仍然通过情报系统控制局面，而这种事情又是不能公开的，所以此唁电的“闻报”，符合他当时的身份和心态，但也是一个此地无银。

另一方面，对于史量才这样的著名人物，突遭横祸，蒋既没有意外之后的“惊悉”，也没有震怒之下的“惊闻”，而是先强调自己的消息来源，违反了他通常的唁电惯例，怎能不显得扭捏做作？特别是“如其家属在杭”，更是难以让人信服。

第二个“马脚”

再接下去看：“杭州鲁主席勋鉴：报载史量才先生在海宁被刺殒命，如果属实……”似乎蒋还不完全相信《申报》第三版披露的史案（当时《申报》惯例，一二版为广告，所以三版也就相当于新闻的头版），恰恰是这“如果属实”，露出了第二个“马脚”。据笔者目前所搜集资料看，在蒋为众多暗杀事件中遇害者家属所拍发的唁电中，从来没有用过这四个字，换句话说：对于别的暗杀事件他都没有怀疑，单单怀疑这一次。《申报》是当时中国历史最悠久、信息量最大（最多时达 28 版）、最具权威性，素以真实、客观、公正为特点的民营报纸。《申报》自然珍惜自己的名节，怎能以自己总经理生死这样重大事件，在报上向几十万读者开玩笑？对于《申报》14 日的三版报道，全国各地主要报纸无不转载或转述，别人都相信的消息，只有他蒋介石还在怀疑，为什么？

蒋介石唁电的另一个特点是用字遣词自然，感情真挚，让人信服。如上海市公安局局长文鸿恩，是在史量才遇害前一天病逝上海的，蒋于 14 日电上海市长吴铁城："急！上海吴市长勋鉴：文局长逝世，不胜悲恸，未知其家属情况如何，望代送抚家洋三千元。中正寒（14 日）申机印。"（上海《民报》1934 年 11 月 17 日四版）与之相比："杭州鲁主席勋鉴：报载史量才先生在海宁被刺殒命，如果属实，应严缉凶犯，负责根究为要，并盼详复。如其家属在杭，妥为切实保护，并代中正慰问是荷。"细细品味，在这 60 个字中，没有他通常唁电里的"痛惜"、"悲恸"、"悼愕"、"哀感"等感情表达，这就大有讲究了，其中有两种可能，一种是：精心考虑，如果蒋真是背后主谋，一旦败露，他至少不会让唁电成为自己的笑柄。第二种可能：在不经意间的感情真实流露。以上所列举蒋的九通唁电，都有蒋对逝者的感情表达，即使对被他扣押过，政争积怨颇深的胡汉民，也有"悲恸之至"，对文鸿恩之丧，有"不胜悲恸"。而以上所举蒋关于史量才的三通电文，均无感情表达。是否因为：蒋既然要杀史，自有他对史的颇多怨恨，就不会有同情的"悲恸"？所以，人呀，许多事情可以百般的掩饰，但不经意间的真实感情，难以掩饰！

四、证据何在

史案发生后，报上有两个悬赏破案启事，一个是浙江省政府的悬赏一万元，另一个是《申报》在久等浙江省政府的悬赏无效后，自己刊出的悬赏，尽管这个悬赏仍然无效，但在开始，给当局出了难堪。

对于史被暗杀，人们猜测纷纷，但冯玉祥就一针见血地指出是蒋介石所为。（见《冯玉祥日记》第四册，441 页）蒋介石为什么与史过不去？要知道，没有蒋介石的支持，史的上海临时参议会议长是根本做不成的。民间对于蒋、史关系有不同版本的说法，权且在此转述其中之一：史量才曾与蒋介石有过一次不愉快的会面。蒋介石盛气凌人地威胁："我手下有几百万军队，激怒了他们是不好办的。"史量才却毫不示弱地回敬："我们《申报》发行十几万，读者总有几十万吧，我也不敢得罪他们！"蒋介石故作豪气地表态："史先生，我有什么缺点，你报上尽管发表！"史量才则义正词严地回答："委员长，你有不对的地方，我决不客气！"所以，史量才不是死于什么利益纷争。他和光明磊落的邵飘萍一样，是为捍卫人格和报格而捐躯的。在 13 日当天下午，南京的戴笠收到了刺杀得手的密电，这句话是"一部二十四史已在杭州购得"，但这句话能说明什么？

80 年代中期，大特务沈醉在他的自传《我这三十年》中坦陈："如暗杀爱国民主人士杨杏佛、史量才等等，都是我间接或亲自进行的。"《军统内幕》中也有沈醉亲自执行暗杀史量才任务，并将此过程写成讲义给特务班学生讲课的记录。

在众多学者多年的研究中，并没有查到过蒋介石亲自下令杀史量才的直接证据，如手谕、密令、电报，甚至是下属向他呈报的文件也都没有。说蒋介石杀了史量才，只能讲是一个被大家认可的推论，但近来坊间有这样一则传闻，说蒋介石在下令杀史量才之后，上海闻人杜月笙曾劝说他收回成命，蒋介石又下了一道手令想中止行动，然而晚矣，手令未到，史量才已经倒在血泊中。只是不知传闻来源的渠道和真实性，这里有可信一面，也有可疑之处，因为蒋要杀史，杜月笙怎能知道，如果确有其事，那他的情报系统就太不中用了。退一步说，既使杜知道了，怎敢当面劝阻？除非蒋介石向他征询。可信一面是：蒋并非嗜杀成性，在迫不得已的暗杀之前，都要先进行恩威并施的收买，无效后还要再征询幕僚。有时事件非常棘手，是在别人的劝说后才开得杀戒。

70 多年过去了，直接证据仍然没有找到，但有人仍在查找之中。

五、暗杀与言论自由

史案发生后，人们在谴责暗杀的同时，也在思考独裁统治与言论自由、新闻导向、记者人格等问题。作为新闻业最发达，拥有最多报纸的上海，对此的评论谨慎了许多，这说明，暗杀确实起到威慑作用，也更能说明史量才风骨独傲的伟大。在远离南京的平津、两广、川云黔等地，顾忌就少了许多，甚至特别借机会，大肆臧否时政，矛头直指最高当局。

北平记者公会于当年12月27日，为史量才举行追悼会。天津是北方新闻业最发达的大城市，拥有《大公报》、《益世报》、《泰晤士报》等著名大报，记者历来以忠道直言为特色。12月11日，天津新闻记者联合会为史案通电全国："……中国国运之衰危，环境之恶劣，实臻上乘，考国势垂危之原因，一由于主政者之措施失当，政治腐化……近来政局日趋黑暗，暗杀之风滋长，社会人士，多明哲保身之思想，惟史量才先生志许社会，遇事梗直，阴谋暗杀之毒手，未尝计及，不幸而卒于沪杭道中。夫暗杀行为，本为政治上之污点，社会之畸形，此等杀人匪徒到处暴行，业已枝蔓全国，向使党国尚有法纪，在军政警宪熟识环伺之繁华通衢之上，绝不应有此……苟无大有力者阴谋主使，其暴行决不至如此嚣张。夫新闻事业日以批评时政，采访新闻为职，法典有人民言论自由之记载，而事实则有杀人匪党之监视，持论略主正义，着笔稍触时忌，杀身之祸袭来，既无辜而被害，复以无地申诉。史先生之死固不瞑目，而主政者之措施失当，实难免其咎！……"（《广州民国日报》1934年12月12日二张二版）

与此通电措词激烈不同的是，广州的厉厂樵先生的《悼史量才先生》，以另一种风格来借悼念，行谴责之本意，虽婉转却更深刻，在当时被公认为是最有代表性的一篇上乘檄文：

史量才先生是被暗杀了！

被暗杀的原因是什么？暗杀他的凶手是谁呢？这些，在上海的人们都是知道的，但是谁也不敢说出来，写到纸上，所以，上海的报纸虽多，没有一张报纸敢于登载这类的新闻。

史先生在上海是颇有权威的努力于新闻事业和文化事业的一人，所以，暗杀他的组织就非得广大和周密，其费用，据说竟有12万之多。本来，在所谓"文化统治"的今日，凡是努力于新闻事业和文化事业，在社会上略有地位的人，其前途不外是两种：不为某种势力的走狗，即遭某种势力的迫害。像史先生这样的人物，忽的遇害是必然的。

……

到了壁垒分明，被压迫者忽地翻身，誓死和暴力抗争的时候，是怎样呢？史先生的在天之灵，一壁没落的同业们的痛惜、愤恨；一壁却为前进的同业们欢欣、鼓舞。史先生现在的血痕，既是暴力之下的走狗们赏心悦意的奇花异草，也是前进的始终为新闻界和文化界夺取自由的人们奠基的础石。

所以，史先生死时，一只眼是闭了，那是不愿再看这暴力弥漫的社会。还有一只眼是睁着的，这是望着后起的，能继承他的遗志，踏着他的血迹，百折不挠地向前奋斗的人们，高举鲜明的旗帜，夺取应有的自由。

他在期待着。（《广州民国日报》1934年11月27日四版）

广东报界于同年12月9日，在广州民教馆大礼堂举行追悼大会，各界代表千余人参加，西南政务委员会代表谭惠泉主祭并致词，除大会祭文外，还向《申报》馆哀致唁电。在两百余副挽联中，西南军政当局的不能不提及，其中陈济棠挽联为："咄咄刹那间，变生不测；觥觥言论界，恫失斯人。"邓泽如："一祸变胚胎，岂关一瞥？一声名洋溢，自足千秋。"邹鲁："地下修文，笔锋应夺奸雄魄，人间何在？辙迹须防荆棘途。"萧佛成："危机隐伏坑儒念，直道从来贾祸多。"（《广州民国日报》1934年12月10日一张四版）

第四章 频于丧祭篇

第一节 新官上任 一把香火

蒋介石把失去大陆，看作是他的奇耻大辱。到台湾后，发誓要“反攻大陆”，不但反思自己的为政功过，改造国民党，而且制定反攻计划：一年准备，两年反攻，三年扫荡，五年成功。他深知，反攻的根本是军队，军队的关键是将领，将领的因素是心向。所以，他极尽笼络、安抚之能事，对逝去的将领要一而再、再而三地公祭、追悼、纪念。

◇ 邱清泉。

蒋对于逝去的将领，其死所，是分别对待的，他最看重的是自戕者，其次是战死者。如张灵甫，他多次赞誉，到台湾后，每年张的忌日，他都会有所表示。1952 年 5 月 15 日，在张灵甫 5 周年忌日，台湾举行公祭，蒋题写“浩气常存”，派“国防部”副部长郭寄峤代表前往致祭。

对于邱清泉则更是念念不忘，到台后的前几年间，几乎年年的周年忌日都组织纪念活动。1950 年 4 月 3 日，蒋颁发对邱清泉的《褒扬令》，并准入忠烈祠。1951 年 1 月 10 日，在邱清泉两周年忌日，邱家原是准备举行一次家祭，蒋纬国却禀告了父亲，蒋氏格外关注，不但派何应钦为代表参加，而且又一次为邱亲书挽额“永念忠烈”，派人送往邱家。这样一来，各界无不重视，顾祝同、周至柔、王叔铭也当作大事，挤出时间赶来参加，装甲兵旅长蒋纬国率属员二十余人参加。结果一次小规模的家祭，变成有一千多人参加的盛大社会公祭。

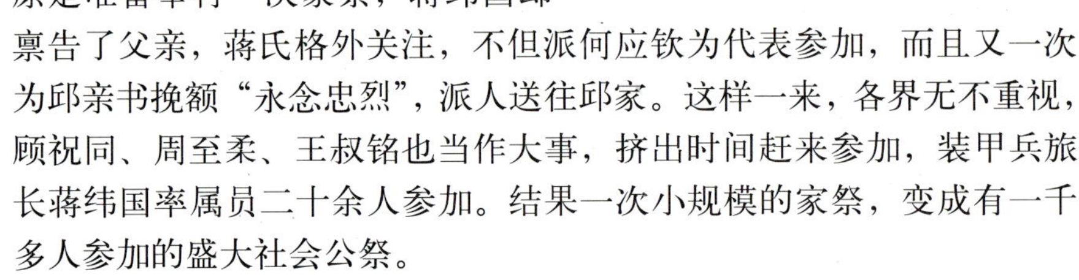

◇ 邱清泉。

与此形成鲜明对比的是，同日为蔡元培诞辰 85 周年，学界也举行了集会纪念，却非常冷清，仅有“中央研究院”、北大同学会等团体的几十人与会。蒋梦麟、毛子水、罗家伦等人看到，作为主持人的朱家骅，因为冷清连讲话也提不起精神。

1952年1月10日，是邱自戕3周年忌日，蒋虽已66岁了，可记忆力真好，早早于7日就又题颁“碧血丹心”挽额，并签发《旌忠状》。邱家将之高悬于十普寺的灵堂，此挽额长达一丈，宽三尺，横贯于灵堂前，下面是邱的遗像和挽联。

到邱清泉4周年忌日，邱家举行家祭时，没有见到蒋介石有什么表示，认为老先生忘了。可是到了2月17日，蒋核定给邱清泉、黄百韬、张灵甫、郭清、胡长清五人遗族颁发特别生活补助金，其中黄百韬遗族为七人，得款最多，7200元。邱清泉遗族6人，为6000元。

◇ 比利时天主教传教士雷鸣远。

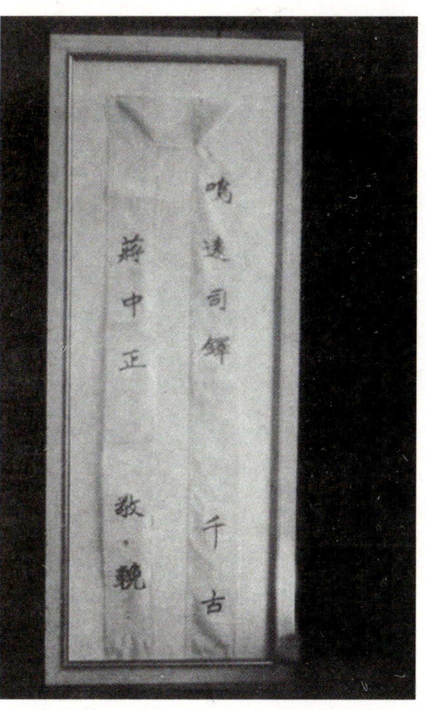

◇ 1940年6月雷鸣远病逝，7月18日，国民政府以1287号褒扬令公开褒扬。11月29日，重庆市召开追悼雷鸣远神父大会。蒋介石亲送挽联悼念：“博爱之谓仁救世精神无愧基督，威武不能屈毕生事业尽瘁中华。”但照片上的字，肯定不是蒋介石自己写的。

1955年的忌日，蒋向邱清泉家属赠款5000元，交由“国防部”总务局赵桂森中将转交，并嘱慰问邱夫人。

还有在同一天为同一人举行两场追悼会。1950年4月27日为张天佑两周年忌辰，台湾省党部在党部大礼堂举行公祭，由山东省参议会议长裴鸣宗主祭，蒋题“气壮山河”。同日由山东省各界发起，在省立台湾图书馆也为张举行公祭，孔子后裔孔德成为主祭。

蒋对其他在抗战中牺牲的烈士遗族也没有忘记，1953年5月3日，在空军殉国烈士高志航的母亲高李春英女士七十大寿时，意外地收到由空军司令王叔铭转交的“蒋介石为她祝嘏，亲书御笔”的大“寿”字。王对高母说：“总统，早就为你写好了，他非常惦记你！”

就连外国传教士的忌辰，蒋介石也念念不忘。1952年6月24日，为比利时天主教传教士雷鸣远12周年忌辰，台北举行纪念会，蒋派邓文仪为代表参加。到他15周年忌辰时，台湾举行隆重的追思大礼，蒋为他题写“义行永昭”，又致送挽联：“博爱之谓仁，救世精神无愧基督；威武不能屈，毕生事业尽瘁中华。”这副挽联是15年前的旧作，此为再次赠送。

在蒋“重丧厚葬常祭奠”的行谊风气影响下，当时的台湾，祭礼十分盛行，机关团体，举凡事务，先开追悼会。1952年4月，马纪壮取代桂永清，出任海军总司令。办理完交接手续，他上任的第一件事，就是举行“海军阵亡将士公祭大会”，自任主祭，副总司令黎玉玺陪祭。其他机关纷纷效仿。“内政部”调查局更为典型，并得到蒋的赞誉。1952年3月29日，该局举行历年“殉难烈士纪念大会”，蒋题颁“气壮山河”。以至于当时私下流传着：“过去古谣谚：新官上任三把火，现在是一把火。哪一把火？一把香火！”的笑谈。

第二节　一天三公祭

1952年3月12日，是戴季陶自尽3周年，亲族好友发起公祭。然而鬼使神差的是，曾任“外交部长”

的郭泰祺于月前在美国去世，定于12日公祭；曾任第五军军长、中央监察委员的李福林此前病逝香港，亲族也排定在这一天举行公祭。曾任第二十九军军长的刘戡本来自戕于1948年3月3日，不知为何竟还是选择这一天。

“总统府”秘书黄伯度衔命，分别找到郭泰祺、李福林、刘戡的亲族，委婉地告诉他们蒋介石不可能同时参加他们的公祭，希望他们能体谅其事务的繁忙，实则暗示他们更改日期。

三家亲族暗自猜度：看来蒋介石的确有亲疏远近的分别对待，一定是要为参加戴院长（戴季陶死前为国史馆馆长，但他当了近二十年的考试院院长，人们还是习惯旧称）的公祭而无暇兼顾他人，只得更改公祭日期。可是怪事又一次出现，三家又同时选择了3月16日，但三家忙于筹备，互相不知（其实这件事，并不奇怪，在不受各自忌日限制后，三家人的心态，当然是择以“吉日”了）。

◇ 1935年5月，中英两国使节关系上升为大使级外交关系，郭泰祺（图中立者）被任命为中华民国首任驻英国特命全权大使。1941年4月17日，郭泰祺离开英国回国赴任外交部长。郭泰祺政治生涯如日中天，不曾想当年12月却因与一位女子之间的风流韵事被摘去了乌纱帽，坊间有“一吻丢官”之说，就像一曲华丽的乐章突然在高潮的时候戛然而止。

3月16日，李福林公祭仪式在善导寺举行，“总统府”秘书长王世杰代表蒋介石参加，蒋题颁“耆行亮节”悼之。郭泰祺公祭在省立第一女中礼堂举行，陈诚代表蒋介石参加，并送来蒋的挽额“勋高坛坫”。在刘戡的灵前，则高悬蒋的手笔“精忠永念”。第二天，他们纷纷打听，蒋介石参加谁的公祭。但终无结果，连报纸也语焉不详。实际上，蒋谁家的也没去！

第三节　1937年2月处理丧事19起

西安事变平息后，蒋介石于1937年1月3日，从南京回到家乡奉化溪口休养，直到当年4月14日为其兄蒋介卿办完丧事后，才正式结束他的休假期。然而这一时期却是他丧事活动最繁忙的，仅以2月为例：

2月2日，国民政府会议决定段祺瑞国葬，但是葬费多少，由哪里支出，还得请示蒋。蒋回电：由25年度预算外支付。而当时财政极为困难，预算外空空如也，但可立时“筹措”（除绑票无他）。同日，蒋下令成立蒋伯器、黄郛公葬委员会，筹备治丧。

2月3日，蒋氏夫妇、朱家骅、陈果夫等赴莫干山吊黄郛墓，蒋“感喟久之”。

2月7日，杭州各界在西湖大礼堂举行追悼会，悼念在西安事变中误伤殒命的邵元冲，蒋以“浩气常存”挽之。

2月9日，再次电慰邵元冲夫人张默君。

2月10日，蒋和夫人在溪口宴请、慰问在西安事变中殉难的蒋孝先等奉化籍人士的家属，看到他们的子女均在髫龄，活泼可爱，蒋不禁含泪语讷。

张学良被扣后，东北军中激进派孙铭九等人谋武装反蒋，张的部将王以哲、徐方等人为顾全大局，反对此举，于2月2日被孙等杀害。王以哲夫人电蒋述其遭难，15日，蒋复电慰唁王以哲夫人：“长安顾主任转王张淑英夫人：灰（十日）电悉，鼎方军长坚主和平，身罹惨祸，至深悼惜，孙铭九等三名，业经交部通缉，总期拿获严办，以伸国法，而安幽灵，特复，蒋中正。”

2 月 18 日，回复行政院：国葬邵元冲。

2 月 22 日，程沧波之父去世，年 69 岁。23 日嘱咐宋美龄为代表致电慰问。

2 月 23 日，蒋电唁徐方家属：“徐靖尘夫人：皓（19 日）电悉，徐处长斡旋和平，被戕殒命，殊深悼惜。凶手孙铭九等三名，已饬部通缉，务获法办，以慰忠魂。特复。蒋中正。梗印。”

2 月 17 日晚 11 时，朱培德去世。翌日，蒋闻讯黯然，三临其丧，痛哭失声。

2 月 19 日，广东省主席黄慕松病逝，蒋于 2 月 21 日电慰黄家属：“急！广州黄主席治丧委员会处转黄夫人暨公子礼鉴：慕松先生忠勤尽瘁，竟尔长逝，公谊私交，均深痛悼，务请夫人等顺便节哀，勿过悲毁，谨电驰唁。蒋中正。21 日。”同日，蒋又致电广东省政府：“广州岑秘书长勋鉴：慕松主席遽尔溘逝，惊悼莫名，务请代慰问家属，并照料一切为盼。中正。马。”

2 月 23 日，南京各界在励志社礼堂举行“西安殉难烈士追悼大会”，蒋以“浩气常存”挽额悬于素花彩牌楼正中，蒋夫妇到会，蒋主祭，亲自献花，读祭文，三鞠躬，始终含泪。蒋送挽联为：“所欲甚于生，别有千秋型世事；伤情还自慰，无违平昔教忠言。”

◇ 西安事变后，宋美龄陪蒋介石上庐山压惊。

这并非全面记载，但仅这 28 天中，蒋竟有 19 起丧事活动，可谓是多事之秋，哀凄连连。

第四节　哲人其萎诔辞几何？

对于一位著名人物的去世，蒋要撰写多少诔辞？在一般情况下，蒋首先要拍发唁电，撰写挽联、挽额和祭文，这四项是最基本的。但是，对于因特殊事件而逝世者，或特殊人物，他会特别对待。1930 年，行政院长谭延闿病故，蒋先给家属拍发唁电，又为治丧事给文官长古应芬拍发一封唁电。另有两篇祭文，一是以国民政府主席名义；另一篇是以国军编遣委员会委员长名义。此外还有启灵文、安葬文、挽联、碑文等。同年 9 月 22 日，又以国民政府名义颁发《褒扬令》。黄郛死后，蒋曾两次唁电他的嫂夫人。川军一四五师师长饶国华殉国后，曾为其撰写两副挽联，重庆、成都两个追悼会场各一副。1939 年 12 月 4 日，吴佩孚在北平去世，蒋和夫人各拍发一唁电，蒋有两副挽联、两副挽额、两篇祭文。至于林森之死竟有三篇祭文。1937 年 10 月 16 日，在山西忻口会战中的第九军军长郝梦龄殉国，年 45 岁，一同牺牲的还有师长刘家祺等。郝是七七抗战以来，牺牲的第一位军长、陆军中将。蒋对此较为重视，首先致电武汉行营主任何成浚，要他代表自己分赴在鄂的郝、刘两家

◇ 郝梦龄。

◇ 刘家祺。

慰问，同时赠赙仪金各两万元。21日他向在武汉的郝梦龄妻子剧纫秋致唁电，拨丧葬费两万元（当时规定此级别为5000元），同日又给郝的母亲郝太夫人拍发唁电：

伯母懿鉴：此次锡九兄督师晋北，奋勇捐躯，闻耗之余，莫名痛惋。顾值国家民族兴废关头，天地正气必有与立，且锡九兄献身革命，早坚许国之心，御寇成仁，允冠传芳之简，英灵不昧，遗憾无多。深维伯母夙着教忠之训，善喻知兴之机，应信我抗敌后死将士，必能继锡九兄之遗志，而推其孝思，以慰兹懿于未艾也。道阻且长，弗遑趋叩，惟祈伯母善加珍卫，勉抑悲怀，以释九原之戚。关于锡九兄身后褒恤，现应加优，已令各主管机关分别办理矣。端此布唁，即候

坤祺

蒋中正　10月21日

◇ 武汉人民恭迎郝梦龄、刘家祺灵柩。

蒋对于一般逝者家属的唁电，大多为四五十字左右，而此唁电竟长达220字。在其他唁电中，蒋均尊对方“礼鉴”，而此唁电则为“懿鉴”，尊敬的规格显然更高一格。以郝梦龄这样身份（属于西北军系统）、地位、年龄（郝1892年生）都无法与他相乘的人，也如此尊敬，少有！不但体现了他尊老敬老的一个侧面，也说明他对抗战的态度。同时又为治丧事电令武汉行营主任何成浚。并为郝撰挽联：“以身许国，特励精忠，况为生存自由而战；不恤其家，必摧强虏，足增袍泽民族之光。”为刘家祺撰挽联：“御侮竟捐躯，卫国殉为天下重；糜身能扼敌，裹尸如见九原心。”郝梦龄灵柩于1937年10月24日运抵武汉，武汉各界举行公祭，何成浚为主祭，宣读蒋的祭文。11月16日，“郝梦龄、刘家祺追悼会”在汉口商会礼堂举行，蒋颁以“浩气长存”横额高悬在会场，并为两烈士合写挽联：“浩气壮长城，策马衔枚思二将；悲风寒白水，日星河岳共千秋。”后又追赠郝为陆军上将，生平事迹宣付国史馆，牌位入忠烈祠。郝梦龄、刘家祺治丧委员会在武汉、山西两地发起为郝、刘家属募捐，到11月3日得捐款十余万，该会不敢做主，禀报蒋如何处理，蒋批示，郝家属得六万，刘家属四万。由此可见，蒋为郝、刘丧事，先后撰写十份诔辞。

第五节　频于丧祭不问囊中

国民党从成立到北伐乃至执政后的十余年间，财政一直处于窘迫状况。宋子文接长财政部后，不满“中央军月支一千万”，使他为“近六百万无处筹措”而苦恼。1928年12月，蒋介石在编遣会议上指出，全国总收入四万万五千万，军费占十之八，他呼吁全国要大力裁军编遣。上海是当时中国经济最发达的地区，但国民党执政后的上海市财政怎样呢？1928年上海市财政收入以总捐、车捐、赛马税三项为大宗，其中赛马税占税收的三成强。前一年全市的机关经临事业各费，得以勉强应付，“赖此赛马税挹注之资”，警备司令部借拨达四成，牵动全部预算，以致数月间各项需款未发。1928年上半年亏欠达55万元。只好转向商界筹款，另外又裁去职员20余人。（《民国日报》1928年11月14日三版）同时，蒋对收买反对

派一掷百万，而用于丧治则严谨有度。但这种内忧外患、囊中羞涩局面，并不影响频于丧祭的风气。那么费用从何处筹得？

早期，国民党未在全国取得政权，主要是内部摊派，如1926年3月29日是黄花岗七十二烈士殉难日，国民党发起公祭大会。那时国民党做事比较谨慎和节俭，指定费用由各机关分摊，其中中央党部最多，为400元，国民政府200元，广东省、广州市两府、革命纪念会、市商会、各军军部等一律50元。但要求财大气粗的广东省总商会出100元，总商会责问：市府也很有钱，前刚没收一批“逆产”，又收到南洋烟草公司两万元建医院的捐款，何以50元？最后市府与总商会同出100元。大会定名为“广东各界公祭黄花岗七十二烈士大会”，还放假一天。每年都要纪念七十二烈士（规模可能有所不同），那每年会务费用的筹措，就只有八仙过海了。

一、爱国情怀频于丧祭

那时，国人的爱国情怀真是没有比的，对一个历史事件，一个著名人物的故去，频频举行纪念会、追悼会、公祭大会等是一特色。如果发生某惨案，当局首先以纪念、追悼为号召，把群众发动起来后，再想到费用问题，所以常有某人去世后几个月、一年，甚至更长时间才为其追悼的情况，大多是因资金不继而拖延。

◇ 张辉瓒。

1928年，济南“五三惨案”发生后，在全国几十城市，相继举行追悼、纪念、声讨活动，其中重点会场为山东、上海和南京。1931年淞沪“一·二八”抗战结束后，同样也举行三场大型追悼、纪念活动：在苏州举行，因为空战于苏州上空；其次在上海，因为是保卫上海；最后在南京举行规模最大的“追悼国殇大会”，因为南京是首都，在全国具有重要的带动意义，也是国民政府表达外交态度的窗口，最高当局不得不重视。

1931年1月，张辉瓒被俘后，遭身首异处，国民党大惊，为之举行四场大型公祭和追悼活动。在南昌公祭，因为他在此葬身；在汉口公祭，因为遗体运回家乡，要在汉口转道停留，湖北当局要举行迎灵仪式；灵柩再到长沙，因为他不但是湖南人，还要在此下葬，既要召开追悼大会，又要举行安葬仪式；最后在南京举行规模盛大的追悼活动，为张一生，画上句号。

这类频频举行的追悼会，有的是各地民众自发筹办的，或是地方政府主持举行的，有的是国民党当局提倡的，还有的是国民党中央、国民政府以公文形式发布的命令，并规定了时间、规模，哪一级官员必须主持，哪一级又必须参加，还有是指定了费用的数额和来源。

二、所费何处

在民国时期的各种会议里，最耗费钱财的是丧祭类，如举行有5000人参加的追悼会，费用约4000元。要是万人参加的，在六七千元上下。5万人的会议，约2万元；如果是十万人的大型追悼活动，要有三四万元的准备。那么这些钱所费何处？主要有以下几个方面：

一、素扎临时牌楼，搭建临时会场，用帷幕建灵堂、香案和孝帐，制作临时性可移动的褒恤令亭、铭旌亭、献花亭、遗像亭、上香亭、鼓亭等。牌楼有大有小，有的是一道牌楼，也有二重、三重。重要的大型公祭，甚至还有四重牌楼，高达三层楼。而每一牌楼一般有二至四层。一般是用竹木做骨架，外扎松柏枝叶。在牌楼入口、会场主席台等处的松柏枝叶，要用白布裹扎，级别高的是用白缎。

二、丧祭供品，如全鲜三牲、祭果、香贡、蜡烛、爆竹、纸钱、纸花等。

三、挽联、挽词、祭文的誊写。重要人物的挽联用白绫抄写，绫底缀以荷花底；烈士简介的编写；

遗像的准备，如果没有照片，还要请画师画像。

四、请佛、道两界做诵经、超度等法事。如果是附带出殡，再加杠夫的费用。而杠夫数量又按逝者地位不同分等级，如16人、32人；在30年代一般公祭、公葬为32人，如鲁涤平葬礼为此级别，张自忠因蒋之特许为48杠。（见《冯玉祥日记》第五册，946页）在封建社会，用杠制度非常严格，如果违反则要重典治罪，民国后对此没有具体限制。1930年8月，京剧名家梅兰芳母亲出殡用48大杠，曾遭人嫉恨。（《益世报》1930年8月13日七版）。像石友三母葬用64杠，则被人讥笑为小人得志，因为最高一级是只有帝王才能用的64杠。1929年孙中山奉安大典就是64大杠，因从北平转运南京，路途太远，分两班轮流奉杠。据说，精心挑选的这128人，以及后备杠夫，仅在南京的训练、演示，就花费了两个月。

五、会场的警卫人员、接待员以及骑马巡警队、军乐队、仪仗队、花圈队等。

六、车船的配备，如运送灵柩的车船，接送家属和重要来宾的车船。

七、大型的重要追悼会，由航空署派飞机在会场、墓地及出殡的沿途做低空飞行，抛撒祭文传单。有一次因飞行过低，飞行员竟不幸失事罹难，所幸未伤及其他。在这次追悼会后不久，又为飞行员举行追悼。

这些还只是直接费用，间接费用则难以细算，如店铺、娱乐场所、公园、工厂等停止一天营业或生产的损失。

1931年3月10日，"海陆空军讨逆阵亡将士追悼大会"在南京公共体育场举行，到会者约十万人。会场前门用素布搭成四层牌坊四座，高约三丈，中层黑字"追悼会"，下层为本次会议黑体字的会标。会场四周的原有栏杆，以松枝包裹，外面再包以蓝白绸、布。在会场入门口处，用素布搭成临时牌坊。会场中央，立临时纪念碑一座，四周均书"为国捐躯"，碑之四周，装五色电灯。会场正面设灵坛，坛顶有扩音器。坛之后壁正中为孙中山遗像，遗像下面为烈士总主位，位前排列烈士遗像，并用素布写满烈士姓名。

1932年6月20日上午9时，南京各界在南京公共体育场，举行追悼淞沪抗日阵亡将士及殉难同胞的"追悼国殇大会"，推举南京市长石瑛主祭，由农工商学妇女、华侨等团体推派代表一人襄祭。并制定了大会程序17项；会场呼喊口号10条；会场张贴标语500条，15句。航空署派一架飞机绕会场及全市低空飞行，散发宣传品，以资追悼。大会筹备处规定（并发通告），全市休假一天，下半旗致哀。全市各机关、团体、学校、商界，须全体参加。

三、筹款种种

过去有个秀才落魄到乞讨，过年时在破庙门上贴了一副对联，形容窘况：年年难过年年过；处处无家处处家。以此比喻民国时期丧祭会议的筹款，倒也恰当：次次难筹次次筹，会会难开会会开。但后人只知道"会"是开了，却不知"筹"有多难。

◇ 蔡公时。

蔡公时在济南五三惨案殉难后，国民政府按照规定拨付治丧费3000元，但远不足用，治丧会向中央申请增拨无果，又向江西省府申请，最后是江西同乡会出面筹措的。北伐胜利后，南京方面筹备"北伐阵亡将士追悼大会"，但一直窘于囊中羞涩，拖延三月有余，后来宋美龄不知是接受谁的建议，发起组织在南京的高官女眷进行社会募捐。她以身作则，并首开得胜，捐得4000元。在上海的宋蔼龄不忘给妹妹捧场，捐来1000元；何应钦夫人王文华、宋子文夫人张乐怡、王伯群夫人萧志英均捐足等同宋蔼龄的款额。敢于超过宋美龄的只有戴季陶夫人钮有恒，为4891元；胡汉民夫人陈淑子也不少，有3965元的写账。较少的有李济深夫人周月卿捐92元，朱培德夫人捐62元，古应芬夫人何明坤捐112.7元。钱昌祚夫人蔡镇华和谷正伦夫人陈白坚，可能是羞于开口"乞募"，拖不过去，两位夫人一合计，决定在南京的主要娱乐场所门票中设立"附征捐"，每票附征一角，结果一星期就“捐到”471元，但也引起民众的议论。孙科夫人陈淑英原本要如法炮制，看形势不妙，改以向铁道部“募捐”，那时孙科刚出任铁道部长，下属各机关纷纷回应，最终她不但获得6126元的第一名，也背上公款私捐的微词。

在当时来说，十次社会公开募捐，有四次成功，就是不错的业绩，而宋一炮打响，令人肃然起敬，关键还是她的身份，谁敢不买账？而劝募者又有身居高位的靠山。上面说的是社会公开募捐，定向募捐则是事先有大宗的募捐对象，一般也有较高的把握。

1931年在扬州筹建“熊成基烈士墓园”。王柏龄是扬州人，又是中央执行委员，自然被推举为筹备主委。他不但当仁不让，也很有办法：在秘书的策划下，制订出以拨款和募捐为主的筹款方案。江苏省府很给面子，拨款一万元，其次就是发动募捐。蒋因两年前失信，未让王做成上海市长，心中颇似亏欠，一接所请，即以首捐万元作为提倡，又在《捐启》中，以“总司令”名义列首位进行号召。扬州的盐商们自民国以后就开始衰落，北伐后更是一蹶不振，但因受不了“霸王请客”式的“劝募”，也捐了1.5万元。王又想起了早年提携过的云南省主席龙云，派人急送10册《捐启》，龙云知恩图报，慨捐3000元谢师。加之零星捐款，总算4万出头了。建成后的墓园位于风景秀丽的瘦西湖上，占地36亩，1931年6月28日举行落成仪式。（参考《中央日报》1931年6月30日）

既然公款有限，募捐又困难重重，那么让富室“垫付”，也是方法之一。据谭延闿自己讲，有一次南京要开十万人参加的大型追悼会，费用至少4万，所以筹委会一开始就做募捐的准备。但募捐不是买东西，而追悼会又有时间限制，拖延太久，家属们不满，民众也会渐失悲情。老谭院长看不过去，先垫付两万，并讲好这次是一定要归还的（谭曾多次垫付，少有奉还），又七七八八地凑在一起，总算把追悼会开了。但后来还是没有归还，因谭不久病故，谭家也体谅时艰，未作计较。据说谭仅在早年因多次捐助孙中山就已经“欠有外债”，现在谭的旧友看不过去，向国民党中央提出说法：以谭故院长追随国父，奔走革命，垂数十年，因为国事所负债甚多，应由国家拨还，以慰忠魂。得到大多数委员的支持，行政院训令财政部，所有债款，俟家属清理后，即由财部负责拨偿。（见上海《民国日报》1930年11月13日一张三版）所以蒋隆重为谭治丧，可能也有这一层意思。

筹款的“八仙过海”，有时竟至意想不到的地步。1928年秋，行政院准备在南京修建一座烈士祠，苦于资金无筹，盯上了原江苏督军李纯在南京的“假身”。李在督苏期间，聚敛无度，当时有民谚：“南方穷了一省，北方富了两家”，一省指江苏，两家指李纯和他死后的继任督军齐燮元。1920年李自杀后，被大总统徐世昌赞誉为“忧国忧民，以悲愤自尽报国”的军人典范，不但大力宣扬，拨款治丧，还在南京为他修建纪念公园，又立铜像。国民革命军进驻南京后，对李的遗产进行查封，仅在南京就有4000万（大洋）之巨（《中央日报》1929年8月19日一张四版），是最早被没收充公的一批，“李纯公园”也被改名为“南京第一公园”，划归南京市教育局管理，所得收费由教育局支配。只有那被推倒的铜像，还孤零零地存放于旧平江府街。“筹委会”认为“假身”的“铜”还有用，经测算估价，余款竟然还可刊印《烈士纪念册》，皆喜不自禁。经呈请，于1928年12月26日公开拍卖，得上海制造局金陵分局青睐，但局长陈钦时看过后以“锈蚀太过”作罢。后再与新任局长黄公柱几番洽商成交，黄运回后，将铜像切割几段，据说欲铸铜钱，但结果就不知道了。

第五章
外国政要篇

第一节　斗法

珍珠港事件后，蒋介石希望美国派一位高级军官做他的参谋长，来协助他与盟军的各种事务和关系。1942 年元旦，美国陆军参谋长马歇尔推荐他的老部下、陆军中将史迪威担当这一使命。

一、妄自傲慢

1942 年 3 月 3 日，史迪威带着美国援华的美元，第五次来到中国。但是他在三天后才正式向蒋介石报到。第一次见面，他就通知蒋，他将指挥在中、缅、印战场的所有美国军队！而他实际只是蒋的参谋长，应该接受蒋的命令。他的"傲慢与神气"使蒋很不高兴，据侍从室的人后来回忆，史走后，蒋独坐客室，表情阴沉，久久不语。更让蒋没想到的是，史经常自行其是，甚至抬出罗斯福来胁迫蒋。这样就弄得蒋下不了台，有时竟为一点小事吵起来。

二、"枪毙！"

一次，蒋、史为缅甸战役失败的责任问题发生争吵，蒋轻蔑地说："史迪威将军先进的作战思想固然令人信服，可中国有句古话叫做'胜者为王，败者为寇'。你输掉了战役，再怎么说也是无用的。"史气得站了起来，指着蒋吼道："你这粒'花生米'(这三个字本是蒋在秘密通讯中的代号，而美国习俗却是指没有分量、被人瞧不起的小角色。这种称呼不久就变为半公开的，这令统率千军万马的中国领袖十分难堪)，没有你在暗中操纵，战役早就胜利了！"蒋欲言又止，怒气冲冲地把茶杯摔在地上，狠狠地说："枪毙，枪毙！"史听了，马上回到住所，给罗斯福总统拍了一份电报，说蒋要枪毙他。罗斯福生怕蒋鲁莽失控，急电示蒋，要他谨慎从事，否则会停止对中国战区的一切援助。

◇ 1942 年，史迪威为蒋介石颁发美国授予的勋章，那时两人还没出现矛盾。

几天过去了，史没有看到蒋要枪毙他的丝毫迹象，很是奇怪，就向卫兵打听。原来蒋情急之下，用浓重的宁波口音吼出的那句话，是指责他“强辩！”史自己不禁大笑不止。这个笑话广为流传，他也成了大家的笑柄。

◇ 宋美龄高调挽着史迪威出镜，象征蒋与史迪威团结一致，共同抗战。

三、固执己见

蒋很讨厌史迪威，两人就援款问题进行研究又发生分歧。史主张这笔钱用于生活日用品，以改善中国士兵的生活状况，否则，他将撤回援助。蒋听了不断地点头，连说：“好的，好的！”史以为蒋接受了他的意见，便放心地把这笔钱交给了蒋。没想到蒋用这笔钱主要购买军用物资，极少一部分发了军饷。史知道后，大发脾气，当面责问蒋为何违背诺言。蒋冷冷一笑，说：“我几时答应过你的要求啊？”史有了上次的经验，这回不敢莽撞，下去再一探究，才知道，蒋的宁波方言是中国最难懂的一种，连许多中国人也不一定都明白。所谓“好的、好的”，只是“我知道你的意思了”，并非表示同意，简直气得史迪威无以名状。

四、告状

1944 年 4 月起，日军发动豫湘桂战役（即一号作战），史歪曲事实将这一失败，报告罗斯福。7 月 9 日，罗斯福采纳史的建议，电令蒋把军事指挥权尽快交给史。蒋看罢译电，竟抱头号啕大哭，在日记中写道：“实为余平生最大之耻辱。”

史迪威却有一种满足的快感，并且写了一首诗：“我等了很久，想要复仇——终于时运来了，我瞪眼瞧着那个小子，兜屁股踢他个够。……我晓得我仍须忍受，进行一场令人厌倦的竞走，可是啊，天赐的欢乐多么欢畅！我已叫那小子颜面丢尽。”

五、转机

蒋介石当然不会听从罗斯福的指挥，又不好拒绝，于是一面采取拖延法，一面让罗斯福改变对史迪威的看法，从而改变原先的决定。他致电罗斯福说，他可以交出军事指挥权，但不能交给中国军队不信任的人。希望美国派一位富于友谊合作精神的美国将军，来接替史迪威。同时又策动赫尔利、陈纳德、马歇尔等一起影响罗斯福。一开始，罗斯福还坚持原先的方案，但看到蒋的态度如此坚决，于 1944 年 10 月 5 日，致电蒋，表示同意免除史迪威中国战区参谋长职务和管理租借物资的权力，只要求让史迪威继续指挥在云南和缅甸的中国军队。但作为美国总统代表的赫尔利不同意，因为他怕这样会影响自己出任驻华大使。史迪威在日记中写道：“赫尔利用一把钝刀子割断了我的喉咙。”

六、阴谋

史与蒋的矛盾不断升级，史以国民党政府的腐败，和蒋在军事指挥上的失误，来要挟蒋。又以此向美国政府报告蒋之无能，并说蒋根本不抗战，只是要求援助。并提出取代蒋，自己出任中国战区最高司令官（战后公布的美国资料，证明他还制定了暗杀蒋计划，杨天石先生已有详细论述）。至此，史、蒋关系公开恶化。

七、针尖对麦芒

蒋、史矛盾终于有了一个彻底解决的方案，史要取代蒋的目的没有达到，蒋却把他赶走了：1944 年

10 月 19 日，罗斯福总统下令，将史从中国召回，命令要求他："勿作声明，48 小时内离渝，行踪保密。"这回轮到蒋得意了，为羞辱他，蒋决定授予他"青天白日特别勋章"。中国有许多种勋章，而这种勋章是不受地位、级别限制的，甚至一个空军中尉也可以获得。史虽自认是"中国通"，但并不了解这些，所以很高兴。有人提醒他，说向他授勋的是一个级别很低的小军官，史惊讶地张开了嘴，许久没有闭上，他这才明白蒋的用意，于是针锋相对，派出一名级别更低的美国军官，代表他去通报拒绝接受。

八、再找机会

史迪威在临行前，用一天时间向各方面的友人告别。还致函延安的朱德，表示："对不能与您和您的不断壮大的杰出部队并肩抗日深感失望。"同时，他命令美军观察组的约翰·谢伟思返回华盛顿，向总统报告延安的情况，以说服政府与中共建立联系。最后他看望了孙中山夫人宋庆龄，宋当着他的面，毫不掩饰自己的感情，痛苦地哭了，并述说自己很苦恼。一个月前，宋庆龄曾会见史迪威，希望他能代表中国出席世界和平大会。可是这些事情，在蒋的眼里，根本不能起到任何报复的作用。

九、无奈

1945 年 1 月 25 日，史迪威力主修建的利多公路正式通车。这条路由印度利多、经缅北密支那至中国云南，最终将与从中国保山经腾冲、接通缅甸密支那的保密公路相接，滇缅公路的重要意义是，在日本占领仰光、失去缅甸出海口岸后，一条极为重要的出海通道。蒋介石出席了通车剪彩大会，并在会上热情地赞扬史迪威的巨大贡献。蒋说："我们已经打破了倭寇对中国的封锁，为了纪念史迪威将军的卓越贡献，我把这条公路命名为史迪威公路。"

◇ 某次宴会上的（左起）宋庆龄、史迪威、宋蔼龄、孔祥熙。

在美国的史听说这件事后，先是满脸笑容，接着疑惑不解地问："他没经过我的允许，谁叫他这么做的？"而美国政府为表彰史的功绩，向他颁发了一枚荣誉军团勋章和一枚优秀服务勋章。

十、拒绝

曾是史迪威上司的英国元帅蒙巴顿（东南亚盟军最高司令）这样评价他："此人心胸狭窄，尖酸刻薄，报复心特别强。"这个评价的确中肯，早年他曾在菲律宾服役，在被召回国的时候，他在日记中记下了七个向他祝贺的人的名字，以及九个没有向他祝贺的人的名字，可见他是多么在意这些细节。史迪威认为自己在中国两年多，做了许多贡献，不但没有被认可，反而被蒋一脚踢开，连美国政府也不原谅（回美后，不让他接待记者，不许发表任何谈话），于心不甘。当然也没有忘记蒋对他的羞辱，处心积虑地寻找机会，要当面报复蒋，享受让其难堪的快乐。

离华后，他被任命为太平洋战场美国第十军司令，1945 年 9 月 2 日，史迪威出席在东京湾"密苏里"号战列舰上举行的日军投降签字仪式［根据一本在美国再版了 12 次的史迪威的权威传记记载，他说："除了尼米兹（美国代表）和徐永昌（中国代表）外，其余的（代表）都是乌合之众。"］，并于 7 日亲自主持琉球群岛的十多万日军的受降仪式。在返回美国前，9 月 26 日，他通过马歇尔，表示希望就近到北平去看看老朋友。蒋介石一口拒绝，理由是他的访问会被中共利用。

十一、逝者如斯

1946 年 10 月 12 日，史迪威病逝于美国，年 63 岁。国民政府外交部给史迪威夫人发了唁电，言语真挚而深沉。正在美国考察水利的冯玉祥，专程到史迪威家里悼念。南京召开隆重的追悼会，蒋这一次是做给美国政府看的，因为他还需要美国的援助。所以蒋亲临主祭，致送挽联祭悼："危难仗匡扶，荡扫倭氛，帷幄谋谟资率划；交期存久远，忽传噩耗，海天风雨吊英灵。"

◇ 史迪威将军（前左）乘吉普车前往缅甸北部巡视在那里对日作战的中国军队（约摄于1944年）。

朱德也发来了唁电，称："史迪威将军的去世，不仅使美国丧失了一个伟大的将军，而且使中国人民丧失了一个伟大的朋友。中国人民将永远记得他对于中国抗日战争的贡献和他为建立美国公正对华政策的奋斗，并相信他的愿望终将实现。"

10月21日，蒋以国民政府名义，颁发对史迪威的《褒扬令》，令曰："故同盟国中国战区统帅部参谋长史迪威，精娴韬略，威望夙著。早岁任驻华大使馆武官，历时八载，睦谊可敦。太平洋战事爆发，在印、缅境内，领导中、美、印各盟军，比肩驱敌，出入榛莽间，身先士卒，迭奏膚功。尤以创筑中、印公路，协助我国训练军队，改善装备，裨益抗日军事，拯救印缅人民，其于此次大战之获全胜，贡献至伟。兹因肝病突发，溘逝于旧金山。遽传噩耗，遐迩同悲，特予以明令褒扬，用彰勋绩。此令。中华民国35年10月21日。"

史迪威是第一位在去世后，获得国民政府颁发《褒扬令》的美国军人。

第二节　无中生有

1942年10月2日，威尔基作为美国总统罗斯福的私人代表，访问正处于抗战艰苦时期的中国。在他来到重庆的第二天晚上，蒋介石举行盛大的欢迎宴会。不料32年后，传出宋美龄与威尔基在这个宴会上，双双私出幽会的奇闻怪事，并推断宋美龄在此事两个月之后的访美，是由威尔基因私情邀请并促成。起因是美国著名专栏作家皮尔逊在1974年出版的日记中披露此事，令宋美龄大为恼火，并涉讼经年，最后庭外调解，媒体喧嚣不已，大发其财。但这还不算完，13年后，曾随威尔基访华的考尔斯于1985年出版了《迈克回顾》，书中又涉及此事，而且更具体、更富戏剧性的描写，再度掀起一股炒作宋、威艳闻的浪潮。

◇ 蒋介石夫妇会见美国总统特使威尔基，不久威尔基邀请宋美龄访问美国，几十年后，给宋美龄带来一则绯闻，让宋美龄大怒许久。

随之而来的是渲染方和怀疑者的辩论，渲染方信誓旦旦，怀疑者言之凿凿，而渲染方的文章铺天盖地，怀疑者的质问寥寥无几。所以更多的人宁可信其有，却不愿信其无。还有的人本来就不相信，也津津乐道，广为散布。在怀疑者中，以杨天石先生的一篇文章较有代表性（见《传记文学》2003年5月号第492期），论据颇为充分。对于皮尔逊的人品，考尔斯的反复无常，杨天石先生已有论述，毋庸赘言。

那么蒋介石本人如何看待威尔基？盖棺论定，透过文字的品定，可以看出评论者如何估量对象。于是，笔者四处寻找蒋介石的唁电，费尽周折，找到了三个不同版本的唁电。所谓不同，只是开头的地址和接收者不同，而内容完全一致，又于是，我把开头去掉，看蒋是怎样说的？1944 年 10 月 8 日，威尔基因心脏病在美逝世，年 52 岁。第二天，蒋致唁电：

顷悉威尔基先生逝世，无任震悼。1942 年先生访华之行，曾予吾人以至深印象，使吾人咸知其为我国人民之真正良友，对于中美友谊之增强，实有莫大之贡献。今兹溘逝，乃美国人民及整个民主世界不可弥补之损失。本人谨代表中国政府及人民向尊府电达深厚之同情与诚挚之唁慰。

重庆方面还为威尔基举行隆重的追悼会，蒋特派钱大钧为代表参加吊唁。

蒋介石中年当国后，几起几落，各种反对势力的兵戈令他应接不暇。这也锻炼了他的涵养，那些曾经与他兵戎相见的人，在去世后，蒋不失礼数，均有诔辞祭悼。所以，蒋为威尔基之丧，致电慰唁并不奇怪。但是，如果仔细推敲唁电内容，就会断定威、宋之艳闻的真假。作为统领千军万马、一国之尊的铁血男儿，如果受到感情上的侮辱，又曾率领士兵去追杀情敌，仅仅在两年后就会忘记耻辱吗？会以“曾予吾人以至深印象，使吾人咸知其为我国人民之真正良友”这样的文字，去歌颂吗？威尔基留给蒋的“至深印象”是什么？难道是他送给蒋的那顶绿帽子吗？设若当事人不是蒋，任何人也决不会把情敌当作“真正良友”来赞扬、哀悼。如果真是这样，那他蒋介石就不成为蒋介石了！

第三节　与飞虎将军的不了情

1937 年初春，陈纳德收到了宋美龄的一封信，问他是否愿意到中国出任空军顾问，月薪 1000 美元，此外还有额外津贴、专用司机、轿车和译员，并有权驾驶中国空军的任何飞机。

说起此人，他在二战前默默无闻，不过是个中校，由于他对空战的认识，远远超出同时代的人，故不被其同僚所理解，因此与上级不和而称病离开军职的他——陈纳德，正处于失意和窘迫之境，于是立刻就接受了宋美龄的聘请。6 月 3 日，蒋、宋接见了他。此时，宋任航空委员会的秘书长，实际上领导着中国空军。宋要他担任她的专业顾问。当天晚上，陈在日记上写下他对宋的最初印象：“她将永远是我的公主。”

一、功绩

陈纳德在抗日战争期间主要有两大贡献，一是领导和协助中国空军打击日本飞机，培训中国飞行员；二是开通“驼峰航线”，打破日军对中国的封锁。“驼峰航线”经喜马拉雅山，向东直至中国云贵高原和万山环绕的天府之国，从印度接运战略物资到中国。面对这条被称为是世界上最危险、最珍贵的运输线，陈纳德所下达的第一道命令是：飞跃驼峰，没有天气限制！这条世界之奇的航空线，和世界之奇的“飞虎队”，为中国抗日战争和世界反法西斯战争做出巨大贡献，但是中美两国也付出巨大代价。据不完全统计，驼峰飞行期间，中国损失 46 架飞机。牺牲 25 套机组和十余名随行人员，多架飞机被日军击落。美军损失 468 架飞机，平均每月 13 架，人员损失数百名。他们有的死在森林里，有的被日军俘虏，有的甚至尸体常年挂在树上被蚂蚁吃掉。陈纳德领导的飞虎队和第十四航空队，共摧毁了 2600 百架日机，击沉和击伤了 220 万吨以上的日军商船和海军舰只，击毙了 66700 名以上的日军。他的机队与日机战斗的损失比，达到了一比八十的神奇战绩。

◇ 宋美龄聘请陈纳德出任空军顾问。

二、荣誉

◇ 陈纳德的照片上了 1944 年美国《时代》周刊封面。

陈的赫赫战绩，赢得中美两国政府的赞誉和嘉奖。1942 年 2 月 3 日，宋美龄致电陈纳德，要他出任驻华空军指挥官，军衔升为准将，成为由中国政府任命军衔的美国军人。1943 年 3 月 10 日，美国陆军航空队将驻华特遣队编为美国陆军第十四航空队，陈纳德晋升少将司令。陈纳德从一个鲜为人知的退役陆军航空上尉，一跃成为世界名人。太平洋战争爆发后，美各战场均连遭损失，独陈纳德赫赫战绩，引起美国人的轰动和兴奋，陈获得“飞虎将军”的美称。陈和“飞虎队”成为美国报纸的焦点。然而乐极生悲，1944 年《时代》杂志封面刊登了陈纳德的照片，他 81 岁的老父亲看见后，因高兴过度导致脑溢血去世。

可以说是蒋介石把陈纳德扶上军政舞台的，陈也与蒋氏夫妇结为亲密朋友。蒋曾在日记中这样感念陈：“彼对援华盖竭其精诚也。”（黄仁宇《从大历史的角度读蒋介石日记》，346 页）有一次宋美龄挽着陈纳德的手臂一同走路，宋说：“这是我第二次挽你的手臂了。”史迪威听说后，大骂陈是靠走女人路线争功邀宠的小人（其实，宋挽史的手臂次数更多）。蒋曾奖给陈一万美元，陈却说：“我觉得我并不配得到它。”蒋与宋氏三姐妹一起设宴招待陈，让陈感到十分自豪。但他对孔家不感兴趣，尤其是那位孔二小姐，简直不敢恭维，有一次孔二小姐竟缠着陈，要陈教她开飞机，陈实在没有空闲。蒋得知后告诫他：“不要理她！”

三、产生矛盾

蒋和陈关系极好，1944 年 7、8 月间，日军发动一号作战攻势，十分猛烈，危及桂林、柳州、衡阳的机场。陈纳德不愿让日本人占领这一批空军基地，他力主给正在奋力阻击日军的第九战区司令长官薛岳空投武器。为此，陈纳德请示了上司史迪威。史只说这批美式武器不能给蒋，却没说可以给谁。陈只好下令在衡阳向薛岳空投了一批弹药。蒋知道内情后，此事成了赶走史迪威的原因之一。

史迪威离华后，马歇尔考虑改组美国在亚洲的空军编制，拟将所有驻缅甸和印度的空军调往中国，由驻华的空军司令部统一指挥第十和第十四航空队。陈纳德坚决反对这一改组计划，然而他没有得到华盛顿的支持，陈很失望。马歇尔的好友史迪威被赶走离华后，马迁怒陈纳德，在报复的威迫下，1945 年 7 月 6 日，陈只好提出辞呈，魏德迈立即批准并任命斯通将军接替他的职务。7 月 31 日，他又接到空军司令部魏德迈中将的命令，他在中国战区的职务被正式解除！这使他的不满更加强烈。

抗战胜利，国共和谈。马歇尔代表美国政府做调停人，三上庐山说项，要国共休兵合作，当然这事说来容易做来难。陈以局外人的观点，也劝蒋同意和谈，蒋认为陈不懂中国实情。而陈认为，只要解放军保证不渡长江，这样中国虽然可能造成南北分峙，但最低限度可让国民党及其部队有个歇息的机会。后来魏德迈也曾建议由联合国的军队来协调国共之争，这也是空中楼阁，不切实际。后来陈再次劝蒋，蒋说：“我和共产党已多次和谈，但都无结果。我们只好做最坏的准备，退守台湾。”陈认为这是下下策，但他知道蒋做了最后决定的事，谁也无法改变，包括他的夫人。

四、返回美国

1945 年 8 月 1 日，陈纳德带着失意返回美国。陈在中国八年，协助中国人民抗战，为打败日本侵略者立下汗马功劳，因受马歇尔、史迪威所害，竟以这种结局离开中国。蒋对此深感不满，与夫人设宴为他送行，并授予他“青天白日大蓝绶带”勋章。云南省长龙云将昆明一条路更名为“陈纳德路”。在他向重庆市民告别的那一天里，蒋把自己的汽车和司机供他使用，汽车在市内被人群堵塞，人群推着汽车在重庆陡峭的街道上走了好几个小时，一直推到一个广场的中央。广场上，人们搭了一个台子，用鲜花和松针装饰起来。陈独自站在台上，人群排着队逐个与他握手道别。台上堆满了人们赠送给他的宝石、碧玉、漆器、古董和字画，以及各种条幅和锦旗。激动的泪水从陈那饱经风霜的脸上流了下来。

陈纳德回美国几天后，日本宣布投降。他对自己不能在最后参与受降仪式耿耿于怀。他说："八年来我唯一的雄心就是打败日本，我很希望亲眼看看日本人正式宣称他们的失败。"

五、回到中国

陈纳德回到美国，却仍然眷恋他战斗过的中国，那些人，那些往事。所以不久又回到中国。

1947 年圣诞，陈纳德与陈香梅准备结婚，到南京向蒋氏夫妇报告，蒋与夫人共同向他俩祝福，他们送了象牙雕刻和一对景德镇瓷制灯台做贺礼，还派外交部长王世杰从南京到上海致贺。后来蒋夫人认了他们的两个女儿陈美华、陈美丽做义女，连两位小公主的名字都是蒋亲自取的，是承袭夫人名字中的"美"字而来。另外，还送了两枚图章给美华和美丽。原来，蒋要感谢陈的深情厚谊，特别是陈的航空队，抗战胜利后又帮他运送兵员和战略物资到各个战场去。

◇ 陈纳德与陈香梅。

从 1945 年 8 月日本投降到 1946 年 6 月全国内战爆发，10 个月的时间，陈的航空队和美国海军把 54 万国民党军队运送到了内战前线，帮助国民党军占领了百余座城市，运送了数十亿美元的各类物资。1946 年 8 月 3 日，国民政府与陈签署协议，设立陈纳德航空公司，担负国民政府对东北、华北、华中各战场空军人员军用物资供应的任务，还帮助国民党训练了大批飞行人员，组建了空军部队。全面内战爆发后，陈纳德在技术、战术上对国民党空军进行指导，还将战时联合拍摄的军用中国地图精心细化。到 1950 年前，陈的航空队帮国民党从大陆向台湾运走了 93 万两黄金。

六、朋友

陈纳德在昆明的征战，得到云南省主席龙云的不少帮助，因此，两人结下深厚友谊。但云南在龙云的统治下俨然为相对于中央的独立王国，这让蒋介石很不痛快，早就必欲除之。1945 年 8 月，杜聿明奉蒋之命，以武力把龙云赶下台，蒋诱骗其调往南京，委以"国民政府军事参议院院长"，实为软禁。龙云设法找到陈求助，陈按侠士作风，不惜冒得罪蒋、宋的风险，经周密安排，龙云化装搭乘陈的专机飞到香港。蒋怒不可遏，又命令特务在香港下毒暗杀龙云，被龙云识破。最终促使龙云在 1949 年 8 月与 40 余位民主人士发表声明，表示拥护中共。

1958 年 7 月 28 日，陈纳德在美国去世，年 67 岁。蒋与夫人联名去电致唁：

美国新奥尔良市奥希纳基金医院转陈纳德将军夫人礼鉴：请接受余等对陈纳德将军逝世之至深哀悼之忱。陈将军之溘逝，在私谊上尤为余夫妇之一重大损失。陈将军于吾人独立抗日最艰苦之际来助，飞虎队之辉煌功业，将永铭于人心，成为美国人侠义气概之象征，美国人民实足引以自豪。陈将军嗣出任十四航空队司令，再接再厉，表现其伟大军人之真正气质。胜利后致力发展中国之民用航空事业，贡献兹多。

余等保证中国政府与人民闻此噩耗，同深悲痛！蒋中正、蒋宋美龄，7 月 28 日。

蒋派台湾驻美“大使”董显光为代表参加丧事等一切活动。蒋夫人时在纽约访问，她于 28 日下午发表一项声明并对记者谈话，对陈的去世，表示深切哀悼。陈诚、“监察院”院长于右任等相继去电致唁。7 月 30 日葬礼在美国华府举行，蒋夫人特意从纽约赶来参加，宋子文也在遗像前行礼致祭。8 月 9 日上午，台北为陈举行追思礼拜，蒋派陈诚为代表致祭。在礼拜堂正中，用素花扎成的大十字上，高悬蒋的手笔挽额“抱义垂昭”。

第四节　使馆祝寿事件

每年一进入 10 月份，台湾方面就开始筹备为蒋介石祝寿。1967 年 10 月也不例外，蒋本人也有两个老生常谈的惯例，一是在报端刊载辞谢祝寿的声明，二是偕宋美龄到各地去视察一番军队，借机耀武扬威一下，这才感到安全，然后回到官邸，静等接受“万寿无疆”的祝贺。各级政府机关也要“常谈”一次“老生”，要求社会各界“节俭祝寿”。

一、不开眼的

就在祝寿渐入高潮时，有个不开眼的人，真不会死，非要死在 10 月 20 日这天。这个人就是得年 89 岁的日本前首相吉田茂。吉田茂是日本政坛元老人物，出身于外交世家，早年也从事外交工作。战后曾五次出任首相，前后执掌权柄达七年半之久，是战后日本复兴的主要功臣，也是日本自卫队组建的始作俑者。他还是台湾当局的重要盟友，曾两度访问台湾，并不顾美国的反对，亲自写信给美国政要，力主与台湾缔结和约，为日后“中日和约”的签订，奠定基础。多年来在反共的基点上，与蒋、张群、何应钦等均建立非同一般的私人关系。吉田对蒋在战后不追究日本的侵略赔偿，深表敬佩。1964 年，张群代表国民党当局，向吉田颁发“特种大绶卿云勋章”。

1946 年，吉田茂出面组阁，收拾日本战败后的烂摊子，蒋对年长自己七八岁的吉田并不放在眼里，因为那时，蒋已有 19 年独步中国政坛的历史，又是“世界五大强国”之一，且以战胜国领袖的面目出现在日本人所谓的“敬畏”中。可是到了 60 年代前后，蒋对吉田不得不刮目相看了，起因是吉田给蒋上了一堂“经济反攻论”的大课：因为蒋念念不忘的是“反攻大陆”，并求助于各同盟国在经济、军事及道义上的支持。而吉田则对此不以为然，与蒋一起纵深分析世界政局，结论是：蒋的想法是不切实际的，劝说蒋利用机会，保持与美国的关系，以确保台湾安全，然后发展台湾经济。吉田认为中国大陆在反右斗争、大跃进失败、自然灾害之后必将发生大的变故，如果台湾经济起飞，百姓生活富足，与中国大陆形成鲜明对比，那么，大陆民众必然欢迎蒋，“经济反攻”将远胜军事反攻。蒋对吉田分析很是钦佩，从而坚定了发展台湾经济的决心。台方不断派出飞机向大陆空投米面食物，还用气球携带传单，借助季风飘洒大陆，就是接受吉田的建议。出于此种缘故，蒋对吉田茂之丧，极为震惊，于 21 日特电致唁：

东京陈大使转吉田茂先生家属礼鉴：惊闻吉田先生溘逝，悲惊莫名！吉田先生不仅为贵国复兴之元老，其硕德卓识，又为东亚安危相仗，不可或缺之哲人，一旦丧此老成，实为自由世界不可弥补之损失，岂止仅为中正私人情谊之哀痛而已！除派本府张群秘书长临丧吊奠外，特此致唁。蒋中正。

◇ 吉田茂。

拍完电报，蒋似乎并不轻松，暗自思度，离“日子”越来越近了，可别碰在一起了？于是向外交部询问有关吉田丧事的具体消息。得到回答是：

佐藤首相已经将此定为“国葬”，并决定提早返回日本，筹备葬礼。日本政府一位发言人则说：国葬将在一周内举行。蒋这才放下心来。

选择张群作为首席代表，参加吉田茂的国葬典礼，可以说是当时台湾政府对日本“国葬”的极高礼遇。20日这天，几乎是与吉田去世的同时，张群正作为在东京召开的“中日合作策进委员会会议”的台湾当局的代表团团长，飞赴日本。台当局驻日“大使”陈之迈在机场迎接他时，告诉了他吉田的死讯。张立刻向吉田家属致哀。

二、突然变故

当时台湾当局与日本高层的矛盾，自1964年以来日渐明显。起因是周恩来提倡以中日民间交往、贸易来推动中日两国的政府交往和官方贸易，日本政府内的一部分人，为日本发展前途考虑，认为应该对此支持，官方则表示“默许”。起初遭到台湾方面的反对，台湾媒体先是不指名的警告“这是极其危险的！”后来是公开的谴责，双方关系一度很紧张。蒋希望藉此机会，改善这种状况。

可是，张群在参加会议期间，得知日方无故推迟葬礼时间，敏感的他立刻担心起来：会不会与蒋公的生日“撞车”？于是，张通过他的“日本朋友”了解具体日期，又侧面打听。最后婉转表示：如果葬礼近期举行，将不改变原定行程！（吉田葬礼原定为一星期内举行，恰好会议结束后，张不用返回台北，直接参加葬礼，这也是蒋事先预料和安排的。）张群又表示，自己回去是要为蒋“总统”祝寿。这在当时是人所共知，他的“日本朋友”心领神会，安慰张说：会给他和蒋公一个满意的结果。然而，张所担心的事还是发生了：日本政府终于宣布，吉田茂的葬礼在10月31日举行！这一天正是蒋介石八十晋一寿诞。带着失望和懊恼，张群于26日返回台北。

三、针锋相对

10月30日上午，张群作为特使，率领代表团赴日参加日本战后的首次“国葬大奠”。日本方面如往常一样，派特使法务大臣贺屋兴宣、众议员田中龙夫等亲临机场，并登机迎接。

代表团一到日本，就忙于筹备参加葬礼的具体事务。而张群却在悄悄做着另一件事：他要在东京最繁华的位置，寻找一间由日本人经营的上档次、够规格的酒店，作为31日晚，为蒋庆祝寿诞酒会的场所。但是，日本民众普遍对吉田首相有好感，对战后首次的国葬较为重视，同时，日本的国葬有严格的禁忌制度，所以，没有一家酒店敢于承接这笔生意。

10月31日下午2时，国葬仪式在首相佐藤荣作的主持下举行。张群是外国来宾中，被安排在第二位向吉田灵堂献花的政要。与此同时，张群向台北拍发贺电，他遥祝“总统”生日快乐。此外，只要见到日本政要，他首先介绍蒋的“八十晋一寿诞之喜”，宣传蒋的政德功名，特别是对日“以德报怨”、不要日本赔偿战争损失的“丰功伟绩”，大讲特讲。又邀请他们赴寿筵，弄得对方竟“不知如何举手投足”。这一天台湾的《中央日报》第三版还特意发表张群的祝寿文。日本方面已探知张于30日到东京后的举动，对张及“大使馆”严密监视，对日本的新闻媒体也作了相关指示。当天晚上，大使馆张灯结彩，一片喜庆举行“隆重的祝寿酒会”。据说在预先邀请的客人中，没有一位日本人信守承诺，赴约者只有陈“大使”的华侨朋友及张群的一些华人旧友。张群非常后悔：当初为什么没有从台北多带一些人来？日本方面没有料到张群有此举，匆忙进行抵制，并对外宣布这只是“非官方的，非正式的晚餐”，丝毫不提“祝寿”二字。

四、接受教训

这场纷争，是蒋、张合谋？还是张群独自而为，邀功争宠？不得而知。但在事后，蒋本人对此却是比张群豁然，指示要淡化这场纷争。所以，台湾的报刊在报导“使馆祝寿事件”时，仅以“非正式的祝寿宴会”而一笔带过。

这场葬礼，不但没有达到蒋的初衷，反而给双方都带来不愉快。平心而论，事情的起因不在台湾方面，张群可谓是“得道者”，又老谋深算，经验丰富，故而棋高一着。首先，蒋的生日年年有，而吉田茂只能死一回，国葬也不是可以随便举行，更不是拿来斗气的。再者，事情的发生地是在日本，日本的民众有抱怨者、有不解者、有询问者，佐藤当局颇感压力。而对蒋本人的寿庆来说，因隔山阻海的地域距离，影响就小多了。

吃够苦头的佐藤之流，再也不敢轻视台北这班老牌政治家了。第二年，在吉田茂周年忌辰时，日本方面举行追思、纪念活动，佐藤以首相名义，亲自出面邀请张群再度参加。这次他们接受教训，纪念活动提前到 10 月 17 日举行。张群则一如往常，广为宣传蒋的“八十晋二寿诞”，又邀请日方派代表团到台北参加蒋的生日庆祝活动，对方高兴地接受了。10 月 23 日晚间，张群捞足了面子，心满意足地从东京飞回台北，又开始为筹备蒋的祝寿活动而忙碌了！

第五节　诔父骂子

在蒋介石与外国政要的交往中，与蒋关系最亲密的是，曾两度出任副总统、并于 1970 年入主白宫的美国政坛名流尼克松；但后来与蒋交恶，并最终彻底决裂的也是尼克松。蒋对尼克松从极尽讨好、到不满、鄙视乃至谩骂，不但反映了国际风云变化，也折射出蒋对国际政治关系判断的失误，和外交角逐中的惨败，以及他的个人品行。

◇ 尼克松访问台湾受到蒋介石夫妇的热烈欢迎。

50 年代中期，尼克松作为副总统，访问台湾，蒋率部盛情欢迎。蒋把他的这次访问，看作是台湾戴上了保险罩。这是两人关系的蜜月时期。

1970 年 1 月，尼克松在白宫宣誓就任美国总统，蒋不失时机地发去一纸热情洋溢的贺电。同年 11 月他在接受法国作家采访时，再次表示出对尼克松的友谊和期望：“我相信他所领导的美国政府，在战略上不会有根本的改变。”这只能说是蒋氏的一相情愿了。1971 年尼克松宣布访华，蒋无言以对。台湾当局及各种机构团体纷纷发表声明抗议。当蒋看到《上海中美联合公报》时，竟破口大骂“尼克松不是东西！”（《蒋介石评说古今人物》，团结出版社，524 页）

一、无效的补救

1969 年 1 月 20 日，美国第三十七届当选总统尼克松的就职典礼，在白宫举行。美国历届总统的就职仪式，都精心准备，其中邀请的观礼嘉宾，颇费思量，多为各国政要及财经界的显赫人物，故格外引人关注。因此，台湾当局对老朋友尼克松会邀请哪位政要，极为敏感。通常，邀请函会提前一个月让对方收到。而台湾方面迟迟未获消息。

在 1 月 10 日，令全世界都意外的是，尼克松所邀请的中国人，竟是香港的刘雪松。台湾媒体对他的介绍是援引美联社的评论：“平凡而单纯的中国来宾。”报导说：“应尼克松之邀，并且由这位新任美国总统支付旅费的刘雪松，可能是获得这份殊荣的唯一中国人。”（其实还有另一位是旅美侨领，时任美国投资计划有限公司华务部经理潘镇东。）

几乎所有的报导，都强调，65 岁的刘雪松与新任总统“相交 16 年，友情弥笃”。早在 30 年代，刘曾在美国春田大学（与体育界耆宿郝更生同学）、麻省理工学院留学。1933 年在南加州大学获硕士学位时，与学妹、后来的尼克松夫人相识。又经“特别介绍”，结识尼克松。刘回国后，曾在杭州的之江大学、上海的沪江大学任体育教授，1949 年迁居香港。1953 年，尼克松以副总统身份访问香港元朗中学，刘是该校体育教师。意外的重逢，意外的惊喜，奠定两人此后 16 年的书信往还。1954 年，由香港富绅邓坤新资助，刘在元朗中学设立“尼克松图书馆”，并任馆长。以后尼克松又几次访问香港，与刘会晤，感情日渐加深。此时的台湾报界对刘极感兴趣，两次专题报导，并在他前往美国前采访他，还准备邀请他访问台湾，刘很愉快地接受了，预计从美国返回时到台访问。但后来就无声无息了。

刘到达纽约时，尼克松在他为刘安排好的皮尔大饭店热情欢迎刘，但仅几分钟便离去。不过尼在对记者谈到他与刘的友谊时，对中国人的传统交友之道，大加赞扬，说在自己竞选失败后，刘则频频信函慰问鼓舞。在 1968 年的竞选中，许多人都对尼克松不抱希望，惟刘信心十足，尼克松把竞选的宣传品寄给刘，刘又寄给在美国的朋友，希望他们多投尼克松一票。

二、后悔

◇ 尼克松访问日本时，突发猎奇心，在夫人的陪同下，与日本著名艺妓会面。

尼克松这一番交友之道，让人颇感意外，但有一个人就神经紧张了，他就是蒋介石！

1953 年，尼克松作为副总统，访问台湾，蒋率部在机场倾城欢迎。蒋把他的这次访问，看作是台湾戴上了保险罩。此后，两人在反共的基础上关系日渐密切。1956 年 9 月 5 日，尼克松的父亲在美去世。蒋得到消息，于当天下午与夫人联名致电尼克松及夫人，表示吊唁之意。然而，这种友谊随着尼克松地位的变化而改变。1965 年后，尼克松对国际关系的看法发生变化，多次在谈到世界格局时，强调新中国的作用，认为如果中共不能发挥作用，世界将无法运转。他还说如果当选总统，上台后的第一件事，就是尝试与中共接触。这些话，传到蒋的耳朵里，自然不会对尼满意。1967 年 9 月 30 日，尼克松的母亲在一所疗养院里去世，得年 82 岁。南越政权及韩国等政要均有致唁，而蒋却没有任何表示，因此时尼克松已不是副总统了。

尼克松在 1965 年竞选总统失败后，1968 年的竞选，仍然不被人们看好，认为他不过是肯尼迪的政治输家。蒋亦如此，对尼大倨其态。11 月 6 日，尼克松突爆冷门，以微弱多数竞选成功。蒋在意外之余，开始后悔，后悔此前尼克松的母亲去世时，没有始终如一的致电慰唁，是自己把两人的友谊淡化了。蒋深知，如果没有美国的支持，台湾当局早就不复存在了。现在要做得是，力求挽回局面，修复多年关系。11 月 7 日，蒋向尼克松发出贺电：“欣闻阁下当选美国总统，本人与夫人谨致衷心之贺忱，并祝阁下政恭康泰，尼夫人康健快乐。本人深信，贵国在阁下贤明领导之下，中美两国之传统友谊必将更加巩固，全世界自由国家之团结，亦将愈为增强。”9 日，全体“立法委员”、“监察委员”电贺尼克松当选。

然而，就职典礼没有邀请台湾政要参加，有如一盆冷水浇身，在听到尼克松对刘雪松的赞扬及友谊之道的论述，更是当头棒喝。蒋要设法寻找一切机会，向尼示好，修补关系。

三、蒋经国赴美

蒋介石向尼克松示好的第一步是利用一切机会，向他拍发贺电，如尼克松获选后、就任时，及美国的航天科技取得每一项成果等。

第二步是“荷马 · 李夫妇灵骨归葬台湾事件”，被台湾报界宣传的热火朝天，可以说是家喻户晓。

荷马·李是美国克罗拉多州丹佛人，早在1912年中华民国成立时，他以中华民国第一位外国军事顾问身WWV访问中国，并担任过孙中山“极短时期”的军事顾问，于1912年11月1日在美国加州去世，年36岁。他在去世前留下遗言：在他和妻子死后，要一同葬在中国。1934年，荷马·李夫人以同样的遗嘱对自己与前夫的儿子鲍尔斯作交代，不久病故。直到1968年7月，鲍尔斯才通过胡佛研究所向台湾方面提出“执行遗嘱”的要求。当时台湾方面未予重视。现在，蒋欲寻找机会，加强“中美传统友谊”，又把这件事认真对待起来。

◇ 1958年，艾森豪威尔与夫人在白宫。

正在积极筹备归葬时，又发生一件更重要的“大事”，让蒋不得不暂时先把“荷马·李归葬”放一放。因为1969年3月28日，美国前总统、二次大战盟军统帅艾森豪威尔将军病逝，年78岁。蒋认为这个机会更难得，更具利用价值。29日，蒋氏夫妇联名致唁电与艾森豪威尔夫人：

艾森豪威尔夫人礼鉴：艾森豪威尔将军逝世，本人与蒋夫人深感哀悼，此不仅为美国人民亦为世界自由人类不可弥补之损失，艾森豪威尔将军系一代为维护真理作战之英勇战士，亦是一位英明伟大之政治家。正在为自由奋斗之中国人民犹怀念彼所予之真挚友谊。艾森豪威尔将军之去世对本人及蒋夫人而言尤属一项沉重损失，兹谨申之衷心之唁慰，并请夫人及各位家属节哀顺变。蒋中正 宋美龄。

“副总统”严家淦夫妇、“驻美大使”周书楷、驻联合国大使刘锴等均致唁电慰问。“行政院”在3月30日下令全国下半旗一天，派“国防部长”蒋经国为特别代表，赴美参加艾森豪威尔葬礼。4月2日安葬仪式举行后，蒋经国带着一系列的疑问，要向尼克松摸底，拟具一系列议案，要与尼会谈。但是，尼克松把蒋经国带来的所有恭维、问候和问题，都转给了国务卿罗杰斯。他在葬礼后所得到的“优遇”，就是参加了尼克松为招待各国致祭代表，在白宫举行的酒会。外电在评论酒会上的蒋经国时，说他“表情严肃，心事重重”。蒋经国与罗杰斯的会谈，依然没有如愿，只好把重重心事留在美国，把严肃的表情带回了台湾。

四、荷马·李夫妇归葬

◇ 1911年12月，孙中山（前排左四）返抵香港时在船上与欢迎者合影。前排左一为荷马·李。

蒋介石力求与尼克松修好私人关系，主要目的还是在于维持并加强美台关系，派蒋经国参加葬礼，是为摸清尼克松上台后，如何处理国际关系，他最担心的还是美国与中国大陆建立联系。而蒋经国此行，毫无收获。那“荷马·李夫妇灵骨归葬”，还得继续下去，否则如何收场？

荷马·李1876年生，1904年结识孙中山，曾参与策划1911年的广州起义。1912年孙就任临时大总统，曾陪同孙赴南京，并正式被任命为大总统的军事顾问。不幸2月15日在陪同孙祭奠明太祖陵墓后，归途中突然中风，半身顿告不遂，由其夫人护送回美治病，于 11 月 1 日病逝。

荷马 · 李夫妇没有子女，荷马 · 李夫人和前夫的儿子鲍尔斯为了实现继父与母亲的遗愿，与胡佛研究所接洽，他以荷马 · 李的所有遗物和档案资料捐给该所为条件，这些档案中包括十余封孙中山和两封孙科致荷马 · 李的亲笔信。该所则担负与台湾方面的联系，协助并实现安葬在台湾的具体事宜。该所所长马大任博士在与黄季陆取得联系后，黄表示愿极力促成，并两次上呈蒋介石，蒋未予重视。在蒋经国由美返台后，蒋介石才又想起了荷马·李的归葬正悬而未决，便召见黄季陆，黄与蒋商讨，提出成立“荷马·李夫妇祭葬筹备委员会”、“这些珍贵的信件和荷马·李的其他资料的复制品应转赠台湾”，蒋大为赞成。不久黄出任国史馆馆长。祭葬筹备委员会由国民党中央委员会秘书长张宝树任主委，黄季陆、杨西昆（时任“外交部”次长）为副主委。

4 月 18 日，在鲍尔斯及四位家人、胡佛研究所所长马大任博士的护送下，荷马 · 李夫妇的灵骨由华航 801 次班机运抵台北，蒋下令在机场举行隆重的迎灵仪式。20 日上午在阳明山公墓礼堂，举行“荷马·李夫妇纪念会”，蒋题“永怀风义”为挽额，又为其夫妇墓道题写“国父军事顾问荷马 · 李将军夫妇之墓”。参加会议的有孙科、蒋复璁、李嗣璁等。21 日，蒋氏夫妇会见并茶点款待年已 76 岁的鲍尔斯及马大任等五人，蒋对来宾说：荷马 · 李将军协助早期中国革命的这段历史非常珍贵，认为是中美合作最光荣的一页，对于今天仍有启示作用。

鲍尔斯归葬荷马 · 李夫妇的真实目的，是看好台湾的经济发展，谋求与台湾建立经营关系，在归葬仪式结束后，立即遍访台湾的工商企业。

蒋介石为去世 57 年后的一个并不熟悉的美国人题诔，在他近 60 年的诔辞史上是少有特例，如果不是尼克松邀请刘雪松参加就职观礼，此特例也许不会发生。

第六节　乃圣乃仁　乃武乃文

在蒋介石所题写的八百多人的挽额中，上乘佳笔，是为哀悼印度人民尊崇的“圣雄”甘地，所作绝妙之诔。挽额的所谓“好”，至少有三个标准：一是从文学角度评判，艺术性要高雅，词义新颖，用字不落俗套；二是内容要贴切逝者的身份和功业，不能漫无边际地夸张到人们不认识了；三是还要讲究一点字音字韵，即吟咏时“不碍口”，以达朗朗有韵而过目不忘。要以四个字做到这一点并不容易！

圣雄甘地　玛格丽特·伯克一怀特　1946年

1948 年 1 月 30 日下午，甘地在新德里遇刺身亡，年 80 岁。蒋介石对甘地早有崇敬之意，在当年北伐时，他随身携带的书籍中，就有《甘地传》，且与甘地曾有重要往来。太平洋战争爆发后，蒋为争取国际社会对中国抗战的支持，于 1942 年 2 月访问印度。拜访甘地，是他访印的目的之一，他希望劝争取甘地并利用他的影响力，促使印度投入抗日阵营。（不站在日本方面）2 月 18 日，蒋与甘地在加尔各答白拉尔公园里会见，在座的有尼赫鲁、甘地秘书、董显光、张道藩，宋美龄兼任翻译。蒋认为中印两民族此时应切实合作，共同参战，目前为最好时机，以争取世界同情，因为世界同情的力量比任何力量都大；印度如欲得此同情，惟有参战。甘地表示同情中国抗战，也不反对英国对华援助，但他不愿改变目前对英国的政策。甘地的态度，使蒋认为：甘地只是考虑印度问题，而没有放开眼光来观察世界。蒋认为与他的会谈有潜在的积极结果。而宋美龄的收获是，得到甘地赠送的一架手摇纺纱车。

甘地素以牺牲小我、成全大我的精神感召本国，影响世界，并以此排解国内纠纷。泰戈尔曾说："甘地是牺牲的别名！"不料果真应验。甘地主张非暴力抗争，而他却被暴力暗杀，整个世界震惊了，包括英国首相在内的各国政要，均对甘地遇刺表示哀悼。在甘地遇刺的第二天，蒋、宋联名致电印度总理尼赫鲁吊唁：

新德里尼赫鲁总理：惊闻甘地先生遇刺逝世，无任惊悼，此一代主张非暴力主义实现人类和平之神圣斗士，竟遭暴力之摧，诚世界之悲剧，令人痛心。中国人民及我等谨向甘地先生之家属及国大党与印度人民虔致诚挚之吊唁。蒋中正　蒋宋美龄。

行政院长张群、外交部长王宠惠、监察院长于右任、考试院长戴季陶、教育部长朱家骅以及吴鼎昌、吴铁城、张道藩、曾琦等相继致唁电。戴季陶还为甘地题词："万年古国，笃生大圣，救人救世，舍身舍命，人心不迴，天心不定。呜呼先生，仁至义尽。民国37年1月30日夜，惊闻甘地先生舍身，挥泪书此，戴季陶。"(《中央日报》1948年1月31日三版)

2月2日甘地长子伦姆达希委托英国路透社，向全世界发表通电，对其父遇害，各地所表示的同情和问候，表示感谢！3日早，伦姆达希在朱穆拿河岸的甘地火葬处，主持了甘地骨灰的检点和抛撒仪式。(《中央日报》1948年2月4日三版)

3月5日，三十余文化、教育团体在南京举行甘地追悼大会。会场庄严肃穆，甘地遗像两旁是中印两国国旗。有一贯通横幅，上书"印度有甘地，是印度人民的骄傲"，条幅下面是蒋所题写挽额"乃圣乃仁"。参加公祭者四百多人，旅居南京的七十余位印侨全部汇聚灵堂为"圣雄"祈祷。蒋介石身着黄呢戎装缓步来到灵堂，向灵位三鞠躬，然后上香，献花圈。这时乐队演奏名为"天家渐近"的乐曲。蒋在肃穆而"温甜"的旋律中，不由得向前排的印度驻华大使梅农夫人及各国使节点头示意，随后向两边的各团体代表致意。在六支硕大的白色蜡烛照耀下，蒋结束致祭，缓步走出灵堂。戴季陶所著悼文《圣雄甘地颂》人手一份。而各界致送的诔辞则是由治丧委员会用特制小宣纸誊写三份，其中一份专为送至印度方面留存。灵堂对面是由中央社筹备的"甘地图片展"，标题为"乃圣乃仁——甘地的最好写照，中国人民的真诚怀念！"

过去，在黄埔学生中私下里有一种观念，认为蒋在军事上有一套，文的方面则略逊一筹。此挽额一经公布，不但改变有些人的这种看法，在社会上产生反响。那段时间，只要是涉及到"圣雄"、"甘地"，无不冠以此四字。旅华印侨也津津乐道，30年代就来华游学的印度学者辛吉拉赫，对中国的诗词歌赋颇有研究，被印度学界称为"中国通"之第一，他对"乃圣乃仁"极为称道。当中央社记者访问他时，他说："纪念甘地，中国人比我的同胞更真诚。蒋主席的四个字，胜过本国人的四百、四千篇祭文。"他还以自己的观点解释说："前一个'乃'，是代表世界人民对甘地的崇高致敬，后一个'乃'，是甘地非暴力精神的浓缩。此四字，既有中国的孔孟仁学传统，又有世界性的现实意义。这说明蒋主席不愧是文胜武强的杰出之大国领袖，我借用这两个字，再送还给他：蒋主席——乃文乃武！"

第七节　忍他人所不能之忍

有人认为蒋介石独步政坛，为所欲为，毫无顾忌；其实并非完全如此。蒋一生尽管执秉令牌，也会常常忍受极大的屈辱，甚至在私下号啕大哭，而表面毫无迹象，可见忍功非常了得！据宋子文回忆：1944年9月19日，蒋正在重庆郊区召开高级军事会议，美国军事顾问史迪威走进来，交给他一份电报，说："请阁下自己看一看吧。"蒋看完后宣布散会。当只留下他和宋子文时，宋看到58岁的蒋像孩子一样，抱头号啕大哭。原来美国总统罗斯福竟不顾蒋的国家元首身份，严厉命令他交出军权，极大地伤害了他的自尊心。他在这一天的日记里写道："实为余平生最大之耻辱也。"作为一个铁血男儿，如果不是受到极大的屈辱，是不会以这种方式发泄心中的冤屈。1945年2月雅尔塔会议，罗斯福以牺牲中国利益为代价，图谋换取苏联对日参战。蒋得知，也无可奈何，只有在日记里"深感不安"，悲叹道"国势之危已极，不知何日有济？”“阅此，但痛愤与自反而已。雅尔塔果已卖华乎？”至此，他对罗斯福的不满日益加剧。可是当罗斯福于1945年4月11日遽尔去世，蒋十分震惊，倾力做足表面文章，大力追悼。12日，宋美龄以个人身份致电罗斯福夫人吊唁。13日，蒋亲往美军驻华总部致悼。回来后又特电总统夫人致唁：

罗斯福总统家属礼鉴：顷闻罗总统逝世，不胜痛悼。此实为全世界文明人类之重大损失，罗总统之功绩，不仅为美国人民所永远怀念，亦为我中国人民永不能忘。罗总统之勋名及其理想，将在未来之世纪中，为照耀世界之明灯。罗总统对世界之贡献，非文字所能宣扬，亦正如吾人对彼之哀悼，非语言所能尽述。我全中国人民闻耗之顷，哀思与感谢俱深。世界之永久和平与盟军之完全胜利，均经罗总统奠定基础。中正深信罗总统之继任者，本伟大之美国人民，以及其他盟邦，必能于短期间内，完成罗总统未完之计划，以慰其在天之灵。夫人伤痛之余，当必有相同之信念。除电文内子亲诣慰问外，谨电奉唁，敬祈节哀。蒋中正。

◇ 罗斯福。

蒋的唁电一般为40至50字左右，而此唁电竟长达270余字，是蒋唁电中最长的。从唁电内容看，蒋企盼罗斯福的继任者能改变对国民政府和他本人的态度。这也是他倾力追悼的目的之一。同时他又向美国参谋总长马歇尔致唁电，哀悼罗斯福。另派外交部次长吴国桢赴美国大使馆致祭。国民政府13日通令全国，于14、15、16日下半旗，致哀3天。并于16日举行国父纪念周时，为罗斯福总统默哀。16日，国民政府在复兴关中央干部学校礼堂为罗斯福举行隆重追悼会。蒋亲自主祭，题挽额“名垂宇宙”。这个评价甚至超过当年他对孙中山的尊崇（蒋挽孙中山：“主义扬中外，精灵炳日月”，挽额为“高明配天”、“博厚配地”。）宣传部长王世杰宣读蒋的长篇祭文。同时在成都、昆明、贵阳、南郑、绥西、南丹、桂西、兰州等地举行追悼会。但是，他在私下里，却大发牢骚，斥责罗斯福“姑息俄国，祖护中共”。(《蒋介石评说古今人物》，500页)

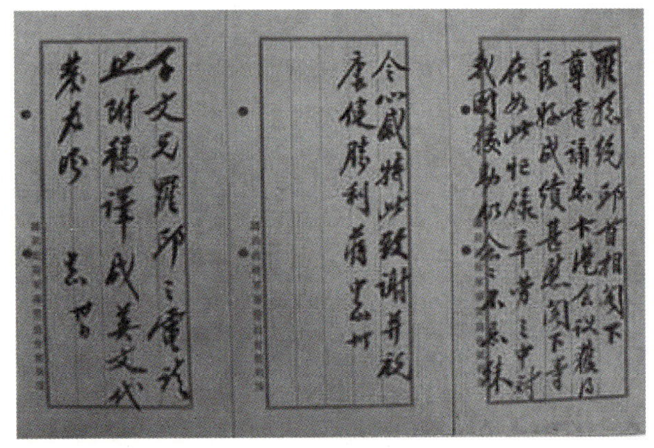

◇ 抗战时期蒋介石写给美国总统罗斯福和英国首相丘吉尔的信。

第八节　这就是民族性

1932年一·二八淞沪抗战爆发，十九路军对日英勇作战，振奋了全国军民的抗战精神，谱写了中华民族抗击外来侵略者的新篇章。在我方死伤的万余人员中，有位美国飞行员萧德（Robert Short，有翻译为萧特、孝特、萧脱、薛特、焦特等）上尉，于2月22日，在苏州上空以一架飞机，抗击六架日机而殉难，年26岁。

萧德为美国华盛顿州泰科玛人。毕业于麻省东波士顿城寇蒂施民用航空学校，后兼习军事航空。因技术精湛，入伍为美国陆军航空兵飞行员，曾被授予上尉军衔，退役后任美国盖尔飞机公司驾驶员。1930年春来华，先在上海从事商业活动，后来受聘任中国航空署机师，1931年6月任中国军政部航空学校飞行教官。萧德热爱航空事业，常对朋友说自己最希望的就是牺牲在飞机上。他对中国也非常有好感，在华期间写信回国，常常称赞中国人民爱好和平，谦逊有礼。他的母亲多次召他回国，都因为萧德热爱在中国的生活而未果。

◇ 萧德。

由于当时美国对中日之战，采取中立态度，并承认日本在华的利益。所以日方在第三天向美国提出抗议。中国政府考虑到与美国的关系，对于萧德的行为，仅以萧德是在“运送我国向美国盖尔公司所订购之商用飞机来华，飞过苏州上空而遭遇日机殉难”的。但这种说法显然既无根据，也无说服力。不久中国航空处又承认萧德是中国空军的飞行教练，但仍坚持他的行为，没有经美国政府的派遣，也不受中国军事部门的指挥，完全是他自己看到日军对中国的侵略，对中国平民的血腥轰炸，基于义愤，自己出击迎战的。3 月 9 日美国法庭委员会做出裁定：关于萧德死因之证据，近于传说，故对于其遇害详情，置之不理。不久又公布：将继续以民间形式，进行公正的调查，但拒绝做出任何解释和评论。

萧德殉难不久，蒋即谕令行政院以最高荣典安葬。宋美龄以蒋、宋名义，向萧德母亲伊理蒲斯太太致唁电。3 月 2 日蒋光鼐、蔡廷锴、戴戟等也致电伊理蒲斯太太慰问。外交部以“接受中国民间团体委托”，向伊理蒲斯太太发出邀请，希望她能参加中国民间团体举行的追悼、纪念活动，并接受中国政府赠予的抚恤金和其他纪念品。南京成立“萧德义士旌表委员会”，作为处理此事件的临时专职机构。

年仅 46 岁的伊理蒲斯太太，在悲痛中接受中国政府的邀请，于 4 月 2 日偕次子爱德曼（22 岁），乘塔虎脱总统号轮，由华盛顿泰克麦城原籍启程，前往中国。船长了解到她的情况，对她格外关心。当轮船途经日本横滨停泊时，伊理蒲斯太太来到船舷，观望海港。这时，她突然听到有人用生硬的英语，呼喊着她的闺名，觉得奇怪，自己在这里并没有任何熟人，更何况是自己的闺名？便向码头人群眺望，希望找到答案。她发现下面有数千日本人一起呼喊着她的闺名，并以下流语言进行辱骂，做着各种不堪入目的动作，有的还举着牌子，上面也是辱骂她的黄色漫画和下流口号。更多的是她听不懂的野蛮喊叫。刚刚失去爱子之痛的她，又受到这种侮辱，身心受到极大的刺激，她突然失去知觉，倒在船舷的栏板旁。这一情景，刺激了下面的日本人，他们更加猖狂地喊着口号，蜂拥冲向船梯，与下船的旅客迎面相拥，对非日本籍的旅客出言不逊，推到一边而向上挤过去。

船长看到局面大有失控危险，一面派人对伊理蒲斯太太进行救护，一面派警卫控制舷梯。伊理蒲斯太太很快清醒，但她情绪依然激动。当船长在安慰伊理蒲斯太太时，一位日本妇女走进舱房，船长告诉她该下船了，她表示要留下来，照顾伊理蒲斯太太，并想用事实证明，日本人不是这样的。伊理蒲斯太太大声斥责她：“你们就是这样的！你们为什么开出飞机，去轰炸你们老师的家园？”

在场的人都不理解她的话。

原来，在来华前，伊理蒲斯太太看过许多资料，她所理解的中日关系是：中国有着悠久的历史，过去曾经是富饶强盛的国家，日本及其他一些国家，派出使者，到中国来学习先进的文化和科学技术，以及国家管理经验，中国是日本的老师。现在中国贫穷落后了，日本就开始欺负中国，掠夺中国的财富。所以她认为，日本是不道德的，而刚才的一幕，则有说服力地证实她的观念。日本妇女呆呆地站在那里，准备好的解释无法表达。又听到伊理蒲斯太太的有力声音：“这就是民族性！”最后，她喊出她认为一生中最难听的话：“滚开！”

塔虎脱总统号在以后停泊的日本其他港口，如神户等地，都又再现了横滨那丑恶的一幕。4 月 19 日，塔虎脱总统号抵达上海。前往码头欢迎的有上海市政府代表俞鸿钧、军政部代表沈德燮、航空署代表林我将、李锦纶夫人、温毓庆夫人，以及八十七个民间团体的代表。他们分别乘海关准备的小海轮，登船迎接。上海有十余团体为萧德发起募捐，其中有某不愿透露姓名的巨贾，当场慨捐三万元为“首倡”。伊理蒲斯太太看到这种热烈的场面，感慨地对《申报》记者说：“我有这样的孩子，死亦光荣。”募捐进行 20 多天，就转交给伊理蒲斯太太第一笔捐款 48000 元。

4 月 24 日下午 3 时，萧德的追悼大会和安葬仪式在上海举行。全市下半旗，中外人士数千前往执绋，盛况空前。是时，天空忽然悲云四合，凄雨如注，景象倍增凄楚。吴铁城、唐海安、沈德燮等均冒雨步行送葬。蒋氏夫妇、宋子文、孔祥熙、蒋光鼐、蔡廷锴、戴戟、区寿年等均有花圈挽送。伊理蒲斯太太因旅途劳累，连日哀伤，加之横滨码头的羞辱，精神萎靡，体力不支。旌表委员会考虑，葬礼可否婉劝她不必参加，但她坚持出席。可是当灵车经过静安寺沧州饭店时，伊理蒲斯太太再次昏迷，被扶入沧州饭店，服药后清醒，温毓庆夫人劝说在此调养，夫人则力疾参加。

追悼大会在哀乐声中举行，由牧师裴区祈祷，各教士唱赞美诗后，裴区再读圣经，郑莱代表宋子文宣读祭文，吴经熊代表民众致辞，伊理蒲斯太太泣不成声，爱德曼倍感哀伤。原定中美飞机各两架，在墓地上空环绕飞行，以示哀悼。因雨天气压过低，改为仅美国飞行员纳莫基驾私人飞机，盘旋 10 分钟。飞机轮上系有黑色飘带志哀。中外多家影片公司拍摄实况记录。

追悼大会后举行安葬仪式。旌表委员会决定在墓前建萧德纪念塔，行政院赠十万元国币，作为伊理蒲斯太太养老之用，由财政部拨付。4 月 29 日，在萧德殉难地苏州举行追悼大会，当地民众团体、商业行会对伊理蒲斯太太多有馈赠。5 月 10 日，伊理蒲斯太太偕次子赴北平游览。

第九节 “小妇人”的大爱一生

◇ 艾伟德。

1970 年的元旦之夜，一位身材矮小、年近古稀的“小妇人”，穿着朴素旗袍，戴着老花镜，匆匆由台北赶到天母“艾伟德儿童之家”，与 38 位孤残儿童共度新年晚会。在孩子们的欢乐歌声中，她眯着眼睛，给每一位小朋友发一包新年礼物。然而两天后，她因感冒引起肺炎不治，在龙江街寓所安息，年 68 岁。从此，在人们的心中，永远留下对她的敬爱与怀念。

蒋梦麟先生曾说过：“基督教在人们的心目中，被认为是一种宣传爱人如己的宗教。”(《中央日报》1970 年 1 月 14 日九版。本节以下凡同此报的引文出处，只标年月日版次）这位“小妇人”——艾伟德女士，就是爱人如己的虔诚基督教教士，她本着爱的崇高理想，选择了自己认为最宜笃行的方式——孤儿救济事业，一经开始就锲而不舍，奋斗近 40 年，直到生命终结。虽然她一生中没有惊天动地的成就，但她留给社会一个牺牲自己、造福民众的不朽范例。

一、英国姑娘加入中国籍

1902 年 2 月 24 日，艾伟德出生在伦敦北郊。父亲是邮局投递员，因家中贫困，小小年纪的她就做起女佣。18 岁时，受罗生太太的影响，想去中国传播福音，但她申请参加内地会时，因缺乏相关学历而被拒绝。经过她不懈的努力，1930 年 10 月 18 日终于启程，如愿来到山西阳城，立刻被那里淳朴的民风所感染，开始了她的传教生涯。她不懂中文，也不会说中国话，又没有钱，其境况可想而知。为了生存下去，她和另外一位先她而来的女传教士，开设了一个“八福客栈”。

有一天，她在路边看见有个妇女，出卖自己那病弱的女儿，讨价两个银元。艾伟德没有两块钱，把仅有的九角钱给了她，领着那女孩回八福客栈，给她起名“九毛”，学名“美恩”。此后她不断收养孤儿，最多时她的孤儿院有 200 多人。她的虔诚和仁爱之心，赢得中国民众的好感和信任，也改变了一位县长对基督教的偏见，并由她受洗入教。1936 年她归籍为中国人，自豪地为自己取名叫“艾伟德”，不再是被人怪异的“洋鬼子”了。

抗战爆发后，她的“八福客栈”被日军炸成一片瓦砾，她不顾危险，投入紧张的救治伤员的工作，并在破旧窑洞里创建一所简陋医院。

美国著名的《时代》杂志社，派记者深入中国战区采访时，发现了她，她在接受采访时说：我所属

◇ 艾伟德和她的孩子们。

的教会是中立的，但我憎恨日军的暴行。我是中国人，我要把日军的情况报告给中国政府。这番话被报道后，激怒了日本军方。当日军来泽州扫荡时，竟然带着捉拿“小妇人——艾伟德”的悬赏告示，她仓皇逃回阳城，日军飞机低空扫射，她受了轻伤。这里已成为战区，为保护孩子，她带着一百多个孩子去西安，最大只有 16 岁，是一名被解救的婢女，最小的只 4 岁。孩子们第一次乘火车，兴奋得忘记了饥饿，当火车停下来，她想办法让他们去难民救济站吃饭。到了中条山下，因桥梁被炸毁，火车不能再开行，只有攀越崤山的小径，才可以到潼关。她带着孩子们在乡民都没走过的小路上蹒跚，孩子们的鞋破了，脚磨肿了，像一群小叫花子，露宿山头，饱经风霜，水米无继，几乎饿死路上。筋疲力尽的她真想在路边躺下，任什么都不管了，在无助中不禁哭了，孩子们受到感染，也都大哭起来。她知道不能这样下去，抹去自己的眼泪，又抹去孩子们的眼泪，用笑容唱起赞美颂，来分散孩子们的注意。当到达临潼时，她累饿得昏迷过去。醒来后第一句话就问：“我的孩子在哪里？”医生告诉她：“你发高烧，营养不良，伤寒，加上肺炎，过度疲劳。还有一颗子弹穿过你的肩头，幸而不深，现在你要好好治疗和修养。”可是她仍全然不顾地追问：“我的一百多个孩子在哪里？”医生以为她的呓语又来了，喊护士拿镇定剂来。后来他们又从西安到扶风，孩子们被安排在宋美龄创办的孤儿院里，一个都不少。

1949 年至 1945 年，艾伟德在兰州和四川，向贫民和麻风病人传教，成都的一个教会，为她提供住房和微薄的工资，她终于成为有薪酬的女传道者，她还教青年人学英文。后又一度往西藏的喜马拉雅山麓传播福音。

1949 年局面混乱，为她做手术的英国医生司陶卫劝她回英国休养，可她没有回去的路费，司陶卫又为她筹集，但她已经不是回国——应该是出国，因为她是中国人，用的是中国护照。

二、好莱坞电影把她的事迹改得面目全非

艾伟德回到英国，虽经战乱，她的父母和兄姐都还在，重逢的喜悦，温馨的环境，并没有使她忘记多难的中国，她与家人交谈时，流露出对那些孩子们的担忧，对死去孩子们的悲伤，说话时不知不觉就跑调了——说出的是中国话，让家人莫名其妙。

她想在英国继续她的孤儿救助事业，这时有个叫莱得梧的记者，将她在中国的经历报道出去。英国广播电台 BBC 的作家博格斯看到后，深受感动，带着一个著名主持人访问她，并制作成连续广播剧播出。此后她常接受邀请演讲。不久博格斯又把她的故事写成一本书，名为《小妇人》。艾伟德成了家喻户晓的英雄，但她不喜欢那些称誉。

1957 年，56 岁的艾伟德，准备由香港进入中国大陆。这时，她接到“二十世纪福斯”公司的告知，希望同她签约，把她的事迹拍成电影。这件天大的好事让她意外：“竟然有这种傻子，把大笔的钱，用来宣传小使女的故事。”转念她又想：只要对传教有利就行，于是答应了。后来她才知道，电影公司既不是傻子，也无意于传播福音；而是要借她发财，自己才是真正只知传播福音的傻子。在那部电影里，把她的事迹改得面目全非。著名女影星英格丽·褒曼，哪里是在饰演艾伟德，而把艾伟德扮演成“英格丽”，活脱一部花前月下、英雄美人的爱情故事。那一幕

◇ 艾伟德的事迹被拍成电影，由英格丽·褒曼主演。但剧情远离真实，令艾伟德不满。

她与青年军官的热吻镜头，使她羞愧和气愤。事实上，艾伟德终其一生，没有和任何男人接吻过。本来的“八福客栈”名字，是根据《圣经》里的有关训示而来，竟不知为何变成了“六福客栈”。从此她再也不愿提起这件事。

到了香港，艾伟德才感到，要想进入中国大陆工作，犹如登天。她找到了从前收养的几个孤儿，他们有的成为传教士，有的结婚生子，她没有结过婚，却成为拥有众多孙辈的祖母了。她想在香港开办一个“希望会”的宣教团体，但她是中国人，居留签证申请被拒绝，唯一的出路，是到中国的另一角——台湾。

三、她的笑容有蒙娜丽莎一般的安详和静谧

1957 年 10 月，艾伟德来到台湾，继续从事孤儿救助事业。两年后，展望会邀请她到美国作旅行布道。在那里，听众惊奇地发现，她并不像电影中长身玉立的美丽女星，而是矮小、苍老的小妇人！但她为有机会传扬福音，帮助展望会的孤儿而高兴，那正是她所期望的，不少人为她在台湾的救济事业捐献。后来她又相继受邀到澳大利亚、纽西兰等地宣道。当她再次回到英国时，让她欣慰的是，英国广播电台 BBC 的电视节目，终于播出她的真实故事。不久，坎特伯里大主教接见了她。伊丽莎白女王邀她去白金汉宫做客，同她在花园里倾谈；她自然不肯错过机会，请求女王帮助在台湾的孤儿们。由于早年她与宋美龄相识，到台后，常与宋在中华基督教妇女祈祷会一同祷告。后来她在台北市郊的北投，租用一个停业的旅馆，成立了“艾伟德儿童之家”，并得到希望会的资助。因健康和年龄原因，她把院务交给自己的义女女婿，但此人无管理能力，收支无据、财务混乱。资助方要求成立董事会，以便对财务进行监督，董事会由中外八人组成，她任董事长，义女婿任院长。到 1963 年，这位胆大妄为的义女婿，干脆把大笔捐款和物品据为己有，这是她一生中遭遇到的最后一次沉重打击，但她仍然以基督的爱人以诚的精神，给他机会，竭力劝他改过自新，这一切努力成为徒劳。最后涉讼两年多，让她身心受到极大伤害。幸好，有一个人的到来，给她以安慰：一位英国邮政分局女局长，在电视里看到她的事迹，深受感动，决心追随她，卖掉自己的房子，放弃安逸的生活，来到台北。两人对许多事情的态度和看法几乎一致，很快在一起合作，女局长为自己起的中国名字叫史可梅，她们又重新建立起来“儿童之家”，由史可梅任院长，主持院内的一般事务。而艾伟德并没有休闲下来，每天要为孩子们的衣食杂用、房租苦心积虑，四处募捐；闲暇时，还要为孩子们修补玩具，缝补衣裤。

◇ 她的笑容温暖了不幸的孩子们的心。

天母“儿童之家”，有 50 多个从 4 个月到 5 岁半之间的孩子，他们大多是孤儿，或者是弃儿，有的甚至是在襁褓中就失去任何亲人，在儿童之家他们成为一群可爱活泼的小天使，享受正常儿童应有的一切权利。在这里很难感觉到宗教气氛，因为她认为在幼年时期，完全随儿童自然发展，而不是强行灌输宗教信仰，到孩子们有辨别能力后，让他们自己判断，选择信仰。她说她受蒋夫人的精神感召，终身从事孤儿救济事业，并归籍中国，连服装也受蒋夫人的影响，喜欢中国的旗袍。在孤儿院的办公室里，挂有一张她年轻时穿着旗袍坐姿的全身大幅照片，见到过的人说，那笑容里似乎有蒙娜丽莎一般的安详和静谧，她自己则淡淡地回答：那笑容，一半是来自基督，一半来自这些孩子们。

她信奉“燃烧自己，照亮别人”，因此她的生活极为简朴，工作也极为辛苦。她最后收养的义子，是在九年前被遗弃的，那是一个凄风苦雨的暗夜，她把襁褓中的他抱回来，带在身边，为他起名叫艾启光，希望把他抚养成有用之才，到她去世时 9 岁了，在台北士林国小三年级读书。（1970 年 1 月 4 日三版）。40 多年间，她救助、养育的孤残儿童无数，其中有些在社会上获得相当的成就。

四、萧条与隆重

她的健康虽然一直不好，但人们听到噩耗，还是感到震惊，纷纷赶到医院、儿童之家或她的寓所，并为她的去世而呜咽、哀悼！包括史可梅院长，以及为她治病的基督教诊所腾休南医师，腾医师说："她死的时候没有长久的痛苦，这便是造物主对她最好的回报。"

1月5日上午在台北，相关方面举行治丧会议，并成立阵容庞大的"治丧委员会"，由"中华妇女联合会"总干事皮以书任主委，梁永章、刘修如、方治、亚洲基督教联合会理事长张静愚、卢祺沃等五人为副主委。谷正纲、中央党部秘书长张宝树、中华基督教协会会长陈维屏、蔡培火、谢东闵、钱剑秋、罗王雪英、张继忠、黄卢小妹、林挺生等60人为委员。她的义子王守龄在会上发言，说母亲在去世前一天，还对史可梅院长说："我很骄傲地归化为中国人，但愿今后能为国家做一些有益的事。母亲生前念念不忘大陆，希望由各界人士捐助，在淡水找一块面向大陆的墓地，安葬母亲，以慰在天之灵。"治丧委员会要求人们同情艾伟德身后的境况，关心她所创办的儿童之家，协助治丧及救助孤儿，请免送花圈，改以赙金，并在台湾银行设立了"艾伟德纪念专款专户"，账号为：19828。皮以书首先捐出两千元作为提倡，并希望大家慷慨解囊，使这位乐善济贫的女传道士，得以安息天国。（1970年1月21日一版）

会议还决定依基督教仪式举行葬礼。为了永久纪念她，王守龄和另一位义子刘宝全，准备将出版于1957年的英文版《小妇人》，翻译成中文，希望在报纸上连载，所得稿费，全部作为纪念母亲的费用。刘宝全说，这本书，只写到1949年，他与大哥将写完母亲后半生那动人事迹。

据史可梅院长介绍：艾伟德留有一份遗嘱副本，内容是指定由伦敦两位律师柯克和雪佛，代为处理她身后一切私人事务。其实她没有什么可处理的"私人事务"，也没有留下一分钱的财物，就连她住了多年的龙江路那栋狭小的平房，产权也是某教会的。王守龄代表所有义子请求，希望将那处平房，作为纪念馆，陈列母亲生前的用品、资料、图片。但教会方面是否愿意捐献？还希望有关方面帮助协调。（1970年1月4日三版）否则，连她最小的义子艾启光，也将面临无家可归的凄楚。

艾伟德的去世，震惊了世界，蒋介石于22日题匾"弘道遗爱"，严家淦题"博爱遗徽"。（1970年1月24日六版）她虽然身后在经济上萧条，但葬礼十分隆重，人间终有正道，沧桑眷顾贤良。24日下午2时，在台北市立殡仪馆举行葬仪，由卢启沃牧师主持追思礼拜后，史可梅院长致悼词，悼词最后说："仅仅悼念她是不够的，我们今后最大的罪恶，是对她的遗忘！"随即发引，安葬于淡水镇关渡基督教书院内，安葬时，她的头朝向中国大陆，表达她对那片土地的眷恋。参加葬礼的有各界人士700百多人。

葬礼后，她的义子田庄、黄孝彰、王守龄、刘宝全联名刊登"谢启"，感谢各位"长官、治丧委员会、各界人士及主内兄弟姐妹莅临追祷，宠赐隆仪花篮十字架挽联棺木，高情隆谊，没齿不忘，谨此敬谢"。（1970年1月27日一版）至此，从艾伟德到达中国之日起，到葬礼后的谢启，完成了她作为一个标准中国人的一生。

第十节　死而不已的雷鸣远

人们不应该忘记下面这些益世嘉言：一，鞠躬尽瘁，死而不已（死后仍为中国祈祷）。二，我能尽百分的力气，绝不出九十九分。三，怕受骗，永远不能实行爱德。四，不会笑的人是不明智的人，以喜乐精神迎接困难，困难已被克服一半。五，做，就有办法；不做，永远没有办法。六，凡做事不要怕碰钉子，不要担心没有效果。七，养成活泼祈祷的精神。八，每天做一件好事，天主必定降福。九，人生不如意事，常十之八九，打的通，才是好汉。十，打倒虚荣面子，树立高尚人格。十一，打倒发财主义，倡导服务人生。十二，内心的乐观，要以笑容来促成。十三，不受环境支配，要支配环境。十四，我愿死在工作岗位上，不愿殁在床铺上。十五，做事应该有"任劳任怨"的精神。十六，工作应当紧张，但不是指神经紧张，而是指精神振奋。十七，自私是罪恶的总根源，是圣德最根本的阻力。十八，和平是件好事，但正义更重要。十九，思维要复杂细致，但表现要简单明了。二十，我们总不休息，变换工作方式，就是休息。二十一，世界太大了，应该做的事太多了。为了我自己，一分一秒，不愿活下去，为了天主，为国家，为教会，百年不算多。二十二，我一生的待人接物，就是一个“诚”字。二十三，我为中国而生，我来中国服务，是我的天职，是我的使命。二十四，抗战爆发后，他投入救护工作，并说：我生平爱主爱人爱中国，现国难当头，应声嘶力竭，奋不顾身。

说出上面这些益世嘉言者，是有“抗战老人”之称、并入籍中国的天主教徒——雷鸣远。

一、雷氏事迹

雷鸣远，1877年出生于比利时一个虔诚的天主教家庭，原名弗雷迪。自幼受家庭熏陶，又因是长子，所以造就了他的领导才能和负责精神。11岁时，与弟弟雅德连随母亲去拜会一位修女，在那里，他了解到西方人在中国传教的许多事情，便立志“要到中国去传教殉道”。1895年加入巴黎遣使会，开始攻读神学。1901年来到中国，不久在北京晋升为神父，开始传教活动。1912年任天津教区副主教，他还与中国的神职人员一起创立中华公教进行会。1914年在中华公教第一次大会上当选为监督。50岁时加入中国籍，自称是（河北省）武清小韩村人（他最早来华传教的地方）。

为了便于传教，他要求自己一切中国化：首先起了一个中国名字——雷鸣远，又取“字”叫“振声”。很快学会用筷子吃饭，并穿中国服装，学各地方言，吸水烟袋，留长指甲。他的毛笔字也很有造诣。为了更像中国人，他把妹妹的长辫要来戴在头上，只是对自己的五官实在没有办法改变！他曾对记者说：“不要看我的鼻子、眼睛，要认透我的赤心，我是一个地道的中国人。”有一次骑车跌伤鼻子，就开玩笑说：现在鼻子低了，更像中国人了！

他的适应能力很强，见了文人他谈四书、论五经，见了老者又说三纲、道五常，一副谦和礼让的儒雅仪态。有时外出传教，一袭旧布衫，一辆破旧自行车，几册诗书。到了晚上住破庙，喝凉水，头枕砖坯看唐诗。有时又学中国官绅的样子，穿官靴、戴官帽，出行坐轿子，前有顶马，后有跟班，吆五喝六招摇过市。到了目的地，对方也以中国的礼俗鞭炮齐鸣来迎接他。一时间，大街小巷拥堵，人们争相看中国化了的洋人。一次，他出席宋哲元的一个会议，宋身边一位团长说：“雷先生的中国话真是中国话。”他随即回答说：“你的鼻子真像中国人的鼻子。”

雷氏在中国做了五件大事：传教、向西方宣传中国文化、办报纸、办教育、抗战时期的战地救济救护。在传教思想上，他一直主张中国人自办教会，并常与中国人民一起，抗议帝国主义在华的各种以强凌弱行径，还支持义和团运动，因此受到压力，被迫回到欧洲。他在欧洲为中国四处募捐，终于感动比利时银行家司塔斯，慷慨捐出60万元。当时有500余位留欧的中国勤工俭学学生，境况是既无工可勤，又无学可上，且生活窘迫。他用此款的一部分救助他们，卒使学成回国。雷氏又带着余款，回到中国。在办报纸方面，他曾协助英敛之在天津创办《大公报》，自己又在北京、天津先后创办《益世报》，周恩来早年留法勤工俭学，被聘为该报的特约记者，周在《益世报》上陆续发表了大量的《旅欧通讯》。著名作家张恨水等人做过《益世报》的编辑。他在办报的同时，又在天津、河北的武清一带创办师范学校，他还特别注重乡村教育，又服膺颜习斋、李恕谷的实践哲学。抗战爆发后，他冒着枪林弹雨组建了野战医院，派赴担架队，亲任总指挥，驰骋晋冀鲁豫之间。遇有重伤员，不惜以衰老之躯，亲自背负步行数

◇“抗战老人”雷鸣远（左二）和中国抗战将士们在一起。

里，并以宗教特有的语言进行慰藉。在绥远战事最残酷而无助的时刻，他大声疾呼并与傅作义抱头痛哭。当他从前线归来，天津士绅、新朋旧友皆来探望，一时门庭若市。1938 年秋，他组织华北督导民众服务团，自任主任，待遇视同中将，驰赴华北各地。

蒋介石深为他的事迹感动，授予他少将头衔，国民政府向他颁发“青天白日勋章”。1940 年初，他跟随大别山一带的国民党军队，进行战地救护工作，因当时国共摩擦，他被八路军扣留。当蒋闻讯他被释放并重病在身，立即派飞机将他接到重庆，旋即住进医院，蒋又两次电话慰问，还向医院询问病况，又筹拨医费。（重庆《扫荡报》1940 年 6 月 27 日二版）

二、病逝与哀荣

雷鸣远终因缠病过久，积重难返，于 6 月 24 日晚 9 时，在重庆歌乐山魂归上界，年 64 岁。蒋深为惋悼，并指派代表与于斌主教筹议入殓事宜。26 日举殡，由于斌主教、牛若望、方豪主祭，葬礼依照宗教仪式。蒋派人送来花圈（重庆《扫荡报》1940 年 6 月 27 日二版）。

雷鸣远爱中华、为中华、救中华的事迹和精神，感动了各界有识之士，国民政府高层发起成立“雷鸣远司铎追悼会筹备处”，计有：商震、于右任、冯玉祥、孔祥熙、居正、孙科、戴季陶、何应钦、阎锡山、陈立夫、朱家骅、张伯苓、陆征祥、张治中等 66 人列名。为纪念雷鸣远，治丧筹备处发起募捐，拟筹资 100 万元，兴办纪念医院和纪念图书馆。同年 7 月 18 日，国民政府为他颁发《褒扬令》。

追悼会于 1940 年 11 月 29 日，在重庆石板街比瑞文化协会举行。追悼会会场的一角有“军事委员会华北民众服务督导团团长雷鸣远司铎生前用品、遗墨展”。灵堂布置为宗教形式，颇具庄严肃穆感，灵台下花圈一片，四壁挽联满悬。基督将军冯玉祥与朱家骅因政务繁忙，在追悼会前，先行致哀礼而去。蒋介石派人送来挽联：“博爱之谓仁，救世精神无愧基督；威武不能屈，毕生事业尽瘁中华。”

原本蒋亲自主祭，因临时他故，只得派商震为代表。行政院副院长孔祥熙、军政部长何应钦、河北省主席鹿钟麟，中央委员张继、中宣部部长王世杰、川东教区主教尚维善、南京教区主教于斌等各界来宾 500 余人参加。下午 2 时整，追悼大会在哀乐声中开始，商震主祭，献花圈、上香、恭读蒋的祭文：

“维中华民国二十九年十一月二十九日，蒋中正谨具香花清酒之典，致祭于雷司铎鸣远先生之灵曰，呜呼！贤哲于世，为鉴为薪，磨顶放踵，将以泽人。君来自西，实为国宾，涵濡文教，振道群情，惟主造物，万族斯仁，君体圣心，泯绝畦畛。东寇侵疆，痛毒扬尘，流离道路，惨恻城囷，君心如伤，投身救民，驰驱晋冀，栖皇苦辛，积劳致疾，以陨厥身，凤伐未远，踵迹已陈，旷世所稀，岂唯凤麟，公勋不灭，正群终伸，上告真宰，下启无垠。呜呼，哀哉。尚飨。”（重庆《商务日报》1940 年 11 月 30 日二版）

祭文宣读之后，商震发表演讲，略谓：雷司铎的伟大精神有四个方面，一是舍己救人；二是打倒自我；三是敏捷迅速；四是吃苦耐劳。孔祥熙在发言中回忆说：“本人与雷司铎有 30 余年的交谊，犹记当年司铎对天津老西开事件的仗义执言，早已深为敬仰。其后立身行道，莫不本舍己救人之旨，尤佩服不已。吾人今在此开会，不特为追悼一公教司铎，同时亦在追悼一伟大之中华国民，其牺牲自己，为天主为国家为民族，此种伟大精神，将永垂不朽！”鹿钟麟、张继及教会方面代表相继发言。追悼会后，他被葬于歌乐山，并为他建有纪念碑。

蒋介石到台湾后，多次追悼雷氏。1952 年，在雷氏逝世 20 周年之际，台湾举行纪念会，台北的各教堂同日举行追思弥撒。在蒋去世以后的 1978 年 9 月 3 日，雷氏的牌位入祠台北圆山忠烈祠。

◇ 台北圆山忠烈祠。

第六章
褒扬令篇

第一节　迟到的褒扬令

蒋介石是一个工作勤奋、做事认真的政治人物，由他处理的文件一般会很快有结果。对于著名人物的去世，也是如此，他都会很快做出反应，根据其官职、地位、社会影响，或是写祭文，或是发唁电，或是"颁"挽联，或是"赐"挽额。但有时也会因种种原因，拖延很久。

◇ 梁启超。

1929 年梁启超病逝后，国民党内有些人提出应对梁予以褒扬，特别是在 2 月 6 日的中央政治会议上，蔡元培、蒋梦麟联名提出"梁启超优恤案"。后来胡适也致电特请优恤，但均遭到一些人的反对，一些国民党的党棍认为：研究系历来不能正确对待国民党，梁启超为研究系的首领，故应予以否决。同时"中央各要人"也多不赞成，议案被搁置。（《大公报》1929 年 2 月 8 日三版）但是到了 1942 年 9 月，在抗战最紧要的关头，蒋不知想起了什么，忽然提出对去世 13 年的梁启超给予宣传和表扬，并建议国民政府颁发《褒扬令》，10 月 3 日《褒扬令》行文通令全国。（《中央日报》民国 31 年 10 月 4 日第二版）

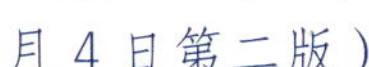

汤毅生 1948 年在河北昌黎被解放军俘获，1953 年 6 月判死刑。汤的同僚向蒋提请褒扬，蒋因不明情况，不敢贸然处置（此前曾发生蒋为活人写挽联的奇闻，令蒋十分尴尬），直到 1964 年 6 月 10 日才下达对汤的《褒扬令》。又如戴民权，1940 年 5 月在河南遂平与日军作战牺牲，年 49 岁。29 年后，1969 年 9 月 18 日，其家属才得到蒋颁发的《褒扬令》。

◇ 罗福星。

此外还有罗福星，也是 29 年后才"荣享"蒋的《褒扬令》。

罗福星（1884~1914），广东嘉应人，生于印度尼西亚。1903 年随祖父来台湾，从事反清活动，结识孙中山、黄兴、胡汉民等人，1907 年参加同盟会，1911 年 4 月 27 日参加广州起义。1912 年 11 月，奉孙中山的派遣，至台湾筹设同盟会支部，秘密进行抗日活动，因消息走漏，被日本殖民主义者逮捕，还包括其他相关人员七百多人（其中不少为台湾人），1914年1月3日，罗被绞杀。

蒋到台湾后，为笼络台湾地方人士，也为强调台湾是中国的一部分，先后对台湾或与之有关的牺牲烈士给予表彰。1953年4月30日，蒋颁发对罗福星的《褒扬令》。

迟到时间最长的，是1896年去世的，以行乞办学而著名的武训。蒋对武训非常尊崇，他在家乡溪口创办武岭农校，多次对学生训话提到武训。1934年正值武训诞辰97周年，山东省教育厅长何思源发起纪念活动，蒋在何的宣传册上题词，十分感人："以行乞之力，而创成德达材之业，以不学之身，而遗淑人寿世之泽。呜呼，先生独行空前，人孚义叶，久无愧于艰苦卓绝，世之履厚席丰而顽鄙自利者，宁不闻风而有立。"以后又几次题额，但《褒扬令》却是在42年后，1938年3月28日才批准国民政府颁发。

第二节　褒扬令种种

所谓"褒扬令"，一般说来，是一国之公民死后，以国家最高名义，对其作公证的盖棺定论，也是最高荣誉。国民党上台以后所颁发的《褒扬令》，其褒扬内容主要有两种，一是对捐款者的褒扬（又称《褒嘉令》，如对捐款兴学、铺路架桥、救灾济困、施医赠药等褒扬）。二是著名人物逝世后，对其一生功业的肯定和褒扬，又称"饰终褒扬"，尤以后者为多，笔者粗略统计了一下，约占百分之七十。伴随逝者《褒扬令》的往往还有《旌忠状》、《国葬令》（或《公葬令》）、《入忠烈祠令》、《国史馆立传令》等文件。

早在1931年7月11日，国民政府就重新修订并公布了《褒扬条例》，共十六条，第二年6月4日又补充了《褒扬令条例实行细则》十五条。1940年颁布《抗敌殉难忠烈官民祠祀及建立纪念坊办法大纲》八条。1948年蒋介石就任总统后，于5月19日颁令《总统指示关于褒扬八项原则》（《中华民国褒扬令集·初编》第十三册，864页）。颁发《褒扬令》的具名形式有两类：一是政府部门，如国民政府、行政院、内政部、军事委员会、国民党中央委员会等其他部门；二是以政府部门负责人的名义，如国民政府主席、行政院院长、内政部部长、军事委员会委员长、总统、蒙藏委员会委员长等。在抗战前，虽然一些是以国民政府、行政院名义签发的治丧文件，实际上也大多是由蒋口述，秘书代笔，最后由蒋审阅、修改后定稿才能发布。抗战以后的褒扬令令文，大多是他人代笔，蒋批准后发布。

从1929年起，国民党政权基本稳定，主要是由国民政府颁发《褒扬令》，有时是国民政府主席林森和军事委员会委员长蒋中正共同具名签发，当蒋不在南京，则由国府主席林森和行政院长孔祥熙共同签发。抗战时期行政院签发较多。1946年以后，国共战酣，到蒋下野前后，国民政府机关几乎瘫痪，行政院也没人管了，竟由内政部具名签发，内政部搞"批发"，一次可以褒扬十几人，甚至多达二三十人。逝者家属对这一纸贬值多多的《褒扬令》，犹如接到大厦将倾的通知书，可谓是哀上加悲。1949年2月12日，戴季陶自尽于广州，时蒋已下野，却不顾在野之身，也不避李代总统的责难，仍以总统名义为戴签发一系列的治丧公文，如《国葬令》、《褒扬令》、《旌忠状》等。

对一般逝者，只褒扬一次，但在特殊情况下，会有两次或多次的褒扬。以刘湘为例，1938年1月20日病故，22日蒋就批准颁发《褒扬令》，不可谓效率不高，又有事先筹备的痕迹。但令文中没涉及公葬或国葬。后因蒋与刘夫人讨价还价，最终确定为国葬，又于2月14日再次颁发，并在令文中明确为国葬，这就是第二次褒扬的原因。黄百韬、郝梦龄、戴季陶、陈其美等也均为两次。

第三节　褒扬令再议

《褒扬令》作为国家立法形式确立，是加载史册的最高荣誉，对整个社会都有很强的号召性和吸引力。从1912年到1975年蒋介石去世，北洋政府和国民政府大约发布三千份《褒扬令》，褒扬了大约16400人，平均每份《褒扬令》褒扬约 55 人（根据台湾出版的《中华民国褒扬令集·初编》共十三册的不完全统计）。但是北洋政府和国民政府的褒扬内容是不同的，而蒋到台湾后又有所变化，因此应该分别论述。

一、北洋政府时期

从 1912 年到 1928 年国民党执政，北洋政府大约褒扬了 12000 人，平均每年大约褒扬 730 人。民国临时政府成立后，发布的第一号《褒扬令》，是 1912 年 3 月 6 日，由临时大总统发布的《临时大总统令》，褒扬杨卓霖、郑先声、吴樾、杨笃生、陈天华五人。到 1913 年 10 月 21 日，第 0059 号令，改为《大总统令》。此前，临时大总统已经发布过 58 号《褒扬令》，褒扬了 168 人。袁世凯上台，对各地大量呈请、要求褒扬在辛亥革命中牺牲的烈士，采取拖延、回避，乃至拒绝，却大量褒扬满清官僚。到 1916 年他病故，大约褒扬了 2000 人。

北洋政府时期的褒扬，从制度到内容以及人数，都体现出不够严谨，过多过滥的特征，1920 年 5 月 29 日，第 0242 号令，一次就褒扬 871 人。最多的也是 1920 年，共褒扬 2657 人。1924 年也有 1811 人。最少的是 1919 年，为 62 人。大概是受到五四运动的冲击，政府无暇兼顾，因此造成第二年爆发式的反弹性褒扬。

北洋政府没有摆脱封建社会窠臼，在褒扬方面亦是如此。提倡孝道是对的，但是褒扬、宣传那些不文明、不道德的孝道、孝敬方法和结果，已经和当时的共和体制不相符，实属不该。对这些人的褒扬、宣传，不利于社会发展，甚至有碍社会进步，有悖社会人伦。如：有一时期，大量褒扬妇女守节：某某氏守节 54 年。某某氏 17 岁适某，一月即告孀居，持节 13 年，因拒辱殉节云云。像这样的褒扬，今天看来，简直不可思议，但那毕竟是从满清的封建社会转入共和社会的过渡，是不可避免的。国民党执政后，也关注到这一问题，1928 年 9 月，重新组建的内政部拟就褒扬条例七条，细则十六条，其中就有："明定割股剜肉，啖亲以孝，几近愚妄，有悖情理。及青年守节，望门守寡，均不得列为节孝请旌，以示为人民解除痛苦等项。闻政府已请宋渊源、张之江、钮永建、薛笃弼、王世杰等审查，由薛笃弼负责召集会议，一旦审查完成后，即可公布。"（《民生报》1928 年 9 月 19 日三版）

二、国民政府时期

国民党执政，设立国史馆后，褒扬的第一位勋贤是由广东海军司令陈策等人呈请的褒扬文焕章。从 1928 年国民党执政，到 1949 年败退台湾，国民政府大约褒扬了 4000 人。最多的是 1935 年，褒扬了约 830 人，最少为 1929 年，仅有 10 人。平均每年大约 190 人。这体现出，国民党政府上台伊始，各项工作未能按部就班的时代特征。

国民政府在褒扬制度、机构设置、褒扬内容、褒扬人数都要比北洋政府先进、严谨和有效许多。主要有三个方面，一是人数的控制，杜绝随意和泛滥性的褒扬。二是内容方面，杜绝因守节，以及不近人情、民舆不容的孝道而获得褒扬。三是在机构上，确立归属，划定褒扬机构的权限范围。

此外还有父子、母子同受褒扬的事例，如陈立夫家族数人，宋子文与母亲倪太夫人等均获得褒扬。1941 年 1 月 18 日，第 1341 号令是褒扬以慈善救灾而著名的朱庆澜。未及半年，6 月 2 日，国民政府颁布第 1374 号令，褒扬朱庆澜的儿子朱榕。

◇ 胡文虎。

受褒扬次数最多的人是胡文虎，前后 6 次，其中前五次是褒扬他捐款兴学、建医院、修监狱等。如 1932 年 10 月 7 日，第 0538 号令是褒扬他向中央医院捐款 37.5 万元。内政部呈请行政院题颁"益在民生"匾额一方。1936 年 3 月 3 日，第 0949 号令，褒扬他捐款 11 万作为上海市卫生实验所的建筑费，特颁"乐善博施"匾额。第六次是他死后的饰终褒扬。

在 1948 年 5 月以前，以国民政府、行政院、内政部名义颁发的《褒扬令》中，所提及的匾额，也大多出自蒋的手笔。如 1938 年 5 月 16 日曹锟病逝于北平。6 月 14 日国民政府鉴于曹在沦陷区忠贞不屈，颁发对他的《褒扬令》,随令同时颁赐“华胄忠良”挽匾。这是蒋为曹追悼会所题写的挽额。1939 年 3 月 31 日的第 1154 号令，为褒扬范筑先，令中称颁赠“民族正气”匾，也是蒋为范的追悼会所致送的挽额。1938 年 11 月 17 日，杨寿昌病逝广州，1941 年 6 月 26 日第 1381 号令中，所颁匾为“教泽孔长”。因抗战期间，信息阻塞，有人认为这肯定是蒋的挽额，因为蒋在诔辞中善于用“孔”字。后来得到证实。

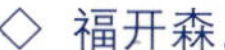
◇ 福开森。

◇ 范筑先。

对于著名学者给予饰终褒扬，是民国褒扬制度的一大特色，也是千秋功德之举。梁启超、严修、宿儒廖平等人，在去世多年后，经蒋介石提议得到褒扬。

国民政府对在华的外国人士，为中国社会进步所做出的贡献，给予褒扬，也是十分正确的。1940 年 7 月 18 日，第 1287 号令，褒扬比利时天主教传教士雷鸣远。1945 年 3 月 24 日，第 1725 号令，褒扬美国传教士、前南京金陵大学校长包文。1946 年 10 月 21 日，第 1882 号令，褒扬史迪威。1946 年 4 月第 1807 号令，褒扬美国传教士、金陵大学创办人福开森。

一般来说，对逝者的饰终褒扬，只有一次。但在国民政府时期的某些特殊情况下，也会例外。陈其美、谭延闿、蔡元培、黄百韬、奇涌泉、戴笠、刘湘、戴季陶等人都是两次褒扬。

三、台湾时期

从 1948 年 5 月，蒋介石任总统后，到 1975 年去世，蒋以总统名义大约褒扬了 500 人。而到台湾后的 25 年间，则为 400 人左右。在台平均每年褒扬 16 人，最多的是 1950 年，为 51 人，第二是 1971 年，为 42 人。最少的为 1975 年，仅一人，其次是 1955 年 3 人。

台湾时期颁发《褒扬令》减少，受三个方面原因影响。一是台湾人口少，蒋初到台湾，人口不到 900 万，到蒋去世时，也不足 2000 万，怎能同大陆时期的四万万五千万相比？二是，相对于大陆时期，和平安定，没有战争，人难减少。三是蒋的年事渐高，精力大大不如往年，倦怠政务。

如果说，《褒扬令》的内容，以及受到褒扬人物的资格遴选，也有质量水平的话，无疑，台湾时期是最高的。

到台湾后，蒋由于年岁的关系，倦怠政务，所以有些人的褒扬，是由其亲友故旧提请，“行政院”开会议决，呈请“总统”褒扬的。而他自己愿意褒扬的人，大大减少。如 1959 年 12 月 11 日，郑介民因心脏病逝于台北家中。17 日，“行政院”开会，呈请褒扬。31 日蒋颁发《褒扬令》，追赠为一级陆军上将。1959 年 12 月 16 日，吴忠信去世，20 日大殓，蒋题“勋望永昭”。12 月 31 日，“行政院”会议，决定呈请褒扬。

◇ 蒋氏父子摄于金门吴稚晖纪念亭前。

第七章
国葬篇

第一节　黎元洪的两次国葬

黎元洪一生有两个没想到，一是做总统，可以说是被人用枪逼着推上台，才一步一步走到总统的宝座。但他做总统不顺心，两个“太上皇”弄得他无所适从，藏了至高无上的镇国“玉玺”躲来躲去，最终还是遭到“拦车劫印”，被迫下野了。晚年经商，却大放异彩也是他没想到的。早在清末，他就先后在冀、鄂、京、津等地陆续购进土地、房屋，大部分用于出租，收了租金，再购入土地、房屋。民国后，黎又把大量资金投入金融实业。据有关方面资料不完全统计，他所投资的银行有十九个，煤矿八个，纺织厂六个，面粉食品厂七个，铁矿二个，其他二十多个涉及造纸、烟草、电灯、信托、电影片、邮船、采木、石膏、保险、证券交易等十余项。总投资额至少在300万元以上。这些投资，给他带来丰厚利润，如枣庄中兴煤矿，他的股份占第一位，据1921年《山东矿业报告》公布的数字为60万元，年年获取巨额红利，最高一年股息达四分五厘，为借贷利息的十倍，也是晚年黎家的主要经济来源，所以他曾亲任董事长。丰厚的收入，导致他的生活十分奢华。1912年孙科来北京，黎元洪请他吃饭。席间黎问孙科：你父亲一个月生活费多少？孙科不敢少说，壮着胆子夸口道，大概一千多吧。黎惊讶地说，这么少呀？我一个月要五千多呢。

黎元洪的投资一帆风顺，经商又大富显赫，不乏有人羡慕，有人入股，也有人眼红，那就少不了有人要琢磨他了。但真正具体实施的有两人，一个如愿以偿，一个失望告终。

一、如愿与失望

中国历代，凡推翻前朝者，无不将其财富强行占为己有。蒋介石也不例外，但比较起来，他要文雅许多。北伐军北伐时，边打仗边查封、没收占领地所属北洋巨蠹，甚至是普通商户的财产。当蒋介石率领北伐军抵达山东临城时，要没收中兴煤矿，黎元洪很担心，便派长子携带自己的亲笔信去南京，托老友谭延闿找蒋疏通。蒋很痛快：别人的我要没收，黎宋卿的我不能！黎稍得宽慰，但不久蒋派黎的同乡阮齐向黎摊派一百万的二五库券。那时因战乱频仍，中兴煤矿已处于停产状况，入不敷出，但迫于蒋的压力，只得应允。不料蒋食肉知味，在财政捉襟见肘时，又打起黎的主意，再派人到中兴煤矿提出负担一百万军费，否则没收，并强行标卖存煤。黎忧愤交加，导致病情恶化，百万军费就拖延下来。但蒋不甘心，令俞飞鹏组织一个委员会，以“背约要挟，抗款误饷”为名，准备作为“逆产”充公。

◇ 黎元洪。

黎在台上时，和事佬一个，所以人缘不错，到此时，为他向蒋说情者，大有人在：易培基就曾致函蒋，请求维持中兴煤矿（南京《民生报》1928年5月9日三版），上海银行公会等团体也电请司法部收回成命。当黎病逝后，黎家子女吁请国民政府给予国葬，此时蒋刚刚打下北京，正需要各界承认合法性，以黎的地位和人望，正求之不得，随即接受。此时正是中兴煤矿与俞飞鹏纷争尖锐时。到7月3日，该公司上呈蒋，呼吁取消没收之议。黎丧事结束后，黎的长子黎绍基出任中兴煤矿股东代表，负责处理此事。农矿部再次恳请收回成命，9月21日，国民革命军总司令部令农矿部：中兴公司中的“逆股”充公！商股维持，以示体恤。（见《申报》1928年9月26日十三版）此后，黎绍基主持中兴煤矿，最高产时，年出煤七十多万吨。

另一个失望的是南开大学校长张伯苓。早在1919年南开大学创办时，严修、张伯苓四处募捐。黎与严修私交不错，捐出“七长公债”一万元，实际折合八千零十元大洋。在北洋历届总理以上的高官中，办学最多的是袁世凯，而向教育捐款最多者，就是黎元洪。所以，张格外礼重于黎，黎有一个孩子，没有在南开中学读过一天书（有时由张从南开中学找教师去黎家中辅导），张也发给毕业证书，就是因为黎富有财力，又关心教育，广结善缘。但此后黎家并没有再向南开捐过钱，而张向黎家劝募的努力一直没有停止。

黎晚年身体欠佳，血压居高不下，严重时竟神志茫然，舌滞口吃。到1926年10月间突患脑溢血，虽经名医诊疗，但时有复发。张伯苓格外关心，并为之努力的是，希望黎能像当年李纯那样，在他的遗嘱中为南开写上一笔（1920年江苏督军李纯在自杀前，写有遗嘱捐南开大学五十万，轰动一时）。1927年5月3日，张访南开大学董事会主席颜惠庆，与之探讨这种可能性。颜也应张的请求两赴黎宅探问。到1928年6月3日黎病逝后，遗嘱立即公布，在十项内容中没有提及南开一个字。但不久，黎家子女代表去世不久的父亲，向主持陕、甘赈灾募捐的朱庆澜捐出一万元。这又勾起张伯苓向黎家募捐的信心，因黎的两子两女皆南开校友，张希望通过这种关系，唤起黎家对南开的同情和支持。同年10月8日颜惠庆在日记中记有：“张伯苓来访，谈到曾致函陈嘉庚要求帮助，估计可能从黎氏家族获得援助。”10月16日，颜又写到：“与张远伯谈黎氏家族继续支持南开经济的问题。”但张实在没有耐心等下去，就于12月初赴美募捐去了，临走前他把此事委托给弟弟张彭春及颜惠庆。颜尽职尽责，多次走访与黎家有关人士，进行转托劝募。黎家终为所动，1929年4月25日应允捐款，但直到张伯苓从美国回来后（张于1929年9月22日回到天津），黎家才正式兑现：10月14日捐出美华银行股票十万元。然而这并没有让张高兴多久，半个月后，南开大学总务主任华午晴访颜惠庆，谈及黎家所捐股票目前不能兑现，已无价值。此后在南开的校史和经费账目中也没有这笔捐款的记载。

而黎家仍然不断向教育界捐款，其中仅1934年4月，黎氏姐弟一次性就捐中兴股票十万元给武汉大学，称“继承先人遗志”，武汉大学以此兴建“宋卿体育馆”。（《中央日报》1934年5月4日二张四版）

二、募捐奇闻

黎元洪及子女为什么不肯再捐款南开？这大概和李组绅有些关系。

在天津的开埠和发展中，“广帮”与“浙帮”功不可没，李组绅就是“浙帮”的代表人物。当时矿产业有“南刘北李”的佳话，刘指刘厚生，李即李组绅。李籍贯浙江镇海，1880年生。舅舅是巨商叶星海。李幼年移居津门，北洋大学毕业后投身商界，1918年凭借叶星海的资金，与曹汝霖、陆宗舆共组利济贸易公司，为天津最早的华商对外贸易行；所经营河南六河沟煤矿大名遐迩。李组绅与黎元洪神交久已，在政治上，同属共和党；在经济上，历来参与黎的经商机要，六河沟亦有黎的股份，而私交则在党情商谊之上。褚文荣先生在《矿业大王李组绅的传奇》一文中，说“黎元洪的秘密他知道”，特别谈到：黎有一随身携带的小册子，上面记述他的资产项目等密录，即使对他的如夫人黎本危也保密，可是却对李开放。冯玉祥在他的回忆录《我的生活》中提及：“李虽为商人，但与政治颇密切，为人厚道、稳重，热心有为。”李交友十分广泛，晚年更是醉心于慈善事业。

◇ 1922 年，南开学校校长张伯苓与要求添设女子中学的学生合影。

1921 年，经王正廷介绍，张伯苓与李组绅相识，促成他在南开大学创办矿科的壮举。但矿科的停办，过去的说法一直是“军阀混战，影响李的经营，李无力支付捐款”。实际这只是原因之一。由南开大学校董丁文江推荐的矿科教授曹诚克（著名矿业专家，留学美国威斯康辛大学，胡适的绩溪同乡，其妹曹诚英与胡有过一段恋情）对此较为了解，曹曾三次写信给胡适，谈及矿科停办原因和经过。如 1926 年 6 月 12 日的信中说：“……李允年捐三万，嘱伯苓办矿科。其中究是谁要谁却不可知（指谁先提出），当时是否独力捐办或系捐助亦不可知。”但李在 1921 年却只捐两万创办费，1922 年捐一万经常费，张伯苓认为李未能践诺，并向李索要欠捐不止一次，致使李 1923 年一次捐四万五千元。同时他听说所捐矿科经费，还要拿出四分之一的“分摊费”作为矿科以外的“学校普通支出”，很不理解。张的解释是：南开大学的各科是单独预算，矿科学生要到其他学科学习，当然要交学费。李又了解到，其他学科学生来矿科学习，未向矿科交费。当时六河沟确受战乱影响，李便以经营不善，欲暂停捐款，允一旦恢复生产，稍有盈余、立即恢复捐款。按理说，张应该感谢李，并对李的不幸表示慰问。但张却更为不满。到 1926 年 5 月，李不得不停止捐款。张早有准备，立即决定停办矿科，并要求李维护南开声誉（指停办矿科的责任），负责安排教师的就业，学生转学转系等诸多问题，引来南开校董、教师、学生和李组绅的不满。曾有教师提出可以不必停办，从其他收入中移款维持。张答：南开的经费主要是各界捐款，而每笔捐款都有指定用途，随意移款他用，违背捐款人意愿，今后何以再行募捐？这个理由看上去冠冕堂皇，实际却远非如此。曹诚克给胡适信中还披露：“结果弄成一种事实，就是矿科收入，全校可以分润，而南开全校收入如李纯捐款等，矿科分文不能染指。矿科遂一变而为南开其他三科之富源。”这也许是李拒捐的主要原因吧？

当时全国矿业学科，只有北洋大学和南开设立，所以一旦停办十分可惜。而北洋又不接受转学生，这让一些有志于矿产科学的学生感到“停办直是驱之死路”，著名物理学家吴大猷，就是在这次事件中，改变志向，从矿科转学物理专业的。

南开董事会、教师、学生都为挽救矿科，积极想办法，有教师劝学生不要有“轨外行动”，以免发生学潮，也有教师去北京找李组绅劝说，还有自动提出减薪者。但张态度坚决：李若捐款，年必三万，否则矿科必停！张认为：你李组绅乃津门巨富，不可能只因六河沟受损，就无力维持。并向李算账：办学五年，共花费十八万，除李已捐出八万五千元，积欠为八万二千元，其余是学费收入。又向李再次追索此八万二千元。李更加失望，被迫接受张所提出的条件，写下一张欠南开大学八万二千元的单据，以及这八万二千元的利息，共计欠南开大学十万余元。还应允每年出资维持“矿学会”，同时还要为失学学生设法到各煤矿去实习，又要为教师介绍工作。至此，李组绅勇于承担责任，为南大解决诸多棘手难题，南大矿科正式停办。

这是一个奇闻，也是张伯苓募捐艺术的高超所在。李组绅捐款八万五千元，办学五年（曹致胡信中说为八万五千元，南开大学出版社 1989 年出版的《南开大学校史资料选》中为七万五千元)，在企业行将破产时，得到的不是感谢和慰问，而是十万元债身。曹诚克一面对胡适称赞李："真是个极大的绅士"，又一面讥笑："一股脑儿他俱负责去了，这原是他自取的，谁叫他要做傻瓜？"

矿科停办后，学生向各位校董恳求恢复，董事们不忍学生失学，教师失业，先与李组绅洽商。李虽怜悯学生，也不忍历年所费心血与金钱化作乌有，勉允所请，但表示"年缴三万难以筹得，况且还有上万元年息，万难维持"，寻求折中办法。矿科主任孙昌克与翁文灏、张轶欧等董事协商后，再与李交涉："年息现时缓交，大学分摊费暂时亦不分摊，只要李先生年出一万五千元（现款）便可维持。"然而翁文灏满怀希望的这个折中方案在张伯苓那里"碰了老大钉子，非三万不办，年息非交不可，且须先交清积欠之八万二千元后始允办。盖此时李组绅不出十一万元者，矿科决不能再办，斩钉截铁，绝无商量余地！"(《胡适来往书信选》上册，北京中华书局 1979 年，383~391 页)

至此，校董们的几番努力彻底失败。李未再向南开捐款，但对母校北洋大学(即天津大学)却报效不辍。1937 年春，又捐资为母校建一座二十吨化铁炉。李、黎关系密切，无话不谈，李的遭遇，黎家不可能没有耳闻。瑕不掩瑜，张伯苓仍不失为著名的教育家和杰出募捐艺术家，但"矿科事件"实为其三十年募捐史中的败笔，并间接导致 1929 年 5 月，蒋廷黻、萧公权等一批著名学者接连弃南开而入清华。

三、天津国葬

1928 年 5 月 28 日，黎元洪看完赛马回到家中，忽觉胸闷，长时间昏迷不醒，6 月 3 日晚 10 时在英租界瞑目，年 65 岁。因黎家筹备不足，是借用卢木斋的寿材，得以于次日入殓。黎元洪晚年饲养两只孔雀，极为可爱，黎特别善待，优养而目为灵禽异类。但在黎病重时，一只不饮不食死去，另一只在黎归仙后哀鸣不已，第二天早上端庄正卧而死，家人以为奇事。(《大公报》1928 年 6 月 5 日二版)

1928 年 6 月 8 日，国民政府明令褒扬："前大总统黎元洪，辛亥之役，武昌起义，翊赞共和，功在民国。及袁氏僭号，利诱威胁，义不为屈，凛然大节，薄海同钦。兹闻痼疾弥留，犹廑国计。追怀遗烈，怆悼尤深，所有丧祭典礼，着内政部详加拟议，务示优隆，以彰崇报元勋之典。此令。"

7 月 3 日，内政部长薛笃弼致电黎绍基，将对黎元洪实行国葬，并拨款一万元治丧，定 7 月 16 日至 18 日开吊，丧祭期间，天津下半旗致哀，移灵经英、法、日三租界。

7 月 17 日上午 10 时，隐居于天津日租界的段祺瑞，偕长子段宏业驱车至英租界吊唁，陪同者有日本司令官新井等官佐五人。当时报纸评论说段：三鞠躬毕，喟然而退，似有无限感慨。其实这并不重要，重要的是：两位北洋时期纷争不已的顶级人物，下野后在自己的国土上，却靠外国势力保护聊度余生，不是莫大的讽刺吗？

7 月 19 日出殡。此次国葬，所收挽联仅二百余副，挽额不过三十余方，不算为多，但因与黎关系不同，政治态度各异，内容就各表各的心态。

蒋赠挽联：上款为"宋卿先生灵右"，联为："胡天不慭遗一老，斯人自彪炳千秋。"落款"蒋中正拜挽"。河北省主席商震 7 月 18 日率领省府全体委员前往致祭。商震挽："推倒满清，建立共和，自有勋名垂史册；抛弃家国，皈依上界，空留声教遍尘寰。"人称"黎元洪太上皇"的段祺瑞，所送挽联为："尚留黄扎忧当世，同为苍生惜此人。"

不过，大多挽联是称赞黎的"首义"和"护国"，不与袁称帝同流合污的高洁品格，而作为有"亲家通好"的袁家后代却不理会这些（袁在世时，为控

◇ 黎元洪一家。

制黎，提出与黎家结亲，故袁的九子与黎的小女定亲，此时尚未完婚），他们自有他们的道理，如袁世凯五姨太杨氏所生的两个儿子，即第六子实业家袁克桓、第八子袁克轸（擅长经商和社交）之挽联："每瞻我佛，亲若家人，方知大德无为，真能容物；傥见先公，莫谈国事，但道群儿安命，并不忧天。"

黎家在此时，就是要与袁家撇清关系。袁死后，黎家提出退婚，袁家不允，无奈到1933年才成婚，而此时两家正处于婚退与否的僵持阶段，所以黎家对此并不理会，如长子黎绍基挽联："六旬又五年，耽尽心，吃尽苦，所为谁来？到于今国徽全改，法统中移。读遗电十条，是我父呕出心肝，欲尽未完事业。四月十六日，失了主，塌了天，从兹已矣。只遗下寡母帷堂，孤儿枕块。听哭声一路，余小子空有涕泪，何处再接音容？"

四、北京追悼

黎元洪在天津病故前后，正是蒋、冯、阎、李连手打败张作霖之际。得知张作霖北溃，蒋也立即返回南京。当张作霖在皇姑屯被日军炸死，蒋又匆匆赶回北京，他要处理张作霖在北京的遗乱。在北京期间，蒋要欢宴外交使团，让外国使馆了解国民政府的对外政策，去西山祭拜孙中山灵柩，几次到北京大学向学生讲演。当蒋挤出时间，才于同年9月15日发出追悼黎的通电。16日，蒋介石、冯玉祥、阎锡山、李宗仁、李济深等十二人列名发起召开追悼大会。10月在北平举行了大规模的追悼会。

会场设在北海天王殿，定26、27、28追悼三天。天王殿的前后两院，高搭席棚两座，门前用彩花扎成牌楼，中悬"名垂宇宙"，两旁是"首义"、"护国"。后院台上正中为黎遗像，像下为香案。案供"神听和平"四字。棚内四周遍挂挽联，蒋的挽联再次飘悬。王士珍在25日下午查看筹备情况，他先到灵前三鞠躬，然后找到工作人员询问。26日早，阎锡山第一个前来致祭，立刻就有接待员赶来寒暄，殷殷引导。下野的和在任的区别在何处？就在这里！

28日追悼大会正式开始，参加吊唁者，既有国民党新权贵如蒋介石、阎锡山、冯玉祥、白崇禧等人的代表，也有北洋元老、京津故旧王士珍、江朝宗、陈澜元、李济臣等亲临恭祭。

五、武汉国葬

黎元洪元配吴敬君于1930年2月24日在津病故，年60岁。依遗嘱和家属请求，国民政府于1933年将黎氏夫妇灵柩由天津运回武昌。湖北省及各界头面人物组成委员会，筹备迎灵仪式，并在车站、码头及沿途扎牌楼，设路祭，白马素车，鼓乐齐奏，鞭炮不绝，将棺柩迎入洪山宝通寺法界宫的藏经石库内暂厝，派专人看守。同时勘定墓址，后经多方筛选，最后择定武昌卓刀泉南土宫山为墓地，随之动工兴建。

1935年11月24日上午，举行黎氏夫妇国葬典礼的起灵仪式。国民政府在三天前通知全国下半旗，停止喜庆娱乐一天。湖北省成立"国葬典礼办事处"，由省主席张群主持一切事宜。黎家四姐弟提前由津来汉。参加者中外来宾约五万余人，送葬队伍长达三里许。特备有专轮四艘，大小汽车二十一辆，接送来宾。24日上午11时整，在19响礼炮声中，行公祭礼，礼毕起灵下山，送灵仪仗共八列，其中七列为灵车。黎氏灵柩在前，吴氏在后。两灵车均外套黑绒柜罩，以鲜花扎盖。在细雨蒙蒙中，黎氏亲属十余人在灵车后，垂首缓行至墓地。

墓地前，用席棚搭建宽敞的临时性礼堂，堂前门屏上悬挂林森所题"民国元勋"，周围陈列花圈、挽联、挽幛等千余件。下午3时，在101响礼炮声中，国葬典礼开始，由武昌辛亥首义参加者、湖北省政府委员李书诚，代表林森主祭，贾士毅代表行政院陪祭；国民党中央、国民政府各院、部、会，各省代表，外国来宾为襄祭。所宣读祭文有内政部、交通部、司法部、教育部、各省、市等共23篇。祭礼结束，灵柩扶入形似仰盂的墓亭内，亭内遍洒红色朱砂，取吉利之意，又各置两个铜炉，旧礼为"暖土"之意。墓椁上再用水泥板盖封固。墓碑由章太炎撰文，李根源手书，金天羽撰墓志铭，邓祁述书写。

第二节　公葬耶？国葬耶？

◇ 朱培德像。

1937年2月17日晚11时，军委会办公厅主任朱培德，因注射德国进口的补血药引起血液中毒去世，年49岁。

朱培德（1889～1937），云南盐兴县猴盐井人。1914年毕业于云南讲武堂，曾跟随蔡锷发动护国战争。又参加过孙中山领导的护法运动，被孙任命为大本营巩卫军军长兼大本营参军长，代理军政部长。1925年任国民革命第三军军长。可以说，朱的早期经历，远比蒋显赫。以1925年廖仲恺追悼会所送挽联为例，当时挽联的排列顺序是以在国民党内的地位确立，朱的挽联排列于第七，蒋介石仅以军校校长名义，列第21位。蒋第一次与他见面，对他印象极好，在日记中称他是一个值得交往的血性汉子。然而真正共事后，两人不断发生摩擦，导致朱两次公开反蒋。蒋通过纵横捭阖的权谋，掏空了第三军，最终军长也换成了他的心腹，朱不得不屈服于蒋，成为无一兵一卒、为蒋所驱使、调解各种派系矛盾的幕僚。

2月17日上午，蒋根据报告，偕夫人到医院探视朱培德，当时他神志尚清醒，还向蒋请假10天。蒋听到此言，感念他的敬业，不禁悲从中来，潸然泪下，不但恳切慰问，还要留院陪伴，经其他人劝阻才离去，却让夫人留下，与各位委员共同陪伴床侧，直到第二天清晨始回。

2月20日，国民政府在南京仁孝殡仪馆举行大殓，蒋送挽联："竭毕生股肱，心荠之劳，委身以事，片语不及私，只留得党史元勋，声名盖世；值国事震撼，危疑而后，来日大难，万端方待理，更谁共仔肩重任，哀感移时。"并且"凭棺痛哭失声，余人均伤痛落泪"。

作为国民党元老、孙中山所倚重的军事将才之死，国民党高层一致认为应予国葬。然而3月2日，蒋在行政院会议上发言说："朱上将努力革命，效力党国……赞襄勤劳，持躬廉谨，洞明大体，不慕虚荣，尤为全国军人同心钦敬，综其一生，功在国家，实应国葬。惟每值国葬，糜费公帑，为数甚巨。朱上将生前淡泊明志，精忠为国，决不愿虚耗国力。故余亦体此心，向政府提请公葬。"最终行政院通过蒋提出的公葬提案。

但是，在三军上下却掀起一阵噤声，3月3日，中央开政治会议，冯玉祥在日记中记下当时的情景："第五项是讨论朱益之葬事，程潜发言说，朱之功比谭延闿大，应国葬。覃振言应国葬，不可一人说不国葬即不国葬，至谭祖庵，实不配与朱益之比。张继发言，朱益之努力革命，追随总理始终不变，诚为难得之人，不如我们是反对过总理的呀。孔祥熙发言，国葬最多不过三千元就好。何应钦说，还是一万为好。吴稚晖说，下次再决定吧！"（《冯玉祥日记》第五册，74页）冯玉祥也是同意国葬的，所以赞同者们还在私下活动，如朱培德的密友汪精卫、李宗仁、白崇禧等都表示了不满，汪精卫对蒋说："益之在世行年四十有九，从军三十有一啊，悲哉壮哉！痛哉惜哉！"陈璧君也找到蒋，捶胸顿足为朱讨公道，声泪俱下地说："朱不国葬，谁也不配国葬！"

◇ 蒋介石在朱培德葬礼上伤痛落泪。

在此情况下，蒋也不好再坚持了，作为曾公开反对过自己的人毕竟已经屈服，而且已经死了，他不能让活人再藉此反对自己。3月13日，国民政府明令褒扬，实行国葬，生平事迹存备，宣付国史馆。

蒋既定的事情，别人很少能改变，但是在丧葬方面，却多有例外。如 1946 年 2 月 15 日，叶楚伧在上海去世，当时定为国葬，因为陈氏兄弟的反对，最后改为公葬。

第三节 展堂葬礼中正生日

◇ 胡汉民。

蒋介石是一个比较迷信的人，重风水，信堪舆，据说他也会看手相。这也影响了他一生的方方面面，对于自己的生日更是看得很重。蒋的生日是清光绪十三年农历九月十五日，因农历有闰月之说，所以每年与公历都是不对期的，这样就很麻烦，如 1928 年 10 月 27 日："今日为公诞辰，切念母氏。昨夜于舟中，辗转不寐。"(《蒋中正总统档案·事略稿本》第四册，284 页)蒋的生日以公历计，就一直是定在 10 月 29 日，但是在 1936 年却向后推了两天，改为 10 月 31 日。据说这和胡汉民的国葬有关。

1936 年 5 月 12 日，胡汉民在广州逝世，年 58 岁。蒋"闻耗甚哀痛"，于 13 日唁电胡家属："广州胡夫人暨木兰女士礼鉴：惊闻展堂先生逝世，悲恸之至，党国多艰，数月以来，靡日不宁，盼其来京，俾诸事均有指导。今遽溘逝，岂唯 30 年故交之私痛，实为本党与国家之损失。道途遥隔，未能躬亲视殓，万望夫人等勿过悲毁，谨电致唁，唯祈垂鉴。蒋中正叩。元。"13 日晨，国民党中央临时常委会决定：为胡志哀，全国下半旗三天，停止娱乐宴会。5 月 25 日在南京励志社举行追悼会，令全国一律下半旗，停止娱乐一天。蒋出席追悼会，并致送挽联："沧海正横流，风雨同舟期共济；中原谁砥柱？荆蓁满地哭元勋！"及手书"精神不泯"挽额悬挂在礼堂二门正中。

胡因与蒋之政争，曾被蒋扣押于南京汤山达七月有余，蒋迫于各方面的压力，不得不释放胡。而胡在表面上也不得不屈服蒋的武威，但内心却是另一番世界，蒋也心知肚明。胡汉民去世后，国民党中央一致认为，胡非国葬不可，蒋则大度豁然，欣然同意。

但是在追悼会后，胡的国葬一拖再拖。此时蒋正忙于对红军做最后的"围剿"。他倾其全力，联合阎锡山、张学良以及西北各派军阀，围剿遭重创而到达陕北的红军；对胡的国葬大典就顾及不上了。

胡汉民治丧会终于在 10 月 18 日刊出《哀启》，排定胡的国葬于 10 月 25 日举行。而这一天离蒋的生日只有 4 天。素来抱有"丧喜不同日"信念的蒋，对此十分不满。与此相近的，还有 10 月 22 日鲁迅的葬礼，虽在上海举行，但各大报刊渲染得十分到位。24 日在南京、郑州两地举行的"国民革命先烈纪念会"，蒋不得不草就一副挽联，为主祭刘峙（名义上代表蒋）捧场。而章太炎的家属及治丧会也在前几天为太炎先生的国葬，请蒋题颁挽联，因蒋曾于 7 月 8 日颁发《褒扬令》，已经"特赠"了"敦仁崇义"匾，现在又来讨挽联，蒋置之不理。这一不理，终至太炎先生的国葬遥遥无期，邵元冲曾在日记中有这样的记载："午前，陈立夫来言，介石对太炎国葬事，犹主从缓，不知其意究何居？"（见《邵元冲日记》，1394 页）但这还不算完，10 月 25 日下午，蒋目为"张良、庞统"的首席军师杨永泰在汉口被刺殒命，蒋震怒之余，不得不于 27 日致唁电与杨的家属慰唁，又飞到武汉亲临视殓。

早在进入 10 月，为蒋祝贺 50 大寿的"购机祝寿"活动就已经开始，各地贺电纷至沓来，报端却是寿联与哀启参半，喜色为悲情蒙尘。陈立夫等深知这样必会对寿蒋大为不利。10 月 23 日，《中央日报》一张三版突然刊出一条消息，称蒋的生日，由天文学家经天文研究推算，实为 10 月 31 日。这就是蒋生日定为 10 月 31 日的由来。

第四节 谭延闿两副挽联的由来

◇ 谭延闿。

在谭延闿去世后的70多年里，一直流传着蒋介石为谭题写的两个不同版本的挽联，持甲者怀疑乙的真实性，而持乙者，对甲也提出质疑，还有人对二者都莫名其妙。其实，这两副挽联都是蒋的手笔。

1930年9月21日，国民政府代主席、行政院长谭延闿带着长子伯羽、女婿袁仲颐到小营参观验马后，欲往中山陵游览，突觉胸口憋闷，左腮麻木，唇现紫色，不断抽动。谭伯羽和袁仲颐当即命司机开回家中，延请著名中医施今墨。施今墨诊后了解到，谭此前数日感冒，本不可吹风，却在观马中立于烈日下一个时辰。施今墨诊为中风，并认为中药投达迂缓，建议改延西医。随即由行政院出面，请来中央医院主任刘继贤、行政院医官李志伊、中央军校校医德国顾问契墨曼会诊，三医诊后认为应放血，以减轻血压。但放血后脉搏在160跳，血压220，高出平时三十多度。此时，胡汉民、古应芬、张静江、孙科、朱培德等相继赶来，胡、张连声呼唤，谭已不辨来者。胡、张退出后，急令驱车请上海名家谢应瑞、李生杰、陆仲安赴京，又电请卫生部长刘瑞恒从速返京。当铁道部医官邓真德赶来时，瞳孔近于无反应，而体温仍居高不下。三位沪医很快赶来，当他们了解病情后，在场的中、西医发生分歧，中医认为肾脉已绝，殆已无望，为放血所致；西医主张仍需放血，并注射退热剂，热度和脉搏均在恢复，诸位西医稍得宽慰。但一个小时后，体温和血压再度恶化，脉搏已渐无可数，于上午9时55分瞑目，年51岁。

当时蒋正在“中原大战”的前线督战，在此前的四天，张学良刚刚通电拥蒋挥师入关，局势对蒋极为有利，所以他不可能为谭的丧事所动，哀以一纸电唁到谭宅慰问。行政院于22日下午成立治丧委员会，但只发布一号治丧通告，就不得不暂时终止，因为一切都得待蒋返回后，才能作决定。10月9日，蒋才从前线回到南京，并为谭哀以挽联：“救国仗同心，擠拄艰危，大难将夷公竟逝；匡时赉伟略，绸缪建设，群伦失望我逾悲。”此挽联与其他人的诔辞，作为“谭院长丧事特刊”中的一部分，对外公布，各大报刊纷纷刊载。治丧会则相继发布了从“二”到“七”号治丧通告。

10月18日，蒋轻车简从，来到谭的灵堂，查看国葬的筹备情况。大礼堂里，挂满了挽联。谭遗像两旁却空出来，他知道那是留给自己挽联的位子。但转念一想，不对呀，自己的挽联早就送去了。他不明白是因为写得不好，还是遗失了，便去“国葬典礼办事处”查看备存。办事处专门有笔工者将所送诔辞、赙仪、纪念品等，精心抄录，作为资料留存。他果然找到自己那副挽联的抄件，一字不差。蒋返回官邸，重新写了一副：“持颠扶危，一片赤心在党国；忧时痛世，百万同志哭先生。”又驱车来到“国葬典礼办事处”，并亲手交给接待员，对方马上悬挂在遗像两边。第二天，《中央日报》所刊载的“谭院长丧事特刊”中，蒋的挽联就是后来这一副。现在社会上所流传的这两副挽联，某些字已经有变化了，如第一副的“救”字变为“故”字。第二副变化较多，改为：“持颠扶危，一片苦心垂党国；忧时悯世，千秋公论在人寰。”

谭延闿之丧，各界所送挽联极多，而以太炎先生的神来之笔最具特色：“荣显历三朝，前清公子翰林，武汉容共主席，南京反共主席；椿萱跨两格，乃父制军总理，生母谭如夫人，异母宋太夫人。”为明挽实讽之杰作。但也有人认为非太炎所为，假借名望而已。还有一副就不像话了：“混之为用大矣哉，大吃大喝，大摇大摆，命大祸大，大到院长；球的本领滚而已，滚来滚去，滚入滚出，东滚西滚，滚进棺材。”下联以老谭院长的绰号“水晶球”为由头，颇失儒雅，所以作者连名字都不敢公开，只以“佚名”而问世，倒也流行起来。

第五节　三难的“国葬”

民国以后的首次国葬，是 1917 年 4 月 15 日，为黄兴举行的，葬于湖南长沙市岳麓山。此后到 1927 年，大约为蔡锷、程璧光、冯国璋、刘建藩、廖仲恺等举行过五次国葬。至于说到 1925 年孙中山在北京的葬礼，不能用简单的“国葬”来概括。当时北京政府曾提出举行“国葬”的建议，国民党中央谢绝了这番好意，坚持“国民党党葬”，现在看来，“党葬”的称谓还是较为妥贴的。1929 年的孙中山灵柩归葬南京，也不应以“国葬”定位（现在许多人称之为“国卉”，似不妥），当时定位于“奉安”二字，至今也仍是最恰当的。1928 年国民党执政后到 1949 年，先后为李仲麟、黎元洪、林修梅、谭延闿、卢师谛、胡汉民、段祺瑞、邵元冲、朱培德、唐继尧、刘湘、谢持、蔡元培、林森、张自忠、柏文蔚、陈其美、张继、郝梦龄、李家钰、覃振、戴季陶等人举行了十八次国葬，其中包括黎元洪两次，六人合葬一次（1948 年 5 月 19 日，国务会议通过将柏文蔚、陈其美、张继、郝梦龄、李家钰、覃振六位合并国卉案）。

可以说，从国民党执政后，为上述 22 人，举行的十八次国葬，如果没有蒋介石的批准，那就不可想象，如果他要反对，也根本就无法进行。但有一次的“国葬”，让蒋既不能支持，也无法反对，甚至连默认也使他难堪不已。不但如此，这次国葬是在对蒋的谴责和鞭挞声中进行的，蒋对之亦无可奈何。此次国葬后不久，蒋宣布下野。

但此人的“国葬”并不在上述之列，他就是古应芬！

一、离合始末

古应芬，字勷勤，亦作湘芹，原籍广东梅县，寄籍番禺。幼读私塾，1902 年考中秀才，1904 年赴日留学，入同盟会。归国后历任广东法政学堂编纂、广东咨议局书记等职。民国后广东都督府成立，任省核计院院长。“二次革命”事起，与胡汉民、朱执信等起兵响应。中华革命军兴，往来于马来半岛和港澳间，任筹饷联络。1917 年后任都督府秘书。1922 年 6 月，陈炯明广州兴兵，速归见孙中山于永丰舰。1923 年 2 月，任大本营江门办事处全权主任，组织力量讨伐沈鸿英；3 月，任大本营法制局长，后任元帅府大本营秘书长；8 月，随孙中山东征陈炯明。1924 年 9 月，任大本营财政部长、广东省财政厅厅长兼军需总监。广东国民政府成立，当选国府委员，8 月，任财政部部长。1926 年 1 月，任中央监委委员。南京国民政府成立后，任中央常委、中央政治会议委员、财政部长等职。

蒋介石在早期与古应芬关系较为亲密，那时古的职位比蒋高，社会影响也较蒋大，故蒋对古较为敬重。1921 年蒋母王采玉病逝溪口，古亲撰挽辞祭奠，蒋很感激，并与其他人的诔辞合在一起编辑成册作为纪念。

1926 年 5 月 17 日，古应芬父亲介楠老先生在原籍病逝，年 76 岁。古以丁忧辞广东国民政府民政厅长职务，政府给假一个月。古家择于次日大殓，蒋偕叶楚伧等赴古宅吊唁。6 月 6 日举殡，蒋送去挽联，还对于古的丁忧辞呈慰留甚殷。丧假到限后，古再辞，政府派秘书长陈树人到古家慰留，蒋亦随附慰留函。（参考《广州国民日报》、广州《国华报》等 1926 年 5 月至 8 月报纸编写）

北伐军兴，古奉命代表国民政府到赣、湘、鄂等地慰劳将士，与蒋接触渐多，1927 年开始接受蒋的领导。同年 4 月 5 日奉蒋命，与邓泽如、张静江、吴稚晖等在上海策划“清党”。8 月蒋介石宣布下野，古也卸去国民政府常务委员兼代财政部长职，赴日考察。回国后于 12 月 16 日奉命查办汪精卫涉嫌广州事变。1928 年 10 月，蒋任国民政府主席，古任文官长，此后，古与蒋不断产生矛盾。有一次，蒋与何应钦、冯玉祥、古应芬等同车由安庆返回南京，蒋问古有什么事情吗？古将上海发生的喧嚣一时烟土案相告。应该说，蒋有特别的才能，他善于观察人、发掘人，也善于用人，久之不免忘形于得意。由此他还产生一个不好的习惯，希望别人对他重用的人也予以尊敬并夸奖，这一劣习他当国几十年不改。而此时他事先已了解到这事与熊式辉有关，不禁大皱眉头。古接着说这件事与熊式辉有关。蒋搪塞道：熊为革命军人，决与此事无关。古争辩说一般舆论均以为熊难辞其责。蒋怒言威威：“什么是舆论？我拿二百万开二十个报馆，叫他骂谁他就骂谁，那就是舆论！”车上的人均默不作声。冯玉祥说他感到寒心（《冯玉祥日记》第三册，34 页），古当然对蒋更加失望。

随着国民党内部权力斗争加剧，古应芬日渐对南京官场心灰意冷，于 1930 年冬，以割治背部瘤患为由，不顾众多友人劝阻，返回广州，但还未与蒋介石闹翻。1931 年 2 月 28 日，胡汉民因“约法”问题，与蒋矛盾激化，被蒋诱之扣押于南京汤山，成为古应芬与蒋介石彻底决裂的导火线。

二、非常会议

胡汉民被软禁后，广东的局面乏人主持，古应芬适时承担起了责任，其他的胡派核心人物邓泽如、林森、萧佛成等也以古为马首是瞻，积极筹划反蒋，并于 4 月 30 日联名通电，谴责蒋非法扣留胡汉民，对蒋提出弹劾。这就是著名的“四监委通电”。5 月 3 日，由陈济棠领衔，十名广东高级将领通电表示拥护。

这时，以汪精卫为首的改组派，以孙科为首的太子派，以邹鲁为首的西山会议派，以及陈济棠的粤系、李宗仁的桂系军事力量，会同以古应芬为首的元老派，在广州共谋逼蒋下台。冯玉祥也派人与粤方联络，5 月 26 日，陈济棠、李宗仁等两广将领二十余人联名通电，限令蒋介石于 48 小时内下野。陈济棠还发表了出师讨蒋的通电。第二天，他们在广州组成“国民党中央执行委员会非常会议”（简称“非常会议”），同时成立“国民政府”，设委员十七人，唐绍仪、汪精卫、古应芬、邹鲁、孙科等五人为常务委员，轮流担任国务会议主席。28 日，广州国民政府举行成立典礼，公开与南京政府分庭抗礼，再度形成宁粤分裂局面。

同一天，在广东省党部纪念周上，汪精卫和孙科都作了精彩的演说。汪把蒋比作“毒疮”，孙进一步把蒋比作“疫鼠”，一时哗然，堪称是两篇反蒋的妙文。

蒋在接到四监委通电的当天，就在日记中无奈地感叹道：“此四人非军阀，乃监委也。”蒋还自己给自己“记大过一次”。（《蒋中正总统档案·事略稿本》第十一册，页 33）蒋认为自己在“粤变”中，未能扣留孙科，是“大意疏忽之咎”，虽公开没有说什么，但在日记中常骂孙科是阿斗，“我总理何以竟生此阿斗也，可叹”。但对古最多说他“叛迹已著，不能有望矣”，对古利用陈济棠反对自己比较担心。

◇ 胡汉民（中）、汪精卫（右）、孙科 1931 年 10 月于上海的合影。

因蒋介石非法扣押胡汉民，国内外舆论对他不利，加之江西“剿共”也一再丧兵失地，疲于奔命，他很难再以军阀反叛为借口，直接对广东采取武力讨伐，若再对西南用兵，恐旷日持久，更加被动，不得不力争政治解决。故蒋在种种因素制约下，对这个国民政府，采取“冷处理”，公开的方针是“和平统一”，本着“设法疏通，以固国本”，以逸待劳，期望粤桂方面内部分化瓦解，不攻自破。邵元冲在谈到当时的局势时，担忧地说：“……京中自哲生执政，外交、财政皆无办法，日人既陷锦州，复欲进取热河，情势颇棘，广东又设立中央党部西南执行部及西南政务委员会、军务委员会，并截留税收，实无疑变相之独立，此皆足以致哲生之死命者；又山东及其他各省，亦将有类似之行动，情势岌岌，已有不能支持之势云。”（《邵元冲日记》，820 页）

就在两广筹备起兵北上讨蒋时，九一八事变爆发，在全国各界强烈呼吁息争御外，陈济棠、李宗仁停止了北攻，南京政府试图与 广州政府合作，古应芬提出的先决条件是立即释放胡汉民，李宗仁也吁请释放李济深，从而促成10月14日胡汉民获得自由，并到上海参加蒋汪合作会议。

三、遗嘱与身后

就在广东的"国民政府"一面谴责蒋，要他下台，一面与南京当局谈判合作之际，古应芬因牙床肿胀转为牙痈重症，自感日渐沉重，于10月27日下午8时，将夫人何明坤、如夫人郑淑梅，子古滂，女公子古新、古纪、古娴、古显，未婚女婿刘纪文与夫人许淑珍，内弟何炽昌，好友兼秘书长陈融，以及伍嘉诚、熊英、伍智梅等召集身旁，以遗嘱相告。当时古神智还清醒，但已不能执笔，遂口述遗嘱，请陈融记录，并嘱亲属及在座友人证明，公子古滂因年仅7岁，几位女公子亦在年弱，均未署名于遗嘱，其遗嘱为：

我初以为小病，乃至于此，我见西医神色仓皇，知希望绝少。前两晚，既请各位来说话，因我辈患难与共，可谓交逾骨肉，自觉得一世无本领，无大事业做出来，亦不欲与人竞争，及走入崇拜之路。因此，尚不致遭忌。从前朋友交情变态者有之，死者有之，现在只留得区区少数，纪文、炽昌等，大家都应努力。凡人都要做成三几件事，然后无负于世。今天展堂虽回复自由，能见面与否？尚不可知，想起来，自觉伤心。中国情形，危机日甚一日，各派互相倾轧，挑拨离间，尤为可虑，前有信与展堂痛道于此。我自己身上无私毫储蓄，大家都知道的，不满两日就要与人借贷了。我只知有祖父遗下此屋，已经改建了，寺贝底有田一片，亦祖父用三千余金买来，尚有其他零碎三两百金的物业，亦祖父所遗，模范村一屋，非云陔担任介绍揭借，我本不肯建，现欠市行之数，尚未清偿，我就此区区物业了。书籍不可分开，要在一处储置，设法妥为管理，以男性者为近。明日要食一日中药。我的家属，现同在此，请在座大家处置，做一个公断人，我无不承认。大家请看我赤手而去。民国20年10月27日晚，古应芬嘱，陈融笔述：在场见证人：何明坤、郑淑梅、刘纪文、何炽昌、许淑珍、伍智梅、熊英、伍嘉诚。（《广州民国日报》1931年11月7日一张四版）

◇ 古应芬。

古应芬已经预见到自己来日无多，所以，遗嘱中有："不满两日就要与人借贷了"，言下之意，一旦自己故去，家里就要靠借贷办丧事了。果然，第二天晚6时5分殂谢于世，年59岁。

有趣的是，消息灵通的蒋介石，在28日下午，电致广东当局转交，慰问古病。古家收到此电时，正当古应芬易箦之时。至于蒋的慰问电，是怎样"敬启"的？《广州民国日报》称，电报是打给广东的"国府"，但这显然不可能。（《广州民国日报》1931年10月30日一张四版）

四、震悼与定位

广州的"国民政府"对古的逝世，异常震悼，当即令派邓泽如、林云陔、程天固、陈融、刘纪文五人筹组治丧。邓奉派后前往古宅主持一切，首先设立治丧办事处，分设总务、招待、文书等专门机构。第一项工作是派员在仓边路古家布置灵堂，门前搭建丧牌楼一座，四周绕以黑白布，古的遗体停放于邸内。

28日当晚，"国民政府"通令各机关团体一律下半旗，停止娱乐宴会三天，此外，所有机关、团体、学校、商店的门外，要悬挂"国民政府古委员应芬逝世志哀停止娱乐"字样的条幅。（《广州民国日报》1931年10月30日一张四版）

第二天，"国民政府"、"中央"举行临时的联席会议，出席者有：邓泽如、萧佛成、陈济棠、李宗仁、经亨颐、石青阳、覃振、马超俊、陈树人等。会议决定为古举行"国葬"，组织国葬典礼办事处、国葬治丧委员会，并通电全国，下半旗三日以志哀悼。同时发布"国民政府"通令："国民政府委员古应芬，矢诚接物，笃志匡时，体用兼长，谋猷宏达。早随先总理驰驱革命，自辛亥光复以迄丁卯清党，中间戡暴定乱，无役不与，艰巨迭膺，辛劳懋著。年前翊赞中枢，洞见蒋氏背党祸国，翩然南旋，纠合同志声罪致讨，风声所树，薄海景从，用能迅集大勋，重建党国。该委员自受任以来，宵旰忧勤，积劳成瘁，犹复力疾从公，以致益剧。际此外患日亟，统一未成，正赖元良，共资匡济，遽闻溘逝，震悼良深。着财政部拨给治丧费一万元，并派邓泽如、林云陔、程天固、陈融、刘纪文前往治丧，所有饰终典礼，务极优崇，以示笃念勋耆之至意。此令。"

这一通令，等同于南京政府的《国葬令》。

这一天的《广州民国日报》刊载了讣闻："中国国民党中央监察委员国民政府常务委员古勷勤先生，于10月28日下午6时逝世，兹定29日下午6时大殓，谨此报闻。仓边路48号古委员治丧办事处谨报。"（《广州民国日报》1931年10月29日一张三版）

五、悼念与谴责并举

全国各界对古应芬的病故，震悼莫名。因古是广东"国民政府"的灵魂人物，相关方面反应迅速，汪精卫、孙科、伍朝枢、李文范、陈友仁、邹鲁于29日电唁"古夫人暨世兄妹同鉴"。南洋各英属国民党支部也有唁电。送来花圈有第一集团军直辖之一、二、三各军将领。广州市党部唁电称："国殒耆硕，党失导师，悲恸何极……"（《广州民国日报》1931年10月30日一张四版）

南京方面所致唁电，以不涉及"国葬"二字为特色。29日，南京中央执行委员会和监察委员会联名电唁："广州古勷勤同志家属鉴：古同志追随总理数十年，尽忠革命，备著勋劳，连年服务党国，惟慎惟勤，方期共济艰危，长为楷模，遽闻逝世，痛悼殊深。特电驰唁。中央执行委员会、中央监察委员会。艳。"

29日发来唁电的还有李石曾、林森、张继、蔡元培、张静江、陈铭枢、何应钦夫妇、郑洪年、杨宗炯、邓刚等。出席国民党第四次全国代表大会代表李翊东、陈固民、黄一欧、蒯伯赞等百余人亦有电唁。胡汉民从上海单独发来唁电。

广东的"国民政府"一面按照国葬的规格追悼古应芬，和筹备"国葬"，一方面继续与蒋和谈，另一面仍不忘对蒋进行谴责，以逼迫他下野相号召。29日《广州民国日报》发表社论，题为"悼古委员勷勤"，谓："国民政府常务委员古公勷勤于党国多事之秋，内忧外患交迫之际，因政躬过勤，积劳成疾，竟于昨日酉刻逝世！哲人云往，邦国殄瘁，我革命元勋，今又丧其一矣！际兹暴日强占东省，外交紧迫，和平统一会议前途困难正多，党国大计，有赖于古公之擘画者至殷，乃天不假年，五羊城中大星遽殒，……古公长逝矣，其遗留于吾人之责任至繁且重，要而言之，约有三端：一，独裁政治之必须打倒也！夫欲实现三民主义必须树立民主政治，厥理至明……二，党纪国法之必须维护也！蒋介石排除异己，非法拘禁立法院长胡展堂先生，毁法乱纪，举国共愤。四监委为伸张正义，维护法纪起见，乃通电弹劾。今者蒋虽为目前环境所迫将胡先生释放……三，革命之外交必须贯彻也！……"（《广州民国日报》1931年10月29日一张三版）

报界还不断针对蒋介石最近的言论予以抨击："据近日报载，蒋介石公开演说，表示责任不能放弃。此等强词夺理之举，实不免有识者所哂……蒋氏尸位数年，除对于个人权位营谋之外，其他国家大计，人民生活一切不负责任，致令党国飘摇，民无死所。不提责任问题则已，苟提及责任问题，实不免令民众切齿痛恨于蒋氏。"接着，责问蒋敢不敢公布四万万公债的用途，西原借款何故承认？"厚颜狡辩，若出之市井无赖、海上流氓，则吾欲无言。今竟出之于自命行政首长之蒋氏，则未免可惜耳！"（《广州民国日报》11月6日一张三版）

人们所送挽联也多以谴责为特色，如居正，因被蒋扣押，不失借机发泄："一隅江南看独夫独行几时？玄黄之间每直道；十年岭表闻吾党埋忠何地？朱廖以后哭先生。"

邓泽如联："中枢翊赞，展建大猷，溯讨陈讨蒋，独标正义，力却私情，奈何仍未竟全功，原野星沉悲诸葛；南国订交，相从革命，本一心一德，共矢坚贞，用扶危局，胡乃如遗弃我去，此生琴碎哭钟期。"

萧佛成是老资格的同盟会员，比孙中山还年长 4 岁，且与暹罗皇族有姻亲关系，在南洋侨界有一定威望。从胡汉民被扣后，就是最坚决的反蒋主力，对蒋的谴责词义最激烈，挽联也不例外："独裁未倒，公遽西游，蒿目时艰，伤心深粤海；国葬方殷，我暂北羁，怆怀旧雨，挥泪洒春秋。"

马超俊的挽联有："除共为国讨蒋为党，两宗大事已千秋"句。李宗仁联中有："愤独裁乃策杖南归一纸发弹章，举国闻风相相应"之愤恨。"中央非常会议"的挽联则称赞古应芬："弹劾最先心最苦"。

在众多的挽联中，有四个人的挽联是很值得一提的：

刘纪文，早年在省政务厅长古应芬幕下任司书，因精明干练，得古赏识，不久升为科长，再招为女婿。订婚不久，未婚妻婉仪病故。但刘仍对婉仪眷念至深，常至墓前祭扫。因为这种关系，1923 年在古的帮助下，刘出国深造。尽管 1928 年他另娶，仍待古以岳丈之尊，其挽联为："国步尚多艰，公不少留，太息前途满荆棘；泰山今失望，吾将安仰，恪遵遗训慎行臧。"

陈济棠曾是古应芬的学生，古曾多次提携过他，1927 年春夏，陈由苏联考察后回国，希望复任第十一师师长，古应芬时任广东省财政厅长，在李济深面前为陈说了不少好话，陈果然如愿。1929 年李济深被蒋扣于汤山，也是古联同胡汉民向蒋推荐，使陈接替李掌控广东军事大权。此后，古、胡一直是陈政治上的保护伞和有力的支持者。反过来，胡、古则借助陈的兵权，增加广东"国民政府"的反蒋分量。所以陈的挽联颇为引人关注，联曰："在党国以健者名大难未夷中道竟留千古恨；执鞭弭从先生后同心夙缔微忱惟有九原知。"

还有一位是陈融，他是胡汉民妻子陈淑子的哥哥，又与胡、古是诗酒契友，时相唱和往来。在新成立的"国民政府"中，又是古的秘书长，他的挽联平述与古的交谊："执卷即逢君，卅载道交如一日；寻山空约我，余生商学竟无期。"

胡汉民与古应芬相交最久，自幼年便同窗共砚，从黎虞庭学做诗。古早年失恃，父亲介南公就在广州小北开一家"长生店"，胡时相随长他六岁的古大哥进出小店，与介南公极为亲近，有时听古老伯道古论今，竟乐而忘返。1904 年两人又与汪精卫、朱执信一同东渡，就学于东京法政大学，同寝一室，并一同加入同盟会。有一次邻居失慎，古急忙整理被褥准备出逃，胡与朱执信却认为应该先抢救贵重的书籍，继而皆相视一笑，原来是胡、朱在调笑古的急性子，因为火势并不严重。胡评价古：任劳任怨，甚至被诬蔑也不为自己辩解。更赞赏他："绝交不出恶声，其涵养功夫之深厚，实超人一等。"当胡接到噩耗，"不觉由恸而晕"，(《古勷勤先生逝世纪念专刊》1933 年 10 月 28 日广州出版，6~7 页) 并发有两通唁电，一给嫂夫人何明坤，一给非常会议及"国民政府"。先后写有五首挽诗，其中《哭湘芹先生》哀道："忽尔家居去高栋，岂徒吾党失良朋。渡河未瞑宗留守，忧国终伤杜少陵。拯我于危知最苦，迹君行事概难能。结庐桐柏平生语，泪湿江云痛不胜。"在此后的大殓、公祭、"国葬"中，"渡河未瞑宗留守，忧国终伤杜少陵"作为胡汉民的挽联悬挂。

六、南京如何应对

有一个奇怪的现象，南京方面对于广东的"国民政府"的成立，始终是抨击、嘲笑，斥之为"伪政府"。但是到古应芬去世，对广东方面所高规格筹备的"国葬"，南京报界集体失语，竟无一词，也许沉默是最好的回答。以古应芬的功业和地位，如果放在南京政府，实行国葬，也是恰当，但广东方面的这个"国葬"，是南京政府不承认的"伪政府"宣布的，南京方面怎能会这样静默呢？这里大概有三个方面的原因，一是中国传统习俗，对于逝者的宽容；二是对于古一生功业与人格的尊重；三是粤方正与南京洽谈和解，前途未卜，不好妄加评说。邵元冲这样认为："此次粤中之分裂，湘芹实居发路指示之责，乃未及补过，遽尔弃世，甚为不幸也。"(《邵元冲日记》，789 页) 蒋介石也很怪，他对古主谋的另立中央，再树政府，极为不满，称之为"粤逆"，但在古病重时，仍有一纸电慰。到古去世，却连唁电都没有了，看来这个没有经过他认可的"国葬"，真是让他哀之不能，毁之无道，连默认都是他作为法统的"国府主席"莫大屈辱了。

1930年冬，古应芬请假离开南京后，南京方面一直保留着他的中央监察委员头衔，在11月9日下午召开的六十七次常会，因古长期出缺，今又捐馆，以褚民谊递补（褚为候补监委）。

南京的《中央日报》所报导古逝世的消息，竟然公开标明是转自“港电”，内容是：“古应芬感（27日）授意陈融写遗嘱，自知俭（28日）晚必死，晚六时五分果逝世，寿五十九。”另一国民党主办的著名报纸，上海的《民国日报》，与《中央日报》的口径大致相同，但称之为“粤国府委员古公……”，另外是增加了一小段古的简历。蒋介石在这天日记中仍称粤方为“粤逆”。

广东方面不放过一切机会，大造“国葬”的声势，甚至追到蒋的“家门口”。11月22日《中央日报》头版刊登“哀启”：“国府委员古公勷勤，尽瘁国事，辛劳致疾，于10月28日逝世，经国民政府明令于11月26日至28日公祭三天，29日国葬，倘承各地机关、团体及同志、亲友致送挽联、祭文暨其他哀悼文辞者，希寄送上海、南京、汉口、武昌、长沙、北平各地民智书局代收，或径寄广州市仓边路本治丧处为荷。国府委员古公治丧处启。”

这个“哀启”只刊登了一次。

七、大殓与“国葬”

◇ 抗战胜利，蒋介石率文武官员在重庆遥祭孙中山先生。

古去世的次日下午6时举行大殓，邓泽如为送殓吊唁主席，参加者有“非常会议”委员石青阳、覃振、经亨颐、焦易堂、陈树人，“国府”委员萧佛成、马超俊，第一集团军总司令陈济棠、第四集团军总司令李宗仁、空军总司令张惠长、海军总司令陈策、一军军长余汉谋、二军军长香翰屏、三军军长李扬敬，以及省市各党部委员、各厅局长约500余人。大殓礼节共十二项，与南京的国葬大殓几乎相同：一，就位；二，肃立；三，奏哀乐；四，瞻仰遗容，作最后告别；五，加盖党旗；六，盖棺；七，覆盖国旗；八，献花奏哀乐；九，行礼；十，默哀；十一，奏哀乐；十二，礼成主祭退位；十三，其他人员退位。当大殓时，由家属为遗体洗涤洁净，始穿袝服。古之遗容，栩栩如生，口眼皆合。殓服穿备后，送殓者一律在遗体前肃立三鞠躬，各要人继向遗体环绕三周，然后盖棺。这时，陈济棠含泪不住，夺眶而出，频频顾盼灵柩，不忍离去。古的两位夫人及子女，均伏棺痛哭不已。（《广州民国日报》1931年10月30日一张四版）

广州“国民政府”定于11月26日起，公祭三天，祭文有：第四次国民党全国代表大会祭文、非常会议祭文、“国民政府”祭文等。29日举行国葬典礼。早6时起，古宅门前就车水马龙，国葬程序为：一，从古家起灵，并祭礼；二，护灵至西坑白山墓地；三，举行安葬礼，肃立；四，奏哀乐；五，献花；六，恭读诔文；七，行三鞠躬礼；八，默哀三分钟；九，灵柩入墓圹；十，奏哀乐；十一，行三鞠躬礼。并两次在指定地点鸣炮，一是在上午8时起，鸣炮19响，二是下午3时起，鸣炮101响。所有与葬的马匹及佩戴饰物均为黑色。

“国葬”后17天，蒋介石宣布下野。

第八章
夫人篇

第一节　夫人从政的起步——诔辞

◇ 新婚不久的蒋介石、宋美龄。

宋美龄嫁给蒋介石后，和姐姐宋蔼龄有很多相似之处，也是从协助丈夫办教育入手，在赢得贤名后，逐渐步入政坛。不过她可不愿像姐姐那样，跑到陌生的乡村去当什么教师。她的愿望是协助丈夫从政，做一位叱咤风云的女杰。但她自知资力不足。因此她的从政有两个起点，一是办学，二是效仿丈夫，颁送诔辞，这两点她都做得不错。

宋办理的第一所学校是南京国民革命军遗族学校，1928 年由国民党中央常委会决议创办，学生主要是北伐中阵亡的将士子女，指定宋庆龄为校长。蒋对新婚不久的妻子说：二姊在国外，学校的事交给你吧。此后宋就一直成为实际负责人。后来这所学校极富盛名，学生分布在世界各地。宋美龄曾对美联社记者说，她一生最满意的事情，就是遗族学校办得成功。（参考魏仲云：《宋美龄、胡宗南为董事长的中正中学》，《重庆沙坪坝区文史资料专辑》第六辑，34 页）到 80 年代，他们都已是白发苍苍的老人，但他们从来未忘记对他们关心备至的“宋妈妈”。每当学校纪念日，蒋的冥诞，或宋的生日，这些七八十岁的老人从世界各地赶来，称呼着“宋妈妈”长，“宋妈妈”短的，很是亲切。只有在那个场合，才会体会宋美龄的慈晖放射出的异彩，尽管她没有亲生子女，可是这些学生，正是她一生奋斗最可贵的收获之一。（《美丽与哀愁——一个真实的宋美龄》，22 页）

第二所学校是她协助蒋管理创办于 1925 年的溪口武岭农校。宋美龄虽然来武岭次数不多，但她对学校的影响和贡献却不可小视，从校园的规划、校舍的图纸设计到门窗样式，甚至连油漆的颜色都是按照她的意见更改的。充分体现一代女强人从教育着手，逐渐步入政坛的气魄与才能。1947 年，宋又出任该

◇ 李桂丹。

◇ 武汉举行庆祝空军大捷与追悼空军烈士李桂丹等大会。

校的董事长。宋在办学取得初步成就的同时，开始涉足蒋的诔辞领域。主要分为三个时期：

第一步是与蒋共同具名时期。30年代开始，有时蒋“颁赐”诔辞，是以“蒋介石蒋宋美龄”具名的。如1933年11月21日夜，《西京日报》社长丘元武遇袭身亡。1934年2月10日举行追悼会，挽联：“一言褒贬春秋意，千古哀荣党国殇。”就是由蒋宋夫妇共同具名。

1938年2月19日，空军大队长李桂丹殉国，20日举行公祭，蒋和夫人参加，共同具名致送挽联：“武汉雄踞天下之中，歼敌太空，百万军民仰战绩；滂沱挥同胞之血泪，丧我良士，九霄风云招英魂。”而且夫妇均含泪悲悼。

第二步是夫妻分别具名。如1939年12月4日，吴佩孚在北平去世，6日，蒋向吴家属致唁电慰问。8日，宋美龄又电唁吴家属：“闻子玉先生以微疾竟尔长逝，仰怀劲节，举国同悲，夫人悼痛逾恒，更可想见。惟子玉先生以一身任民族正气之重，音尘虽隔人天，高风自垂千古。尚望夫人勉抑哀思，用慰九泉。谨电致唁，不尽依驰，蒋宋美龄叩。鱼。”

第三步是取代蒋，独立致送诔辞。抗战时期，阵亡将士频仍，蒋有时忙不过来，就由宋出面题诔。1941年4月24日，谢晋元在上海殉国。27日，宋美龄电唁家属：“上海谢故团长夫人鉴：谢团长在沪殉国，英名足垂千古，惟年中道捐躯，遗孤失怙，夫人悲怆，更可想念。尚望勉抑哀忱，抚孤继志。谨代表本会同人，专电驰唁。中国妇女慰劳总会主任委员蒋宋美龄。感。”

至此，宋经常代蒋致送诔辞，宣慰家属。又俨然如政治领袖一般，题词也经常出现在《中央日报》二版上（当时习惯，一版是广告），还作讲演，发指示。

可是，也有人对她十分不满，李宗仁即为其最强烈者。李因台儿庄大捷，获得“青天白日”勋章，很看重，还特意在台儿庄战场遗址佩戴此勋章留影。有一次他与何应钦一同去见蒋，等了许久，蒋才着便装挽着宋款款而出，何用脚碰碰李，李看到宋佩着大绶带和“青天白日”勋章，李立刻感到自己的那个勋章一钱不值，回来后大发牢骚：我们南征北战，拼将老命，不过才得到一个牌子，这个女人凭什么也戴着它？

第二节　失败的声援

1965年3月21日，台湾著名企业家、南山人寿保险股份有限公司董事长陈启清先生的母亲孙太夫人，以94高龄福寿全归。这件丧事，给陈氏家族和高雄市市长都带来一个麻烦。因为这位市长就是陈启清同父异母的兄长陈启川。

陈家是台湾的望族，在当时的台湾政、商两界，都不乏陈家后代的显赫之辈。以陈启清为例，仅在他的名下就有十余家著名企业，而他的长子陈田锚已经是高雄市议会副议长了。陈启清的父亲陈中和老先生，其元配吴太夫人无出而早逝，陈老先生领有两个养子。后来他又娶有两房侧室，一位是陈启清的生母孙太夫人，另一位是高雄市长陈启川的生母刘太夫人。两位侧室共生育近二十位子女，可谓是人丁兴旺、鼎食之家。陈启川近来在繁忙的公务之余，又为家中的丧事所困扰，因为他侍母至孝，不愿有任何事拂逆年已91高龄的生母。他不得不遵从母命：在这件丧事中不得以“哀子”身份讣告社会。在22日的大殓仪式中，陈启川未以“丁忧”请丧假，也未持杖披麻。在23日市议会的例行大会上，他列席时，也仅在西装领上佩有黑纱而已。他自己也感到不自在，深知这有悖世俗人情，人们的目光就是无声警告，但他毫无办法。

这件事对陈启清来说，也是让他伤透了脑筋。如果说，在对外的所有哀启、讣告、丧闻中，不排上陈启川的名字，不但是失礼和受到谴责，他也无法面对先祖和父亲。如果排上陈启川的名字，他的这位兄长将受到生母的责骂：“我还没有死呢！你何以自称是‘哀子’？”这样的僵持，让筹备丧事的治丧委员们也举措无序，以至于孙太夫人停灵三天，连“讣闻”也无法发出，这对于名门望族的陈家，是何其难堪？

外界得知这种情况，议论杂沓。中国丧葬礼俗，还是以逝者为重，所以多数人对刘太夫人颇有微词，人们比拟说：如果刘太夫人去世，孙太夫人的亲生子也如此这般不通情理，你刘太夫人会做何感想？但没有任何人敢把这种善言，去劝告年逾91高龄、而又倔犟的刘太夫人。陈市长受到的压力越来越大，他不愿意因此影响仕途。就在这时，陪同蒋介石到台湾南部视察空军设施的宋美龄，了解到此情况，以她自己的亲身感受，大发感慨，要为刘太夫人打抱不平，特意只身赶到高雄，提出接见刘太夫人。于是在刘太夫人市长儿子的陪同下，老太太兴高采烈地前来晋见宋美龄。宋对她殷殷相接，询问其家庭情况、起居生活，以及健康状况，并以自己亲手做的蛋糕相赠（仅有两块）。分别时，宋又将刘太夫人送至门外，嘱咐她多多保重。报纸还作了专题报道。

人们得知此事，公开的微词少了，但心中的不满却更多了。刘太夫人理直气壮了，他那市长儿子的压力也更大了。所以，尽管有第一夫人的撑腰，但中国几千年来的丧葬礼俗，远比第一夫人的名位更有威严。最终，陈市长的名字还是出现在4月21日的《中央日报》头版的通栏“讣闻”中。不过陈启清还是为刘太夫人留足了面子，孙太夫人的几位亲生子是作为“不孝子”，以小字名列“讣闻”的前面，其他子女则以“孝子”身份，名列在后面。这也给宋美龄一个台阶，算是圆满解决吧！

60年代，正是台湾经济起飞的初期，蒋介石为发展经济，对一些著名企业家非常重视，接见、祝寿、合影、赠勋、探病，不一而足。对他们的父辈去世，多有诔辞祭悼，以尽慰唁之意。所以，人们纷纷猜测，不知蒋会对孙太夫人以何种哀荣来安抚陈家。4月28日，孙太夫人的家奠和安葬仪式，在本宅举行。蒋、宋伉俪没有任何表示。

第三节　两个“空军之母”

说到蒋介石对空军的重视，对空军烈士的优恤，有两个可资博笑的趣谈。

国民政府上台伊始，就设立陆军航空大队。到1932年，淞沪抗战，日军飞机远从日本国土飞来轰炸上海，血的教训更促使蒋对空军的依赖。七七事变前，蒋决定拨二千万美元，购买各国的先进飞机，按当时币值至少可购入二百余架。但是，对于这笔巨额购机要务，交给谁好？他对谁都不放心，最后接受爱妻的建议，由夫人全权负责。宋美龄出任航委会秘书长，担负直接和外商洽谈、订购的重任。为订购战斗机，宋花了许多时间阅读研究有关航空理论、飞机设计和比较各种飞机零件优劣的技术刊物。在对飞机市场有了一定了解后，首批订购价值二千万美元的飞机及备件。宋从采购商摇身一变，成为当时中国空军的实际总司令，她一生中最喜爱的胸针就是金色与银色的中国空军军徽。对一位妇女而言，这是史无前例的。

当时，宋独揽空军大权，不容他人染指，并成为严格执行空军纪律的人。她规定，凡在这支精英队伍中行窃者，将被处以极刑。直到必须撤离南京时，她还常在发言中、报刊上、对外谈判时，将中国空军说成“我的空军”，俨然如封建帝王“朕临天下”的气派。1938 年春，她因健康原因辞去航委会秘书长，由宋子文接任。但她仍然控制着对空军的人事、采购，甚至训练和作战部署的权力，由此，她被国民党高层、外国政要称之为“中国空军之母”。一时间，人们奇怪了，中国竟同时有两个“空军之母”，究竟孰是孰非？

◇ 周志开。

原来，空军烈士周志开牺牲后，母亲周王倩琦化悲痛为力量，以空军应该报效国家，毅然将特优抚恤金转赠空军教育事业，并将年仅 13 岁的幼子送入空军学校，被称之为“空军之母”。于是，有人出来做解释了：当然是宋美龄在前了！宋美龄是蒋的“中国空军之母”，是由外国政要封号的；而周王倩琦只不过是下层约定俗成的，名义上的“空军之母”。

那么，在宋的精心努力下，抗战时期，中国到底有多少架战机？

在七七事变前，张学良的东北军有 300 多架飞机，阎锡山有 20 多架，韩复榘也有不到十架（后来这些飞机都由蒋统一调配指挥），蒋的国民政府有 100 多架。如果算上国内外各界捐购的飞机，加上这次二千万美元所购飞机，另外，苏联应允援助 300 架（后只兑现 250 余架），应该较为可观了。所以，有一次蒋信心满怀地当众问空军副总司令周至柔，日军有 3000 架飞机，我们能出动多少架作战？周不敢回答，只是用眼睛看着宋美龄，宋说：“由于缺乏零件和维修能力，只有驱逐机 100 架左右。”

实际上，七七抗战后的三个月，中国空军英勇抗战，曾在数次空战中取胜，但是数量拼不过日本，损失惨重，到当年 10 月，可出击的就只有十多架战机了，许多飞行员阵亡。幸亏得到陈纳德帮助，他在抗战开始，在查看中国飞机后认为，这些新采购的大多是二手飞机，备件也多不合用，实际仅能出击 91 架。为此他得罪一些外国军火商。后来他回到美国，设法雇用了四个法国人、三个美国人、一个荷兰人和一个德国人，加上六个幸存的中国轰炸机飞行员，组成了一个“国际中队”。

第四节　夫妻探病三部曲

蒋介石与宋美龄自 1927 年冬，喜结姻缘，共同走过了 48 年的漫长岁月。在这 48 年中，夫妻或为权谋所需，或为情谊所至，不知探望过多少病人。蒋氏夫妻探病，以主次、先后、从属关系计，大致分为三个历史时期：

（一）以蒋为主，宋处于陪同时期。这一时期为 1927 年婚后，至 1942 年间。宋对于蒋的许多事务，不当之处，多有规劝。但在公开场合，如共同探病，宋却处处表现出温柔、贤惠的依人情态。

（二）蒋、宋同步时期，从 1943 年到 1959 年。抗战爆发后，为宋在国际政治舞台，展示才华与美貌，提供了难得的机会。蒋也认识到，宋以女性的温柔和细心，更适合于探病和慰问。因此，这一时期的探病，成为夫妻共同为主，并逐渐突出夫人的地位。

（三）以宋美龄为主，蒋为辅时期。从 60 年代起，随着蒋氏年纪的增长，身体的衰老，探病成为他

◇ 王宠惠。

的一项负担，在他不得不去的应酬中，探病时间越来越短，言语越来越少。宋适时恰当地承担起探病的主要责任，成为维持国民党政权、维护蒋政治形象的一种标志。

同时，蒋氏夫妻探病，各有特点：宋探病的内容，远比蒋丰富，探病时间也比丈夫长久，有时甚至长达两三小时。1957年7月24日上午10时，宋美龄探病王宠惠，并特备精致食品数件赠送，令王夫人非常感动。1964年8月21日上午10时，宋美龄带着一篮子葡萄，到荣民总医院看望髯翁于右任。在询问过病情后，又向护士打听于的饮食情况。这还不算完，笃信基督教的她，在病床前静默祈祷，祝福于老先生早日康复。近中午时，又叫人送来一席精致可口的各色小菜，为于佐餐。髯翁颇感意外，再三致谢后收下。

而蒋探病，一般在10分钟之内，有时带着随侍医官同往。大约在抗战前，蒋有一次去南京中央医院探病张静江，那天是早上7点半，张平卧在病床上，两眼直盯着蒋，蒋则立于床前，面对着张，二人相顾无言。〔黄厚璞：《我为蒋、汪、宋美龄治病的经历》，《文史资料存稿选编》（文化卷），809页〕

这样的尴尬迫使蒋随即转向大夫询问病情，又与随侍医官探讨病况。有时他探病还自任郎中，望闻问切，还真像那么回事的给人号脉。人们不知他是何时学的中医。1956年4月25日，蒋去医院看望王宠惠，当时王患心脏病和肺炎，根据医生说，已经脱离危险。他在病床前停留大约五分钟，除查看病历外，还为王把脉，王缓缓睁开眼睛，连说："谢谢，谢谢总统。"1957年9月14日上午10时，蒋去探望于髯翁，对他的病情好转，表现出高兴的神情，嘱其安心静养，待牙疾痊愈后，再行出院。10月5日，蒋再度看望髯翁，当时髯翁正在睡中。蒋既以左手抚摸其额头，随后又以右手为于握腕切脉，并一再向随同的主治医师询问病况，前后10分钟离去。不过他从来没有把他号脉的结果对人公开过！

第五节　情敌旧友万里悲风

提起刘纪文，读者对他最多的认知和最深刻的印象是：谣传他是宋美龄的初恋情人，举行过订婚仪式，却又拱手相让，换得南京市长的一个冤大头。这其中实是误解。

1890年10月19日，刘纪文生于广东东莞县横沥下车岗村，一个曾以捕鱼为生的贫寒家庭。但咸鱼番薯却让他顽强地出落为一表人才。在国民党内高层，有两个以丰姿伟俊称著于世的美男子，这就是汪精卫和刘纪文。两人都是同盟会成员，同在孙中山手下奔走革命（刘为孙机要秘书兼内勤特务），同为广东人，又都在日本留过学，更巧的是同被称为"兆铭"，但汪"名兆铭"，刘"字兆铭"。

有人对刘纪文和宋美龄之恋，以及蒋、刘、宋三人关系进行种种考证，大肆渲染，其中的莫衷一是，就留得茶余谈资，一笑了了，且莫"假作真时真亦假"了。真实的刘纪文是一个有抱负、有作为的干才，他在南京两任市长不足两年，口碑飒爽，最著名的是草创南京道路系统。他对市政的规划，有系统的理论和实践。南京最早的主干道柏油马路，称为"中山路"，计长10.5公里，其设计图样，是他在新婚不久，伏在家中客厅地板上画出来的。要落实这一路线，需要拆除沿线许多权贵、巨贾的房屋。为了征信于民，他首先排除巨大压力，拆除了蒋的总司令部和官邸，一分为二便于中山路从中穿过，这才顺利开通，仍不免得罪多方。

1932 年他又出任广州市市长，此时恰逢“南天王”陈济棠控制两广，图谋发展两广经济，使刘在建设地方和振兴实业方面颇有作为，奠定了广东在纷争时期的稳定发展基础。1933 年 2 月 15 日建成的海珠大桥，是刘任内的最大工程，也是广州甚至国内最著名的工程之一。刘任广州市长不满四年，共计修马路 110 公里，并明确界定市内路线 1356 条。作为教育救国论的身体力行者，刘还在广州首创六年制国民义务教育学校百十余所。

◇ 刘纪文。

1957 年 4 月 13 日，刘纪文在美国洛杉矶望城医院病故，年 68 岁。在台湾的刘氏亲友故旧，以及广东同乡会发起追悼，于 5 月 15 日成立追悼筹备委员会，17 日在《中央日报》刊出追悼会“敬启”，当时列出他的头衔为：“国民大会”代表、“总统府”国策顾问、“光复大陆设计研究委员会”委员。19 日在台北为他举行追悼会，陈诚以及于右任、王宠惠、张群、吴忠信、张厉生、王云五、何成浚、洪兰友等数百人参加，均致送挽幛花圈。参加追悼的单位有：追悼会筹备委员会、“国民大会”代表联谊会、“光复大陆设计研究委员会”广东代表联谊会、南京市政府、广州市政府、东莞同乡会、审计部、华侨救国联合总会、勷勤大学校友会等十余团体。张群、何应钦、蔡屏藩、马超俊分别代表上述团体主祭。

在筹备追悼会期间，人们纷纷猜测蒋、宋对刘氏之丧的态度，并对蒋是否会参加追悼会、是否有诔辞哀悼，纵然有，内容又为何，做出种种相互矛盾的猜测。然而人们终于在追悼会上，看到灵堂正中，刘氏遗像上方，贯通的一幅挽额“令绩孔昭”，这就是人们所熟悉的蒋中正手笔。就如同往常一样，蒋、宋没有丝毫引起物议的特别举动。

第六节　太夫人有怨准市长无保

1931 年 7 月 23 日上午，宋子文之母倪珪贞在青岛避暑时，遽然而逝，年 63 岁。说来也巧，这一天的下午，宋子文在上海火车站遇刺，却有惊无险。追踪一下，宋子文的遇刺原因，和蒋介石有莫大的关联，但这是题外话。

一、罕见的葬礼

为奔丧，宋子文告假一个月，他把手头工作做了交代，便和姐夫孔祥熙经上海直飞青岛。宋蔼龄、宋美龄和两个弟弟子良、子安正在焦急地等待着他。宋子文一见到母亲遗体，就大哭起来：“妈咪走了，我来晚了！”作为长子，宋子文首先决定将遗体运回上海，隆重治丧，所以他最关心的是蒋介石能否参加葬礼，由于不久前，他刚同蒋有过争执，担心他不会来，特意嘱咐小妹美龄：“再忙，也一定要把蒋请来，这事就交给你了！”

当时蒋介石正忙于江西的“剿共大业”，焦头烂额的一个劲地向宋子文催款要粮，急得他牙疼起来。原先他是不准备回来参加葬礼，当时的报纸对此多有报道。宋美龄两次电话相催，才带领他的政府代表团如期赶来。并且，其声势之大、人员之多，前呼后拥，着实令人大开眼界。蒋抵宋宅后，旋即改换黑布衣袍，黑袜黑鞋，以示哀悼。

◇ 倪珪贞。

8月3日，蒋以国民政府名义，颁发对岳母的《褒扬令》，令曰："缅述徽音，允资仪范。女宗云殂，感怆同深。派上海市长张群前往助理丧葬事宜，以示褒崇懿德之致意。"这是蒋、宋、孔三家的共同意愿，也为倪桂珍的一生，褒饰了一道闪光的"国家名器"，极尽哀荣。

宋庆龄得知母丧，归心似箭，于8月13日自欧洲赶回上海。治丧委员会决定：8月17日开吊。灵堂设在西摩路宋家老宅的外客厅，厅外悬挂着南京政府颁给的"教忠报国"挽匾，灵堂内满置花圈、挽联、挽幛，备极庄严。倪太夫人躺在万花丛中，面目安详，接受各界凭吊。来宾中包括：赵晋卿、张群、王晓籁、王一亭、杜月笙和日本公使重光葵及各国领事等，可谓名流显贵，咸集灵堂。南京政府特派参军杨啸天、田沛卿二人主祭，上海市长张群代表南京政府致祭文：

鸣呼，奇惟贤母，系出汉儒，篃灵珠浦，钟秀罗浮；幼著柔嘉，长称淑慎，別蔦知勤，采寂识敬；相其夫子，经营四方，比翼万里，联璧一堂；教有义方，既周且至，封的敦廉，丸熊励志；令仪令誉，遐迩闻名，鱼轩就养，鸠杖看山；九点烟青，二陵峰碧，一旦仙游，速归公宅；人怀裁范，国褒女宗，泷冈纪德，彤史扬风；一代哀荣，始终有则，醉酒陈词，灵其教格。

18日出殡，有军乐队鸣锣开道，送葬队伍从西摩路出发，至万国公墓。十里长街，警备森严。来宾有何成浚、贺耀组、连声海、杨杏佛、虞洽卿、张群、马福祥、朱培德、王正廷、杜月笙、黄金荣、陈绍宽、王柏龄、蔡元培等。此外，张学良夫人于凤至、于右任夫人、戴季陶夫人等，亦亲自前往送殡。

宋子文等三兄弟走在最前面，接着是三个女儿以及两位显赫的女婿，蒋介石跟在姐夫孔祥熙身后，依次相随。宋家三姐妹等，均全身"衣黑纱旗袍、布履。黑色纱袜，面罩黑纱，时而垂首低泣，时而仰面高嚎。蒋、孔两氏亦衣黑纱长衫，以恪尽半子之礼。"十名身着蓝色长衫的彪形大汉，在棺上覆盖国民党党旗和中华民国国旗，并对灵柩加封，安葬于宋耀如墓西侧。（参考《中央日报》民国20年8月19日一张三版）

二、快意

对于倪太夫人之丧，至少有一个人会有特别感受，那就是感到快意的王柏龄。每当他提到此事，总是在"死"字前面加上一个字，"该"！

那么，王柏龄的"快意"由何而来？

王柏龄，字茂如，1889年生，江苏省江都县人。王氏是江苏望族，他的祖父仁寿公、父亲宗彝公均为江都孝廉、举人出身，世系名门，甚受地方人士尊敬。柏龄少读家塾，14岁考入南京陆军小学，三年毕业，以成绩优良，保送保定陆军速成学堂第一期，与蒋介石、张群同学（后来三人义结金兰），且同被选为保送赴日深造的学生。到日本后，进入振武学校，这是专为中国留日学生办的进入士官学校的预备学校，王柏龄在校时加入了同盟会。辛亥革命爆发，王柏龄回国参加革命，参与光复南京、上海的战役。北伐胜利后，蒋为谋求云南归顺南京政府，派王柏龄西去作招抚事宜。这件事对新上台的国民党政府和蒋本人都是重要举措，对其他割据军阀都有警示作用：如果成功，可树立蒋的威信，有利于促进各省服从统一。如果失败，各省更不会买蒋记南京政权的账。所以蒋对王寄希望很大，还许诺事成后，请王做上海市长。那年恰好昆明一火药库爆炸，受祸惨重，中外有闻。于是蒋有了借口，要王柏龄名正言顺地

前往慰问，在滇数月。(《中央日报》1930 年 3 月 1 日二张三版)

为什么派王去招抚？蒋又为何有把握？原来，王柏龄与云南新任省长龙云有师生之谊，龙云早年考云南讲武堂时，王是该校教育长，并破格保荐不足资格而聪颖的龙云，最后又力排众议，坚决录取了他。龙云果然不忘师恩，不但对王执礼甚恭，而且应允服从中央（实际上只是表面文章）。王柏龄马到成功，各省为之一震，蒋大喜过望，盛宴款待，至此高看这位把兄弟一格。不久王就带着一班人马到了上海，准备就任，上海各大报纸也在头版报道此事。

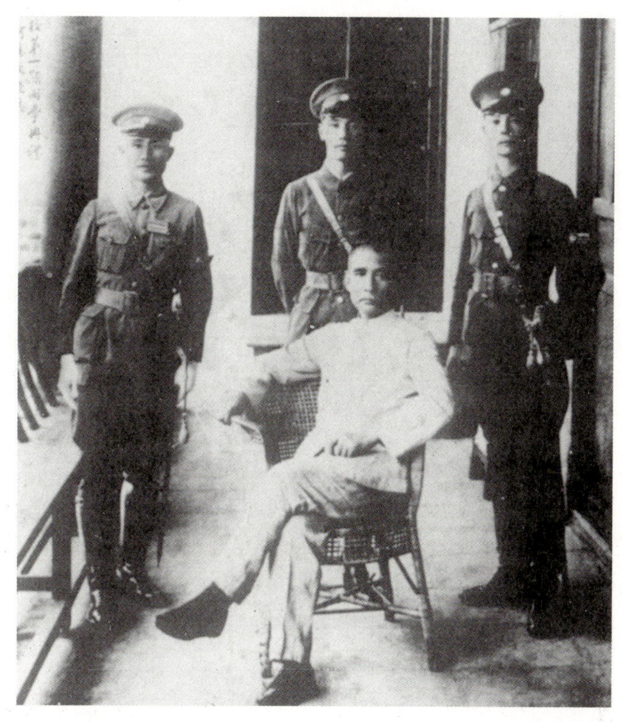

◇ 孙中山与王柏龄（右一）、蒋介石（中）、何应钦合影于黄埔军校。

三、口祸

那时，倪太夫人恰在上海，听说后，便静等王柏龄来拜见。过了几日，她没耐心了，问："茂如到上海了吧？"别人告诉她："已经有几天了！"老太太一听就不高兴了："他怎么不来看我呀？"王柏龄凯旋上海滩，意气风发，加之年轻气盛，不免说话无遮拦，私下调侃道："她又没有把漂亮的姑娘嫁给我，我为什么要去看她？"

虽说只是无意间的戏言，但王柏龄不知倪太夫人的深沉和威望，也不知国民党新权贵对"国岳母"是如何尊崇的。试问，哪一位到上海做官的，不是厚礼加谦恭地来拜见，以谋仕途畅达，你看那熊式辉伉俪、陈调元妻子、张学良夫人、马福祥小妾等，莫不是拜为倪太夫人的义子义女，以示荣耀。连做国府主席的谭延闿都很识相，拜倪太夫人为干妈，其实倪太夫人只比老谭主席大 11 岁。后来就有人送给老谭主席一副对联，说他："喝绍兴酒，写几笔严嵩歪字；打太极拳，做一生冯道庸官。"不过这些王柏龄都不知道，难怪倪太夫人笑他："你一介准市长又是吃几碗干饭的？"果然，王柏龄这句戏言不翼而飞，竟到了老太太的耳朵里，马上就发脾气道："怎么刚来就这样说话？以后还了得？"于是派人到南京找蒋告状。

◇ 这是我们所能见到的唯一的宋氏家族的全家福。1917 年夏天宋嘉树、倪珪贞夫妇与六个子女合影于上海霞飞路的家中。前排左起：宋蔼龄、宋子文、宋子安、宋庆龄，后排立者为宋子良、宋美龄。

这样说倪太夫人，好像她多么尖刻，多么霸道的不通情理。其实这只是对待官员，对普通人就不至于这样。倪太夫人的性情隐逸，喜恬静，最怕吵闹，因此常外出游览。有一次她由宋美龄、宋子文陪同出游，一左一右耐心地搀扶着下汽车。不料一转身，老太太手未离车门，走来一鲁莽卫兵未及详查便用尽力气强关车门，只听唉呦一声，她老人家已经伤及一指，然而她想到卫兵或许会被解职，又强忍疼痛，摆手对大家说：没事、没事的。事后役卫兵感激不尽。(上海《福尔摩斯》报，1928 年 3 月 5 日一版)

话再说回来，这边的蒋介石怕惹事端，才

下决心换市长。又暗自庆幸，幸亏没有正式发表市长名单。可是这有两个麻烦：一是失信于盟弟，以后如何面对其他盟兄盟弟？二是总得有个借口吧？想来想去，只有从王的嗜好“酒色征逐”开刀，最后以“不堪重任”为名，公布了新市长名单。但是，蒋心里却在打小鼓，因为他了解到别人在议论自己：这哪是你（倪）太夫人？简直是你（倪）太上皇了。〔参考王德模：《忆父亲王柏龄》，《文史资料存稿选编》（军政人物）（上），78页；王德模为王柏龄之子，曾任宋希濂部上校教官〕

◇ 蒋介石与宋子文有数不清的恩恩怨怨。

当时有些人认为，倪太夫人位居高尊，身边又都是掌控国家命运的人，但她并不过问蒋的军政要事，其实不然。1928年2月12日，蒋电谭延闿，请他转告宋子文催饷：前方军饷已经断绝，如再不速解一百五十万来此济急，视为以后即断绝关系也。蒋的这个催电，无疑是最后通牒。从措辞迫切的电文，也可想见当时军费之窘状。宋子文千方百计汇去了一百万。没过几天（2月18日），蒋再电宋子文：东南战费，因各军立候开拔，至少再拨二百五十万，速解南昌。（《蒋中正总统档案·事略稿本》第一册，45、51页）宋子文因筹款困难，迟迟未理会。当时宋蔼龄正陪同母亲游览庐山，母女闲谈间，倪太夫人知道了这件事，力催子文拨款二百万，她说：“行军事，饷需先也”，后这笔钱秘密转运南昌，无误战事，蒋乃乘楚有舰东下，亲自督战，南京、上海如期克复，蒋感谢岳母的：“厥功为不尠（鲜的异体字）焉”。（《蒋中正总统档案·事略稿本》第一册，131页）

话再说回来，蒋的担心，又一次发生。1930年冬，蒋亲自任命辛亥革命元老张难先出任浙江省主席。第二年春暖花开，倪太夫人忽然想到西湖去散散心，宋美龄便陪同前往。然而母女俩在杭州仅六天，就花费一万多大洋，账单转到张难先手里，可让他发了愁。当时省里财政实际都由蒋一手操控，这笔钱如何下账？张打听到宋还没离开杭州，就找到杭州著名的新新旅馆，谁知宋不在，张欲返回。倪太夫人听说省主席来见，很高兴，不容分说就给请进来了，问：“张主席有什么吩咐？”张难先这个这个的一着急，就说了实情。倪太夫人笑着说：“钱我早就准备好了。”翻找了一下又说：“现在不凑手，你去找委员长，就说是我说的。”

◇ 张难先。

张难先也真憨，果真去见蒋了。蒋翻看着账单，拧着眉头说：“谁用的找谁去！”张灰溜溜地辞出。有人听说后，把张难先三个字，倒过来写给他看，讥笑说，钱没找回来，却把你难住了，只好自己堵窟窿吧。如果真这样还倒是个“好”，只可惜，不久，他的乌纱帽便搬家了！

且说这王柏龄，竟对官场心灰意冷，不久竟托情佛门，后来成为著名的居士，致力于弘扬佛法，校勘经文。1942年8月26日，病逝成都，年54岁，成都举行公祭时，蒋对于这位老契弟，仅一纸唁电而已。

第九章 烈士篇

第一节 母慈子孝哀情同悼

◇ 被誉为〞滇军完人〞的唐淮源。

唐淮源，云南江川县人，生于1886年。他幼年丧父，家道极为艰难，母亲孤寡无依，唐自小便出外帮工度日并得以就学，以优异成绩考入云南陆军讲武堂，后加入了孙中山领导的“同盟会”。1911年10月，武昌起义爆发，昆明新军起义，唐淮源参加辛亥革命。1915年11月，随蔡锷将军率部北伐，参加护国军，连战告捷。1922年初，唐继尧回滇复辟，唐淮源到上海晋见孙中山后入粤参加北伐，投入国民革命军第三军行列。1937年抗日战争爆发，唐淮源升任第三军军长，奉命率部守御抗日要道山西中条山。

唐母姚太夫人感于国难日极，特命儿子在临出征前，将为她所购之棺木出售，变价国币2000元，函送抗敌会，请转交中央，以供军需，其函云：“抗战迄今二十二阅月，我前方将士忠勇奋发，为国效命，氏安居后方，温饱之余，复远营身后殡殓之具，苦乐相较，心何能安？且氏年逾古稀，桑榆暮景，即使身填沟壑，亦复何感。所冀前方将士，奋勇杀敌，后方民众，踊跃输材，争取最后胜利，收复大汉江山，于愿足矣！”（《中央日报》1939年4月27日二版）

1939年4月17日，姚太夫人病逝于江城。唐淮源得知噩耗，悲痛万分，但限于战争，忠孝不能两全，只得在防区遥祭。不久，敌情舒缓，唐请假回原籍葬母，得到蒋的批准，并为唐母题写挽额岳欧懿范，何应钦题“芳徽风迈”。据说毛泽东、朱德等人也有挽联、题词。蒋、何的题词后来刊刻成石。办完丧事，唐又匆匆赶回中条山前线，坚守阵地。他曾对官兵们说：吾向以老母在，善有所虑，今大事已了，此身当为国有，誓与中条山共存亡。日军于1941年5月聚集兵力25万再次大举向中条山进犯。由于孤军作战，众寡悬殊，抗日将士大都壮烈殉国。在这严峻关头，唐淮源毅然以守土为责，率领官兵英勇战斗直至弹尽粮绝，他悲愤自己未尽到保卫中条山之责，有负国家培养之恩，遂在大雨滂沱中遣去左右，自戕于悬崖，年55岁。唐淮源殉国后，被云南人民誉为“滇军完人”（《玉溪文史资料选辑》第二册，78页）。蒋介石为唐淮源、寸性奇烈士题挽联：“百战殊勋着河上；双忠大节壮中原。”

国民政府于1942年2月2日颁发《追赠陆军上将第三军军长唐淮源褒扬令》。

第二节　张自忠大败张治中　张治中祭悼张自忠

1943年5月，在张自忠将军殉国三周年之际，蒋又发起追悼活动，原定由他亲自主祭，因临时变故，只得选派代表。选派恰当的致祭代表，也是蒋很重视的一件事。最后由军事委员会政治部部长张治中，前往重庆北碚墓地主持仪式。这又成为人们议论的话题。

原来这两人有许多相似之处：他们不仅姓氏相同，名字相近，年龄相当（只差一岁），而且都是陆军二级上将（张自忠为陆军中将加上将衔，为国捐躯后追赠陆军二级上将），都带兵打过仗，都担任过军校校长，都有出任过省、市行政首脑的经历，都坚决主张联共抗日，都参加过抗日战争。这许多的相同，致使有人常常将其混淆。

最有意思的是在1930年的中原大战中，山东的张自忠和安徽的张治中，竟鬼使神差，在河南陈留、泰康一带兵戎相见。张治中作为蒋的嫡系部将，率领装备精良的中央军教导二师，北上“讨逆”。张自忠作为冯玉祥麾下的一员骁将，统领训练有素、战斗力居西北军之首的第六师，南下迎击。他针对对手装备精良的特点，指挥第六师突然发起猛攻，与教导二师展开近战，发挥刺刀、手榴弹的威力，使对方重兵器无法发挥作用。经反复拼杀，多次击退教导二师的进攻。教导二师因不善白刃格斗，伤亡惨重，纷纷溃退。第六师乘胜追杀，再歼其一部，教导二师元气大伤。虽然张自忠大败张治中，但各路诸侯心怀异志，在蒋纵横捭阖的权谋运作下，反蒋联军最终败北。

七七事变后，两位张将军都投入抗战中。张治中一度就任委员长侍从室第一处主任，执掌蒋介石军事处置的参谋大权。张自忠出任第三十三集团军总司令，加陆军上将衔。

1940年5月16日，张自忠在枣宜（后改自忠县）战役中英勇殉国，年50岁。随他出征的官兵也全部阵亡。张自忠牺牲后，前线电话旋即打到侍从室。刚好是张治中接听电话。闻此噩耗，张治中一下惊呆了！因张自忠是集团军总司令，他的阵亡如果处理不当极易使军心动摇。为争取时间，他立即代蒋写了一个电报，以稳军心：顷悉荩忱总司令亲临前线督战，壮烈阵亡，噩耗传来，痛悼万分！顾荩忱忠贞英勇，牺牲成仁，本其素志，光荣一死，炳耀千秋！惟在此抗战中途，将星忽殒，使国家遽失长城，损失过大，其何以堪？此中追念素所信赖爱护之袍泽，不禁悲痛无已者也！……

◇ 张自忠。

慰问电写好，张治中即送蒋审阅。蒋略作修改签上自己的名字随即拍发。因张自忠是抗战中战死沙场军衔最高的指挥官，国民党十分重视对后事的处理。直到一个多月后，国民政府才在七七事变的纪念日这个特殊日子，公布了张自忠壮烈殉国的消息。11月16日，其灵柩运抵重庆北碚梅花山，蒋介石亲自为他举行隆重的葬礼，题“英烈千秋”祭之。在张将军殉国三周年之际，题赠挽联：“张故上将军殉国三周年纪念：大仁大义至勇至忠，江河万古国士之风。蒋中正题。”由张治中携往会场。林森亦题：“忠灵不朽。”并由张治中主祭，宣读蒋的祭文。

第三节　忠夫烈妇 相成忠杰

1940 年 5 月 16 日，张自忠在枣宜战役中英勇殉国，年 50 岁。

这是自抗战以来，战死的最高指挥官，蒋深为张的忠勇所感，在震惊、悲痛之余，急电前线：立即下令第五战区不惜任何代价夺回张自忠遗骸。当张的灵柩运抵重庆，蒋亲自到码头迎接，并上船扶棺大恸，令在场者无不动容。据史沫特莱记载，此后，蒋的办公桌上开始摆放张的遗像。5 月 28 日，国民政府在重庆为张举行隆重葬礼，蒋率文武百官出席，亲自主祭。但是，没有为他题挽联，除祭文外，仅以“英烈千秋”挽额悬之于会场中央。7 月 7 日国民政府明令褒扬。

◇ 蒋介石率文武百官为张自忠举行“权厝”下葬仪式。

1943 年 5 月，在张自忠殉国三周年之际，蒋又发起纪念运动，并派张治中为代表前往北碚墓地致祭。这次蒋为张将军题写了挽联。1947 年 5 月 10 日国民政府再次对张给予褒扬。

在张将军转战各地时，夫人李敏慧因癌症在上海治疗。当张将军殉国后，家人极力对她隐瞒，唯恐有碍病愈。8 月 10 日，女佣不慎，偶泄事实，李夫人得知噩耗，悲痛无状，留下遗言：“此之殉国，不但为民族之光荣，亦为家人之光荣，第夫妇情深，值此生离死别，悲痛不能自己，余既不能以身殉国，追随将军之血迹，唯有以身殉夫，聊尽妇道，而慰英灵于九泉之下。尚望家人克绍将军大忠大勇之精神，努力报国！”并誓言绝食至 7 日，即 8 月 17 日泣血而逝。消息传来，震惊各界，人们无不为忠夫烈妇，同出一门而感叹、激奋。（桂林《扫荡报》1940 年 12 月 5 日三版）

在张将军殉国半年后，即同年 11 月 21 日，各界在重庆又专门为张夫人举行追悼会（据说这是蒋介石为殉节而单独举行的唯一一次），蒋亲笔题额“相成忠杰”。并明令予以褒扬，将生平事迹宣付国史馆，单独立传（据说这是国民政府设立国史馆后，第一位单独立传的女性）。成为因殉节而受蒋诔辞的一个特例，同时也是夫妻同享蒋诔辞中，最为悲壮的一个典型。（王觉源：《近代中国人物漫谭》，326 页）同年 12 月 5 日，蒋介石在重庆接见张自忠胞弟张自明和张自忠的一子一女，并嘱咐有关部门，对张之遗属要妥善安置：学校任其选择，就业提供条件安排。（桂林《扫荡报》1940 年 12 月 5 日三版）

第四节　捐嫌华清池　大风思猛士

张学良发动西安事变，捉蒋介石的首选人物是他的卫队营营长孙铭九。孙是张学良的心腹，向来参与机要。只是张觉得孙铭九乃留日士官生，尚缺乏实战经验。因此，他又选定刘桂五负责解决外围护蒋兵力和善后的押解任务。

刘桂五，1902 年出生于辽宁朝阳县六家子镇小八家村。早年为生活所迫，投身绿林，后加入东北军，西安事变前任骑兵六师十八团上校团长。刘爱国、忠勇、好义，作战经验丰富，枪法极好，据说夜晚见亮不用瞄准，举枪无不命中，是东北军中威望较高的青年军官。

但刘非张之嫡系部将，所以，张对刘进行多方考察。据刘回忆：

记得有一次，我同副司令在一起，他拿出一个小盒子，盒内忽然冒烟，他赶快跑开，并连声说：“不好，炸弹！炸弹！”我拿起来急速扔到窗外。他到我身边说:“你怎么不跑？”并摸摸我的心口跳不跳。我说:“我能自己跑开，丢下副司令不管吗？”他笑着说:“你真行，有胆量……”

12月8日下午2时，张学良又约见刘桂五。见面时，张并不搭话，刘正感到奇怪，张猛然向刘当胸一记重拳。刘惊惑地问道：“我犯了什么错误，请副司令指正！”张看到刘神情自若，会心地说：“你没犯什么错误，我只是想看你遇到意外慌不慌。”又拉着刘坐在身旁，神情严肃地说：“我有一项重大而机密的任务，想交给你，但此去凶险莫测！”刘当即表示赴汤蹈火，万死不辞！张说：“想让你去刺杀杨虎城，你敢不敢？”说罢摸了摸他的胸口，见他依然脸不变色心不跳，转而笑道：“开个玩笑。杨将军是自己人，哪能刺杀他呢！”随后，张表情严峻地盯着刘说：“想派你去刺杀蒋介石。他不打日寇，又逼着咱们打内战。你敢不敢去？”说罢，又摸了摸他的大腿问:“哆嗦没哆嗦？”刘坦然答道:“这可是件大事！”想了想又说:“我去？可我不认识蒋介石,再说我也见不着他。”张见刘仍然一副“荆轲此去易水寒”的“英雄状”，很高兴地说：“我带你去见委员长，你向他请训，藉此机会熟悉那里的环境。”

张携刘来到华清池五间厅，把刘引见给蒋：“这就是我说的要回热河老家组织抗日游击队的刘桂五团长，他特地来向总司令辞行，请总司令训示。”接着，又把刘夸奖了一番。蒋见刘仪表堂堂、英气豪迈，很是欣赏，就嘘寒问暖起来。张乘机找侍从室主任钱大钧去了，此时厅内仅蒋和刘。谈了一会儿，刘告辞，再搭张学良的车返回张公馆。张就“捉蒋”的具体安排向刘面授机宜。刘深思后，提出最好让骑兵六师师长白凤翔也参加这一重大行动。张和刘又进行了探讨,爽快的同意了,然后让刘回家安排一下家事。这令刘桂五深感意外，暗自思忖:“少帅如此信任我，让我扛着天大的事儿，还放我回家！”顿时涌起“士为知己者死”的感慨。事后，他曾对同事陈大章说起：“副司令让我单独跟委员长在一起，一点都没有担心我会‘卖主求荣’，对我够信任的！”刘的这种顾虑不是没有根据的，曾有人逗刘桂五：“这可是千载难逢的往上爬的好机会啊！”刘正色道：“那我不成了袁世凯第二了。我可不干卖主求荣的事！”

12月11日,张在公馆召见了刘,对他嘱咐说:“对委员长要捉活的,不要打死他,捉他是为了要他抗日,并不是我要当总司令。”又说：“你不要顾虑家庭，你的亲属就是我的亲属。”刘当即表示：“请副司令不要顾虑我的家，我家过的是百姓生活，我出了事不要紧，只要促成抗日，打走日本鬼子，他们就可以回老家去，种地为生。”刘在接受任务后，是做了牺牲自己的准备的。他在执行任务的前一天傍晚，把妻子、女儿送到保康里戴副官家，然后乘张的车走了。

12月12日早晨4时，白凤翔、刘桂五、孙铭九率突击队直奔华清池。经过一阵激战，击溃了宪兵三团的顽强抵抗，刘直奔五间厅蒋的住处，发现卧室内蒋不见了，假牙还放在桌子上。室内外搜索，也无踪影，刘向在门口指挥的白凤翔报告后，自命令立即搜山。在山腰大石后发现了蒋，被一战士背下山来。由刘桂五与唐君尧把蒋架上汽车，送往西安张学良处。至此，张学良、杨虎城心中的一块石头才算落地。西安事变后，张论功行赏，刘被晋升为骑兵第六师师长。

◇ 刘桂五。

西安事变后，张学良被蒋介石扣押，刘桂五无限悲愤。

全面抗战爆发后，刘桂五在精神上得到了极大的安慰。8月8日，刘接何柱国军长令，谓：奉委座电令，骑六师归挺进司令兼东北四省招抚事宜马占山指挥，并令克日出发，于24日到达大同。刘率部于19日抵大同，与马占山会合。8月上旬至9月下旬，刘所部在大同、丰镇一线与日军激战。日伪军在与骑六师的作战中屡屡受挫，遂改变了策略。11日，他们一方面在正面战场与骑六师对峙作战，一方面又派出五百骑兵绕道袭击绥远省城归绥（今呼和浩特）南之凉城。半个多月，刘统领骑六师英勇抗击侵绥日伪军，以伤亡两百多人为代价，歼敌六百余人，击毁敌坦克三辆，铁甲车一列。1938 年 4 月 22 日在固阳县黄油杆子村与日军激战中壮烈殉国，年 36 岁。

刘桂五壮烈捐躯的消息在全国引起很大震动。西安市成立了“刘桂五将军治丧筹备处”。5 月 25 日，他的灵柩运抵西安时，五千多人参加迎灵仪式，沿途经过之处，路人肃立致敬，商店和机关门前设供致悼，迎祭英烈之灵。6 月 9 日在革命公园革命亭，国共两党联合追悼这位抗日英雄。在布满全场的花圈挽联中，有一副是蒋介石送的挽联，格外引人注目 ：“绝塞扫狂夷，百战雄师奋越石 ；大风思猛士，九边毅魄拟睢阳”。蒋介石不计前嫌，祭悼这位先前的“捉蒋英雄”，如今的抗日烈士。

第五节　空军情结

蒋介石对于军人之丧的“饰终”，是有等级分别的，用他自己的话说是以“死所”为重。所谓“死所”是指如何死的。例如，他在汤恩伯死后，嘲笑汤为什么没有在 1949 年的大失败中，自戕成仁，要枉自多活那无为的几年。而在胡宗南死后，一再表扬胡，说胡多次写信给他，要求有个好的“死所”（战死沙场）。综观蒋几十年的征战史，其“死所”标准，第一感念的是自戕，第二是战死，第三是病死，其他则是意外（如坠马、车祸、溺水等）。

但是，在此之上，蒋继承了孙中山“航空救国”遗志，特别钟情于空军将士，对他们的去世，饰终丧典格外隆重。早在 1933 年 8 月，蒋就在南京修建“航空烈士公墓”，并手书“精忠报国”碑文。1936 年 10 月是他 50 岁生日，摸准他习性的陈果夫提出“献机祝寿”，即号召民众捐献钱款，购买飞机，巩固空防，以策祝寿，得到他的肯允。1946 年 3 月 29 日，国民政府在“南京航空烈士公墓”举行抗战胜利后第一次空军烈士公祭，由空军副司令王叔铭主祭，蒋题挽联 ：“英名万古传飞将，正气千秋壮国魂。”

◇ 高志航。

高志航曾是张学良麾下东北军的著名飞行员，留学欧洲，专习飞行。在杭州笕桥空战中立功，被授三星星序奖章，并获得蒋赠一万五千元奖金，这在当时是一笔不小的数目。1937 年空战殉国后，蒋伤心地说，中国宁愿损失百架飞机，也不愿失去一个高志航。蒋亲临主持在汉口商会大礼堂举行追悼会，追授他少将军衔。还把他所在的空军四大队命名为“志航大队”，经宋美龄提议，蒋把高殉国的 8 月 14 日，定为“空军节”。

◇ 陈怀民。

对于在 1938 年武汉保卫战中牺牲的陈怀民等四位飞行员，蒋不但参加他们的追悼会，上香致哀、鞠躬行礼，还赠送挽联 ：“搏斗太空，非成功即成仁，无负十年教训 ；生死常事，唯为国不为己，永怀万古云霄。”而且亲自宣读祭文，之后，再次走到陈怀民的父亲陈子祥身边，向他表示慰问。宋美龄代表蒋，发给陈子祥抚恤金一万元。

1938 年 2 月 19 日，空军大队长李桂丹（1938 年 1 月 1 日，国民政府授予李桂丹二级云麾勋章，以奖励他的作战功绩）、中队长吕基淳殉国。20 日在汉口举行公祭，蒋与夫人亲临灵堂。蒋、宋联名赠挽联 ：“武汉居天下之中，歼敌太空，百万军民仰战绩 ；滂沱挥同胞之泪，丧我良士，九霄风云昭英魂。”并亲自宣读祭文。

周志开因一次出战，击落三架敌机，获得蒋颁发的“青天白日勋章”。

七七抗战以来，牺牲的高级将领不在少数，蒋日理万机，不可能都参加他们的追悼会，也不可能都致送挽联，更别提亲临主祭，或亲自宣读祭文了。可见他对这些年仅二三十岁，军衔在校、尉级的空军飞行员是何等重视。

第六节　为国战死　事极光荣

◇ 戴安澜。

戴安澜1904年出生于安徽无为，原名炳阳。受孙中山先生革命思想感召和端甫叔祖的指引，1924年3月赴广州参加国民革命军。1925年考入黄埔军校，毕业后投身到北伐和抗日战争之中，功勋卓著。

1933年3月，戴安澜任国军17军25师145团团长，参加长城古北口抗战，因功获五等云麾勋章；1937年8月，台儿庄大捷后他荣获华胄奖章，并晋升为89师副师长；1938年夏天，他参加了武汉保卫战，立大功一次；1939年11月他又参加了昆仑关大战，获四等“宝鼎勋章”。太平洋战争爆发后的1942年3月，戴安澜奉命率中国远征军二○○师长驱奔赴缅甸战区，接替英军抗击侵缅日军。同古保卫战、棠吉攻坚战的胜利，重创日寇，扬威世界。后来在奉命转移回国途中，戴安澜不幸身中两枪，于5月26日在缅甸茅邦村殉国，时年38岁。 当戴安澜身陷缅甸，自知回国希望渺茫时，给爱人王荷馨写过一封家书，其中写道：“现在孤军奋斗，决以全部牺牲，以报国家养育！为国战死，事极光荣。”

戴安澜将军的殉国，让亿万国人哀痛，全国许多地方都举行了公祭或追悼。其灵柩辗转经昆明、安顺、贵阳，于8月6日晨6时抵达桂林南部，嗣又转运广西全州，暂厝于香山寺。

灵柩每到一处，民众无不致敬默哀，挥泪迎送。《中央日报》记者周冠群以《各地默哀迎国殇》为题，报道了沿途各地迎灵和公祭大会的情况。在安顺，各族各界人士遍设灵位，拦车祭奠戴安澜将军。第一辆灵车是气势磅礴的三个大字——民族魂；第二辆车上挂的是将军的血衣，从安顺西门外的歇凉岩到东门外的教场，沿途两旁，人人向戴安澜将军行跪拜大礼，当时连14岁的百货店学徒倪如锡也用稚拙的笔写了一副挽联：

昆仑山一仗，轰动英美人人佩；

宝山外辞世，惊摇全球个个愁。

灵柩到贵阳，由头桥入城，沿途两旁都设置供案。案上烛香缭绕，并供放着鲜花、糖果、清茶。“打倒日本帝国主义”、“为死难烈士报仇”的呼声此起彼伏。贵州省主席吴鼎昌主持追悼大会。祭坛台上，悬挂着戴将军遗像，以及他殉国时的三件血衣。两侧是吴鼎昌的挽联：

十余年转战南北，一扫边氛，相许燕然勒铭久；

五千里跋涉山川，痛歼敌寇，何惜马革裹尸还！

祭坛台下，花圈垒置，挽联挽诗悬满四周，整个追悼会场，悲壮肃穆。蒋介石的挽联：

虎头食肉负雄姿，看万里长征，与敌周旋欣不忝；

马革裹尸酬壮志，惜大勋未集，虚予期望痛如何！

1942年10月6日，国民政府颁令，追晋戴为陆军中将，12月31日，又批准他入祀首都忠烈祠，同时，入祀省、县忠烈祠。同年的10月29日，美国政府向戴安澜颁授了懋绩勋章一座。

这是第二次世界大战以来，第一位获得美国勋章的中国军人，美国总统罗斯福签署颁授勋章的命令：

中华民国陆军第二百师师长戴安澜将军，于1942年同盟国缅甸战场协同援英抗日时期，作战英勇，指挥卓越，圆满达成所负任务，实为我同盟军之优良楷模，本总统依据美国国会授权，特追赠懋绩勋章一座，以示表彰并崇敬中华民国军人之特优传统。此状

美利坚合众国总统　富兰克林·罗斯福

第七节　政工中将殉国第一人

周复，字旭人。江西临川县湖南乡沙湖周家村人，1901年生。8岁丧父，靠母亲为人捻纱糊口。1924年考入黄埔军校三期。先后参加平息陈炯明、杨希闵、刘震寰叛乱，立下战功。周以军校出身，却以文才和管理才干见长。1931年，蒋介石推荐他出任南京市党部监察委员，旋即资助赴日深造。一·二八淞沪抗战爆发，周复罢读归国，意欲参加抗战。时蒋介石已下野，于3月1日成立“三民主义力行社”，蒋任社长。周复出任该社监察会监察，实际负责该社干事会工作。1935年任南京市党部特派员。

◇ 周复。

抗战爆发后，周复调任第一战区政治部主任。1939年鲁苏战区吃紧，蒋介石特调周氏为鲁苏战区政治部主任，兼鲁苏战区特别党部执行委员、书记、鲁苏战区干训团教务委员，并兼任山东省府委员，可谓一身兼鲁苏战区党政军各项要职，而周氏才能体力，均能应付裕如。林治波是中国军事科学院军事历史研究部研究员，他曾写有《抗日英烈周复将军》一文。他认为：蒋调周复去鲁苏战区，实有深刻考虑：于学忠是东北军老资格将领，所部除东北军外，还接受韩复榘旧部。故，调周复作为于学忠的助手，有协助和监督双层目的，同时还特允他还握有财权。周复重视宣传工作，二十年代有办报的经历，在鲁苏战区创办《阵中日报》，任社长。该报相当正规，采用新闻纸，铅印大版。即便在艰苦和迁徙的环境下，仍坚持每日一期。出版后立即分发战区所属机关学校，可见他的办事效率之高。该报在官兵中很有影响，是他们了解全国抗战局势的窗口。

周复善于协调各种关系，颇受军民爱戴。战事发生时，亲赴前线指挥督战；战事缓和时，则组织民众训练，扩大宣传。“以是三年之间，鲁苏战局，在日寇猛烈攻击下，犹能屹立不动，与周氏有莫大关系。”在此期间，他想起祖籍是安丘县，经多方调查，终于找到辉渠乡绪泉村周姓。通过核对周氏族谱，周复认祖归宗。从此，他与当地民众关系更加密切，周姓人来到他的驻地，均受到他的优待，并按辈分称呼。周复对不在身边的子女们也很关心，1940年12月31日，他写下字条：“余等对诸儿，须立德立功立言，期望甚殷，特于经济困窘中，每人各给500元，以作教育基金费。望诸儿深体父母之意，勉之励之为要。”1942年8月12日，日军秘密出动独立混成第五、第六旅团，企图包围移驻于莒县东30里坪头的鲁苏战区司令部，捕捉于学忠、周复等人。于、周闻讯，即率部抢在日军“合围”之前，突围脱险。8月20日，日军又以15000余人，发起第四次鲁中战役，对鲁苏战区主力实行“铁壁合围”，适移至此地的战区司令部、政治部也被包围。周复协助于学忠指挥113师与敌激战两昼夜，终于突出重围。于学忠负伤，幸亏当地百姓相救脱险，周复则率领政治部人员迁移至安丘县西南董家宅村驻扎。

吴化文的叛国投敌，使鲁苏战区元气大伤，山东战局突趋紧张。1943年3月17日，日军集结两万多人，对安丘一带进行大扫荡。周氏督率部属，奋力搏战，予敌重创。21日，日军再向张家溜、城顶山一带发

起进攻，周复率部据险死守，日军不断增兵，将周部层层包围。在激战中，周部伤亡过半，周下令集中兵力突围，亲率敢死队冲杀于第一线，行至半山腰，不幸被流弹击中腹部，血流如注。他怕因自己受伤而影响战斗力，要求机要秘书双凫对自己“补一枪”，双凫死死搀扶着他，艰难行进。终因伤势过重，血洒热土，年仅 42 岁。张治中曾回忆周复说：“经过一整天的苦斗，终于在白刃战里光荣牺牲。”

国民政府于同年 7 月 21 日，颁发对周复的《褒扬令》，同时追赠为陆军上将，准入祀忠烈祠。蒋以军事委员会委员长名义，通令全国国军将士，应以周复为楷模。令文为：“鲁苏战区政治部中将主任周复，于本年 3 月 21 日在山东安丘县被敌大部包围，苦战累月，力尽殉国，为国军中将级政工主官抗战阵亡之第一人，亦为政工人员与部队共同行动，共同生死之良好榜样……该战区将士数年来浴血苦斗，战绩彪炳，忠勇之操，历久逾奋。该故主任亦与有力焉。此次慷慨捐躯，完成其为党国牺牲之素志，实无负黄埔之教育与党国之培植。本委员长震悼之余，专用嘉慰。兹特电告我国军将士与全体政工人员，共矢忠贞，互相激励，以该故主任为楷模，抱必死之决心，成永生之大业，革命先烈之英灵，实式凭之。中正手启辰删印。”

周复殉难后，黄埔同学积极筹备追悼会，另有吴铁成、陈其采、陈立夫叔侄、俞济时等 95 人列名发起者。孔祥熙为之题挽匾：“大节澶然”，何应钦：“浩气千秋”，于右任挽词：“宣勤党国励志忠贞；烈烈风范永著英名。”1943 年 11 月 5 日，重庆各界在抗建礼堂举行追悼大会，张治中为主祭，蒋介石题颁挽匾：“死重泰山”，派商震为代表致祭，派俞济时为代表慰问家属，赙赠恤金 5000 元。张治中后来在回忆录中特别提到：“周复是抗战以来阵亡的政工同志阶级最高、死事最烈的一位。”各界代表 600 余人参加追悼会。

◇ 宋美龄题赠周造时的照片。

蒋介石两次为周复签发“荣哀状”，第一次是 1947 年，第二次是到台湾后的 1954 年。并将其灵位入祀台北忠烈祠，与戴安澜并列。

周夫人陈景贤，受过良好的教育，且深明大义，1944 年 7 月 24 日，她请准将政府发给的全部抚恤金 50200 元，献给国家充作抗日军费。但周家此时已是一门孤寡（周氏夫妇育有 6 子 1 女），生活困顿，幸有政府和黄埔同学不时接济。抗战胜利后，陈景贤申请将次子 13 岁的周造时送入南京遗族学校。1952 年，周造时从该校高中部毕业，申请报考军校，得到宋美龄的支持。1958 年他 25 岁时，宋美龄将亲笔签名玉照特赠“照时同学”。

祖国大陆改革开放后，周家诸子为寻找父亲殉难之地和坟墓不懈奔走。周复次子周造时于 1986 年 10 月来安丘县寻坟，并于 1987 年给邓小平写信，希望能在父亲殉难地建墓。此信后被转到安丘县信访办，该办于同年复函：“欢迎周先生前来办理手续，并在各方面给予帮助。”

1995 年 10 月 13 日，中华人民共和国民政部，为周复颁发“革命烈士证明书”。

第十章

待解之谜篇

第一节　石静宜病故之谜

◇ 蒋纬国与石静宜的婚礼照片。

1944 年，蒋介石的次子、28 岁的蒋纬国恋爱了。蒋纬国身材瘦高，皮肤白净，相貌英俊，谈吐文雅也很有见解。他当时是胡宗南的第一军第一师第一团第一营第一连连长，驻防西安市北郊。女方是大华纺织公司董事长石凤翔的二女儿石静宜，当时在西北农学院学习。石小姐圆圆的脸，大大的眼睛，透着一股直率和纯真，她开朗大方，性格温存，体贴人意，没有富家小姐那种霸道或故作矜持。至于他俩是怎样相识的，有多种说法，不宜赘述。

当石小姐把蒋纬国的情况告诉父亲时，石老板立时警觉起来，经深思后，告诫女儿，希望能“早促完美”，心里却在默念“必须抓着这个机会，石家命运的成败兴衰，系此一举”。过了几天，石老板与一随行女佣，携带食盒，借故一同进入防空洞，恰好与小蒋凑在一起，得以共进小酌，并借机观察未来的东床。果然石小姐福至心灵，不负父亲之重托，1944 年的圣诞节，两人在陕西王曲黄埔军校第七分校的长宁宫举行婚礼，婚礼由胡宗南主持，并且借用胡的招待所作新房。石老板对他精心准备的豪华新房未被选用，极表不满。蒋纬国将亲事函告父亲，蒋批复：石门亲事，可结合！但对婚礼限制极为严格：“不准请客，不准受礼，只发 20 万元，恐不足为纬国做衣服之用，纬国颇表不满。”（《在蒋介石身边八年——侍从室高级幕僚唐纵日记》，487 页）

蒋无暇参加婚礼，除送了一只暖水瓶外，还有一句嘱托是：“好好治家，家和万事兴。”

蒋虽然没参加婚礼，并不影响其他要员对婚事的关心。戴笠不远千里，赶来与胡宗南一并躬与典礼盛事。陕西省主席祝绍周，更是热心筹备，慷慨馈赠。此外还手笔一幅梅花中堂作为祝贺（婚礼结束后，便悬挂在大华纱厂的大客厅里，成为这里的“镇厂之宝”，广招观瞻），其“古藤体”的字确实很有特点，不过上下款更引人注意，只见上款为“石翁老伯大人法正”，下款是“小侄祝绍周沐拜”，颇为让人瞠目于千载不忘。祝绍周与石凤翔本为同庚，又是国家封疆大吏，所以有人说他“自逊到这般地步，真是一大发明”。而石凤翔不过是区区一个常被鱼肉盘剥、又无处申冤、居于风雨飘摇的民族企业家，此时，身价陡涨百倍。不能不感叹人情冷暖，古今一辙。

◇ 石凤翔。

以后，大华纺织厂的经营，一改往日困顿局面，得到方方面面的关照。西安市警察局第八分局，给石拨出一部分武装，为大华厂提供保卫。厂里原有一个拥有一百多辆车的车队，现在挂着军政部军需署运输第一连的招牌。过去，私营运输部门该交必交，和不该交也得必交的苛捐杂税，在“二姑爷”不知道的情况下，都被豁免了，享受着军车的优惠待遇。在汽车的牌照上，他们也挖空心思，取得军字起首的88号车牌。88号车牌是军统局汽车总队的专用牌号，配备此牌号的车在过渡口、要道、特殊警戒区等，都予以优先权和免检权。同时各军、政、商车对他们也多有礼让。汽油、汽车零件都是官价并优先提供。但军需署农本局所调拨的花纱布往返运输的运费结算，却享受着私商的标准。这样一反一正，石家所获收益，就不是其他私营厂商所能望其项背的。但这还只是小的方面，至于大宗项目，其种种优缺非一般人所能想象到。

婚后，小夫妻相敬如宾，感情深厚。但也有遗憾，石静宜因习惯性小产，对蒋纬国打击相当大，他曾把妻子生下来的早产死胎泡在药缸里，摆在家中哀戚，后来在朋友的劝说下，才送回医院。而石静宜的心脏开始有毛病，身体日渐衰弱，腹部疼得要靠止痛药及安眠药才能入眠。石静宜于1953年3月22日病故。那时，小蒋在美国，回国后非常悲伤。关于石静宜的过世，外面颇有一些传言，有一种说法：她有吗啡瘾，过度吸食而中毒死亡；也有传言指蒋纬国夫妇想在蒋介石的生日，10月31日那天让孩子出生，结果反而误事；还有传言指称是因她走私美金，被蒋中正赐死；又有说是被蒋经国派人置于死地，以及她是自杀等。

对于石静宜的死，社会、石家以及蒋纬国，总想从许多事件的细节中找出蛛丝马迹，来印证种种传言，或得到安慰。1960年2月17日，石凤翔的胞兄、民社党副主席石志泉病故，年75岁。石家希望能从蒋所题赠的诔辞中，看出端倪。然而，蒋只派人送来四字挽额：“永怀耆彦”。1967年5月29日，石凤翔也驾鹤道山，年75岁。人们解疑的好奇心又一次被吊起来。石凤翔的治丧，远比七年前，他的哥哥石志泉隆重得多。治丧会为石凤翔戴上的头衔为：“国大代表”、纺织工业巨子。治丧委员会主任委员为何应钦。公祭在6月9日举行，而蒋于6月7日已经派人送来挽额，上款为“志学代表千古”，挽文是“轸怀令绩”，落款“蒋中正”。人们和石家又一次失望！

第二节　吴佩孚厚葬之谜

◇ 吴佩孚。

国民政府对逝者所发给的治丧费，在表面上是根据官职高低、所做贡献、社会影响而定。但实际上大多为蒋一手掌控，他根据自己的亲疏、好恶来分别对待。这样就形成了有的社会地位实际很高，葬礼表面上也十分隆重，但发给家属的丧葬费却很少。而有的人毁誉参半，不但葬礼异常隆重，而且丧葬费高得出奇，令人不解。

1939年12月4日，吴佩孚在北平去世，年66岁。

此前，日人拉拢吴佩孚并逼迫出任伪职，颇为各界关注，重庆多有人劝吴保持晚节，赵恒惕就致电吴，指明他要思量：“流芳遗臭定于寸衷，泰山鸿毛争于一瞬。”当吴拒绝日人的消息传出，人们又为他喝彩。蒋对于这位在北伐中，朝思暮想都要生擒活捉的“恶魔”，被自己打败后，又时时提防他东山再起的吴氏之死，表现出极大的哀伤。6日，蒋以吴氏大义凛然，克保晚节，向吴家属致唁电称赞吴：“精忠许国，大义炳耀，海宇崇钦，流芳万古……”（《中央日报》民国28年12月7日）

◇ 中年时期的蔡元培。

8 日，宋美龄随后又以个人名义电唁吴家属。

蒋又下令褒扬，追赠陆军一级上将，特拨国葬费 20 万元，在重庆和北平举行隆重的追悼会，发给家属治丧费 1 万元。蒋亲临在重庆为吴举行的追悼会致祭，并撰挽联："落日黯孤城，百折不回完壮士；大风思猛士，万方多难惜斯人。"北平召开追悼会时，蒋又撰写挽联："三呼渡河，宗泽壮心原未已；一歌见志，文山正气自常存！"

不仅如此，连吴佩孚的私人驻渝代表刘秉钧，于 1939 年 2 月 2 日病逝重庆，蒋都"极为悼惜，谕令给丧葬费 3000 元"。4 日大殓，何应钦代表蒋及国民党中央送花圈致祭。也是近乎于公葬的待遇了。（见《中央日报》民国 28 年 2 月 5 日第二版）

与吴几乎同时去世的蔡元培先生，其葬礼简直无法与之相比，如给家属的赙仪金仅为 5000 元，而当时蔡的家境之窘迫是众所周知的。蔡先生虽然也是国葬，但葬礼之后，就被蒋丢在脑后，从不再提起了。

抗战胜利后，这位大哉吴公又被蒋搬了出来。1946 年 12 月，国民政府在北平为他举行国葬等级的公祭和安葬仪式，计划用款竟高达 5000 万。北平拈花寺搭起三门式的大型牌楼，中间挂着一块大白布，正中四个楷书大字"正气长存"，上款是"吴上将军千古"，下款是"蒋中正"。北平市长何思源代表蒋出席并致祭。翌日，将吴的灵柩下葬在北平玉泉山西麓，李宗仁代表蒋致词。

就诔辞方面计，蒋与夫人致吴家属唁电各一通，挽联两副，挽额三份（1939 年重庆、北平追悼会各一联一额，1946 年北平安葬仪式一额），长篇祭文三篇（以中国国民党总裁、国民政府主席、军事委员会委员长名义各一篇）。此外，为吴之死、葬典安排等项事宜发出的各种电文五篇。

以蔡先生同吴佩孚相比，谁对国家贡献更大，自不必赘述，何以厚吴薄蔡？难怪要成为当时的"葬典之谜"。蒋如此盛奠吴的葬礼，自然会遭到一些人的质疑和反对，冯玉祥在《我所认识的蒋介石》一书中，为此对蒋进行大力抨击。

原来，是在西安事变后，吴佩孚曾向蒋发电慰问的缘故。西安事变，是蒋一生中的一件大事，它不但改变了蒋的命运，也改变了中国的政局，许多人在事变中对蒋的态度（赞同和平解救，还是武力镇压），成为后来蒋对其重用与否、疏远或亲近的依据。那么吴的慰问电是怎样写得？12 月 27 日，吴佩孚致电蒋："介公仁兄委员长执事：自闻西安之变，轸结于怀者累日。维执事系国家安危，重以平日投分之雅，窃意昔贤论文，风雨既而不辍其音，霜雪寒而不渝其色，不禁奋然兴起，极思一洒脊令永叹之讥。适秦中路阻，邮电亦梗滞不通，正期遣代表，偕罗君毅戡间道入关，敬问左右，兼振厉孝侯，俾能摅其忠愤，力护执事脱险，并本于父执之谊，为汉卿切施针砭，冀幸其所有警悟。严装濒发，而驾已翩然回落，元良天佑，薄海皆欢，赴义弗先，则私心所引为疚仄耳。顾汉卿出此不轨之行，于执事诚无所损，且适为增国人胆就之忱。14 日之间，中外电函交驰，奔走呼吁，唯恐或后，此实无异于欧美之总投票，人情向往若何，计前途之光明伟大，匪唯无毛发遗憾，更当为执事特致其庆幸者也。专此奉慰，敬颂勋绥，即希惠照，并候立夫，可均两兄起居。吴佩孚拜启。12 月 27 日。"（见《西安事变始末之研究》，280 页）

◇ 美国《时代》周刊杂志封面上的吴佩孚。

从日期看，吴的慰问电有马后炮之嫌，托词也属牵强，但"元良天佑，薄海皆欢"的谀词，还是让蒋欣慰，再以他的资历，怎能不得到蒋的认可？

第十一章
挽联篇

第一节　挽联误葬礼

郭忏（1894~1950），字悔吾，浙江诸暨人。清末入浙江陆军小学。辛亥首义，编为学生军。1926 年参加国民革命军，任营长，参加上海战役。1928 年起，任国民革命军第二十军参谋长。1935 年搭上陈诚的关系，任武昌行营中将办公厅主任。抗战期间任一八五师师长、第三十三集团军副总司令、长江上游江防司令、江北兵团司令、第六战区长官部参谋长、副司令长官，参加常德会战。抗战胜利后，任国防部参谋次长。1947 年 6 月，任联合勤务总司令。1950 年去台湾，任“总统府”战略顾问。

1950 年 7 月 31 日，郭忏卒于台北，年 56 岁。郭是国民党到台湾后，非战而逝的第一位高官。蒋因图谋反攻大陆，对郭之丧事很重视，欲藉此机会，聚拢人心，安抚旧部，鼓舞士气，大肆祭悼一番。决定亲自视殓，出席公祭和追悼会。

8 月 6 日举行公祭，陈诚、何应钦、阎锡山、白崇禧、徐世昌等参加，他们在郭夫人的挽联前驻足凭吊许久。家属均匍匐在灵位右侧，一边向致祭的人答谢，一面盼望着蒋的到来。却只等来了蒋夫人，家属先向蒋夫人致礼，然而蒋夫人致祭后，只向郭夫人略示寒暄慰问，就匆匆离开。

原来在此前的视殓中，蒋携挽额“痛失桢干”简从前往，可是看到郭夫人的挽联：“国难方殷，君竟已矣；遗孤尚少，我将何堪？”短短 16 字，饱含着不尽的悲痛，其情可想，其境可悲。蒋看了暗想，这挽联不但达不到鼓舞士气的目的，反而会起到相反的作用，岂不影响反攻大计吗？于是决定此后的丧事一概由夫人代表参加。

蒋氏夫妇配合默契，凡是遇到有难堪场面的此类事件，不能派代表参加者，大都由夫人出马，夫人不辱使命，总能化尴尬为平夷。

第二节　冗联三弹

一、多一字少了什么

1962 年，郭沫若写了一首非常有名的《满江红》，词曰：“沧海横流，方显出英雄本色。人六亿，加强团结，坚持原则。天垮下来擎得起，世披靡矣扶之直。听雄鸡一唱遍寰中，东方白。太阳出，冰山滴；真金在，岂销铄？有雄文四卷，为民立极。桀犬吠尧堪笑止，泥牛入海无消息。迎东风革命展红旗，乾坤赤。”这首词名气大的原因是，毛泽东和了他一首，即“文革”中唱遍全国的“小小寰球，有几个苍蝇碰壁。嗡嗡叫，几声凄厉，几声抽泣。蚂蚁援槐夸大国，蚍蜉撼树谈何易。正西风落叶下长安，飞鸣镝。多少事，从来急；天地转，光阴迫。一万年太久，只争朝夕。四海翻腾云水怒，五洲震荡风雷激。要扫除一切害人虫，全无敌。”

有人说，郭、毛两词若论，郭词除开首“沧海横流”外，没有几个字可与毛词相提并论。

现在“沧海横流”四字，在中国被引用、演绎的肆无忌惮，仅商铺名、网名、网址多得难以数计。正所谓“沧海横流”，流行于中国。其实该词句早在30年代就有了。

原来，1936年5月12日，胡汉民在广州遽然而逝，5月25日在南京励志社举行追悼会，蒋介石出席，并送挽联“沧海正横流，风雨同舟共济；中原谁砥柱？荆蓁满地哭元勋”祭悼。有人评论道：“老蒋啊老蒋，你何必这么啰嗦？你多一字，竟少了百分豪迈和千古传诵的资格！”

二、重复之冗

蒋曾题台湾某荣史室三联：一、冬天饮寒水；黑夜渡断桥。二、忍性吞气，茹苦饮痛；耐寒扫雪，冒热灭火。三、千秋气节久弥着；万古精神又日新。

据说上面三联是蒋介石到台湾后，为自省在大陆的大失败而作。他自承此三联为本人在台湾以来，每日复述之座右铭。第一副为初来台时的真情写照。第二副为痛定思痛后决心一切从头开始的誓言。第三副为必须永远追求之崇高境界。三联连贯来读，反映了本人已逐步走出感情低潮、完成心理革新、达至精神振兴。从前种种譬如昨日死，今后种种譬如今日生的信心勇气，不断砥砺卧薪尝胆之志。其实，第一联和第二联用意相同，似乎可以合并，特别是作为座右铭来说，更无雷同必要。

三、可以简练

和唁电相反，蒋介石不论挽联、杂联，啰嗦是一大特点，与他的性格极不相符。“冬天饮寒水；黑夜渡断桥”，用意很好，但有繁冗之嫌，可否改为“冬饮寒水；夜渡断桥”？也许有人会说，此联是要体现危险的意境，“夜渡断桥”会使人认为有月光的夜里渡断桥，那就表现不出这种意境。此言差矣，如果要表现危险之境，古人有俗谚“盲人骑瞎马，夜半临深池”，字数虽多，毫无冗言杂沓的感觉，而且把那种危险境地充分体现出来，所以，不在字数多少，如果相同的内容，还是以简练者为好。

郭沫若的确是大家，喜改古人诗句。他以唐杜牧诗：“清明时节雨纷纷，路上行人欲断魂，借问酒家何处有？牧童遥指杏花村。”为蓝本，说这首诗是一幅画，也是一幕话剧，就是过冗，可以简化为：“清明雨纷纷，行人欲断魂，酒家何处有？遥指杏花村”，还不过瘾，又改为“雨纷纷，欲断魂，何处有？杏花村”，那就太不像话了！不过，蒋的对联艺术，还是要学学郭沫若。

第三节　为郭朝沛“赐”挽联

郭朝沛何许人也？就是大名鼎鼎的全才、著名诗人郭沫若的父亲！

1927年，蒋介石发动“清党”运动，郭写下《请看今日之蒋介石》对蒋给予谴责，遭到蒋的通缉，被迫流亡日本。至此他摒弃政治，对国内的一切政争不闻不问，一心研究甲骨文，并卓有成果，以《两周金文辞大系》、《殷契粹编》等巨著饮誉海内外。抗战爆发后，郭潜回国内参加抗战。那时国共已经开始第二次合作，他的到来，立刻成为国共两党公开争取的对象。在陈布雷的运作下，7月30日国民党取消了对他的通缉令。三天后，潘公展、陶百川以中国文艺协会上海本会和上海文化界救亡协会两个民间团体名义宴请郭，激动的他“铭感五衷”、“挥泪赋诗”，“当要竭诚以谢”。

9月24日在陈布雷的陪同下，郭面见蒋介石，回去后写了《蒋委员长会见记》，文中对蒋的抗战决心给予高度肯定。蒋对郭的“才华和影响力”也很欣赏，表示：要设法帮他把散在欧美各国的有关中国古器物学的材料搜集起来，供他研究，还要给他一个“相当的职务”。后由蒋授意陈诚邀请他出任国共合作成立的政治部第三厅厅长，负责宣传工作。

1939年7月5日，郭朝沛在四川乐山以86高龄驾返道山。10日，郭沫若在《中央日报》头版刊发“哀启”，称“先严膏如公寿终”，要“匍匐奔丧”。11日，郭偕夫人于立群返乡前，提出辞去第三厅长。陈诚不敢做主，请示蒋，蒋没有批准，还是用老办法，致送挽联：“耄寿喜能跻，忧时何意成千古；中原终克定，告庙毋忘慰九泉”，挽额为：“德育孔昭”，以示“恩宠”，从而化解了郭的辞职请求。

何应钦也送来挽联：“市隐然圭，医鸣华扁；身怀成德，子尽达才。”

毛泽东、秦邦宪、吴玉章、董必武、叶剑英、邓颖超等人合送的挽联为：“先生为有道后身，衡门潜隐，克享遐龄，明德通玄超往古；哲嗣乃文坛宗匠，戎幕奋飞，共驱日寇，丰功勒石励来兹。”正在苏联养病的周恩来不忘旧谊，及时悼以：“功在社稷，名满寰区，当代文人称哲嗣；我游外邦，公归上界，适瞻祖国吊英灵。”

这是蒋以死人“说事儿”，拉拢活人的一副最终未能奏效的挽联。

第四节　挽联换飞机

1935年7月8日上午8时，桂系所属的第四集团军总参谋长叶琪，从家乘军马往绥署办公。在经南宁民主路口时，军马突然受惊急驰，叶坠马而逝，年39岁。

叶去世后，桂系隆重治丧，入殓时白崇禧、黄旭初等文武官员均亲临致祭，悲痛不已。驻广州的总司令李宗仁也赶来祭奠。蒋、桂虽然不睦，但叶毕竟是上将军衔的国家大员，所以不得不讣告南京。当桂系在南宁举行追悼会时，蒋派侍从室主任晏道刚为代表赶来南宁吊唁，并送来蒋的挽联：“北定中原，忆当年智勇兼雄，屡以神奇成伟绩；西临蜀会，冀此日艰危共济，那堪驰骤失元良。”上款“翠薇先生千古”，下款“蒋中正敬挽”（此挽联有三个不同版本）。以及挽额“儒将风猷”。后来这一挽匾，被镌刻在叶琪墓园的六角亭柱子上。

实际上，叶与蒋并无多少交往，更谈不上多深的感情，所以，蒋的此举，让桂系颇感意外，于是有人夸口道，蒋、桂对峙，尚有如此礼遇，可见对叶军事才能之器重，对叶的器重，就不可轻视桂系。其实，这是想当然耳，抛开叶琪确有军事才能不说，蒋藉此正所谓醉翁之意。因他此时第一要务是消灭陕北的红军，他需要有一个稳定的西南局面。在蒋的谋略中，政治重于军事是他最大的特点，这种例子比比皆是，而诔辞就是他政治谋略中的一颗棋子。

◇ 蒋介石五十大寿时的合影。左起：张学良、宋美龄、蒋介石、阎锡山。

1934年，红军长征途经西南时，蒋下令桂系围追堵截，白崇禧为保存实力，佯攻出击，终至错过战机，蒋大怒不已，然而也没有办法，他不可能南北同时开战。三思而再，决定还是与桂系修好关系为上策，怒气只得隐忍心内。事实上，叶葬之后，蒋、桂关系虽有坎坷，并一度兵戎列阵，一触即发，但终以和解为主流，这与蒋的主动与桂系修好不无关系，1936 年 1 月 1 日蒋以国民政府名义，颁授李宗仁一等云麾勋章。

1936 年 10 月，是蒋五十大寿，陈果夫提出“献机祝寿”运动，号召社会各界捐款购买飞机，巩固空防，为蒋祝寿。不少海外华侨纷纷响应，海外部部长吴铁城劝说南洋侨领陈嘉庚出面，希望他能领导华侨捐献一架飞机的款项（十万元），结果陈竟捐得 13 架飞机（130 余万元）。

宋子文通过耍花招，逼迫范旭东也出 10 万买了一架飞机，不知是算作范，还是宋的祝寿礼（后来蒋以国民政府名义颁发对范的《褒嘉令》），在这种情况下，李宗仁、白崇禧也不失礼数，捐十万元购机贺寿，在当时是一大新闻。（《中央日报》民国 25 年 10 月 29 日第一张第四版）蒋大喜过望，认为是他在政治上的胜利，个人寿诞的一大喜讯，找陈立夫协商对策，善于揣摩蒋心思的陈立夫，立即关照各大报馆广为宣传。

这副挽联最终又奠定了七七事变后，桂系服从于蒋，投入全面抗战。蒋中正一石三鸟，龙腾走笔十万金！

第五节　一副挽联促统一

1928 年 6 月 4 日，日本帝国主义看到在北伐中失败的张作霖已无利用价值，企图直接控制东北，在奉天皇姑屯炸死张作霖，造成东北军内部混乱。事发后，张学良潜回奉天，密不发丧，在奉系元老的支援下，出任东北三省保安总司令，控制了局势。6 月 21 日下午正式对外公布张作霖逝世的消息，成立丧礼筹备处。对于这个刚刚被自己打败的东北王，竟以这种方式结束生命，蒋介石有一种错综复杂的心情，当时冯玉祥、李宗仁认为可以乘机追击，打到东北去。蒋认为不妥，他解释说，张学良与张作霖不同，对于张学良只可用政治，不宜用军事。其实蒋是怕再闹出第二个济南惨案。同时也深知日军肯定不会就此罢休，为避免事态恶化，决定派代表方本仁以吊丧为名，进一步劝说张学良归顺南京政府，8 月 7 日蒋电张学良：“江电敬悉，尊翁出殡，弟未能亲来执绋，歉意。至前方事，已属白总指挥直接妥商矣。”方本仁同时带去蒋介石为张作霖撰写的挽联：“噩耗惊传，几使山河变色；兴邦多难，应怜风雨同舟。”张学良秘密接待了方本仁，并向他大吐苦水：“我实在受够了日本顾问和那些吃里扒外家伙们的气，我决心已定，非易帜不可！”方本仁信心十足地笑道：“知学良弟者，介石兄也，介石兄已把你视为天然盟友。”张学良在孤立无援的困境中听到这番话，心里顿时生出一种说不出的感激之情。

◇ 张作霖。

中原大战爆发后，蒋的中央军实力，远不如冯、阎的联军强大，于是他努力争取张学良的支持，最终张倒向蒋，促使蒋取得中原大战的胜利。这时，蒋既怕张学良独自吞并冯、阎部队，壮大后与自己抗衡，但又不能不依靠张，便采取分化、利用、限制的策略对待张学良。1931 年 5 月，蒋筹划召开“国民会议”，制定《训政时期约法》，在标榜民主政治同时，为迈向总统宝座做准备，邀请张学良参加会议，并以争取张的支持为主要目的。卞稚珊当时担任“首都保安警察总队长”兼“南区城防指挥”，参与这次会议的接待和保卫工作，他回忆说：为争取少帅一行的欢心，大会设立专门机构，全力以赴地针对少帅的吗啡瘾、舞瘾，精心安排一套疲劳轰炸式的日程，使少帅一行人等夜以继日地奔忙于“三会”（开会、宴会、舞会）之中。张学良由吴铁城、张群负责招待。这两个足智多谋、能言善辩的策士，对付一个毛头小伙还不易如反掌！张夫人于凤至则由宋美龄、宋蔼龄轮流陪伴。张学良的高级随从王树翰、莫德惠、刘尚清、

◇ 左起：张学良、宋蔼龄、于凤至、宋美龄、蒋介石。

刘哲、沈鸿烈、鲍文樾等则由各院、部、会的官员轮流设宴招待。为应需要，从上海运来大批舞女、歌妓以及香槟、白兰地、金山橙、巧克力、雪茄烟、人头土（印度鸦片），还有山珍海味和进口的点心罐头。张学良夫妇被轮流安排在宋子文、孔祥熙等人的别墅里。其他人员则下榻在励志社、中央饭店、安乐酒家等豪华场所。每天大小宴会轮流招待，宴会后有舞会、戏剧、杂技、清唱，各尽其兴，不到鸡鸣，不予收场。宋美龄第一次招待于凤至，就赏给于的随从人员三千银元，至于中下级的随员、副官、卫士、司机等人也都有相应的安排和陪同，有吃有喝有进项。此外还有陪赌人员，并规定只许输，不得赢，输掉的可到总务处作“特别费”报销。

◇ 张学良。

而蒋介石每天深夜都要亲临中央党部召集有关人员，洽商密谋，制订计划，安排次日的议程，准备提案，确定发言人，如何监督表决等。在开会时，又把他们的座位分开，使之无法交谈。于是在张学良一行人对会议毫无准备，也无暇准备，连文件都来不及看，根本谈不上什么意见了，就稀里糊涂地随声附和：赞成！通过！蒋毫无阻碍地达到目的。（《江津文史资料选辑》第六辑，22~23 页）至此，蒋、张关系达到最亲密程度。

在蒋介石为张作霖送挽联 47 年后，蒋也在台北去世。这回轮到 75 岁的张学良为 88 岁的蒋介石送挽联了：“关怀之殷，情同骨肉；政见之争，宛若仇雠。”这副挽联成为蒋介石与张学良几十年来，个人恩怨系于国家命脉的另一种最终批注。

第六节　不妨简约

1933 年 10 月 13 日，西藏十三世达赖圆寂。国民政府追封他为“护国弘化普慈圆觉大师”，同时派出以黄慕松、刘朴忱为正副代表的致祭使团前往册封致祭。这是国民政府谋求解决西藏地方问题的一个重要步骤。不料行署总参议、副代表刘朴忱于第二年 1 月 7 日竟在拉萨病逝。5 月 12 日在南京华侨招待所，为刘举行追悼会，蒋送挽联：“万里去筹边，未入玉门先化鹤；卅年忧国事，维标铜柱更何人？”祭悼。

第二天，《中央日报》对此作专题报道。喜爱对联艺术的人，对蒋的挽联纷纷研究揣摩。

沪上名医师陈存仁曾为于右任侍疾，得以结识，并成为忘年交。一次，陈与于右老闲谈，由书法扯到对联，陈乘机请教于右老对蒋此挽联的看法。于右老只说两字“啰嗦！”陈似乎没明白，又问了一次，于右老也就又重复了一次。陈以为是说自己，就以晚辈之恭，不作理会。

几天后，钱化佛因故宴请于右老，三人推杯换盏。陈存仁借着于右老微醉，旧事重提。于右老解释说：

我不是说你啰嗦，而是指委员长的挽联。你看如果上联去掉一个“去”字，下联去掉一个“事”字，如何？钱化佛找来报纸，与陈存仁仔细翻看，反复吟诵，认为确有道理。于右老掀髯又说：委员长行文极为简约，不违“文如其人”之古训，你看他的唁电，堪为世范。可是他的挽联呢？啊，不妨也，啊……于右老喝了一口酒，没有再说下去。

第七节　唐有壬遇刺

1935年12月25日下午，交通部常务次长唐有壬在上海寓所遇刺身亡，年42岁。蒋得悉极为震惊，于26日电唁唐夫人：“上海廿世东路廿村二三五号唐有壬夫人礼鉴：有壬先生闳通毅勇，吾党才俊，年来赞襄外交，劳瘁不辞。昨闻在沪寓突遭凶徒狙击身故，极为骇悼。顷以严电缉凶，并分别呈请褒恤。佛尘先生为革命先烈，有壬先生复尽力国事，不避牺牲，实为党史之光，太夫人年高在堂，诸郎弱，尚望节哀顺变，以襄大事，至为盼祷，特电奉唁。蒋中正。宥。”（《中央日报》民国24年12月17日第一张第三版）

◇ 抗战前的汪精卫夫妇。

蒋随即提请国民政府优恤，并下令缉拿凶手。同时，又电令上海市长吴铁城，请其代为慰问家属。27日国民政府明令优恤，给丧葬费3000元。1936年2月17日遗榇葬上海万国公墓，蒋有挽联送达：“承祖烈志辉吾党，谋国忠猷惜隽才。”19日蒋又亲临公祭，“悲悼异常”。

对于唐有壬的遇刺，邵元冲的评价是：“闻改组派唐弄臣有壬等，挟倭寇自重，汲以挟制中枢，俾遂彼派私固权利之计，其肉庸足食乎？”、“闻之一快。唐氏此数年中，助汪精卫媚敌，丧权摇动国本，今日伏诛，其死已晚，犹恨国家不能明证典刑也。然国内人心之未死，锄奸之毅勇，于击汪后，不及两月，终毙唐奸，稍为民族发挥正气，而示敌以中国之终不可亡也。”（《邵元冲日记》，1217、1349页）

唐有壬是辛亥革命先烈唐才常之子，1893年生，字寿田，湖南浏阳人。肄业于长沙高等实业学堂。后留学日本入庆应大学。回国后历任关税会议专门委员、北京大学经济学教授、上海中国银行总管理处调查部主任、湖北省银行行长兼省金库长。1927年后，历任国民党中央政治会议秘书长、立法委员、中央银行理事。1932年蒋汪合作，汪精卫出任行政院长兼外交部长，因南京市长石瑛的关系，唐于1934年3月，被汪拉入外交部任常务次长，这样唐就成为汪的亲信。在汪的影响下，唐对日本加紧侵华的阴谋感到忧心忡忡。曾代表汪同日方密谋媾和，并被日本女特务川岛芳子以美色拉下水，向她出卖过有关情报，是有名的亲日派人物。遇刺前刚刚当选国民党第五届中央执行委员。人们惊疑了：蒋何以对政坛宿敌汪精卫的亲信，竟如此下工夫，大手笔的尊诔呢？

原来，一个多月前，国民党在南京召开四届六中全会，开幕式后中央委员合影照相时，大礼堂秩序比较混乱，经验丰富的蒋临时决定不参加合影，返回会议厅休息室。汪精卫见蒋迟迟不到场，前去催促，蒋忧郁地说：“今天秩序很不好，这是很意外的，我想找他们来维持一下，就不参加拍照了，也希望你不必出场。”汪说：“各中委已伫立良久，专候蒋先生，如我再不参加，将不能收场，怎么能行？我一定要去。”

◇ 暗杀大王王亚樵。

摄影刚完，突然有一个人闯出来，高呼“打倒卖国贼”，向正在转身的汪连发三枪，一弹射进左眼外角下颧骨，一弹从后贯通左臂，一弹从后背射进第六、七胸脊椎骨旁。

蒋闻讯赶来。料定自己必死无疑的汪，用衰弱的嗓音对惊恐的蒋说：“蒋先生，你今天大概明白了吧？我死以后，要你单独负责了。”汪这样说是有用意的，其潜台词是“老蒋，你的目的达到了！”当时社会上纷纷议论，认为这是蒋指使特务所为，汪夫人陈璧君更是不客气地当面问罪：“蒋先生，你不让汪先生干了，就说话吗，何必这样呢？”毫无思想准备，而又不善言辞的蒋一时语塞：“这个，这个……”的十分狼狈。

更让人怀疑的是，在随后召开的国民党五届一中全会上，竟将重伤在身的汪解除了行政院长职务，蒋取而代之，汪的外交部长兼职也由张群接替。人们怎能不把怀疑当作事实？现在唐有壬又被害，有理由相信也是蒋的杰作。其实，这两次暗杀，都是那位让蒋害怕的暗杀大王王亚樵的牛刀小试。可见这次确实冤枉了蒋，蒋在无可奈何的情况下，不得不以尊诔、厚葬、优恤，做给还活着的汪精卫看，来洗刷猜疑。

第十二章
无字之诔

蒋介石对有些逝者，以无诔悼之。仅笔者所知，约有十数人，其无诔的原因，虽属多种多样，却反映了时代环境和蒋的特殊心态。虽说无字诔之，但总得有些什么东西代替文字吧？蒋的无字之诔，运用最好的有三种，一是赠送素花十字架，二是赠送钱款济助治丧，三是派宋美龄（晚年也有蒋经国）代表参加祭奠。其中以赠款为多。在一般情况下，无字之诔的逝者，大多是不太重要的历史人物，即人们笑称的“过时黄花”，但也有特殊的例外。

第一节　陈炯明——法统与革命的对手

陈炯明与孙中山因政见分歧而决裂，就成为一个有争议的人物，直到今天，这种争议更为纷扰。不过也有人敢于修正历史，为陈说几句话。

◇ 陈炯明。

陈炯明参加过辛亥革命和黄花岗起义。1917 年帮助孙中山打响护法战争，在军事上支持和帮助孙在广东的发展。但在第二次护法战争时与孙交恶，陈的部下不满孙“过河拆桥”的对陈手段，于 1922 年 6 月围攻总统府。孙逃到永丰舰。次年孙收买陈手下部将，致使陈遭所有效忠孙之军队讨伐，被迫离广州。1925 年陈残部被李宗仁的桂系击败，陈逃香港，创建中国致公党，任总理，并著书立说，关心国事。时已生活拮据凄凉，常有三餐不继。1933 年 9 月 22 日逝世，得年 59 岁。陈家所收各方挽联达两万多副，陈立夫、邹鲁、章太炎、吴佩孚、段祺瑞、居正、九列等人均有挽联哀悼。其中以吴敬恒和刘白的挽联引人注意，如吴的挽联为：“一身外竟能无长物，青史流传，足见英雄有价；十年前所索悔过书，黄泉送达，定邀师弟如初。”刘白的挽联说陈：“不爱钱，不爱命，不爱虚荣，遗绩满南天，赫赫勋名，环顾谁与京也；又能文，又能武，又能刻苦，英灵遽西去，区区涕泪，岂独人之云亡。”

陈去世后，有提议为他实行国葬，遭国民党反对。也有公葬之议，但终因葬地未定，且陈身后萧条，无资予茔，灵柩暂寄于香港东华义庄。第二年 4 月，陈的故旧部下发起在惠州西湖举行公葬，因葬费无着，徐傅霖发起募捐，并撰写和散发捐启。得到社会各界的响应，汪精卫捐500元、陈济棠捐1500元，又另以每月150元作为陈子女教育费。海外侨胞也多有捐款汇寄。

蒋介石以孙中山钦定的法统接班人自居，又曾登永丰舰护孙，成为他后来发迹的重要政治资本。另外，蒋与陈有刀兵之“血拼交往”，所以蒋不可能对陈之丧，施舍一个字的挽诔。但陈的廉正洁身使蒋颇为感念，陈的晚景又使蒋几多同情，故而，蒋捐3000元赙仪金。

第二节　陈独秀——主义的头号敌人

中共创始人之一的陈独秀，是一位自恃清高、性情刚烈而古怪的爱国者。

◇ 陈独秀。

1932年10月15日陈独秀被捕，后被押赴南京，他却在被押解的车上鼾声若雷，一时传为笑谈。审讯时，大律师章士钊义务为他辩护，极为精彩。法庭问陈有何话要说，陈不领情回答：“这话不代表我”，法庭笑声如潮，章极为尴尬。胡适过南京，未及探监，后写信道歉。陈原不知，接信后大发脾气，颇有绝交意。后胡关怀甚多，陈转而内疚。抗战时日机轰炸南京，陈所居牢房屋顶被炸塌，他躲桌下而幸免。蒋介石欲放陈，要求陈写悔过书。陈拒绝。蒋很难堪，不得已放陈。陈出狱后，教育部长朱家骅来见陈说：“中正很关心你。我向他建议，由你再组织一个共产党，参加国民参政会，给你十万元经费和五个名额，你看如何？”结果朱难堪辞出。陈氏兄弟宴请他，传达蒋意：请陈做劳动部部长。陈鄙视说：“他叫我当部长是要我点缀门面。他杀了我多少同志，包括我的两个儿子，又把我关了许多年，他这不是异想天开吗？”蒋得知，无奈地摇头苦笑。中共欲请他去延安，但要他承认错误，又拒绝。

陈出狱后生活窘迫，靠少得可怜而不稳定的稿费为度。蒋看不过去，想救济他，但知道他的性格，托陈布雷办理，陈找朱家骅出面，三次上门送过1000元、5000元、8000元，均被拒绝。朱转托陈的北大学生张国焘（时已投靠蒋），又遭拒之。张再托郑学稼寄赠，陈退回。后来罗家伦、傅斯年送钱，也是朱家骅所托。陈对罗、傅说：“你们做你们的大官，发你们的大财，我不要你们的救济。”罗、傅假以段锡朋和几个北大同学用“北大同学会”名义再劝，陈才收下。那时向陈送钱者若穿户破槛，陈谨慎选择，三思而再方受之。

1942年5月27日，陈因贫病交加，在四川江津病故，年63岁。弥留之际，陈对夫人说，我死后，你不要卖我（指不要利用陈的声望换钱）。蒋介石派人送来7000元治丧费，这次是公开的，没有人敢拒绝了。陈若泉下有知，会做怎样感想？

第三节　杜母高太夫人——失败的统战竞赛

如果说，1949年1月，高太夫人七十寿诞的隆重庆祝，是沾了儿子杜聿明的光的话，那么她身后的厚葬哀荣，则是享了孙女婿杨振宁的福。由此可看出，蒋介石的贺寿与致诔，配合运用是多么娴熟到位，但也并非都能达到目的。

◇ 1950 年 8 月 26 日杨振宁与杜致礼摄于纽约的婚礼上。

1957 年，杨振宁在瑞典获得诺贝尔奖不久，高太夫人在台北以 78 岁病故。高老太太没有看到获奖后的孙女婿，孙女婿却给她带来意想不到的哀荣。因当时杜聿明在海峡对岸作为“战犯”，接受“劳改”，蒋历来对此类人物及其亲属不予题诔。高太夫人不能例外。但这不影响蒋为其隆重治丧。高太夫人的葬礼由杜聿明夫人曹秀清主持。杜府灵堂上，高悬国民党政要的挽幛花圈。陈诚赠挽额“懿德长昭”，何应钦以“永播徽音”悼之，张群的挽额为“彤管扬芬”，顾祝同、孙连仲、谷正纲、黄少谷等均有诔辞致悼。

蒋盛典厚葬高太夫人，是要与中共打一场争夺杨振宁的人心向背心理战。当时中国大陆政治运动频仍，“反右斗争”加剧中共在国际舆论中的难堪局面。而蒋的不利方面是杨振宁的父母、岳父均在大陆。另一方面，杜聿明在台湾的长子赴美留学，因经济困难曾向蒋告贷，蒋仅批给 1000 美元，还是分两次支付。小杜每年学费为 3000 美元。面临失学的小杜苦闷不堪，服安眠药自尽于美国姐姐家（即杨振宁夫人），杜家对蒋大为不满。高太夫人葬礼后不久，宋美龄派车接曹秀清到士林官邸。蒋、宋热情相迎，蒋问：“孩子们怎样？你的身体可好？”宋则握住曹的手说：“杜夫人，恭喜你女婿获得了诺贝尔奖，你该去美国看看他呀！”曹喜出望外，心里想：“原先不是不允许我离开台湾吗？”宋接着说：“杜夫人，希望你从美国回来时，把杨振宁也带回台湾，让他协助反攻大陆。”曹这才明白蒋氏夫妇客气的原因。为了能与北京的丈夫团聚，她说了一些蒋爱听得话，蒋微笑着点头说：“很好！”

蒋介石决不会为曹秀清的几句甜言所自喜，他允曹赴美探亲是有条件的：期限为半年，逾期不归，罚以巨款。为防不测，子女被留在台湾为人质，还特意找了两位相当职务的人做担保（但曹走后再也没有回台）。

蒋介石笼络杨振宁没有达到目的，不过他还是有远见的，如果当初他为高太夫人之丧题诔，那不是失败的更惨吗？

第四节　梁随觉——国学大师的遗泽

梁随觉是康有为的第二位太太，字婉络，号乐隐，广东博罗县人，略通文墨。18 岁时嫁给 40 岁的康有为。婚后不久，变法失败，梁遁于澳门避难，1899 年康有为偕梁随觉踏上了 16 年的流亡之路，周游列国。梁随觉恪尽妇道，在闭塞的印度大吉岭，在生活极为清苦时，在痛失幼子的巨大打击下，她强忍悲痛，精心安排一切，使康有为得以安心潜入他的理想王国，完成《大同书》。1914 年回国，卜居上海辛家花园。梁氏生育儿女各两人，即康有为的次子同吉（生于印度，夭于印度大吉岭），三子同钱，六女同复，七女同环。

1927 年 3 月 8 日，康有为七十寿辰，原准备在上海摆宴庆祝，当时北伐军正浩荡披靡之际。上海康有为及北京梁启超两家，均十分慌张。康为避北伐军锋芒而去青岛，据康的女儿康同璧的记载：“先君离沪时，亲自检点遗稿，并将礼服携带，临别，巡视园中殆遍，且曰：我与上海缘尽矣。以其相片分赠工友，

◇ 流亡时期的康有为，依然器宇轩昂，胸中自有“大同”在。

以作纪念，若预知永别者焉。”

1927年3月27日，康在青岛去世时，留给妻子儿女一身债务，因没有棺木不能入殓，还是张宗昌送来3000大洋方得以为葬。后事由梁夫人料理，她力主卖掉住宅，还清借款。梁一直是康有为家庭事务的主持人，康晚年家书大都是写给梁夫人的。梁还是个有心人，对康生前一纸一字都珍视爱护，搜集和保存了不少康的信札手迹，仅书信墨迹就有180余件，成为研究康晚年生活的重要资料。

1949年梁随子女移居台湾。关于她到底是怎样到台的，有不同的说法：代表性的有两种，一种是她跟随女儿女婿（大陆持此说），另一种是跟随儿子康寿曼（台湾说）。康寿曼是电机工程师，在台湾铁路发展研究小组工作，他的同事都称赞他是脚踏实地、埋头苦干的好公务员。他于1930年同曾任两广总督的岑春煊的四小姐结婚，生有一子，名康保延。康寿曼原名为康同镬，原意是要他既有钱，又如彭祖一样长寿，可见康有为对他寄托的希望。可是命运却偏偏与他开了一个大玩笑：他因实在太穷了，只得把与“铜钿”相近的“同镬”改为“寿曼”，虽然长寿的含义不变，但这样穷苦的长寿，又怎样艰熬下去？

晚年的梁随觉，始终与贫病相伴随，到1959年，因徐千田医师为她检查出癌症，更是每况愈下。转年康寿曼也因患有严重的气喘病多年，此时不得不住院治疗。这样，80多岁的母亲，与60余岁的儿子，在医院的一间斗室里，病榻相对，哀叹无言。梁随觉矮而微胖，满头凌乱白发，病魔在她的脸上刻画出痛苦不堪印痕，素以健谈的她，此时双眉紧锁，少言寡语，每天要由子孙搀扶去接受钴60的照射治疗。康寿曼则脸色苍白枯瘦，身材高大却动作迟缓，医生说他极度营养不良。康保延这时已29岁，数月前服兵役回来任电力技工，却因照顾父亲及祖母，不得不辞职，窘境更为雪上加霜。这个曾经鸣钟焚香、奏乐鼎食之家，如今却是三代贫病，两餐不继。康寿曼曾对人说，父亲生前告诫他要做好人，做好事，他自问自答说自己：可以称的上做到了“是一个好人”，可是太穷了，没有为别人做什么好事。他说讲过去的事是没什么用的，要紧的是现在的问题。他曾藏有父亲手书的两枚印章，一枚印文为：“行二十万里客”，后来遗失了，让他懊丧不已。另一枚是由吴昌硕刻的，刻工极为精美：“维新百日，出亡十六年，三周大地，行遍四洲，经三十一国，行六十万里”，虽短短27字，却是康有为一生的写照，极具收藏价值，他几次想出让此印，缓解家境，终因割舍不去而罢。

◇ 康有为晚年与家人的合影。

这个不幸的家庭迫切需要社会予以援手，一位好心的颜肇省先生了解情况后，来到中央日报社为之呼吁。消息传出，各界捐款踊跃，在香港的康同环也准备即刻动身来台。6 月 2 日，第一天就收到 2240 元，其中政论家任卓宣独捐百元，另有一位严先生送来溥心畬名画一幅，交给中央日报社代为义卖得 1000 元。截至 6 月 19 日，共收到义款 19154 元，基本上可以治病，三餐也得以勉强果腹了。（参考台北《中央日报》1960 年 6 月 1 日至 21 日各期报纸）

然而，募捐只能救急不救贫。康寿曼时常要住院治疗，既影响工作，又耗费钱财。终于，台省铁路局在 1960 年夏通知他“退休”，医药费的筹措更为困难。第二年的 4 月 27 日，康寿曼终因心脏收缩而逝。梁随觉以耄耋之年，饱尝白发人送黑发人的苦味。（香港《大公报》1961 年 5 月 4 日第四版）

1969 年 7 月 23 日下午 2 时，梁以九十高龄寿终台北市立仁爱医院。其生前友好和广东同乡会当即组成治丧会。主任委员梁寒操，总干事冯用。委员主要为广东同乡如任卓宣、胡秋原、张炎元、张仁滔、吴康、刘我英、祝秀侠、朱祖贻、李大超等。当时康家仍生活在穷困中，治丧会原准备募捐。宋美龄得到消息，于 7 月 28 日致赠一万元为治丧费。7 月 30 日上午，在台北市立殡仪馆举行家祭、大殓、公祭。宋美龄代表蒋和她自己参加，慰问家属。严家淦致送挽额，并亲临吊唁。

第五节　董显光——难堪的师生关系

董显光去世时的头衔是：著名记者、博士、外交家、“总统府”资政。

董显光，浙江鄞县人。早年在奉化龙津中学堂任教师。1909 年赴美国留学，获哥伦比亚新闻学院博士学位。1913 年回国。曾任英文《中国共和报》副编辑、英文《北京日报》主笔、全国煤油矿务总署督办秘书、上海《密勒氏评论报》副编辑、《北京日报》驻华盛顿记者。1925 年在天津创办《庸报》。1929 年后任上海英文《大陆报》总经理兼总编辑。1937 年后任军事委员会第五部副部长、中宣部副部长。1947 年后任行政院政务委员兼新闻局局长。1949 年到台湾，历任“中国广播公司”总经理兼台北《中央日报》董事长，台湾驻日本、美国“大使”。

◇ 董显光。

董显光是第一位由美国人培养的新型中国新闻记者。有人说，董的发迹，是由于早年在奉化龙津中学，做过几个月蒋介石的英文老师，又是由蒋介绍加入国民党的。董在美留学时，宋美龄恰好也在美国留学，假日里，中国留学生有彼此来往互相关照的传统，故董与宋相识。由此，他的头上有两道“光环”，既人们所乐道的“总统的老师，夫人的同学”。这话不假，但蒋后来有意与他疏远甚至为难，也是事实。而他官运亨通，关键还是走通了夫人的关系，在国民党内，董是被视为“夫人派”的。

蒋对董不满，有多种原因。首先，蒋与董同乡、同庚，董却贵为蒋之师尊。蒋若尊之，心有不甘，若不尊，有悖师道学统。蒋早年有 13 位老师，发迹后对他们皆极为恭敬，生日必有寿礼寿封，去世不亏尊诔赙仪；或重用本人，或提携其后代，唯对董两难。其次，蒋认为他只懂西方新闻，不懂中国传统文化，故而轻视。再者，董因受美国新闻教育，难免有美式新闻理念，提倡新闻自由，这些都得到新闻界的喝彩，也为宋美龄所欣赏。而蒋则对此不屑一顾，甚至认为新闻自由是荒谬的。1934 年蒋暗杀《申报》总经理史量才，报界一片哗然，“新闻自由”、“言论自由”、“记者人权”成为谴责暗杀的利器。蒋对此非常恼火，而这些曾经都是董所提倡的，董不得不更加依附宋美龄。抗战爆发后不久，宋美龄努力劝说蒋设立一个由董负责的新闻宣传处，但蒋因实属勉强，故常常拒绝接见外国记者，或者撤销已经预定的新闻发布会，让董经常处于尴尬境况，他不得不向外国记者作种种解释。董对蒋的积怨渐深，认为蒋束缚了他展示才华的手脚。蒋介石与宋美龄，对董的看法，大相径庭，蒋认为董没有什么能力，甚至连话都说不好。据为蒋接电话 12 年的王正元回忆说，不论是蒋找董询问，还是董打电话向蒋汇报，董总是期期艾艾，语无伦次，一件事情要问几次，他才说明白，所以蒋非常不高兴。可是董与宋美龄电话交谈，不论中文英文，都非常流畅，笑语不断。看来董对蒋有一种惧怕。

可以说，没有宋美龄为董撑台面，蒋介石不会如此重用他，他也不会在蒋的手下干这么长时间。1960 年 11 月，董显光的三子董世良（空军副驾驶员）在泰国上空失事罹难，12 月 2 日遗体运回台北。台湾政要纷纷慰问。当时蒋对于元老贤尊失妻丧子，或赠赙仪，或题诔慰问，至少也有唁电。而如今，师尊公子罹难，作为学生的蒋介石无声无息了，让许多人猜测匪夷。1966 年 11 月 6 日，为在美国的董显光八十大寿，也是他与夫人结婚六十之期，蒋没有表示，但又觉得过意不去，只得象征性地派蒋经国向董在台家人祝贺而已。

蒋介石终于找到一次表示对董显光不满的机会：有一次，美国某政要夫妇来台访问，由董陪同全程，董的周到、儒雅与博学，给对方留下良好印象。当蒋在“总统府”设宴招待这对夫妇时，赶到话头，政要夫人问蒋是否学过英文，蒋回答说：“早年学过，不过我的英文老师教得不好，所以没学到多少。”夫人又问：“谁是你的老师？”蒋微笑着用手指对面作陪的董显光说：“他就是我的老师。”董立刻满脸通红，整个晚上如坐针毡。

作为董显光，他早就知道蒋对自己不满，以及不满的原因，而如今竟然公开给自己难堪，看来是不满升级了。那一段时间他低沉了许多，总是在反思，到底什么地方惹恼了他？董百思不得其解后，除了无奈，只有敬而远之，退休后是在美国养老。尽管他在美国出版了多年的倾力之作《蒋总统传》，对蒋大肆歌颂，蒋似乎并不领情，也没有因此请他回台湾之意（蒋曾力邀晚年的胡适、钱穆、林语堂等回台湾，均赠住房），所以他至死不回台湾。1971 年 1 月 9 日，董显光在美国加州蒙特雷疗养院病逝，年 84 岁。12 日，遗体由美国东海岸运抵华盛顿，13 日下午，在高勒殡仪馆举行宗教性的追悼仪式，台湾驻美“大使”周书楷发表演讲，代表台湾当局对董的去世，作官方性盖棺定论的赞扬，遗体安葬在马里兰州克罗市的花园公墓。24 日下午 3 时，董在台北的亲友故旧，假台北新生南路怀恩堂举行追思礼拜，“悼念这位外交界耆宿”，宋美龄亲临哀悼，并对亲属一一慰唁，情真意切。参加者有严家淦、张群、郑彦棻、谢冠生、蒋经国、魏道明、陶希圣、王世杰等七百余人，台湾新闻界元老人物曾虚白报告董的生平事迹。蒋介石又一次违反自己的惯例，没有为董送任何挽诔，也没有亲临致祭，仅仅是由蒋、宋联名送来一个素花装饰的大十字架，摆放在礼拜堂的正中。

第六节　宋蔼龄——生死两端的煎熬

1973 年 10 月 1 日早 7 时，宋美龄突然飞赴美国，探视她因病住院的姐姐宋蔼龄。当天晚上抵达纽约，在机场迎接者有沈剑虹夫妇、中央银行总裁俞国华、台湾驻纽约“总领事”夏功权夫妇、纽约新闻处主任陆以正等。而此时台湾开始筹备蒋介石八秩晋七生日的祝寿活动。

在美期间，众多媒体纷纷围堵采访，宋美龄一概谢绝，她的发言人解释说，蒋夫人此次只是探望生病的孔夫人，没有其他任何活动的安排。台湾方面对宋在美探病的具体活动，很少报道，以减少此事对祝寿的干扰。17 日，台湾媒体在没有对宋蔼龄病情做交代的前提下，突然报道 16 日宋飞回台湾。可以猜测是多病的蒋离不开她，也因寿庆活动需要她。19 日下午 5 时，长期卧病苦不堪言的宋蔼龄，终于决定经黄泉之路，与死去六年的丈夫孔祥熙相聚，年 84 岁。她的男女四位公子，在哥伦比亚长老会医院挥泪相送。台湾媒体对这一消息十分谨慎，在平时，如此重量级的人物去世，无不是在第二天即予以详细报道，而宋蔼龄之丧，却是在两天后的21日，仅以不足百字的篇幅，简短应付。显然是为淡化丧事，避免与日益临近的“总统生日”相冲突。22日上午10时（台湾时间晚10时），宋蔼龄的葬礼在基督教监理会教堂举行，然后安葬在佛思克利夫公墓。台湾对这一消息，也是迟于两天后报道，同样是极为简短。

在蒋介石生日后的第十天，宋蔼龄的追思礼拜，由中华基督教妇女祈祷会、台北灵粮堂、梨山耶稣堂筹备，在台北和平东路灵粮堂举行。宋美龄在蒋经国的搀扶下，面带悲戚，缓步进入堂内。严家淦夫妇、“总统府”资政张群、“总统府”秘书长郑彦棻及何应钦、蒋彦士、沈昌焕等中外人士五百余位参加。追思礼拜由张群的次子张继忠牧师担任证道，周联华牧师讲述宋蔼龄的行谊事迹。77岁的宋美龄独自坐在最前排的沙发上，以手帕掩面静默，她的身后是并排坐着的严家淦、张群、蒋经国等人。追思礼拜在唱诗及祈祷祝福声中结束。

4年前，宋家的老幺宋子安在香港去世（他是宋家六兄妹中最早逝者），在移往美国安葬时，蒋还有四字挽额“怆怀英俊”，伴随着大十字架送去。而此次，对蒋一生极为重要的宋家大姐之丧，却忍心罢笔，怜惜那一纸挽额？表面看来，蒋氏愈到晚年，对自己的生日愈加重视，对生日期间的丧祭，愈加禁忌和躲避。其实，蒋因重病在身，不能执笔，试想，谁人敢于代笔，宋美龄要这一纸“赝品”的哀荣何用？

◇ 宋蔼龄（左）、宋庆龄和妈妈，毕业回国那会儿照的。富贵人家的感觉。蔼龄回国有些时候了，看起来像是穿着中式衣裙，头发样式和表情的矜持都带点中式味道。笔者认为这是她最美的照片之一（比她同时期那些怪怪的日本发型照好多了，也不显胖），不过和妹妹站在一起，还是相形见绌了点。庆龄则还是美国少女的装束，五官很舒展很大家闺秀，神气骄傲的漂亮姑娘，眼神有点心不在焉。

第十三章 讣闻与谢启篇

第一节 无奈的“谢启”

民国时期，以及1949年以后的台湾，有一个习惯，上层社会，家里有人去世，为告知各界，一般要在报纸上刊登《讣闻》、《哀启》、《讣告》一类的启事。当丧事办完后，丧家为感谢参加葬礼的执绋者和致送挽幛者，还要在报上刊载一个《谢启》。但也不是有《讣闻》必有《谢启》，大约《谢启》是《讣闻》的三分之一。一般的《谢启》是这样写的：某某之丧，辱蒙长官亲友故旧莅临吊唁，宠赐挽幛，复劳枉驾执绋送丧，情隆高谊，存殁均感，未能踵门道谢，谨布区区伏乞。

在这个《谢启》中，人们看不出蒋介石是否为逝者题写了诔辞。后来的《谢启》发生了变化，如果蒋对逝者题有诔辞，《谢启》会变成这样：“某某之丧，辱蒙‘总统’、‘副总统’、蒋‘院长’（蒋经国）颁赐挽额、挽联……”下面才是：“长官亲友莅临吊唁……谨布区区伏乞。”在这类《谢启》中，表面是突出“总统”题诔的“恩宠”，实际是为了提高逝者的“哀荣”规格。不过苦了那些没有得到蒋诔辞的丧家，会觉得没有面子，特别是一份有蒋题诔，而一份没有，两份并列在报端愈加明显。所以大多数得到蒋题诔的丧家，会照顾他们，并不会突出“哀荣”的规格，而把“总统”二字列入《谢启》中。大概是在60年代，《谢启》中“辱蒙总统”出现了一个小热潮，说来也巧，那时蒋正谋求连任“总统”，《谢启》把蒋的威望提高到一个新的高度。选举过后，热潮消退。

从70年代起，这种现象就严重了，几乎所有得到蒋题诔者，家属都要在《谢启》中加上“总统”二字，并成为惯例。于是，就有了这样的笑谈：“总统”劳神费力为他们题诔，结果是给自己找骂来的，因为凡有蒋题诔者，《谢启》必称“辱蒙”了“总统”。那时台湾文体有些混乱，既有竖排版，也有横排版，而横排版有的从右向左写，有的又从左向右写。那些对蒋不满的人借机大肆发挥：你们太不像话了！怎么可以用这种方法，随便使“总统”“蒙辱”呢？其实他们有所不知，那时，蒋已弃笔于不顾，卧病经年，“御笔亲书”的真实性，颇值得怀疑。蒋经常受到这样的“礼遇”，实在冤枉。

从目前资料看，最早在“谢启”中点出最高当局参与祭吊或题诔的，是张自忠的长子张廉珍的“敬叩”。1940年11月20日《中央日报》一版，有张廉珍刊发的：“先父陆军上将荩忱公于本年5月16日殉国，移灵来渝，曾承委员长及各级长官与沿途军政绅民致祭，并赐挽幛诔词，兹遵照中央规定于11月16日在北碚双榆柏树行安厝礼，复蒙委员长及各级长官与戚友亲临致祭，高谊隆情，殁存均感，踵谢不周。特此。敬谢。孤哀子。”

国民党败退台湾后，谢启中刻意显摆哀荣的风气有所改观。而后首先在谢启中标明蒋为之题诔的，是1953年去世的吴铁城的两个儿子。这件事，还要从吴国桢说起。蒋到台湾后，为向美国示好，于1949年12月，以吴国桢取代陈诚出任台湾省主席兼保安司令，但吴经常与蒋经国发生摩擦，老蒋则公开偏袒儿子，据说还曾想以车祸置吴于死地。吴自感“贱命”难保，乃于1953年4月以“健康欠佳”为由辞职，得到蒋的批准，也由此在台湾引起一连串的政治地震。吴随即提出赴美，得到“总统府”秘书长王世杰的帮助和宋美龄的批准，但老父、幼子却被留做人质。这件事本来可以圆满结束，可是不久台湾传出吴携巨资外逃的谣言，当局要他从速回台，接受调查。吴在要求台湾当局辟谣得不到答复后，接受美国媒体采访，指责台湾当局的专权独裁，在美国舆论界引起巨大反响，双方开始“越洋口水大战”。吴在一片谩骂声中刊出《上总统书》，蒋氏父子被触及痛处，大为震怒，蒋查找到吴出国的关键人物，在盛怒之下，追打宋美龄，惩罚王世杰，并以“蒙混舞弊，不尽守责”罪名被撤职。吴铁城与王世杰私交不错，看不过去，以“党国铁老”的资格，于11月19日拜谒蒋，劝说不必撤职，让王自己辞职。没想到蒋根本不买账，斥责吴铁城：“你还有脸活着？都是你们这帮人给搞败的！”并将吴赶了出去。吴年近古稀，不堪受此“大辱”，当夜连服三枚安眠药。这场连锁性的政治地震以“铁不下去”的吴铁城“自裁”结束。

◇ 吴国桢。

22日上午10时，吴家举行大殓，蒋率中委前来致祭。蒋为吴铁城题写“勋业昭垂”，并有祭文宣读。由陈诚、张道藩、张其昀、俞鸿钧四人将国民党党旗覆盖在棺木上。入殓后，首由国民党中央委员会公祭，蒋亲临主祭，陪祭者为张群、陈诚、于右任、贾景德、何应钦、王宠惠等全体中央评议委员会委员。蒋向遗体行礼后，在张群陪同下，至孝幛后面慰唁吴氏家属。24日下午，宋美龄衔命，亲临慰唁吴铁城夫人马凤歧女士。12月31日，蒋以“总统”名义发布《褒扬令》。1954年6月9日，灵柩发引、安葬。

1953年11月23日，在大殓公祭后的第二天，吴家在报上刊出《谢启》：“先考铁城府君之丧，蒙‘总统’及各长官前辈亲临展吊或赐哀诔，云天高谊，存殁均感，谨布谢悃，伏祈矜鉴。棘人吴幼林吴幼良泣血稽颡。”那时吴家兄弟，还没有“辱蒙总统”。后来有效仿者，觉得一个“蒙”字，不能表达自谦，也不能表达对“总统”的尊崇，又在“蒙”字前面加上“辱”字，由此相沿成习惯。没料到成了有些人的笑柄。

◇ 吴铁城。

第二节 “谢启”杂谈

19 世纪，西方先进的传媒载体——报纸传入中国，也为中国丧葬文化的发展提供了新的空间。报纸以受众面广，传播迅速、便捷、有利于保存，而受到人们的重视。此后，报纸上所刊载的《讣闻》和《谢启》，成为西方传媒载体与中国丧葬文化结合的产物。

有人认为，《讣闻》和《谢启》是报纸孕育的孪生兄弟，《讣闻》是绝对的哥哥，《谢启》是当然的弟弟。但也有人以为比喻的有点道理，却不贴切，因为《讣闻》可以长时间刊载，甚至长达半年，以补“恕讣不周”。而《谢启》一般一次。但据笔者了解，《谢启》刊载的时间长短，和社会发展有密切关系，在二三十年代，《谢启》次数较多（这里所说的《谢启》是指同一致谢内容，甚至是字数、版面完全一样的。如大殓后登一次《谢启》，公祭后又一次，安卉后再来一次，或移卉、归卉又一次；不同内容的《谢启》，则不在此说之内）。抗战胜利后，《谢启》次数明显减少。国民党迁台后，一般只有一次。

戴季陶母亲于 1929 年 2 月 25 日去世，同年 3 月 30、31 日举行追悼，4 月 1 日，戴刊出《谢启》:“谢啈:先慈黄太夫人之丧，蒙各同志及亲友惠赠厚赙，宠锡鸿词，复蒙远道亲临致奠，光被泉壤，衔感无极。谨此鸣谢。戴传贤率子侄同叩。”一连刊 4 天，在当时是次数较多、也是较有影响的《谢启》。

中国传统丧祭、凭吊中，如鞠躬、敬香、跪拜有所谓“神三鬼四”之分，而其他还有“双”、“单”区别。《谢启》似乎不受此约束，笔者见到有从一到六次，这其中是否有什么规矩，还要就教于各方学者。笔者所见过次数最多的，是马福祥丧事结束后的第二天，他的长子马鸿逵刊出的《谢启》。一般人的《谢启》是竖条形的，而此《谢启》则是近于方形，位于头版的上方正中，黑框粗而空白多，黑白对比格外鲜明，显然是精心策划的，因为仅从这个“谢启”看，就使人受到庄严肃穆，悲戚哀感的袭击。此谢启的特别之处还在于他同日“谢”了两次，又刊于同一版面，不能不让人钦佩其用心良苦。其中一“谢”是“敬谢吊奠”，另一谢是“敬谢厚赙”，连载八天，极为少见。

同日同版刊出两种《谢启》的还有刘峙。1932 年其母谢世，出殡后，7 月 21 日《中央日报》头版有他“稽首”的“敬谢吊奠”，长方形，字数较少，在最上方。另有正方形的“敬谢厚赙”，字数较多，位在“敬谢吊奠”的下方，以“刘峙哀启”落款，连载 7 天。

坚持时间最长的《谢启》，是陈诚夫人谭祥所为，从 1965 年 3 月 5 日陈诚弃世，到 1975 年蒋公仙游，谭祥共刊载十二次《谢启》，除 1965 年两次外（一次公祭，一次国卉）。此后每年的 3 月 5 日，以严家淦为首，都举行公开追悼，第二天，谭祥也准时刊出《谢启》。有时她出访国外，但均能无延误的匆匆赶回，既是对丈夫的哀悼，也是对社会的负责和感谢。

《谢启》内文，有的简练，有的详细，各有特色。如 1950 年 5 月 4 日高雄炼油厂长宾质夫、研究室主任俞庆仁，在试验八十号汽油时，因油罐爆炸至伤重，6 日殉职。5 月 28 日开追悼会，5 月 30 日刊《谢启》，由宾、俞两遗孀，宾朱耀信、俞王琇“合泣叩”:“……并承吴主席（吴国桢）主祭、严‘部长’（严家淦）、朱主任委员等陪祭、蒋旅长（蒋纬国）、金总经理……”等一一列出，而且每人名字单列一行。

有的《谢启》，即使不看内文与名字，仅凭其文字布局，版面设计，就可知道逝者的地位，家族的显赫。如 1931 年倪太夫人仙逝，8 月 21 日的《谢启》，头版头条，内文安排为：宋家三子，子文居中，左子良，右子安。三女蔼龄居中，左庆龄，右美龄，且均以夫姓冠前。内文为：

敬谢来宾：

先妣倪太夫人弃养

各界代表及中外亲友枉驾存文或函电慰问嗣于十七日领帖

十八日发引

既蒙

亲临致敬远道执绋复赠以花圈联幛暨各种文字

◇ 这是我们所能见到的所谓“宋家王朝”成员较完整的一幅照片。

更荷

惠赐隆仪助慈善事业高谊盛意殁存均感除分别踵谢外深以招待未周殊觉欠仄特先布达谢忱惟希

公鉴

治丧处业已结束此后如有函件请投中央银行秘书处代收转交可也

治丧处附启

字数虽不多，却是当时占用版面面积最大的一类，《谢启》内的文字安排，在整个版面的位置和比例中，透露出豪迈与霸气，连载两天。

一般人们在报刊上刊载《谢启》，主要目的一是告知社会，二是感谢亲友，三是显示哀荣。但是，也有的人，不把蒋的题诔当回事。1971 年 6 月 26 日，“立法委员”、《中华日报》董事长郑品聪去世，7 月 28 日举行公祭，蒋诔以“清操谠论”。第二天，谢家所刊载的《谢启》却没有提及蒋的挽额，仅以：“先考郑公品聪（剑候）之丧，荷蒙严‘副总统’暨长官亲友贲临吊唁，宠锡挽诔，高谊云情，殁荣存感。谨申谢忱，俯维矜鉴。”只字不提蒋的四字挽额，却把“副总统”抬出来，真不知郑家是故意，还是疏忽？

有的人为显示哀荣，不但在《谢启》内列入“总统”、“副总统”、“行政院长”的名字，还把三人所题挽额也写入。幸亏那时蒋介石不写挽联了，严家淦也追随老蒋如出一辙，要是严和“蒋院长”（蒋经国）都来它百字长联，那该占用多大的版面？

《谢启》面积最大者，是 1971 年 12 月 21 日，在吉隆坡仙逝的马来西亚侨领刘西蝶，年 72 岁。26 日在吉隆坡举行葬礼。蒋介石通过“大使馆”送去“忠荩不泯”的哀悼。八天后，夫人杨其珍刊出的《谢启》占头版的整整四分之一。黑框内上面正中为刘的遗像（在《讣闻》中列遗像有之，但在《谢启》内刊载遗像极为少见），字体最大为“总统蒋公赐颁挽额”的八个字，其余均为小字，黑白分明，既体现悲悼气氛，又彰显逝者地位和哀荣等级。

《谢启》的内文字数，少者数十，多者百余，一般在 200 字以内。笔者所知，字数最多者，为 1971 年 11 月 29 日，南越反共中文报纸《成功日报》总裁郭育栽，遭越共暗杀。因此他得到台湾、南越双方正副“总统”的题诔，并均派代表吊唁。所以《谢启》内有一段 420 余字的说明。全部文字达 580 余，也是别具一格。

以无约而俗成的习惯，《谢启》要在丧祭后的次日见报，有的因特殊情况，延迟一两天也不为悖情。1950 年 8 月 6 日在台北公祭郭忏，《谢启》是在六天后的 12 日问世。那时的《谢启》大多为一次，而郭家一连三天道《谢启》，不知是否为迟到的“道谢”而致歉。

笔者所见，迟到时间最长的是，1950 年 10 月 28 日捐馆的焦易堂，11 月 16 日公祭。《谢启》在 22 天后才见报。

第十四章 葬费与恤金篇

第一节　如夫人殉节治丧费倍增

◇ 任江西省政府主席时的鲁涤平。

1935年1月31日，军事参议院副院长鲁涤平因脑溢血在南京病逝，年49岁。鲁涤平为湖南人，与蒋介石同年同月同日生，生前有妻子丁氏和侧室沙氏，丁氏与沙氏多年不和，沙氏受丁氏管束极严，鲁深受妻妾相争之累。丁氏育有长子已24岁，时在香港就读。沙氏生有两子两女，均在髫龄。鲁患病期间，沙氏侍疾不离左右。鲁死后，沙氏恐难以见容，避开女佣，跳楼随夫于泉下，年仅27岁，时已身怀六甲逾三月。丁氏亲见此情，担心自己将受恶名连累，也攀窗欲跳楼，幸为其侄抱住双腿得免。可是当时报纸，如《中央日报》对此事，为“尊者讳”，却不顾事实，报道说：鲁与夫人及沙氏“三人和睦同居一处多年”。这就是轰动一时的“鲁涤平如夫人殉节”事件，它为民国时期的殉节类事件中，又添上浓重而悲壮的一笔。冯玉祥在谈到鲁涤平死因时说：“鲁涤平因如夫人之故，血压太高，血管崩裂而死，亦伤精太过之故也。”（见《冯玉祥日记》第四册，506页）邵元冲对鲁的评价为：“咏安资能中庸，然亦醇谨，无过行，乃壮岁遽逝，亦足惜也。”（《邵元冲日记》，1208页）

国民政府对鲁涤平病逝十分重视，明令褒扬，按规定给治丧费5000元，追晋陆军上将，实行公葬。各界唁函交驰，鲁寓车水马龙。蒋在后来听取汇报时，没有任何表示，但是听说沙氏殉节，紧锁眉头，若有所思。蒋是一个旧观念很重的人，对此他很受感动，提笔写下：“增拨一万元灵榇费。”并两度亲往吊唁，“凭棺哀祭，深为叹喟”。回来后为鲁撰写挽联：“遗爱在钱塘犹见白苏政绩；大星陨衡岳长留褒鄂勋名！”派人送往灵堂。

第二节　抚恤金与葬费

并不是每一位得到政府《褒扬令》的逝者，都能得到抚恤金，如有的富商巨贾，或海外华侨就没有。

能够得到者，或多或少和蒋介石的个人意愿有很大的关系，也就是说，有很大的随意性。以抗战爆发前后为例，一般发给家属的抚恤金分为五个级别：10000 元、5000 元、3000 元、2000 元、1000 元。40 年代以后，随着物价的飞涨，这一规定无形取消。

一、抚恤金的级别

蒋有一个习惯，对于欲收买利用的人，其尊长去世，赙赠的恤金就多，相反对已经归顺并忠心踏实为己所用者却少。如 1929 年蒋为收买石友三，对石母病逝给款 10000 元，与此同时的海军部次长陈绍宽父亲仙逝，只有 5000 元。在 40 年代以前，以政府名义公开赙赠 10000 元（有时会在私下另有蒋个人送款）的有段祺瑞、徐世昌、欧阳渐（字竟无，著名佛学家，居士）、黄郛、宋哲元、刘湘等人。5000 元的有蒋百里、杨树庄、邓泽如、谢持、朱庆澜、鲁涤平、马君武等人。3000 元的有吴承仕、张克瑶、章太炎、金华亭等。2000 元的有郁华（字曼陀，上海大法官，郁达夫之兄）、李耀汉（曾任广东省省长）、吕彦直（中山陵的设计者）。抚恤金最低的级别是 1000 元，如黄明堂、张敬文、李仪祉（陕西籍的水利专家）、冶启良等人。冶启良为青海省大通县人，是一位德高望重的老阿訇，八九十岁时还关心教育，曾亲手植树百棵。1940 年仙逝时已经是 120 岁的高龄了，他的后人在得到国民政府《褒扬令》的同时，还得到蒋手书的“共和人瑞”挽额，可见他能得到《褒扬令》，与 120 岁高龄不无关系。蒋介石尊老敬老，可见管豹。

有的人因葬仪规格发生变化，抚恤金的多少随之改变。1942 年 8 月杨庶堪逝世，初步定为公葬，发抚恤金 5000 元，后改为国葬，恤金增拨 10000 元，再拨国葬费 10 万元。1935 年蒙藏委员会委员长石青阳去世，3 月 27 日，国民政府明令褒扬，给丧葬费 5000 元。第二天，国民党中央召开常委会，追赠陆军上将，抚恤费改为 20000 元，子女教育费另议。1938 年 4 月，第七十师二一五旅旅长赵锡章在山西隰县杨村与日军作战牺牲，年 37 岁。阎锡山向蒋呈请特殊优恤 8000 元，获得批准，并由旅长追晋陆军中将，“照陆军中将给恤”。在一般情况下，抚恤金没有 8000 元这一级别，看来这个“特殊优恤”是由于阎锡山的“呈请”起了作用。

◇ 唐绍仪。

唐绍仪的抚恤金大概是比较特别。1938 年，蒋以唐绍仪有勾结日军嫌疑，令戴笠派特务潜赴上海将他暗杀。国民党内部和社会各界顿时沸腾，人们早就对国民党的特务横行不满，现在又认为唐勾结日军无确凿证据，特务随便杀人，纷纷指责。《中央日报》马上刊载消息，说唐死确为日人所为。国民政府随即明令褒扬，给丧葬费 5000 元，蒋又电唁唐家属慰问。日伪方面随即言之凿凿地反驳，蒋为安抚唐家，另赠不公开的丧葬费 50000 元。

二、公葬几何

公葬费一般是直接由家属领取，而国葬费由于数额较大，有的是家属领取，有的是由治丧委员会保管，负责领用。许多人都会问，当时的公葬要花多少钱？国葬又要花多少钱？这种问法是不对的，应该问：某某的公葬费多少？某某的国葬费多少？因为不论是公葬，还是国葬，要具体到每一个人，都是不同的。虽然当时规定公葬费为 5000 元，但是具体到某一个人就会不同。此外在特殊的时间、特殊事件的情况下，丧葬费也都不会相同。这种改变只会增加，没有减少，造成丧葬费用无节制增加，所以在 1937 年 6 月 24 日的中央政治会议议决：国民政府训令直辖各机关：公葬费用不得超过 5000 元。（《中央日报》1937 年 7 月 3 日四版）

1925 年 8 月 20 日廖仲恺遇刺身亡。21 日，广州国民政府特令优恤，举行国葬，颁治丧费 10000 元。

◇ 廖仲恺。

到9月8日又核定给家属恤金30000元，与廖一同被刺的陈秋霖家属10000元，由财政部如数筹拨。当时所谓的“国民政府”根本没有如此财力，一个“筹”字道出内幕。后来是靠海外华侨的捐款“筹拨”的。1933年10月13日，西藏十三世达赖圆寂，在拉萨和南京两地举行公祭，1934年2月24日，国民政府明令实行公葬，由行政院转饬财政部：拨发治丧费50000元，交由治丧委员会领用。但当时财政困难，实际仅领取20000元。当丧事结束后，又为达赖修建了十三层的纪念塔（小型），余款还有7000元。足见当时西藏物价之便宜。1936年10月25日，蒋的智囊杨永泰在汉口被CC系派特务暗杀，蒋非常震惊（对于杨被暗杀，周恩来认为是蒋之所为）。先是指令由国民党中央拨付10000元治丧，这笔钱肯定是不够，蒋又命令湖北省政府由省库提拨30000元，在湖北治丧，避免了在南京为杨举行公祭、追悼，和CC系发生冲突的诸多麻烦和更大的开销。1944年3月8日，黄兴夫人徐宗汉病故重庆，蒋派吴鼎昌前往吊唁，给葬费50000元，那时的货币贬值厉害，与抗战前相比，实际购买力不足2000元。与此同时去世的王用宾，蒋派吴铁城致祭，只给10000元治丧。

◇ 戴安澜。

蒋介石是军人出身，也以军人的眼光来对待丧葬费的处置，对于服从命令，忠勇善战，殉难疆场的将领格外感念，特别优恤。而对于文职官员则另眼看待。1934年6月，蒋为战死的陆军第五师师长胡祖玉颁《公葬令》，并“从优给丧葬费”50000元，以“旌忠烈而励来兹”。1942年5月26日，戴安澜殉国缅甸，国民政府给20万法币。（《百年潮》2003年第二期，47页）

三、国葬几何

一般人会认为，国葬的费用一定比公葬高，这是不正确的。1934年12月，阎锡山的父亲病逝，蒋介石拨款10万元治丧。但你看黎元洪呢，大概黎元洪的国葬费用，是国民党政府上台后的20年间最少的。1928年仙逝时，其子女向上台伊始的国民政府申请名义，要求国葬。这对蒋及同僚来说是求之不得，尽管财政十分困难，但还是筹拨丧葬费10000元，草草将其安葬。1935年蒋不知想起什么，决定在武汉为黎实行国葬（实为黎的元配从天津移灵，与黎在武汉合卉仪式），又增拨10000元。两次均没有涉及给家属抚恤金，这大概是因为黎家经商富有的缘故吧。1930年9月22日，行政院长谭延闿病逝，实行国葬，名义上给丧葬费10000元。但是其他不算，仅为他修建的陵墓园就花费了20万元。刘湘的墓园修建历时两年多，花费140多万元，大多由四川省筹付。

还有一个可比的例子：1931年宋子文母亲去世的公葬，无论从那一方面讲，都超过黎元洪两次国葬的总和。虽然官方没有公布政府拨款多少，但并不能减少人们的猜测和议论。

胡汉民于1936年5月12日在广州捐馆，但他的国葬却拖延了五个多月才举行，原因虽多，但与国葬费多少，久议不决关系重大。当时胡派中委为报复蒋对胡的扣押，提出丧费要150万元，蒋虽不便出面表示，仍遭到许多元老的坚决反对，彼此争论不休，到 10 月 15 日的中央会议上，还在讨论。冯玉祥发言说，他对胡先生甚敬佩，为中央、为政府、为胡先生，不应用款太多。他还引用张继的话：（150 万元）是对胡先生的侮辱。冯感叹道：（150 万元）“可买多少军火抗日呀？”（《冯玉祥日记》第四册，814 页）最后定为 60 万元，那么这 60 万元是个什么概念？以当时江南价格计，可买正值青年时期的健壮黄牛 13000 头。胡家先期只领取 30 万元。10 月 25 日国葬结束后，余款未领。不久，在孙科的提议下，发起将上海私立持志大学改办为私立“汉民学院”，以纪念胡汉民，并将葬费余款移作该校的基金。每年可得息金 21000 元，同时又向社会各界发起募捐基金。后因抗战爆发不了了之，南京仅存私立“汉民中学”而已。

贵州省省长周西成的葬费，也是一个特例。1928 年春，蒋介石加委周西成为“国民革命军第九路总指挥”，下令让他讨伐桂系。周一向对蒋有戒心，不仅不出兵，反而与李宗仁密定协议，联合反蒋。蒋一面下令通缉周，一面派 43 军围剿周西成。周部随即败溃，周本人也在激战中负伤身故。蒋介石立即取消通缉令，拨款 30 万元为其治丧。加之贵州省的拨款，致使周的安葬成为贵州历史上规模最大，与祭人员最多，墓园最奢华的一次葬礼。

我们现在所看到的那时某某葬费多少多少，要做两方面的分析，一是纵向分析，就是历史性分析；二是横向分析，就是同一时期全国各地不同的购买力对比。

◇ 章太炎。

比胡汉民晚逝一个多月的国学大师章太炎先生，他的“国葬”就更不堪回首了。蒋得知噩耗，当即肯允为“国葬”，但拨发给家属的赙仪金仅 3000 元，而当时他的生活境况十分窘迫，有时靠杜月笙给予接济（蒋也时有赠款），至于国葬之费就颇费周折了。6 月 25 日的中央会议，其中一项是讨论章太炎的国葬事，“蒋同意，吴稚晖的态度事：不反对，不赞成。但他后来又和稀泥说高尔基是小说家，能国葬，太炎亦应国葬。”（《冯玉祥日记》第四册，746 页）8 月 28 日，又为太炎国葬事召开筹备委员会议，拟请国民政府先拨 10000 元。（《邵元冲日记》，1415 页）10 月 2 日，在中央党部召开的国葬筹备委员会议上，再次讨论葬费，这次增加到“拟请 30000 元”。但汪旭初发言：章夫人拟请购地西湖滨，亩需五千金，则购地五六亩已需三万金。参加会议的邵元冲是不同意国葬的，更不满过度用款，他在日记中表露：“当此民穷国困之时，何以堪此？”（《邵元冲日记》，1426 页）直到 12 月 2 日的中央政治会议上，才通过增加太炎国葬费 20000 元的决议。（《邵元冲日记》，1446 页）但不知何因，一直没有举行，连蒋的胞兄蒋介卿的“大出殡”都结束了，还是没有确定时间。直到抗战爆发，竟不了了之，太炎先生空得一个国葬的名头。

戴季陶在广州自尽时，蒋虽已下野，但还是左右了戴的葬仪规格：“中央明令国葬”。戴出生于四川，成年后却以浙江吴兴人自居，官居高位后对四川也没有多少眷顾，遗嘱中却要归葬于出生地。四川人这下不买长了——无钱付葬费！戴的墓园原经勘定位于成都外西枣子巷一带，“中央”根据蒋的旨意要求四川省出资，但在这风雨飘摇、大厦将倾的时候，谁知局势如何发展，谁又肯出面负责？其葬费预计为 2500 万元，以当时的物价水平，已经是俭之又俭了。“四川省政府除代为开支部分外，特电请中央拨款。”蒋知道四川省担心垫付资金后，中央不予回补，不得不亲自出面协调，1949 年 2 月 21 日，蒋电令四川省主席王陵基：“戴故中常委季陶丧葬事等，应从俭从速办理，所有葬费，暂由省府垫付。中央明令国葬，即予归还！”由于有了蒋的保证，王陵基这才不得不下令于 22 日动工，但施工效率之快，令人咋舌：“预计半月左右可告竣工。”（参考《新新新闻》1949 年 2 月 23 日十版）当年谭延闿的墓园修了一年多，刘湘的也有两年左右，怎么戴的墓园修得就这样快？

第三节　不敢公开

◇ 黄复生。

抗战胜利后，给付逝者治丧费的数额，就很少公开报道了，可是有一次的公开报道却引起轩然大波。

黄复生（1883~1948），原名位堂，字明玉，四川隆昌人。曾留学日本专习印刷。后入同盟会，任四川主盟人兼《民报》经理，又专司制造炸弹，与汪精卫同行北上谋刺摄政王被捕，判终身监禁。辛亥时清廷大赦出狱。民国成立，任印刷局局长，南北议和后，一直追随孙中山。曾任四川省省长、四川靖国联军总司令。1948 年 8 月 29 日病逝，年 69 岁。蒋派重庆市市长杨森前往致祭，按公葬条例，给治丧费 5000 元。

消息传出，举世哗然。人们纷纷打问，报纸是否登错了？也有人认为是报纸没说实话。因为此时的物价飞涨，与抗战前相比已上涨了数百万倍。5000 元，按照官价可折合 0.0007 美元，如果按照市价则更惨，仅为 0.00057 美元。这样一笔钱能干什么？显然这不是真实的数额！

国民政府对逝者治丧费的公开渠道有三种，一是在《褒扬令》中明确，二是蒋在唁电中提及，三是由报纸作新闻报道。而前两项最终也是由报纸公开的。

公布治丧费数额，给当局出了难题，因为经济形势的恶劣，造成国币汇率的极不稳定和飞速暴跌，如果按照治丧条例给发，如实报道，民舆嘲笑。如果按照实际物价水平给付，民舆又会不满，怎样面对汇率的官价与市价（甚至是黑价）之间的巨大差额？当时新的葬费标准没有制定，即使制定，物价又会变动，所以干脆不公布治丧费数额。

1946 年 8 月 5 日，立法委员凌子黄在南京去世。蒋时在牯岭，闻讯甚为悼惜，特电话中央党部秘书长吴铁城，委其代表唁慰凌氏家属。第二天，又电话嘱赙赠 150 万元。而这 150 万国币，折算官价为 566.76 美元，如果以市价计，仅为 447 美元。如果凌氏为公葬的话，援引抗战前的公葬治丧费标准为国币 5000 元，折合抗战前汇率，为 1466 美元，可见，与战前相比，实际仅为三分之一左右。

1946 年 12 月，为吴佩孚举行国葬的计划用款 5000 万，看起来是很吓人的一笔巨款，但是按官价折合为 15 万美元。若市价，则 8246 美元。足见官价与市价的差额变化太大、也太快。

蒋对他看重的人，还是真心实意地为其治丧，慷慨地给钱。1946 年 5 月 17 日，军事委员会国际问题研究所所长、远东问题专家王芃生病逝南京，蒋极为轸悼，给治丧费 3000 万元，可折合官价约 14851 美元，市价约为 11257 美元。比起战前是很可观了（以 1937 年 1 月汇率计，公葬费 5000 元国币，兑换约 1500 美元）。

虽说王芃生的治丧费，令其他逝者家属羡慕，但是王家必须及时领回，还要及时兑换成美元（当时外汇控制严格，兑换美元十分困难），否则就“稍纵即失”，损失惨重。最可借鉴的是，与王芃生几乎同时（1946 年 6 月 3 日），蒋个人赠百万元为著名学者熊十力改善生活，委托湖北省政府转交。当时可兑换约 495 美元。熊家客气了一下，湖北省政府转交时又拖延了几天，在两个月后只换回 361 美元，就这样还是特别照顾。熊家只有暗自叹息。

第十五章 致祭专使

用“巨细躬亲”来形容蒋介石的为政风格是不过分的，对于重要的丧事活动，他力求参加。但日理万机的繁忙，不可能都出席，特别是战争期间，他远在前线就无法躬亲了。于是有的祭悼，他只得委派代表参加。如张继、宋美龄、蒋经国、刘峙、蒋伯诚、贺耀组、张治中、张自忠、商震、俞济时、王世杰、朱家骅、陈布雷、丁惟汾、胡宗南、邵元冲、陈仪、吴忠信、黄绍竑、黄仁霖、刘朴忱、陈济棠等人都曾做过他的“致祭代表”。他们或是主持追悼会，或是宣读蒋的祭文，或是代表蒋赠送赙仪金，慰问家属。作为家属则倍感“哀荣”，作为蒋本人，一则完成一项“不失礼数”的工作，二则以此“深孚众望”而达到笼络人心的目的。

第一节　由代表而“专使”

有的人似乎天生就有主持丧事的才能，他能面面俱到，滴水不漏，既能满足家属的“悲情与哀荣俱显”的要求，又能体现出蒋的本意，既对逝者哀悼，对家属慰问，对同僚安抚，并对“盖棺”作出准确的“定论”。因此频频被蒋选做致祭代表，如吴铁城、何应钦、魏怀、张群等人，他们似乎成了蒋的“致祭专使”（这个名称不是当时就有的，而是后人为他总结出来的）。其中吴铁城“代表”的最多，竟成了蒋的“常任专使”，不论他是做上海市公安局局长，还是上海市市长，以及国民党中央党部秘书长，或是海外部部长，他这个“常任专使”是始终兼任的。段祺瑞、石瑛、黄兴夫人徐宗汉、胡汉民夫人陈淑子、王用宾、石青阳、文鸿恩、卢斌、张冲、蔡元培等众多人的葬礼都是由他代表蒋参加的，其中大部分是作为主祭而使追悼会“隆重、悲壮、肃穆”。

在40年代前后，魏怀是仅次于吴铁城的第二位“常任专使”，这是因为他的职务——“文官长”所决定的。王伯群、张定璠、周复、张一麐等人的葬礼就是由他代蒋而为的。

魏怀，字子杞，1881年生，福建闽侯人，曾任福建教育司司长，1930任立法委员。林森出任国府主席后，以同乡之谊将魏怀延揽身边，林森对他很放心，只有一个要求：希望他不要援引戚友。他接受了。魏怀于1932年1月3日起任文官长，直至1945年1月18日止。此后专任国民政府委员，1948年任国民政府顾问。魏任文官长颇有心得，他为林森代拆代阅代批文件，加盖玺印，凡事轻重缓急，都安排周密，可省去林的不少心思。林还将“国玺”大印放在魏处保管，一般文件，只要他批阅过的，林便不再过问，由他用毛笔签个“怀”字。他签署的文件特别多。魏还特别善于处理林、蒋之间的关系，往往既遵从蒋的本意，又顾全了林的面子，否则他也不会在这个位子上待这么长时间。

起初魏怀是作为林森的致祭代表，后因蒋事冗临时也委派他兼而代之，这就形成有时他一身代表林、蒋两人致祭，再后来就代蒋而多于代林了。这样也引起逝者家属的不满，认为有敷衍之疑，所以林有时再另选代表。不过他所代蒋而为的人物，远不如吴铁城代蒋而为的人物地位高，这也是两者身份、地位所决定的。魏怀因职位、声望的原因，平时对那些位尊名重的党国大员，低声下气，而到了追悼会上则意气风发。因为在追悼会上，其他人先到场静候主祭，只有主祭就位后，才能开始祭奠。结束时，主祭先行离开，其他人才可以随后退场。

第二节　由专使而“特派”

蒋介石的“致祭专使”有两种，一种是“特派专使”，另一种是“就近专使”。

所谓“特派专使”是指蒋以国民党中央名义，或以国民政府名义，由南京或重庆（抗战时的陪都）派出代表，赶赴逝者治丧地，以表示蒋或国民政府对逝者的哀悼和尊崇，对葬礼的重视。如1940年3月5日，蔡元培在香港去世，蒋派海外部部长吴铁城为他的代表赴香港主持治丧。吴就是所谓“特派专使”了。当然，“特派专使”也不是随便选派的，要根据他的身份、地位、学养、人际关系，以及“致祭水平”而定。

◇ 赵戴文。

1943年12月27日，山西省主席赵戴文病逝于山西临时省治吉县克难坡，蒋于当日得知，特派徐永昌为代表，由重庆趋克难坡致祭。因为徐不但是铨叙部部长，而且与赵同为阎锡山的晋系大员，且与赵私谊颇深。渊源的经历，共同的利益以及乡音乡情和熟悉的乡祭风俗，致使“专使”的致祭，从而拉近了蒋介石与家属乃至整个晋系将领的距离。

1933年10月13日，西藏十三世达赖圆寂，国民政府一面追封为“护国弘化普慈圆觉大师”，一面组织“致祭使团”前往册封致祭。当时英国对西藏图谋已久，西藏地方当局既恐英国殖民，又惧国民政府控制。当英国势力猖獗时，就向国民政府靠拢。当危机过去，又疏远中央政府。蒋介石决定利用这次机会，深入了解西藏社会的各种情况，筹划解决西藏问题。但是，派谁作为“特派专使”？按相关职务来说，蒙藏委员会委员长石青阳是当然人选。因蒋还有其他军事目的，对这个四川人不放心。最后选定亲信黄慕松。黄在入藏途中，代表蒋介石，先后与刘湘、刘文辉、藏官、僧众等进行洽谈、访晤。黄仅在拉萨就留居3个月，全程费40万元，为蒋带回有关川藏政治、军事、经济等分量颇重的资料情报，可谓不虚此行，深得蒋之满意，不久荣膺封疆大吏——1936年出任广东省主席。

◇ 国民政府特派专使黄慕松赴藏致祭十三世达赖圆寂。

1936年6月14日章太炎病逝于苏州，蒋很意外，也很重视他的治丧，当时就定为国葬。对于选派何人做“国葬”的致祭代表，特别是要考虑到太炎先生的古怪性格、显赫经历、崇高的学术地位，以及众多的故旧门生，蒋可谓是颇多思量，最后决定派国史馆馆长张继。当时张远在西安，即于 15 日下午由西安飞苏州代蒋而为。

“就近专使”是指委派逝者丧地的官员代表蒋致祭，它有三个方面的特点，一是节省时间；二是节省费用；三是大多为“父母官”的地位，更容易化解某些矛盾。1936 年 1 月，中央委员兼蒙藏委员会委员尼玛鄂特索尔（蒙古族）在张北殒命，蒋派时在北平的张自忠代表前往致祭，张还代表蒋向家属转交蒋赠送的 3000 元赙仪金。

1936 年，段祺瑞在上海去世后，蒋派军委会副处长官丁琮为代表赴上海襄助治丧，原定葬于黄山，并花费 20 万元选址建墓园。但段的儿子段宏业不同意，执意要葬在北平，蒋遵从了，又派河北省主席宋哲元为代表，协助段家办理安葬事宜。这样，前者是“特派专使”，后者就是“就近专使”了。

第三节 由特派而众多

蒋介石有时会在一个追悼会上，派出多位“致祭专使”，其中一位作为主祭，另一位宣读他的祭文，其他则慰问家属，各司其职，彰显隆重。1938 年 5 月 8 日，抗战名将郝梦龄的遗体运抵汉口，当天举行公祭，蒋派何成浚主祭，另派铨叙厅长吴恩豫“恭读”蒋的祭文。

1944 年 4 月王用宾病逝，蒋首先派出吴铁城前往吊唁，5 月 1 日举行追悼会时，派居正代表自己主祭，派吕超恭读蒋与居正联名的祭文。

有时蒋本人既已参加追悼会，却还要派代表，这就令人奇怪了。众所周知，蒋不善辞令，而且他的乡音也不易听懂，所以，一般的追悼会，他的祭文是由代表宣读的。1940 年 1 月 21 日，旅渝的山东同乡会发起，在重庆为吴佩孚举行追悼会，蒋以国民党总裁身份主祭，国民党元老、吴佩孚的山东同乡丁惟汾代蒋“肃穆敬读”蒋的祭文。

也许有人不相信，对于一位著名人物的丧事，有时蒋会前后派出多达十几位代表参与丧事，因为中国传统的丧葬文化较严谨，有许多程序不可违越，蒋也是很尊重的。如得知某人去世，蒋首先会派代表去家中慰问家属，此后家庭小殓、社会大殓、社会公祭、追悼会、安葬仪式（甚至还有告殓仪式、启灵仪式、归卉仪式等）、忌日周年、冥诞纪念等活动也都会派代表参加，也就形成了他一生中的“致祭代表”难以计数的原因。

第四节 三特使有分工

蒋介石一生，主要有六位高级别的致祭特使，如果依据次数而定为：吴铁城、魏怀、何应钦、张群、宋美龄、蒋经国。如果依据逝者的职位和重要性来定，则依次为：张群、宋美龄、蒋经国、吴铁城、何应钦、魏怀。在大陆时期，主要是张群、吴铁城、何应钦三人。这三人与蒋有着渊源的历史关系，成为蒋的亲信，又是国民政府的高官。从年龄上看，吴铁城最大，生于 1888 年，其次比肩而论，各差一岁。

如仅从“致祭专使”角度看，以大陆时期为例，他们三人似乎有一种不太严格的分工：其中吴铁城代表的次数最多，主要是政府部门、耆老贤尊、社会名流，海外侨领。何应钦主要负责代蒋出席军事将领的葬礼。张群代表的次数最少，但是规格更高，还包括蒋氏家族的亲属，如 1929 年宋子文之母倪珪贞的葬礼，就是由他代表蒋和国民政府前往致祭，并负责办理一切。此外还有 1937 年 4 月蒋介卿的葬礼，从这一点分析，张群显然与蒋的关系更亲近，更得蒋信任。

这种无约而俗成的分工，是蒋有意安排，还是无意巧合？不得而知。但有一点可以肯定，那就是他对丧事较为重视，对致祭代表的安排是深思熟虑的，如孔祥熙、宋子文两位国戚，从来就未被选做致祭代表。有意思的是，孔祥熙有时参加追悼会，说一些委员长怎样关心，怎样重视，记者以为他是代表蒋介石了，于是就这样见诸报端，其实这是他拉虎皮而已。你看宋子文从没有这样过。

吴铁城和张群都做过上海市长，可是吴当市长时，参与蒋的致祭活动，似乎成为他市长工作的一部分，这一点与张群有所不同。段祺瑞、石瑛、黄兴夫人徐宗汉、王用宾、石青阳、文鸿恩、卢斌、张冲、著名画家高奇峰、蔡元培等数十人的葬礼都是由他代表蒋参加的，其中大部分是作为主祭，而使追悼会隆重、悲壮、肃穆的。

何应钦始终任职军界，许多军事将领的去世，由他代蒋主持葬礼，恭读祭文。而且他们的亲属去世，也责无旁贷。如1935年阎锡山的父亲去世，就是何代蒋而为。不但如此，就连中共方面也不例外。1944年4月，中共领袖朱德母亲钟太夫人去世，年86岁。延安举行隆重的追悼活动，这是中共历史上仅有的一次，为党的领导人的母亲去世，举行的公祭仪式和葬礼。何应钦以国民政府军事委员会参谋总长的名义致唁电："惊闻之余，至深哀悼。太夫人福寿全归，母仪永耀，尚望勉抑孟思，无过哀毁。"据说蒋原本派何代表前往参加祭悼，因故未果，何又派人送去一副挽联。

◇ 张群（左）与吴铁成，蒋介石的两个重要致祭代表。1949年12月，同船离开大陆赴台，但表情各异，张群愁眉不展，心事重重，他是担心留在大陆的老母年迈多病。

到台湾后的初期，是三特使合作最愉快的一段日子，他们同时参加公祭的机会很多，后因蒋打击CC系，冷淡政学系，以扶持蒋经国做接班人，所以何应钦、吴铁城作为主祭的机会都不多，甚至连"襄祭"的荣誉也很少有，他们已经被新的权贵所取代。1953年11月吴被蒋骂死，蒋的态度如何，不得而知，只是蒋夫人代蒋慰问吴夫人马凤歧女士甚殷。"三特使"变为三缺一，张群、何应钦对吴之结局，感喟颇多，哀叹不已，有"致祭代表"致祭"致祭代表"之说。此后两人成为台湾政坛的常青树，更是丧葬活动不可或缺的重量级人物。张群在谈到吴铁城时说道："政府播迁到台湾以后，铁老与我的往还更亲密，朋友们每谈到铁老便说到我，看到我就联想到铁老，把我俩看成是永远离不开的形与影似的，其实我何敢与铁老并称，我和铁老的'交情老更亲'是事实，而我的不及铁老处，使我衷心愿意把铁老作为最亲切的益友，则为很少人能够体会到的。"

◇ 1954年，吴铁城逝世周年祭，张群前往慰问家属。

第五节　台湾时期

蒋介石到台湾后，推行"国民党改造"，一来对在大陆的失败，找借口做个交代，二来为儿子蒋经国接班，铺平道路。所以这一时期，致祭代表换了新面孔。如1968年3月9日上午，派"总统府"参军长黎玉玺上将，前往市立殡仪馆，致祭已故中央评议员、前驻意大利"大使"于焌吉。蒋送挽额"坛坫著绩"，严家淦赠"绩垂坛坫"。（《中央日报》1968年3月10日第三版）

1972年7月15日，特派张宝树致祭台湾省议会议长黄朝琴，张宝树为国民党中央委员会秘书长，刚结束四天在菲律宾的访问归来（《中央日报》1972年7月16日第三版），可见新权贵的繁忙。

1960年4月17日，蒋特派参军长黄镇球上将，致祭泰国空军总司令差林杰上将。（《中央日报》1960年4月18日第一版）

◇ 蒋介石与麦克阿瑟。

1964年4月5日，美国二战名将麦克阿瑟，在华盛顿陆军医院病逝，年84岁。他的遗体将运纽约供人瞻仰，然后安葬于麦克阿瑟纪念堂内。6日，蒋氏夫妇特驰电麦帅夫人致唁，同时派国民党当局常驻联合国代表刘锴、安理会军事参谋团首席代表王叔铭，作为特使，参加八日举行的麦克阿瑟追悼仪式，蒋氏夫妇为其发有唁电："……他的丰功伟业，将为目前仍在继续反抗暴力，反抗侵略及反抗奴役之爱好自由人民，永志不忘。"此电报由其驻华盛顿"使馆公使"江易生转交麦克阿瑟夫人。（《中央日报》1964年4月8日第一版）

张群依然得到蒋的信任，主祭和特使的资格依然保留，如1958年1月12日，蒋派张群致祭丁文渊（丁文江之四弟），并为之题写"多士楷模"。（《中央日报》1958年1月13日第一版）1972年6月3日，蒋明令特派张群为"监察院院长"李嗣璁治丧。（《中央日报》1972年6月4日第一版）

第六节　晚年

晚年蒋介石最信任的三位致祭代表是张群、宋美龄、蒋经国。一些重要的国际性丧事活动，大多由此三人代表。1959年5月24日，美国前国务卿杜勒斯因癌症，在华特里德陆军医院去世，年71岁。此前三天，艾森豪威尔总统以文职人员最高荣誉"自由勋章"授予这位著名外交家，得知杜氏噩耗，艾森豪威尔当即发表声明悼念。当时宋美龄恰好在美国，自然成为蒋的就近特使，于6日从纽约抵达华盛顿，参加8日举行的杜勒斯葬礼，她对记者说：她相信美国政府将继续实行前国务卿杜勒斯的政策。她是十几位参加葬礼特使中的唯一女性。（《中央日报》1959年5月28日第一版）

1967年8月15日，孔祥熙在纽约病逝，年88岁。当天，蒋氏夫妇联名电唁孔夫人，第二天蒋就为之题诔"为国尽瘁"。对于孔之丧，于公于私，宋美龄都是最适当的特使。17日，在蒋纬国的陪同下，宋乘台湾一架空军专机，自台北抵达纽约，参加将于22日举行的葬礼，台湾驻美"大使"周书楷夫妇、驻联合国代表刘锴等在机场迎接。

不论是作为就近特使，还是特派专使，宋美龄都是讲究地位对等的原则。1958年7月27日，陈纳德因肺癌在美国病逝，年67岁。蒋氏夫妇、陈诚夫妇等均有唁电慰问。当时在美国的宋美龄发表谈话，赞扬他为中国抗日战争做出的杰出贡献。（《中央日报》1958年7月29日第一版）尽管台湾对陈纳德评价很高，尽管宋美龄与陈纳德关系很近，也常去看望他，但所派特使级别并不高：蒋明令派驻美"大使"董显光为特使，参加他的葬礼。当时宋美龄就在美国，而且结束在华盛顿13天的访问，立即飞往纽约参加陈的葬礼，却不是作为特使，这是因为陈纳德当年只是国民政府聘请的飞行教练，尽管后来升级为"少将司令"，但他仍然是在宋的领导下，以宋之地位作特使，似乎有屈尊之嫌。

蒋介石一生最后一位重要的致祭特使，就是他精心培养的接班人蒋经国。蒋经国在台岛内，以蒋的特使身份主祭并不多，但对待国际大型丧事，非他莫属，可以说在晚年，在对待蒋经国的接班问题上，他连宋美龄都不信任了。1969年3月28日，美国前总统、第二次世界大战盟军统帅艾森豪威尔将军病逝，蒋派"国防部长"蒋经国为特别代表，赴美参加艾森豪威尔葬礼，实为借机与美国新任总统尼克松探讨美台关系。

第十六章 学者耆贤篇

第一节　才贺寿龄又哀其萎

1936年10月31日，是蒋介石50岁生日。在陈果夫提议“献机祝寿”下，号召人民捐款购机，巩固空防，为蒋祝寿。当时著名教育家、复旦大学创办人马相伯“特以描金红绢立轴书四尺大寿字”，为蒋贺寿，于30日派专人航空送南京，“委托受业弟子于院长右任亲手转交”给蒋，当时蒋避寿于洛阳。而马相伯晚年对蒋的“不抵抗”政策颇为不满，曾对人说：“他会打仗吗？”在七君子及“救国会”事件上，更是坚决站在他们一边，七君子也“唯公马首是瞻”。因蒋有敬老崇老特性，缓解了对马的不满情绪。1937年，马98岁寿辰时，蒋赠3000元贺寿（于右任捐1000元）。1939年4月7日，是马老百岁寿诞，时马已避难在越南凉山。然而，抗战中的人们没有忘记“南天一老”，在寿诞前一天，国民政府颁布对他的《褒嘉令》，对他的学术人品、爱国情操给予高度赞扬。重庆、上海和香港同时为他举行祝寿活动。蒋亲临重庆会场，并致送贺联：“天下皆尊一老，文章独擅千秋。”蒋的对联写得不是很好，但是此联却不同凡响，是否假以他人，不得而知。于右任的寿联为：“先生年百岁，世界一辰星。”（周伯敏：《记于右任》，《上海文史资料存稿汇编·政治军事》第二卷，320页）

◇ 于右任和恩师马相伯。

国民政府为马相伯祝寿而颁发的《褒嘉令》，称赞马相伯：“学贯中西，名德夙著。中年以后，慨捐巨款，倡学海滨，乐育英才，赞襄匡复，为功尤巨。近自御侮军兴，入佐中枢，秉老当益壮之精神，参抗战建国之大计，忠忱硕望，宇内同钦。兹届转登百龄，襟怀豪迈，无灭当年，匪唯民族之英，抑亦国家之瑞。载颁明令特予褒嘉，以旌勋纤而资矜式。此令。”《褒嘉令》中还赠寿匾“寿登百年”。为祝寿而颁《褒嘉令》，马相伯是唯一特例。

但是，仅仅过了半年多，11月4日，马老在凉山去世。7日，蒋电唁马老家属：“河内总领事馆转马相伯先生家属礼鉴：惊闻老先生溘逝寓邸，东夷之寇焰未灭，南极之星亡遽饮，一代人师，千秋永念，国遗之戚，举国所同，谨电致唁。蒋中正。鱼。侍秘渝。”11 月 26 日重庆各界为马老举行隆重追悼会，蒋送挽联：“毕生广造英才，化育百年尊绛帐；临死尚饶敌忾，惊魂万古式黄炎！”这真是：才贺寿联，又哀其萎！在蒋之诔辞中，可谓一奇。1940 年 4 月 6 日，在马老 101 岁冥诞时，国民政府颁发对他的《褒扬令》，其日期选择，用心良苦。

第二节　当生日遭遇“师表”死期

蒋介石十分重视自己的生日，1936 年的 50 岁生日，1946 年的 60 岁生日，都搞了很隆重的祝寿活动，前者是“献机祝寿”（要求人民捐款购买飞机，巩固空防）。后者是“献校祝寿”（要求人民捐款补助学校或创办新校，发展教育）。即使败退到台湾后也不例外，想尽办法号召台湾人民为他祝寿。台湾各机关、团体、学校、军队在这一天均要张灯结彩，开会庆祝，大中城市的各街道还要张贴很多祝寿、庆寿的标语（连祝寿的标语口号都是事先规定好的，不得随意使用规定范围以外的口号），国民党控制的报刊，还要发表祝寿社论。

◇ 吴敬恒（1865~1953），字稚晖，出生在中国江苏武进和无锡交界处的雪堰桥。政治家、教育家、书法家，中央研究院院士。一生追随国民党，却一生不入官门。

1953 年 10 月 31 日，是蒋介石 67 岁生日，就在为蒋筹备祝寿的同时，国民党元老吴稚晖病危，吴的亲朋好友和医生都认为吴活不到 31 日。“总统府”秘书长王世杰十分为难，他深知，蒋特别不喜欢在他生日这天有不愉快的事，如果将这个消息告诉蒋，蒋必定会不高兴。最后他与蒋的心腹陶希圣、“总统府”副秘书长黄伯度及医生协商，尽力维持到 11 月 1 日，如果不行，可采取其他办法。一定不要与蒋的生日相冲突。

但陶希圣认为此事还必须告知蒋，如果一旦有变故，恐怕谁也担待不起。29 日深夜，陶希圣、黄伯度见蒋，将吴的病情及协商意见报告蒋介石、蒋经国，得到蒋氏父子的肯允。30 日下午 6 点，主治医师发现吴的病情又在恶化，当即将这一情况报告黄伯度，黄带了一帮人马赶往医院，找到主治医师，直接告诉他们实情，必须在 30 日夜 12 点以前，使其停止呼吸，必要时可拔除氧气管，对亲属只可说是实在无法抢救了。在黄伯度的监督下，医院终于停止抢救。插在吴稚晖鼻子上的氧气管拔除不一会儿，吴就停止了呼吸，时为 1953 年 10 月 30 日夜 11 点 28 分。吴稚晖终于在蒋介石生日前 32 分钟去世了，终年 88 岁。

◇ 吴稚晖的入室弟子蒋经国，尊恩师遗愿，将其灵骨葬于金门海域，意寓魂归神州。

10 月 31 日，台湾各界都在为蒋大张旗鼓地举行隆重的祝寿活动，《中央日报》头版有四个空心红边的“万寿无疆”方联。而仅在第三版的角落里对吴之死作了简短的报道：10 月 30 日，党国元老吴稚晖先生因病“抢救无效”在台北逝世。

11 月 2 日蒋率全体中委举行隆重的公祭，蒋特颁“痛失师表”挽额，痛悼这位年长自己 22 岁的“师表”。翌日蒋又颁发《褒扬令》，令文称吴“高风硕德，允为一代完人”（在蒋的诔辞中，只有三人被尊崇为“一代完人”，而吴是最后一位）。4 日尊吴氏遗嘱实行海葬，他的入室弟子蒋经国亲自参加。1964 年 3 月 25 日，蒋为吴百年诞辰特撰《吴敬恒先生百年诞辰颂词》，洋洋洒洒 2000 多字。在台北市中心区的圆形广场上，有两尊铜像，一为蒋介石的，一为吴稚晖的，蒋以“一代完人”的“师表”陪祀自己，以显示自己地位之崇高，可见其用心良苦。

第三节　西北大家长

蒋介石到台湾后，反思大陆失败的原因，认为是由于国民党内部派系丛生，互相拆台，不团结所至。所以他要改造国民党，将一些元老级人物，或是打压，或是赶走，或是束之高阁。如陈立夫被赶到美国养鸡，何应钦只有吹牛拍马的份儿（何曾著述撰文，如“反攻大陆三年成功”、“蒋总统如何伟大”等）。然而蒋对于右任格外关照，“监察院院长”的位子还给他保留着。大概是他没有野心，也无拉帮结派的缘故吧。也正是这种原因，在台人员以地缘乡情故，凡西北籍人士纷纷向于右老靠拢，尊为“西北大家长”，唯此公马首是瞻。

在台湾的国民党西北籍高官中，仅次于于右任声望和地位的是田炯锦。说起此公的出仕，和他这个南开校友的金字招牌不无关系。

◇ 田炯锦。

1948 年，58 岁的戴季陶因年老多病，不能视事，辞去考试院院长。蒋力邀 72 岁的南开大学校长张伯苓继任，张再三坚辞不获，无奈，提出三个条件，其中就有在考试院中安排南开校友的要求，得到蒋的默许。但遭到多方质疑，蒋发话，任用南开校友，是符合张伯苓先生的意愿的！张在考试院的铨叙、考选两部人选上，尽力推荐南开校友郑道儒、田炯锦、雷法章等出任。1948 年 6 月 25 日，蒋接到由西安绥署主任胡宗南转来监察院院长于右任来电，于谓：“行宪政府组织伊始，甘、宁、青三省参加无人，田炯锦隶籍甘肃……拟请就铨叙、考选二部择一提用，必能济用，且藉与三省人士以鼓励。”蒋在此电报上批示：“可！”

可见，田炯锦的仕途，首先由张伯苓铺路，继而于右任的力挺，则是看在他西北籍的地域背景。后来，田的官做到蒙藏委员会委员长。

至此，在台湾的西北籍人士，莫不以于、田二公为中心。凡西北籍人士之丧，或是由此二公发起追悼，或是列名成立治丧委员会，主祭则唯此二公而无他。如陕西浔阳籍的监察委员李梦彪、甘肃的田昆山等人的葬礼，均为于右任主祭。而每年的成吉思汗大祭，则由时任蒙藏委员会委员长的田炯锦代表蒋主祭，并宣读蒋的祭文。

第四节　不解之缘

民国时期，在所有的公私立大学校长中，没有任何一位能像张伯苓那样，同蒋介石结下如此深厚的个人感情。以至于张由无党无派的私立大学校长，做到考试院院长这样的高官，不能不让人刮目相看。

1949 年底，蒋临去台湾前，两度亲临其舍，力劝张赴台，却未能如愿。

一、抗战前的关系

张伯苓同蒋介石最早发生关系是在 1931 年 1 月，他为南开募捐经费，赴南京，经他的学生介绍，首次与蒋会面。双方都留下良好的印象，蒋对张所创办的南开教育大加赞扬。对于张婉转提出的劝募请求，蒋表示“极愿补助南开，唯补助方法须待研究”，这一“研究”，就研究了五年多。

1933 年 6 月，蒋亲自致函张伯苓，征求他对时局的意见。张接信立即回函表示：“倾奉谕函征求裨益时局之见闻，仰见我公无时不以谋国为心，一柱擎天，而虚怀若谷，不胜为之钦佩。华北事由何、黄二先生主持，措置均甚得宜。苓遇事勉竭愚蒙，用供采择，但不欲一知半解动扰聪听。兹承颁给电本，仅当密藏待用。不过知识谫陋，虑无以仰赞高深为汗颜耳。”

向文教界知名人士送“密电本”，是蒋拉拢他们的一个手段，表示蒋对他们的尊重和信任。抗战时期的晏阳初，抗战胜利后的梁漱溟等人，也都曾享受过蒋的这种优礼，只不过张比他们更早一些，但他从没用过，他也没有能引起蒋感兴趣的密电向蒋报告。

1934 年设在杭州的中央航空学校举行毕业典礼，蒋作为该校校长，张作为学生家长（张的四子张锡祜为该校学生，毕业后任空军的一个队长）代表出席，二人都在会上致辞，这是两人第二次见面。标志着张在蒋政权中的分量又一次得到加码。就在这一年，国民政府对南开大学的补助从 1932 年、1933 年连续两年的 6.2 万元，猛增到 1934 年的 14 万元，同年教育部补助 4 万元，河北省教育厅补助 6000 元，总计达到 18.6 万元。当时南开大学的全年收入不过 40 多万元，公款补助就占四 10% 左右。为其他私立大学所侧目。

二、蒋对张的允诺

七七事变后，南开大学因被日军仇视已久，校园惨遭日军炮火猛烈轰击，全校付之一炬。当时张正在南京筹划迁校之事，经闻南开遭此厄运，异常愤怒，念及 30 多年惨淡经营，一草一木皆亲手建树，今遭日军入侵，一切化为灰烬，不禁悲从中来。

7 月 31 日张面见蒋，汇报南开被毁之事，蒋对此深表惋惜，安慰张说：“在抗战中，国家一定尽量支持南开在内地办学，打败日本之后，也一定会协助南开在内地复校。”并表示：“南开为中国而牺牲，有中国就有南开。”蒋果不食言，在他的关照下，南开与北大、清华组成临时大学，几经迁徙，最后在昆明定为“国立西南联合大学”。可以说，没有蒋的关照，就没有南开大学的后来发展。

三、特别礼遇

蒋对张的礼遇，不仅是在经费补助方面，同时还有对他生活的关心、疾病的探望、生日的祝贺、子女的教育和培养等。从 1938 年到 1946 年，蒋两次到南开参观，五次拜访张伯苓，还借南开校园里的大运动场举行阅兵式。探病、祝寿、题词、宴请、授勋、赠款不一而足，任何一位国立大学的校长都未曾享受过如此待遇，更何况是私立大学了。张也经常理直气壮地向蒋提出补助南开经费的要求。

1944 年 1 月 1 日，蒋以国民政府名义授予张“一等景星勋章”。同年 4 月 5

◇ 1938 年 7 月，蒋介石与张伯苓合影于国民参政会第一次大会会场。

日为张七十寿庆（虚两岁祝寿），在此前一天蒋赴“津南村”为张祝寿，并发表演说“希望中国的学校都能办得像南开这样好”。还赠送手书的条幅“南极辉光”为寿礼。

张在抗战时得前列腺肿大，非常痛苦，曾住院治疗。蒋听说后，两次探病，一次赴医院，一次到家中。张听说孔祥熙也得过此症，是在美国得到根治，于 1945 年 12 月，令长子张希陆访问孔祥熙，了解在美治疗情况。孔很快将此事告知蒋，蒋表示同意张赴美治病，并赠 10000 美元。张在美国治疗期间，洗澡不慎跌倒摔伤。蒋得知又赠 5000 美元治疗费，并电令驻美大使顾维钧代表他前去看望。

四、应蒋之邀，出任高官

1938 年 6 月 16 日，蒋提名张为国民参政会副议长（议长为汪精卫），7 月，张违心地出任第一届国民参政会副议长。张因与南开校父严修早年有约：终生不做官，专心办教育！北洋政府几任内阁都邀请他出来做官，均被婉辞。而蒋一请即允，足见张给蒋的面子有多大，也说明蒋、张关系已经到了非同一般的程度。

1948 年 3 月原考试院院长，58 岁的戴季陶“因年老不能视事”坚辞去职（此前戴曾多次向蒋提出辞职不获）。蒋电邀 72 岁的张伯苓出任行宪后的第一任考试院院长。张已经吃够做官的“苦累”，再也不想做官了，蒋仍按自己的意愿礼遇他，再三电邀，并电令张的学生，时任天津市长的杜建时相机劝驾，张对杜再三恳辞说：“我不愿做这些事，我是办教育的，还是办教育为好。”

◇ 张伯苓（左）与前任考试院院长戴季陶（中）等的合影。

可是杜仍三天两头到张宅反复劝说，却无效果。不久陈布雷驰电曰：“我公不出，将置介公于万难之地。”张知道不能再推辞了，在无奈中复电：“介公为救国者，我为爱国者，救国者之命，爱国者不敢亦不忍不从。”就是这个“不忍”二字，再次将他“累”入违心之境。张任考试院长后，许多学生都来挡驾，张只是说：“唉，蒋先生叫我去跑龙套，我就去跑一跑吧！”到这时他实在是言不由衷，行不由思了。

五、劝说去台

1948 年 12 月初，解放军迫近天津，参谋次长李及兰匆匆来津，带来蒋介石给杜建时的一封信，要杜派妥人将张伯苓眷属送往南京，杜即备专用飞机派天津市民银行总经理、南开校友袁绍瑜护送张夫人及儿媳、孙儿去南京。杜同时致电青岛市长龚学遂，请他在张眷属到青岛时妥为招待。12 月 21 日，杜建时致电南京俞济时转蒋，报告张家属动向：“急。南京总统府俞济时兄转呈总统蒋钧座鉴：密……（四），张伯苓夫人偕家人明日上午由新筑机场飞青岛换机，飞京或飞渝。已托龚市长照料。职杜建时叩。”

1949 年 11 月，蒋在败退大陆前，两次到重庆张宅看望张，要求他赴台湾。11 月 21 日，蒋偕蒋经国又来动员他去台湾，态度极为诚恳，并表示：“只要先生肯走，什么条件都答应。”张无言，主宾对坐良久。张夫人对蒋说：“蒋先生！他老了，又有病！你叫他辞职吧！”蒋又沉默了一会儿，起身告辞。张送到门外，两人仍相对无言。蒋上汽车时，一头撞在车门框上，张惊问：“撞得怎么样？”蒋捂着额头，半晌才应到：“不要紧！不要紧！”他们就这样话别了。又过了两天，送来一封公文：“批准辞去考试院院长职务。”

11 月 27 日，蒋飞离重庆后，蒋经国衔命再次拜访，还是劝张飞赴台湾。最后说："给先生留下一架飞机，几时想走就几时走！" 但是这架飞机终未能起飞。

六、真实目的

至此，蒋与张在大陆的关系结束。蒋对许多文彦硕儒是面尊而实不敬，或尊而实不重，唯独对张不同，从表面到实际，蒋都表现出礼贤下士的风度。许多人不解，国民党政府上台 20 余年，近千高官，没有一人能与张伯苓相比，受到蒋的如此礼遇。原来蒋另有所考虑：1947 年夏，蒋来北平公务，虽然时间很紧，但仍欲前往天津看望张，并嘱天津市长杜建时做准备。蒋的随行秘书郑彦棻与北平市副市长张伯瑾、杜建时三人闲谈，郑说："蒋主席对各大学校长都很客气，唯对张伯苓先生格外尊敬。蒋主席到北平只邀请胡适、梅贻琦吃饭叙谈，从没到北大、清华看望过他们。张伯苓先生远在天津，主席要专程拜访，显然有所不同。主席尊敬张先生，是另有用意。张先生是中国教育的象征。将来不得已必须采取各党派联合政府时，张先生出面组织国会，是可为各党派接受的。设若不得已必须恢复前六年林森做主席的形式，张先生也是最理想的人选。国民党当权人物中找不到第二个林森。"

七、饰终哀荣

1951 年 2 月 23 日，张伯苓因患脑溢血，在天津寓所去世，年 75 岁。蒋闻讯大悲，手书"守正不屈，多士所宗——伯苓先生千古"挽之。3 月 31 日，台湾各界举行追悼会。十余单位，约 640 余人与祭。上午 10 时，蒋率文武百僚致祭。蒋的祭文为：

……呜呼！世事陵夷，天地方闭，老成凋谢，能无陨涕。骯骯张公，志存匡副济，百年树人，邦国至计。规模开创，日新又新，一时俊彦，多出其门。河朔告警，虏骑云屯，蒲轮远驶，嘉陵之滨。栋宇粗完，弦诵不辍，敌何能为，不可夺节。遂主议坛，为民喉舌，继典文衡，玉尺在列。……载陈时青，载荐庶馨，云车风马，祈迎公灵。尚飨！

张伯苓去世后，成为国共两党同时追悼的一位特殊人物。

第五节　胡适死后创造的"之最"

胡适先生用他如椽巨笔，在中国文学、史学研究上，书写了许多令人倾慕的"之最"，如：最早用西方哲学思想研究中国古代思想；拥有最多的博士学位（达 35 个）；1920 年他出版了中国有史以来最早的一部白话新诗集《尝试集》；大陆学者对他的评价是：中国近现代史上最有影响的资产阶级学者；而唐德刚先生则称他为"我国新文化运动的开山宗师"……等等。不过在他死后，竟然也创造了一项"之最"，而且蒋介石也产生了他晚年的一项诔辞"第一"，这是令人意想不到的。

◇ 1962 年，胡适出殡之前，台北有上万人前来瞻仰他的遗容。10 月 15 日，胡适安葬于南港中央研究院大门对面的山坡上，这天是入秋以来最凉的一天，细雨霏霏，万余人陪着灵柩出殡，一起送走了这位在中国现代史上散发智能光芒与温煦气息的学者。

1962 年 2 月 24 日下午，胡适在中央研究院第五次会议上遽然而逝，年 71 岁。胡适葬礼的隆重，在当时的台湾乃至大陆的学者中，都是前所没有的。仅以台湾为例，能与

◇ 1972 年，胡适逝世 10 周年纪念会。他的墓碑上刻着一段白话文："这个为学术和文化的进步，为思想和言论的自由，为民族的尊荣，为人类的幸福而苦心焦思，敝精劳神以致身死的人，现在在这里安息了！我们相信，形骸终要化灭，陵谷也会变易，但现在墓中这位哲人所给予世界的光明，将永远存在！"胡适去台定居的第四年过世，不过他的精神遗产至今仍深深影响着中国人，他散发着阳光的身影仍令人频频回顾。

其相比的只有"副总统"陈诚。据当时台湾官方统计，前往陈诚灵堂吊唁者有 15 万人，但这是官方行为，不是民间自愿。胡适灵堂吊唁者达 30 万人，场面空前隆重。但民众更多的是在灵堂之外祭悼，而这是无法统计的。胡适去世的第二天，台湾及海外的学术团体发起公祭，仅一天列名的团体就有 69 个，第二天达到 74 个。3 月 1 日是全台湾公开瞻仰仪容的一天，蒋亲来吊唁，他对着胡适遗像和躺在花丛中的遗体行三鞠躬，又安慰胡祖望不要过分悲痛，并转告胡夫人节哀。到 3 月 2 日大殓时，登记并依序参与公祭的团体达 110 个（此前，胡宗南的葬礼是 59 个团体，据说已经是一项"之最"），这就是台湾丧葬史上的一项"之最"，如果把这些团体的名称全部写下来，就会超过千字。

胡适的治丧委员会，由陈诚出任主委，张群、王云五、朱家骅、蒋梦麟、王世杰、黄季陆为副主委。2 月 25 日早上，蒋介石派代表来到极乐殡仪馆吊唁，询问治丧事宜，并带来了蒋为胡适写的挽联："新文化中旧道德的楷模；旧伦理中新思想的师表。"

这是蒋到台湾 13 年以来，第一次撰写挽联，可以说十分难得。蒋在台湾 26 年，先后为 800 余人"颁赐"过诔辞，但是只有胡适和陈诚两人获得他手笔挽联的"哀荣"。可见，在蒋的心目中，胡适地位与"副总统"可相提并论。蒋为胡适题写的挽额为："适之先生千古　智德兼隆　蒋中正敬挽"。三年后，蒋为陈诚之丧，所题挽额为："辞修同志千古　党国精华　蒋中正题"。如果仅从挽额角度分析，蒋对胡适的尊诔规格更高。

◇ 演讲中的胡适，其背后的挂像是他的老师——美国著名哲学家、教育家杜威。

第六节　于右任辞职风波

于右任有几位夫人？众所周知，1897 年，20 岁的于右任在家乡陕西三原西关，与高焕章之女、18 岁的高仲林结婚。

30 年后的 9 月 19 日晚 10 时，于夫人黄纫艾在上海病逝，年 43 岁。在南京的于右任，连接上海两电报丧，

◇ 于右任。

于右任同黄夫人感情深厚，当夜请假三天，匆匆赶往上海治丧，国民党中央党部秘书王陆一往车站送行。黄纫艾为苏州人，1905 年前后在上海爱国女学就读，是蔡元培之得意女弟子，《申报》报道说黄夫人“自前清归于于右任”，常住上海。于奔走革命，屡遭危险，当创办《民吁报》时，因鼓吹革命，被清吏蔡乃煌下狱，幸得黄夫人多方营救出险。当时反袁志士如宋教仁、范鸿仙、陈其美等，常得夫人接济，每质衣鬻钗，毫无难色。后于右任督兵西北，夫人奔走呼号，车前马后服侍。1922 年于出长上海大学，夫人对学生和蔼可亲，每备馔相待，曾出私蓄 300 元救济困难学生。1928 年春，上海租界巡捕房抓获一名张姓共产党，供出与黄夫人有关联，致使夫人被传讯到案，此事曾轰动一时。后经讯明无关旋即释放，但因饱受虚惊，引发旧疾肺痨而逝。夫人生有长子名于武（于望德），及一女，此时均在大学就读。

一、意外辞职

◇ 于右任 1928 年 2 月出席国民党二届四中全会。

于右任到上海的第二天，即莫名其妙地发出辞职电：“南京中国国民党中央执行委员会、中央政治会议、国民政府钧鉴：右任备委中央，谟能无似，自公屡退，负疾经时。前以党国新宁，勉分力役，弥纶区宇，诚感瞀昏，戾重思深，早当投劾，所有右任谬领本兼各职，呈请一律辞去，俾得归休华下，以卒余生。山水方滋，游心文学，即以此为报献党国之途，务鉴其悃忱，休之伏息。准其所请，毋任祈祷。于右任叩。马。”

南京方面接电，极为惊诧，纷纷致电慰问。王陆一在中央常委会结束后，匆匆赶往上海相劝。谭延闿、李烈钧联名慰问电是最早发出的。蔡元培、褚民谊、吴铁城、沈淇泉、丁超五、杨杏佛、王一亭等则纷往于宅吊祭、劝慰。24 日何香凝电唁黄夫人之丧。日本驻南京领事也有唁电慰问：“上海戈登路于右任先生钧鉴：哀悼者，遽闻夫人驾返瑶池，殊深哀感，谨电吊奠，不胜悲切之至。冈本一策。马。”

于在上海接待吊客甚殷，但对时局态度消沉，每叩问政见，避而不谈。人们纷纷猜测辞职原因，而猜测出的原因杂沓，其中有代表性的是当年 10 月将改组政府，设立五院制，认为与重选国府主席有关。当时外界议论最多的是，于右任将为新的国府主席，新闻界则大张旗鼓地宣传：中国记者中将产生一位国府主席。

这种议论，终于让蒋介石坐不住了，致电慰问：“于右任先生大鉴：夫人仙逝，不胜悲悼。丧仪完毕，请即驾回京中主持是荷。弟中正叩。敬印。”同时派中央委员邵力子代表赴上海致祭并协助治丧。蒋电与其说是慰问，不如说是催返更恰当。

22 日，于致电冯玉祥，再一次表明辞意：“急！西安冯总司令焕章同志勋鉴：弟近以服力中央，毫无建白，深怀戾□（原文不清，编者注），投劾将归，昨已诚恳中央开去所领本兼各职，拟先赴北平一行，整理所藏金石文字。然后而归华山之上，求所印证。身本文人，今思归队，欲窃以余生尽力文学，即以为报献党国之途。再则关中十年征战，所有国殇墓道及遗族，多未经营。往岁先伯母房太夫人之丧，弟又以匆猝出关，负土未卒，此皆耿耿之心，愿必欲了者也。弟恐道路之言有殊心迹。公深知我，敢告此衷。弟右任叩。养。”

冯玉祥接电后，复电劝慰：“养电敬悉，公近有鼓盆之戚并此致唁礼……切期打消辞意，共同奋斗，中国独立自由之时，方为吾辈责任完成之日……”

中央执委会、国民政府等纷纷挽留。9 月 24 日，南京举行第 169 次中央常委会，也做出挽留决议。

二、黄夫人之葬

9 月 21 日于在上海主持大殓。25 日出殡，至为简单肃穆。于请早年的恩师沈淇泉为题鸿大宾，邵力子、陆宗舆二人为价宾。叶尔恺、许世英、张菊生、李登辉、何世桢、许静轩、王汉良，以及德国青年军军长黎胥达拉·德立志金也前来致祭。在肃穆中忽然嘈杂起来，有人悄悄说：新娘子来了。原来是去年同于武（望德）订婚的胡瑛（胡仁源之女。胡仁源字次珊，浙江人，留学英国，曾任北洋教育部总长），在两位女宾陪伴下到灵前行礼。因没有过门，只围了白布在腰间。虽然与普通女宾在一起，但身材、容貌、着装十分出众。沪宁铁路局在午间 12 时开行的列车附挂花车，专载灵柩，灵柩将往苏州永安堂暂厝。国民政府有关方面已向苏州方面发出接灵护卫令，于则派内弟黄晓山先期回苏州筹备。灵车到苏州站，有苏州市、县两级警察局长率骑兵巡警队、军乐队迎灵。于右任臂挽黑纱，右手执杖，在灵柩前表情凝重，垂首缓步。市、县两警察局长左右陪行。于武、于彭及女儿在后随行。黄晓山悼念姐姐，情真意切：“余年十四，老亲见背，忆昔时倦影机声，情深吾姊；世界三千，魂气何之，感此日遣簪捐佩，痛切夫君。”此外，李根源、张一麐、刘煜生、朱少屏、柳亚子等均有极佳挽联哀悼。

《苏州日报》则开了一个不大不小的玩笑，在所报道灵车到苏不足 400 字的通讯中，称于右任为“国府主席”、“于主席”等十余处，这正是于所最忌讳的，当即派人向报社抗议。第二天，该报更改为“国府委员”。

黄夫人被安葬于葑门外基督教监礼会办的安乐园公墓。丧事结束后，于并没有返京之意，先是整理杂乱的藏书，与李根源、朱梁任等老友诗酒往还；又受经亨颐之邀畅游白马湖。30 日，参观苏州美专的画展，并应邀题字“松风流水天然调，抱得琴来不用弹”。不但字迹雄劲而飘洒，词意也颇显闲散惬意心态。

10 月 5 日，中央执委会发表通电，恳切慰劝于打消辞意。吴稚晖受蒋委托，赴苏劝驾，却未能奏效。针对吴的说项，10 月 9 日，于再电谭延闿，坚持本人脱离政治，专门研究文学，对国府委员一职坚辞不就！1929 年 2 月 4 日，蒋因事过沪，并专访于委婉致劝。于这次辞职风波前后近半年，以蒋的亲临劝慰，终告结束，到 3 月才正式返回南京视事。

三、再度倦政

6 年后，不幸又一次降临。1934 年 9 月 27 日早 9 时，于右任的另一位夫人也在上海去世。当时于刚从陕西返回南京，本已染病，因同这位夫人感情深厚，在宅邸未便久留，就又匆匆踏上东去的火车。监察院秘书长王陆一到车站送行，叮嘱道：“夫子，快去快回，不可再生出意外！”于接受上次教训，对于这位夫人的所有情况，包括丧祭细节，严格保密，任凭记者怎样打探，最后只得到消息，这位夫人是：“粤籍陈氏，久患肺病，享年 37 岁。29 日下午 3 时，在上海中国殡仪馆大殓。”其他就

◇ 于右任先生、白崇禧等与中央研究院部分院士合影。

◇ 晚年于右任。

一概不知了。

王陆一的叮嘱，不是没有道理，于到上海后，或是过度哀伤，或是因病思静，就又“抑郁之下”“倦于政事”了。当时正筹备“五全大会”，监察院所属各机关要为大会准备有关材料。王陆一不得不匆忙赶赴上海，汇报院务，劝说“切不可轻言辞职”，其他人也纷纷来沪劝慰，司法院长居正奉蒋委派，10 月 7 日专程来沪同他会谈一小时，总算让于没有公开提出辞职，但仍意志消沉，他对居正答以“待宿疾愈后，即返京销假”。可是葬妻后，却沉湎于诗书中，寄情于山水间，就是不肯回南京。王陆一、高一涵、刘觉民、杨亮功、田炯锦等多次前来劝驾，监察院各机关的公务，由负责人分批来上海汇报。一直持续到 11 月 21 日，“五全大会”召开前，终因“各方情词恳切，为顾全大体，态度转趋积极”，才乘夜车返回南京，23 日开始办公。

此次事件结束后，人们又关心起于的另一位夫人——沈建华的健康来。还好，沈氏一直陪伴于右任到 1949 年。1949 年冬，沈建华送儿子中令经香港去了台湾，住了一段时间，留子而归（回上海）。（见张晴：《父张庆豫和于右任先生耳热三事》，《上海文史资料存稿汇编·政治军事》第一卷，662~670 页）

于右任的外甥周伯敏，在 30 年代曾任于的秘书，后又出任立法委员，在谈到舅舅时说：于是一位多妻者，元配高仲林，生有长女于芝秀。高仲林为人开朗，和于的许多友人都相当熟识。家中长辈生辰死祀，记忆不爽，如期设祭，素为于所尊重，抗战前曾往南京暂住。黄纫艾，在于办《民立报》时结合，生长子于武（望德）。民元莅沪，曾共相处，已早逝。次有陈夫人、原夫人。陈生次子仲岑（彭）及女想想、绵绵、无名。原氏无所出，在 1934 年前后，别有所恋，求离去。于挽回无术，感喟道：也好，我老了，她能及时嫁人，免得将来无所照顾。当时原氏年近 40 岁，陈夫人和原氏相处较亲密，与高仲林亦偶相处，以居沪之日为多。于之次子仲岑与周锡山（广州人，原《民立报》记者，在香港办有英文报）的女儿结婚，男女婚前均去英留学。于随政府迁来重庆，住在康心之的家里，由某老友的夫人为他介绍沈建华，同居后生一子，名中令。此子颇聪明，但不为诸多兄嫂所容，使于右任很为难。抗战胜利后回到南京，于芝秀以大姐身份斡旋，亦无结果。于去台湾时，留沈建华母子在沪。1949 年冬，沈送中令（时已十余岁）到台，仅住短期，留子而归（回上海），闻已别嫁。（周伯敏，《记于右任》，《上海文史资料存稿汇编·政治军事》第二卷，321 页）

◇ 1943 年 10 月 10 日，蒋介石于重庆宣誓就任国民政府主席后与文武官员合影。前排左起：于右任、吴稚晖、宋美龄、蒋介石、孙科、居正、戴季陶。

于右任的几位妻子为他生下了四女三男，除了大女儿于芝秀留在大陆原籍，其他的孩子到台，并陆续住进青田街的家里，只是这位父亲心中还挂念着革命挚友的遗孤。

第十七章 祝寿篇

第一节 祝寿重于致诔

晚年的蒋介石，在性格、习惯，乃至书法，都有一些变化。以书法为例，早年的字，瘦劲有力，正如他的性格一样，棱角分明，但飘洒不足。晚年的字，丰满起来，雍容有度，颇具沉稳。据说是因为他经常为别人祝寿、写寿匾的缘故。

他晚年最喜欢做得是祝寿，写“寿”字。说来也许有人不信，他所写的寿字的数量，多得惊人，仅在1960年12月，他就为四位寿星老题写“寿”字立轴！而且总是在寿星老生日的前一天，派人将“寿”字准时送到。可以说，蒋介石是台湾祝寿奢靡之风的主要提倡者。

◇ 1949年11月5日，过生日的蒋介石由蒋经国、马超俊（前中）陪同游阿里山。

1955年11月4日，是马超俊七秩寿诞，原不准备声张，也不做寿。没料到蒋送来四尺高、两尺宽的大“寿”字一轴。蒋夫人送来精心画作，画中修竹疏密有致，婉若清风摇曳，上面有蒋亲笔题字“高风亮节”。马氏夫妇非常高兴。其他人听说，或是电话，或是趋访，无不表示要为马氏祝寿。这样一来，马也不好再拒绝，于是商议在台北贵阳路静心乐园做寿，招待各界贺客。消息传出，亲友故旧，纷纷致贺，3天内就收到陈诚、俞鸿钧、于右任，以及张群、张厉生、徐傅霖、黄朝琴、梁寒操、洪兰友等十二个团体，数十人的贺礼、寿联、寿匾。

1956年10月7日，是“空军之母”周王倩琦60华诞，蒋在此前一天就已经为她写好祝寿的贺匾“教忠有荣”，特别转托空军司令周一尘，于7日上午，率部属送交台南周王氏宅邸，令周王倩琦很是意外。周王倩琦是1943年牺牲的空军烈士周志开的母亲。周志开生于1919年，祖籍河北滦县，1935年6月考入杭州中央航空学校。他在抗战中，曾有一次歼灭敌机三架的战绩，获得蒋亲自颁发的“青天白日勋章”，1943年12月14日空战时牺牲，年仅24岁。周志开牺牲后，

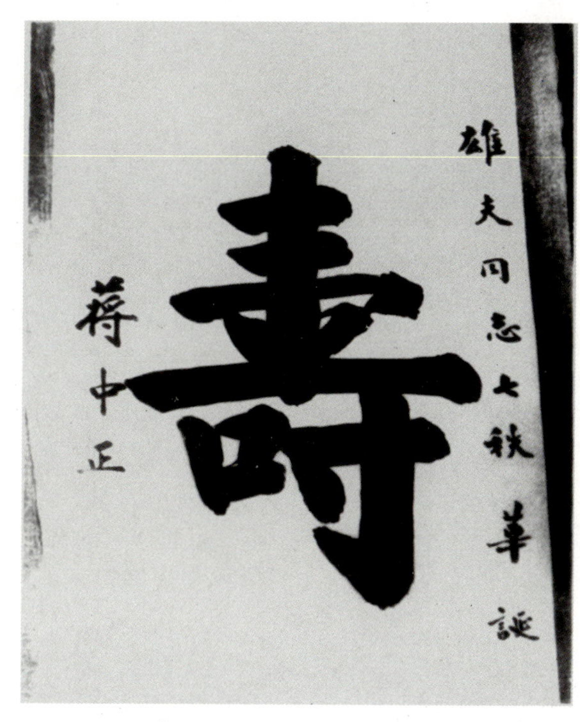

◇ 蒋介石手书"寿"字贺陈肇英（字雄夫）七秩华诞。

母亲周王倩琦化悲痛为力量，以空军应该报效国家，毅然将特优抚恤金转赠空军教育事业，并将年仅 13 岁的幼子送入空军学校。故被崇称为“空军之母”。台南市有一所“志开小学”，就是纪念周志开的。周王倩琦的生日事先无一人知道，就连她的女婿，时在台南市政府任秘书的刘万远也毫不清楚。人们纷纷打听蒋公是如何知道她的生日？又无不惊叹蒋处事之细心。

蒋有一个特点，在一般情况下，若为人题字祝寿，只祝“整寿”者。如 90 岁者有：梅乔林、旅泰侨领叶炼封翁叶成名、韩汉英中将之母符太夫人等。80 岁者有:张炯、监察委员赵守钰、莫德惠、李石曾、但植之伉俪、贾景德等。70 岁者有：孙连仲、黄伯度、何应钦、郎静山、田耕莘、万耀煌、梅贻琦、陈肇英等。他们或是喜得蒋的手笔四字寿匾，或是荣享蒋亲书一个大大的“寿”字立轴。

而对非“整寿”者，蒋只派代表前往祝贺。如：1958 年 3 月 28 日，是钮永建 89 岁生日，蒋特派张群为代表赶往北投祝寿，因为钮氏夫妇为响应提倡节约的号召，悄悄从台北潜赴北投避寿。1960 年 9 月 26 日，许世英 88 岁，蒋特派蒋经国前往道贺。于右任 79 岁生日时，蒋氏夫妇虽亲往致贺，却并没有题字相赠。

1960 年 12 月 17 日，是胡适 69 岁生日，蒋书“寿”字立轴庆贺他 70 大寿。因胡比蒋小 4 岁，可能是不敢，或不愿意在蒋面前称寿，所以胡吃惊地说，我还没到 70 呢！蒋笑而不答，胡也会心地接受了。可见，那时胡适在蒋心中的地位。

除了题字祝寿，蒋的另一大消遣，就是去拜访耄耋之年而精神矍铄者，人们知道他有这个喜好，就在他来之前，精心打扮一番。有一次，他去看望赵恒惕。进到门里，看见年逾 90 高龄的赵氏，面带微微红润，举止也显得格外精神。蒋十分高兴，握住赵的手，这时摄影记者要拍照，蒋闪过半个身子，以便让镜头主要对准赵的正面。拍照后，他对记者说：“老先生如此高寿了，身体还这么好，难得啊！”好像怕记者不明白，又补充说：“不容易呀！多拍一些吧！”据翁元回忆说，蒋回去以后许久还是很高兴的。也许他用这种方法，寄托自己长寿的期望，或者仅仅是一种消遣的形式。

而在追悼会方面，他尽力推脱，更多的是由陈诚代表了。题颁的诔辞也日见减少。挽额的内容更加简单和雷同。

第二节　两大法宝

蒋介石拉拢部下、安抚同僚、策反异党，很注重这些人物的“生死”问题。所谓“生”，就是生日，为其父辈或本人送贺幛，赠寿礼。“死”是死后，也就是死后的厚葬和致送诔辞。有时交替运用，有时延续不断，或因时而做，或因事而为，十分有效。也可以说，别人的“生死”问题，就是他权谋驰骋中的难得机会，是他拉拢、安抚、策反、瓦解异党的两大法宝。如果他认为某人可为利用，首先在这“生死”方面寻找突破口，因为这两种方法最省钱、最简单而又影响久远。

30 年代初，山东军阀韩复榘狂傲不羁，蒋认为他难以驾驭，就想设法控制、分化、瓦解他，后来他终于找到一个分化瓦解的突破口，这个突破口就是具有“韩复榘第二”之称的孙桐萱。

孙桐萱（1895~1978），字荫亭，河北交河人。西北军将领，早年入冯玉祥部当兵，抗战期间任第三集团军总司令，曾参加台儿庄战役。孙桐萱为人正派，有强烈的民族自尊意识，思想进步，倾向革命。他驻军兖州时，任国民党第三路军第十二军军长兼二十师师长，治军有方，纪律严明。孙部很少发生骚扰百姓、寻衅滋事事件。他还注重地方教育和社会公益事业。蒋最看重他的是，对韩复榘忠心耿耿，没有个人野心，得到韩的极高信任，被称为韩部系统第三路军中的二号人物。

蒋拉拢孙的第一步是授意孔祥熙，让韩复榘把山东省的一部分黄烟税收，交给孙管理。这是一项肥缺，除上交税款外，孙从中拥墨颇丰。但他用这些钱都为当地办学校、孤贫儿童院、修桥铺路等社会公益事业。

第二步是在 1933 年 3 月，蒋在庐山设立"庐山陆军军官训练团"，轮流训练各地军官。孙作为第一批中的首选，被蒋电召到庐山任训练团第一期营长。

第三步是蒋嘱咐训练团副团长陈诚（蒋自任团长）要特别关注孙，并了解其家庭情况，及时报告。陈诚通过孙的交河同乡刘万春了解到，训练团结束后，孙不是回山东，而是先回河北家乡。蒋很注意这个情况，让陈诚进一步弄清原因。刘万春对陈诚说，孙要回去为父做 70 大寿。陈了解蒋的习性，自作主张，要请委员长赠送相片为贺礼。回去后，陈诚报告蒋：孙军长的父亲读过三四年书，后在泊镇一家商店写账，现在老家里还有两位叔父种田。孙军长的父亲性格开朗，能打拳，还能骑自行车，很有老青年之气概。过去孙军长家里人口多，生活困难，他年轻时投到冯玉祥部下当兵。当了营长以后就把父母接到一起奉养。70 大寿要回去同两位叔叔一起庆贺。蒋介石有一种观念：忠臣出于孝子。一个连尊长都不孝的人，还能忠诚国家，忠诚官长，听从自己的命令吗？所以听了陈诚的介绍，高兴地说：有孝敬父母的品德，定能忠于党国，岳飞能精忠报国就因为他最孝。接着又说："我送给孙军长的父亲寿幛、寿屏六幅，另送 5000 元。明天结业典礼后，我要离开这里，不能亲自交给孙军长，你多取些东西代我转送。说我祝贺老太爷健康长寿！"

6 月 5 日上午，结业典礼后，陈诚在回海惠寺团本部的路上，对刘万春说："委员长送给孙军长父亲的东西和 5000 元支票，刚才宣铁吾对我说已送到团本部，吃完饭后你到我屋里去取。"陈诚自己也为孙父送了贺幛。蒋送给孙父照片的背后写有："锡荣老伯惠存"，落款是"小侄蒋中正敬赠"。

◇ 1933 年，孙桐岗驾机从德国经南洋飞至南京，为中国航空史上第一个作长距离飞行的飞行员。图为孙桐岗在飞机中。

孙笑容满面、感激万分地接受了贺礼，表示："委员长对我的深恩厚德，我一生感念不忘。"此后，孙桐萱与其四弟孙桐岗就成为蒋的忠实干将。但孙桐萱在抗战期间还是与蒋闹翻。（孙桐岗为著名飞行员，在德国留学飞行，曾驾机从德国飞回南京，轰动一时，杜月笙特意捐赠"月辉号"飞机给孙。孔祥熙那时刚从德国访问回来，想当航空部长，看到蒋重视孙桐岗，欲招为东床，为大女儿孔令仪所力拒后，孙桐岗又被孔二小姐狠狠报复了一番。）不过，蒋欲拉拢其兄，却意外收之于乃弟，孙桐岗 1949 年官至空军副司令。

第三节　两大法宝之二

有人说，何应钦在国民党政权中，是一人之下，万人之上。此言虽过于偏颇，但也足以证实何在蒋集团中地位之高。

◇ 1945 年，何应钦在云南。

1926 年，汪精卫通电反蒋。不久以李、白为首的桂系与蒋矛盾升级，逼蒋下野。何认为蒋树敌太多，四面楚歌，必败无疑。当白崇禧在会上要蒋离职时，蒋回头看着何应钦，而何一声不吭，蒋伤心异常，拂袖而走。蒋事后说："当时只要他何应钦一句话，我是可以不走的。"

1927 年底，蒋复职，撤销了何的本兼各职，将军队编为四个集团军，蒋自任总司令。何在北伐中对蒋是有功的，蒋此时急需用人，经人圆场，蒋委何为北伐军总司令部参谋长。何应钦余气未消，托病避于莫干山"闲适"。蒋亲自跑去劝勉，还恩威并施地说："我离了你，没有问题，照样干下去；你若离开我，就无办法。"何权衡利弊，只好随蒋到南京就职。

1928 年 6 月，北洋政府被推翻。为了收编北洋军队，蒋于 10 月任命何应钦为训练总监，不久又被调去主持裁军会议等工作。在国民党三次全国代表会议上被选为中央执行委员会委员、中央政治委员会委员，旋被任命为陆海空军总司令部参谋长，后又出任开封、郑州、武汉行营主任。何被蒋踢了一脚，此时又受到蒋的宠信，因此对蒋更加感激涕零，决心"将功补过"。他主持军队工作时，利用编遣、整军之法，忠心地为蒋兼并异己，扩充嫡系，南征北伐，马不停蹄。

1929 年，何父何明伦去世，此时正逢蒋、冯、阎中原大战，何一直在前线督军，无暇回老家贵州兴义奔丧。蒋深为感动，亲往设在南京的何父灵堂祭吊，并亲笔写了诔辞致悼。就是这一纸诔辞，又一次牢牢的把何绑在蒋的战车上。

1948 年底，蒋宣布"引退"，由李宗仁任代总统。何考虑到如跟李在南京，势必引起蒋的疑虑，遂以"避寿"为名去杭州。蒋深为感动，寻机回报，恰巧转年 3 月 12 日是何 60 岁生日，蒋为祝寿，特派张群，携手笔"安危同仗，甘苦共尝"寿轴，及一封情辞恳切的亲笔信，在生日之前交给何，要何出任李宗仁政府行政院长，以便牵掣桂系。何明知当时军心涣散，将领们各有异志，不可能听从自己的指挥，最后的结局就是背黑锅，但为报蒋知遇之恩，于 3 月 23 日当上了行政院长兼国防部长。

到台湾后，何不再担任要职，但每年生日蒋还是记得很仔细。在他 70 岁、80 岁生日，蒋都有题字庆贺。连何夫人王文湘 60 大寿时，多才多艺的宋美龄绘制了一幅墨兰图，蒋于画幅左上角题写"满座芳馨文湘夫人周甲荣庆　蒋中正敬题"，致为祝寿。(见右图)

第十八章
其他篇

第一节　殷殷探视　惶惶心态

◇ 叶楚伧。

◇ 张季鸾。

对于著名人物的生老病死，蒋较为关心，在他们病后，蒋尽可能抽出时间，及时前往探望。这些人也每每以得到蒋的探病为荣。可是有一种奇怪的现象，一些人在蒋探视后不久即“化羽归道”。所以当时有些人较迷信，认为病人身份卑微，承受不起蒋的探望。更有者，怕因蒋的“鸿恩”而“折寿”的家属，把蒋的探病看做是“催命符”，犹恐避之不及。还有一些病人家属对蒋的探视处于“盼之不祥，拒之不能”的两难境地。

1937 年 2 月 17 日上午，蒋根据报告偕夫人到医院探视军委会办公厅主任朱培德，当时他神志尚清醒，还向蒋请假十天。可是到了当天夜里 11 时终于“膏肓不治”。

1946 年 2 月 13 日晚间，蒋赴上海市立疗养院探视叶楚伧，当时叶的精神状态还很好，蒋安慰他说：“安心养病，不要为公务操心。”蒋唯恐电灯刺激叶的眼睛，要护士把灯关掉。然而 15 日上午叶就故去了。

1941 年 9 月 5 日，蒋介石得知《大公报》主笔张季鸾病危，到重庆歌乐山中央医院探视：蒋坐在张病榻前，握着他的手，望着他清瘦的病容，眼睛含泪，讷讷数语，眉际重凝。第二天凌晨，张即“驾鹤西翔”。因此蒋在致《大公报》的唁函中有：“握手犹温”一词，说的就是前一天到医院探望张时的情景。

这样的例子有很多，而且到了台湾后更为严重。

1962 年 2 月 5 日，蒋经国看望病中的胡宗南，并告诉他“总统”将在星期五探病。果然 2 月 10 日，蒋带侍从医官来到胡的病床前。胡立即就亢奋起来，挣扎着要起身，又说：“总统，您来看我了。”家属看到胡的精神似乎比以前好多了，但 3 天后终归不治。

1964 年 5 月 17 日，蒋和夫人及蒋经国来医院探望蒋梦麟，当时他在睡觉，蒋没有打搅，只是对他的女儿嘱咐了几句话：要他好好养病，早日康复。可是到了 18 日午夜 12 时 28 分他竟呼出最后一口气。

◇ 蒋梦龄。

最典型的例子是曾任“空军总司令”的陈嘉尚，因他早对这种传言有恐惧，在退役后担任驻约旦“大使”时，因病返台住进荣民总医院，心里敲着小鼓，担心“总统”来看自己。有一天蒋突然光临医院来看他，让他连躲避的机会都没有，只好乖乖地躺在病床上接受探慰，言不答词地应付蒋的探问，心中却是七上八下。真所谓“是福不是祸，是祸躲不过”，几天光景，这位风烛残年的老将军，就在 1972 年 3 月 6 日下午 3 时寿终正寝。人们对蒋探病的恐慌，更加厉害了。（翁元口述，《我在蒋介石父子身边 43 年》，109 页）

连副“总统”陈诚也未能幸免：1964 年 8 月陈诚的肝部已为癌细胞侵噬，转年年初病情恶化，蒋命组织诊疗小组，在陈诚家里设专室治疗，尽管请来海外名医会诊，但仍未见好转。3 月 4 日中午 1 时，蒋氏夫妇看望病重的陈诚，到第二天下午 7 时，陈溘然长逝。（参考台北《中央日报》1965 年 3 月 5 日一版）

一般而言，蒋日理万机，他的探视是根据医生的病情报告作决定的，一般都是在较严重时前往。蒋为安全考虑，行踪无定，他人难以掌握。但有时对特殊病人有例外，会在探视前，派蒋经国、张群、陈诚、何应钦等“近臣”通报。病人就会有一种兴奋和期盼。当与蒋见面时，蒋会说些安慰的话，做一些许诺，或介绍一些“好消息”，使兴奋达到顶点，表面上看是“精神焕发”，实则正在加剧病情恶化。在蒋走后，病人因精力耗尽而“寿终”。至于陈嘉尚这一类病人，则是因恐惧增加，身体承受不了过重的心理负担。所以在蒋探视后，屡屡发生病人“遽然而逝”的怪事，就不足为怪了。

第二节　真传假“圣旨”拍马惹麻烦

邓文仪 1924 年考入黄埔军校一期，曾是蒋介石的“狂热信徒”，有所谓“十三太保”之一的称号。在 30 年代任蒋的主任侍从副官，当时任何人要想见蒋介石，事前都非得通过他不可，其权势之大，可想而知。

◇ 邓文仪。

西安事变后，一些蒋的亲信怕被扣于西安的蒋屈服，使政局发生变化，便主张轰炸西安，而邓即是其赞同者之一。待蒋回到南京后，平时那些对邓不满之人，也乘机落井下石。至此，邓失去蒋的信任，职位随即降低，他的心腹朋友贺衷寒、袁守谦、萧赞育等也爱莫能助，不敢在蒋面前为他说情。但邓能忍别人所不能忍之辱，受别人所不能受之气，仍忠心耿耿地崇拜蒋。

1938 年，经贺衷寒等人的举荐，邓任中央军校政治部主任。蒋虽未加反对，但余怒未消。一次中央军校举行毕业典礼，蒋在大操场边走边巡视，邓作为该校的负责人之一，理应陪同。可是蒋骤然回头对邓说：“你处处跟着我，是否觉得漂亮些？”

1947 年经贺衷寒的运作，邓出任国防部政工局局长兼国防部新闻发言人。1948 年 7 月 16 日，康泽在襄阳战役中受伤被俘。四天后，蒋与何应钦、顾祝同、卫立煌等军事将领共进晚餐。席间谈及康泽的下落，蒋颇为自信地说：“我对康泽十分了解，他是不会被俘的，很可能已经像张灵甫那样为党国而壮烈成仁了。”

◇ 康泽。

就是蒋介石的这个“很可能”推断，让邓文仪又看到了拍马屁的机会，两天后，邓文仪以国防部新闻发言人的名义在南京举行记者招待会，并宣布康泽已经殉难。然而这一宣布，后来给蒋介石带来了不知多少尴尬和辩解口舌。

《大公报》又根据邓的宣布，随即专门作了报道，似乎康泽之死成为定论。康夫人朱素怀（四川富顺人，生有两子，1949 年偕两子去台湾）得知消息，哭得死去活来，像疯子一样，在南京逢人便说丈夫如何“为党国牺牲”，做了孝子忠臣。别人问她要干什么去，她说去告诉总统，康泽殉国了。蒋知道后，马上派俞济时送去10万金圆券，管束起来。但是，当月下旬《新闻天地》便透露了康泽的真实下落：“新华社于 17 日夜晚已宣布康泽被俘。”为此，舆论一片哗然，康泽之“死”便成为笑谈，国防部“大窘不堪”。

开始时，蒋的确不相信新华社的报道，认为是中共的统战目的和心理战术。到台湾后在一次演讲中，他很沉痛地说：“在大陆沉陷的大失败之中，真正临难死节的只有两人，这两人中便有康泽。”后来随着消息的明朗化，蒋不得不相信事实，于是他又开始为自己的“很可能”判断，多次作种种辩解，1962 年又对康泽的“忠贞不屈”发表谈话，对康大加赞扬。（《我所知道的康泽将军之死》，10 页）此时，他已经很少作挽联了，却要为活着的康泽破例撰写“挽联”：“襄阳当南北要冲，弹尽而莫之济，粮竭而莫之援。十七日中阁部扬州，羸卒孤城，已分百死；忠烈昭党国史乘，劳改而终不变，酷刑而终不屈。二十五载文山土室，丹心正气，独有千秋。”蒋的挽联写得不是很好，所以一般都不长，而此联却长达 70 字，他不仅是要表达对康泽“不屈”精神的赞扬，更是要为自己的错误判断做进一步辩解。

第三节　文必躬亲

许多人都认为，蒋介石戎马倥偬，军书旁午，加之政务纷繁，日理万机，岂有如此闲情逸致，这些诔辞，未必是他自己所写，而由秘书代笔。其实不然，笔者认为，蒋的祭文、唁电、《褒扬令》等可能多为秘书代笔，而挽联、挽额则主要是他亲笔所作。

曾在蒋氏父子身边服侍 43 年的翁元，在他的回忆录里对此有详细描述：尽管老先生只受过私塾的教育，后来到日本士官学校留学，外表上感觉起来他不像受过高等教育的，可是他的汉学造诣很扎实。他是一个非常喜欢玩弄文字游戏的人，只要有什么大的庆典，需要有一篇什么训词的文稿，要以他的名义或者声音发布时，这就是他最重视的时刻，修改文稿一字一句从不马虎，斟酌的特别留神，甚至到了废寝忘食的地步。通常，比较重要的文告稿子，是由他本人当面口述大意，秘书秦孝仪则在一旁笔记下来，然后连夜赶好草稿，先给秘书长张群看过以后，马上就送到老先生面前，再给他过目。蒋介石像是中学老师似的，一篇文稿在他手中总要看上几天，经常一有空就会拿起他手中的红蓝铅笔，把秘书秦孝仪起草、秘书长张群核定的文告稿子，左涂右抹，上圈下勾，折腾个老半天，字句斟酌，反复思索。有时秦秘书会笔直地站在一边，等待老先生最后文章的定稿。秦孝仪为了一篇文告，经常必须连夜加班，只要老先生要发表的文告他本人没看完，秦孝仪就不敢离开秘书室半步。有时候，老先生临时想到文告里边有个字，用得不太妥，他常常会叫秦孝仪再把原稿拿回修改或从印刷厂内抽回来，等他认为改得差不多了，最后核定无误才交代拿去印刷装订。另一佐证是蒋介石的日记，从 1919 年起，一直到 1972 年他患病时为止，长达 53 年，他都坚持用毛笔工整地在日记簿上书写，极为珍贵。蒋介石一生戎马倥偬，居然能够天天写日记，这一点让许多学者敬佩不已。

第四节 诔辞的组成部分——哭

蒋介石一生主持过许多重要的葬礼，而出席过的追悼会更是不计其数，每到悲伤至极时，都会忍不住失声痛哭。这种哭，在大多数情况下，是他真实情感的自然流露。有时他的哭也会成为诔辞的组成部分，增加追悼会的悲哀气氛，足以弥补他所撰写的挽联、挽额艺术性不高的欠缺。

但这种哭，并不都是有些人认为的“做表面文章”，“为权谋服务的应景”。对于陈其美之死，蒋有三哭之说：1916 年 5 月 18 日，陈其美在上海被袁世凯派人暗杀，蒋得知既为盟兄、又是恩师的噩耗，当即失声大哭。当时陈的亲朋好友居上海者不在少数，却无一人敢去收领尸体，唯有蒋不顾个人安危，匆匆赶去收尸。当见到尸体，又痛哭流涕。蒋把陈的尸体运回自己在上海的住所又抚尸大哭至深夜，并为陈撰写祭文和挽联：“天道无知，苦思公十年旧雨；中原多故，乃坏汝万里长城。”

◇ 1928 年 7 月 6 日，蒋介石率北伐军各集团军总司令在北平西山碧云寺祭灵。前排左起：阎锡山、冯玉祥、蒋介石、李宗仁。

1928 年，蒋、桂、阎、冯四系联合北伐，击溃奉系军阀取得胜利后，决定在北平举行四总司令祭奠孙中山灵墓盛典。并召集国民党军政要员、各集团军总司令、总指挥，齐集北平参加。7 月 6 日，北伐军各路总司令、各路总指挥祭灵大典在北平西山碧云寺举行，蒋介石亲自主祭。当守灵卫兵揭灵，蒋介石目睹孙中山遗容，忽然抚棺恸哭，冯玉祥、阎锡山等人也频频挥泪，全场气氛非常哀伤，唯独李宗仁在一旁肃立，毫无表情。蒋介石哭了很久还未停止，冯玉祥只好走上去劝了多时，蒋这才止住了哭。回去后，蒋介石对宋美龄说：“方祭告总理时，闻哀乐之声大作，虽欲强抑悲怀，仍泪满襟臆，体力几不支矣！及瞻仰遗容，哀痛更不能胜。”廖仲恺遇刺后，蒋也伏尸痛哭不已。

1937 年 2 月 17 日，朱培德去世，第二天蒋闻讯黯然说：“智勇精诚之同志又弱一个，近年来得力于益之无形之辅助，殊非浅甚少。”蒋三临其丧，视大殓，痛哭失声。

1943 年 8 月 1 日，林森在重庆去世，翌日蒋亲临灵堂致祭，潸然泪下。7 日蒋率全体中央执、监委致祭，17 日手书“民国典型”挽额，主持国葬，始终含泪。

1948 年 11 月 12 日，陈布雷在南京寓所自尽，年 58 岁。蒋得知十分震惊，脸色都变了，并立即宣布停止正在举行的中央党部会议，驱车去陈的住处，及见到遗体时就眼圈红了，随即抚尸痛哭不止。14 日，蒋夫妇前往吊唁，眼里始终含泪。15 日，蒋颁“一代完人”匾额祭之。

可是，到台湾后，蒋很少哭了（至少笔者没有资料掌握）。

第五节 诔辞辩污

孔祥熙和宋子文，既是蒋的亲戚，又是他所依靠的重臣，两人都是留美博士，又先后出任过国民政府的财政部长和行政院长。两人最大的特点都是蒋家重臣。蒋对这两位“国戚”极尽袒护之能事。

而这两人对蒋的态度，也各有不同。孔祥熙对蒋百依百顺，不敢拂逆一丝。宋子文则依欧美惯例，对蒋有所抗争。故，蒋对他俩的态度截然不同，孔虽然被蒋赶下台，蒋毕竟还是对他有所留恋。宋的抗争惹恼了蒋，有一次竟吃了蒋两耳光。从诔辞方面看，更能体现这一特点。

◇ 孔祥熙永远一副温文尔雅的神态，孰不知，他的内心却又在谋划着什么？

1967 年 8 月 16 日，孔祥熙在美国去世，年 88 岁。翌日蒋发唁电，颁挽匾“为国尽瘁”，9 月 1 日，又以“总统”名义颁《褒扬令》。台北军政界为孔举行隆重的追思礼拜，严家淦主持，蒋亲莅会场，国民党中央委员会秘书长谷凤翔宣读蒋撰写的《孔庸之先生事略》，为孔辩白。可是宋蔼龄还不满意，认为对丈夫的评价太低。

1971 年 4 月 25 日，宋子文在旧金山去世，年 77 岁，4 月 27 日，台北《中央日报》在第一版刊登宋的遗像，报道宋去世消息。蒋颁“勋猷永念”匾额，并派人送到美国，“副总统”严家淦、“考试院长”孙科发去唁电，仅此而已。

其实，年已 82 高龄的蒋，精力大大不如从前，对其他人去世，仅有四字挽额，足以交代过去。对孔则不同，哀思横溢的“蒋总统”，竟洋洋洒洒，“痛悼”出两千五百多字的《孔庸之先生事略》，真难为已届垂暮之年的老人了。而他在文中倾力为孔的贪污罪名辩解，诔辞在蒋这里，被他创造性地增加一项新功能。

蒋在《孔庸之先生事略》中，对孔极尽溢美之词。首先对于孔的财富作辩解，说孔家“本为山西望族，自庸之先生之祖庆麟公起，经营商业，其在太原所设行号为义盛源、其在北平有义合昌、在西安有志成信……”蒋不厌其烦地列举一串地名和商号名称，然后做出结论是：“故世人皆称太原孔氏为山西首富。”因此，蒋引导人们：孔的财富不是源于他的贪污，而是继承家产。这与孔自己二十多年前的辩解合拍。对于孔在抗战后期的财政管理，蒋又为其辩解道：“唯当其正式交卸（财政部长）于后任时，其在国库者，实存有外汇九亿余美元，而其他金银镍等各种硬币，所值美金一亿三千万余元，尚不在此数之内，以上两项合计，实值美金十亿美元以上。乃可谓中国财政有史以来唯一辉煌之政绩。”

◇ 1943 年 10 月，宋子文、蒋介石在重庆与来访的英国东南亚战区统帅蒙巴顿合影。

蒋又进一步辩解道：“然当其辞职以后，国家之财政经济与金融事业，竟由此江河日下，一落千丈，卒至不可收拾。”为什么孔财阀一辞职，国库所拥有“十亿美元”，最辉煌的财政就“一落千丈”，钱哪里去了？蒋不能自圆其说，就换个借口说到中共方面上。都说蒋介石精明一世，但仅从这一点看，如果他不是有意胡说，那他在贪腐问题上就是一个大昏虫。

第六节　“完人”探究

中国传统，对“盖棺”做出最高“定论”，莫过于“完人”之尊。然而官方和民间的标准是不同的。1929年3月14日，天津士绅、南开大学创办人严修病逝，年70岁。《大公报》的社论称严为“一代完人”，这个定论是很公允的，也得到民间的一致赞同。在严修去世13年后，蒋提议为他颁发《褒扬令》。

在民国时期，包括到台湾后，人们对逝者尊以“完人”者，有许多，但是呼声较高（从所送挽联、挽额看），仅有林森、陈布雷、吴稚晖、丁惟汾、钮永建、胡适等数人。

蒋介石在青年时期，对“完人”是很向往、很尊崇的，曾手书“养天地正气，法古今完人”，这副对联在蒋生活、工作的许多地方都曾悬挂过。那么，在蒋的眼中，什么样的人才符合“完人”的标准？一是不贪，二是学识渊博，三是勤奋，四是对“党国”、也就是对他忠诚。

在蒋的诔辞中，共有503位被尊奉为“完人”。这是一个误会，因为有500位是集体“完人”。1949年4月，解放军围攻太原城，以山西省代理主席梁化之为首的500余人至死不降，最后集体自杀。到台湾后，由阎锡山提请，被蒋尊誉为“太原五百完人”。

1948年11月12日，陈布雷在南京寓所自尽，年58岁。在对陈夫人慰问时，蒋许诺说：“要为布雷举行国葬。”令他意外的是陈夫人拒绝了。蒋失望地为陈布雷题写了“一代完人”。（当时的报纸称布雷是：“真正做到了温良恭俭让的一代完人。”）

1953年10月30日，吴稚晖在台北去世。11月2日蒋率全体中委公祭，蒋主祭，张道藩读祭文。蒋颁“痛失师表”挽额。3日蒋颁《褒扬令》，令曰：

◇ 陈布雷难得与夫人出游散心，从表情看，似乎夫人更开心。

吴敬恒先生，开国元良，多士师表，淹中西之学，究天人之理，秉浩然之气，为振奇之人。初张民族大义于神州，嗣佐国父革命于海外。藉劳力以求新知，杂庄谐而明真理。其对国音统一之贡献，实奠民族文化之宏基。于生活则不辞粗衣粝食，于思想则兼备沉潜高明。于国家危难之际则常定大计，决大疑于机先，而以民国十六年之“清党”，二十六年之抗战，与三十八年之迁台建立“反共抗俄基地”，冀赞中枢，厥功尤伟。若论高风硕德，允为一代完人。当此国步艰难，尤恸老成凋谢。兹特明令褒扬，并将其生平事迹，宣付国史馆，用昭国家崇德尊贤之至意。此令。

蒋对陈布雷是在挽额中“颁赐”，而吴稚晖则是在《褒扬令》中“允为一代完人”，这其中是否有区别，谁更为蒋所倾慕的“完人”，还请读者公评。

第三位“完人”，则是人们所想不到的宋哲元。

1940年4月5日，宋哲元病逝，年55岁。国民政府明令褒扬，发治丧费5000元，追赠陆军一级上将，蒋个人赠万元治丧。17日厝柩于绵阳富乐山，蒋亲题“古今完人”（一说为“天地正气”），又赠挽联为：“砥柱峙中流，终仗威棱慑骄虏；星芒寒五丈，不堪殄瘁痛元良！”

在七七事变前，戴笠曾侦探到刘湘、韩复榘、宋哲元三人订有反蒋密谋，蒋对三人采取分而制之。先以临阵脱逃罪名，军法处决韩复榘。对刘湘则制定了“病养、死葬、逃杀”的方案，后刘湘终于“病死”汉口。

对宋哲元，采取让他与日军作战，消耗他的二十九军力量，宋看透蒋的伎俩，为保存实力，不肯与日军死拼，以“能战则战，不能战则走”，导致1938年二三月间，宋部溃败。1938年3月，宋被调任第一战区副司令长官，失去了直接指挥军队的权力，对时局深为忧虑，终日郁郁寡欢，于是年9月突患肝病。1940年遽归道山。

至于蒋为何如此尊诔宋，不得而知，笔者甚至怀疑蒋是否有此挽额。（关于蒋挽宋“古今完人”的资料，来源于台湾天一出版社出版于1979年11月的《宋哲元传记资料》，20页）究其如何，看来还有待史料的发掘和研究。

◇ 宋哲元。

第七节　台湾地位确立从属

蒋介石到台湾后，为巩固其统治，刻意拉拢安抚台湾地方知名人士。对早年反抗日本殖民统治的牺牲烈士，给予宣传、褒扬，并题赠挽额。与此相呼应的另一项举措是，强调台湾是中国的一个省，坚决反对“台独”。

一、纪念、宣传郑成功

蒋一到台湾，就先从纪念宣传郑成功入手，确立台湾对于中国的从属关系。

1950年8月24日为孔诞，27日恰好是郑成功诞辰326周年纪念日，蒋决定将这两个纪念活动合并在27日，一起举行。会前，蒋为孔子题写“有教无类”，为郑成功题写了两幅匾额“振兴中华”和“御侮教忠”。派人送往郑成功祠。

蒋氏纪念、宣传郑成功，也是为将来他梦想的“反攻大陆”成功，理顺台湾关系做准备。

二、褒扬先烈先贤

第一位得到褒扬的台湾地方名流，是名儒连横，令曰：“台湾故儒连横，操行坚贞，器识沉远。值清廷甲午一役，弃台之后，眷恋故国，周游京沪，发奋著述，以毕生精力，勒成台湾通史。文直事赅，无愧三长，笔削之际，忧国爱类，情见乎辞，询足以振起人心，裨益世道，为今日光复旧疆，中兴国族之先河。追思前勋，倍增嘉仰。应予以明令褒扬，用示笃念先贤，表彰正学之至意。此令。中华民国39年3月25日。”

第二位是罗福星。1953年4月30日蒋明令褒扬：“罗福星少怀壮志，献身革命。黄花岗之役，致命前驱，武昌起义，闻风回应。民国元年，奉命来台，号召群英，密谋大举，殚精竭虑，蹈险履危，不幸事败，竟以身殉，从容就义，风骨凛然。其忠贞为国，矢志恢复之精神，殊堪矜式，应予明令褒扬。此令。”

1953年6月27日，纪念罗福星的“昭忠塔”在苗栗大湖落成，同时举行公祭，蒋题写“忠烈永式”，并派何应钦代表前往主祭。此塔占地400余坪，所费约30余万元，大部分为地方捐献，施工历时年余。

三、委以重任

蒋氏的第三项举措是对台湾世家、名流巧妙任用，如连震东、李建兴、黄朝琴等人。对于他们的尊长去世，蒋也格外关注，重丧厚葬尊诔。1953年7月12日李建兴的母亲病故，蒋以李太夫人对台湾地方公益事业颇有贡献，提议组织治丧委员会，派由于右任、邹鲁、何应钦、谷正纲、黄朝琴、吴三连等24人发起成立治丧委员会。14日公祭，白崇禧代表白氏宗亲致祭（李太夫人娘家姓白，人称“白娘女士”），李宗黄代表李氏宗亲致祭。蒋题颁“懿德永昭”悼之。

第八节　晋系善终

中国人历来对“善终”有一个无约而俗成的标准：一是高寿，二是子孙满堂、晚年享福，三是去世时没有特别大的痛苦，四是去世前声誉清雅，受人敬重。如果用这个标准衡量，比较而言，在国民党新军阀四大派系中，以阎锡山麾下的晋系集团，其文武主要首领，最得善终。

◇ 徐永昌将军在密苏里号甲板上代表中国签署接受日本投降文件。

在晋系集团中，傅作义、商震等因坐大自立门派，或功高震主，先后投蒋。文武大员主要为阎锡山、赵戴文、杨爱源、徐永昌、贾景德等。

晋系集团第一位去世的为赵戴文，1943 年 12 月 27 日，病逝于山西省临时省治吉县克难坡，年 77 岁。时任山西省省长。蒋于当日得知，即以国民党总裁名义向家属拍发唁电，28 日蒋派徐永昌代表赴晋致祭，蒋有祭文致悼。1944 年 1 月 11 日国民政府颁发《褒扬令》。1967 年 12 月 3 日是赵百年诞辰，台北于这一天举行纪念会，由何应钦主持，蒋题写“典型永存”挽额祭悼，宋美龄赠送玫瑰花篮，严家淦致辞。

第二位是杨爱源，1959 年 1 月 2 日，病逝于台大医院，年 73 岁。公祭时，阎锡山主祭，蒋以“忠勤永念”悼之，并亲临致祭。

第三位为徐永昌，1959 年 7 月 12 日下午 4 时，因患肺炎病逝，年 73 岁。此前的头衔是：“光复大陆设计研究委员会”副主任委员、陆军一级上将。1945 年 9 月 2 日徐永昌以军令部部长的身份代表中国，到东京湾密苏里号军舰上按美、中、英、苏等九国顺序，代表依次签字，接受日本投降书，这是他一生最值得自豪的。

15 日蒋至台北殡仪馆吊唁，并慰问家属。张群、贾景德、何成浚等陪同在场。16 日，陈诚亲临灵堂吊唁，并抚慰家属。17 日上午 8 时起公祭，11 时大殓，蒋题“怆怀良辅”挽之。由何成浚、吴忠信、贾景德、张知本四人将国民党党旗覆盖于棺木上。灵柩暂厝极乐殡仪馆。参加公祭者有治丧委员会、国民党中央党部、国防大学、国民代表大会、“光复大陆设计研究委员会”、前陆军大学同学会、前山西省政府、山西同乡会等十余团体，千余人。

第四位是核心人物阎锡山，1960 年 5 月 23 日病故，年 78 岁。5 月 29 日大殓，蒋亲往致祭，30 日 9 时公祭，蒋颁赠“怆怀耆勋”挽额。8 月 1 日，蒋明令褒扬。

第五位为贾景德，1960 年 10 月 20 日病逝，年 81 岁。23 日，蒋题“绩范垂昭”。24 日上午小殓，陈诚致送挽联，台湾省主席周至柔等数十人也前往吊唁。香港佛教协会的觉先法师，与台湾省佛教会的白法法师、演培法师共同在祭灵堂诵经。25 日上午 10 时，蒋亲临极乐殡仪馆吊唁，并瞻仰遗容，慰问家属。26 日大殓之后公祭。1961 年 1 月 17 日，蒋颁发《褒扬令》。

◇ 我国代表徐永昌签字手迹。

第九节 舌战

◇ 吴忠信。

吴忠信，安徽合肥人，长蒋介石3岁。在蒋结拜的所有金兰中，是私隙最小的一位。吴忠信早年对蒋关怀备至，且忠厚、谦和，不培植个人势力，低调处世，赢得蒋的信任。1936年8月出任蒙藏委员会委员长，所做诸事，均使蒋大为快意。其中安排九世班禅还藏，亲自入藏主持十四世达赖喇嘛坐床典礼最为人们称道。

1938年7月，西藏方面传来消息，称十四世达赖喇嘛转世灵童已寻获，特请中央政府派员莅藏临视掣签。1940年1月吴率领有关人员从西藏南面入藏（藏南被认为是拉萨的正门）。到达拉萨的第二天，吴等一行按照惯例前往布达拉宫瞻礼。宫前台阶分为三道，中间一道以绳索拦住，不让通行。吴问其故，得知此道只有达赖一人可行，其他人只能从左右两道拾阶而上。旁人及随行也劝吴遵循其规。吴据理正色道：“笑话！我乃代表中央政府之大员，在本国领土之内，无处不可行走！”立即命人撤去绳索，然后执仗浩然而入，赢得众人敬佩。

2月22日，十四世达赖喇嘛在布达拉宫举行坐床典礼。英国驻藏代表无事生端，竟唆使少数藏官提出，吴应向灵童行参拜礼，并拟在坐床典礼时，将吴的座位安排在达赖正座下道左侧，以贬低中央代表的地位。吴知道后，立即向摄政的热振呼图克等人严正交涉，指出：“西藏从属中央政府已有800年历史。达赖喇嘛坐床事宜纯属我国内政，不容他人饶舌。我主持坐床乃行使中央政府对西藏的主权，又为贵方恭请。如果否认中央政府代表的察看权和主持权，我立即离藏！”一时间出现僵局，但吴仍坚持不变。后来在西藏上层人士的支持和协商下，吴忠信与达赖一同坐北面南，共同接受各方参拜。英国代表见阴谋未能得逞，恼羞成怒，愤而拒绝参加坐床典礼。

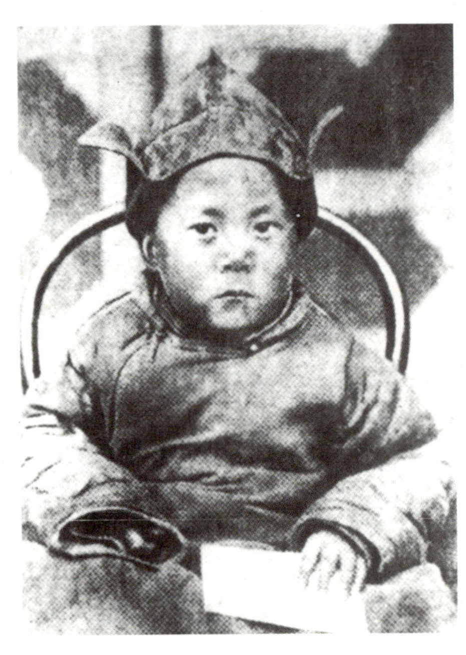
◇ 1940年吴忠信赴拉萨主持了十四世达赖喇嘛的坐床大典。

吴忠信维护中央政府的权威，进一步确立中央政府对西藏的管辖权，受到各界的赞誉，蒋得知，更是由衷欣喜。在吴返回重庆后，即设宴款待，殷殷询问藏事，积极促进中央政府在拉萨设立办事处。1941年5月，吴因病向蒋提出辞去蒙藏委员会委员长职。蒋复函慰留：“兄主持边政以来，贤劳卓著。现抗战胜利愈形接近，一切边疆大计，尤待未雨绸缪，以期逐步实施，务望勉为其难，勿萌消极，共济时艰。”

1959年12月16日，吴忠信因肝病去世，年76岁，蒋于19日题颁挽额“勋望永昭”。20日大殓，蒋、陈诚夫妇等于上午祭吊。下午3时举行“点主”仪式，贾景德任大宾。有十余单位、600余人参加。

第十节 神秘的小本子

过去，我们中国人的名字非常复杂，令外国人头疼，更令外国海关难以掌控。陈公博在他的回忆录中对此有这样的观点：“中国人的名字最难记忆，他们有大名，也有别号，往往有人知一个人的别号，而不知他的大名，也有人只知一个人的大名，竟不知他的别号。”其实，这也是中华文化博大精深，丰富多彩的一个方面。蒋介石无论是拍发唁电，还是题写挽额、挽联，甚至是祝寿题字，常喜欢直呼其字，或雅号、别号。这既是得体的一种谦抑、一种尊敬，又可避免直呼讳名的生硬，委婉地提高对方的地位，又拉近了与对方及家属的距离，还显示出礼贤下士、平易近人的亲民形象。从这一点可以看出，蒋治丧、处事的精细程度。抗战时期，前线有两位“张总司令”：一位是广东的张发奎，另一位是安徽的张治中，所以就有人常把他俩混淆。那时以官职相称为习俗，蒋也不例外，但他却从不会有这类混淆，因为他称张发奎为“张向华总司令”，称张治中为“张文白总司令”。

1928 年马鸿逵驻军武定，为与蒋示好，派人密呈长函到南京，表示服膺三民主义，拥护之赤诚。过了许久未见蒋复示，后来移军他往，失去联系。不久他在郑州忽接蒋的密电，大为惊讶：“蒋如何知道我的密电码？”（见《马少云回忆录》,91 页）

1948 年，第十二兵团副司令官雷万霆，知道将调任他职时很不高兴。蒋就召见他说：“令堂大人比我小两岁，快过甲子华诞了吧！”雷听了，既惊奇又感动，含着眼泪说：“总统日理万机，还记着家母生日！我真是不知说什么好！”蒋又和蔼地说：“你放心去吧！到时我会去看望老人家，为她老人家添福增寿。”蒋介石没有提调职一字，就化解了雷的怨气，让其高高兴兴地走了，而且更加忠心耿耿的为他效命。

◇ 1948 年 11 月，蒋和杜聿明。

又如 1949 年，蒋为促使在淮海战役中任总指挥的杜聿明扭转败局，命令刘峙在徐州举行仪式，为杜聿明母亲高太夫人庆祝 70 大寿。同时又令蒋经国亲自到上海送给高太夫人寿仪 10 万元（金圆券）。消息传到徐州，杜聿明十分吃惊，他不知蒋如何了解到母亲的年龄和生日。而且，陈诚去台湾养病，蒋才批给 5 万元，这怎能不让他感动。由于当时金圆券贬值的很快，蒋经国送去的竟然是 3000 美元，他还告诉杜家，南京政府要派一位相当级别的官员来参加祝寿。杜夫人曹秀清和婆母都奇怪了：怎么这样一件小事，连“总统”都过问了？ 10 天后，杜聿明被俘，曹秀清这才明白过来，带着 3000 美元去南京，她要还给蒋介石，换回丈夫！这就是轰动一时的杜聿明夫人大闹总统府事件。

如果说是蒋的嫡系部将、盟兄盟弟之丧，蒋称其字行雅号，不足为怪。而他们的父母去世，蒋在诔辞中也这样尊称，就令人赞叹了。但他还有更令人称奇之举：

1936 年 11 月 2 日，段祺瑞在上海去世。11 月 4 日，蒋致电段的长子段宏刚慰问：“上海吴市长译转段祺瑞公子段骏良先生礼鉴……”

1936 年 11 月 12 日，孙中山老友尢列病故。14 日蒋向尢家属发出唁电：“南京军事委员会姚处长味辛兄译转尢少甫先生礼鉴……”“少甫”是尢列长子的名号。

1939 年 9 月 5 日，蒋电唁上海《大美晚报》编辑朱惺公家属，对朱惺公遇害表示哀悼：“上海朱松庐先生家属礼鉴……”

1944 年 9 月 10 日，参政员谭赞在美逝世，蒋致家属唁电，称谭赞为“慕平同志”。

还有，那些与他兵戎相见，甚至是他朝思暮想、必欲置之死地而后快者，也如此礼遇，就更令人不可思议了。因为当时没有一部专著，能记载这样全面、详细的人物的“字”、“号”，或别名、别字、别号等，纵然蒋有再多的秘书，也难以搜集到如此全面的资料。蒋先后为上千人题写过诔辞，大多如此。在 1949 年以前的 20 余年间，每年题写的诔辞人物大都在三四十人左右。所以人们惊疑，蒋戎马倥偬，日理万机，怎么能记得住这么多人的生卒年月、乡里籍贯、字行别号？更何况还包括他们的父母尊亲、妻、子、甚至是兄弟姐妹或姻亲。

原来，蒋的随身侍从总是携带着一个小本子，里面记着许多党国元老、军事将才、学界耆尊、海外侨领等人的生卒年月、籍贯简历、兴趣爱好及一般人不注意的细节。同时还包括他们的父母尊长等亲缘关系。在30年代，记载的人数有400多，到后来增加到600左右，以备时用。这还不算完，如果新发现某人可资利用，就会悄悄派人了解他的家庭情况，及其他细节，然后记在小本子里（这个小本子，如果公布，世间对蒋的神秘感，会荡然无存，如果出版，肯定会热销）。所以，一旦某人去世，蒋要拍发唁电，秘书可以很快从小本子里查到他的字行、别号、雅称，也就不足为怪了。又比如，你的一位亲密朋友的父亲去世，你正为不知道他的尊号而无法写挽幛时，蒋的挽额却最先送到了，上面赫然写有其雅号“某某老伯千古”，你说你能不感到惊奇吗？你的这位朋友能不感慨吗？

第十一节　十全十美

1957年1月20日，是中国国民党第一次全国代表大会召开33周年纪念日，当时在台湾的十位参加大会的代表，在这一天举行纪念聚餐会。他们是：于右任、张知本、黄季陆、张善与、白云梯、苗培成、李肖庭、宋垣忠、李宗黄、延国符。其中于髯翁岁数最大，已经78高龄了。法学家张知本也有74足岁。为了这次聚餐，他们特意买了一本签名册，髯翁在第一页上庄重写下：“中华民国13年1月20日，中国国民党第一次代表大会出席代表在台同志签名”，并签上自己的名字，接着是其他九人依次签名。

岁月荏苒，但他们每人都清楚记得，当时参加大会的代表是153人。张知本回忆道：当时北方的代表都穿着貂皮的袍子，他们到广州后的第一件事，就是赶快上街买夹衣更换。黄季陆则问大家：“你们谁还记得开会时自己的座位号？”大家面面相觑，似乎要从对方的表情上寻找答案。黄则自豪地说：“我是51号！”岁数最小的延国符，回忆最有趣：大会开了10天，闭幕时，离春节只有10天了。北方的代表吃不惯南方的菜，急着回去过年吃饺子。总理（孙中山）告诉大家，开会时曾经拍摄电影，过几天就要放映了。隐含有慰留之意。当时许多人不知道“电影”是“何物”，后来果真放映这部弥足珍贵、极具史料价值的纪录片。代表们这才明白了“电影”的神奇魅力，令他们非常后悔的是，拍摄时没有在意，所以对自己在镜头里的形象不满意，或是服装不得体，或是举止不优雅，但又苦于无法改变，只得遗憾终生。大家相约，以后每年1月20日，都要相聚一次，以纪念国民党第一次全国代表大会的召开，并且把签名册交给延国符保管，因为他不但年纪最小，而且记忆力最好。他们还把这种聚餐，取名为“十全十美”（十全，有十位代表还在世的含义，十美为食美），轮流做东。

1964年11月10日下午8时，髯翁病逝于石牌荣民总医院，年87岁。蒋介石颁治丧令，以“耆德元勋”挽之，17日出席大殓。1965年6月16日，蒋穿米色中山装至台北县于墓前献花、鞠躬、致祭。对于髯翁的仙逝，“十全十美”的九位代表最为伤感，除了痛悼髯翁之外，还在于“十全”今缺一，83岁的张知本特别悲伤，甚至哭述道：“十全十美”总不能以“九全十美”为继吧？

1949年，蒋败退时，带着130万军政人员和他们的家属，来到台湾。这些人，远离家乡，生活困苦。为了互相帮助，排解思乡之情，他们纷纷设立各种同乡会、校友会、同业公会、联谊会等民间组织。蒋为稳定他的统治，对此是很支持的。所以对“十全十美今缺一”问题，也关心起来，特派张群看望张知本，并给他带来一个建议，何不将服侍右老多年的副官方伯勋先生，补充到“十美”之内？原来，蒋在为髯翁祝寿、探病时，经常与方接触，还常向方询问髯翁的病况，看到方对工作极为认真负责，所以印象很深，又曾向髯翁了解过方的情况。张知本像孩子一般的高兴，愉快接受了。

1965年1月20日，在国民党一大召开41周年、在髯翁去世73天之际，张知本率领着他“十全十美”的九位老伙伴，来到髯翁的墓前献花、吊祭。之后，举行“十全十美”第九次聚餐会。不过这次，只有素菜，也没有酒。黄季陆对记者说："这是为悼念我们的老朋友于哥哥。"其他人则表情肃穆，默不作声。最后他又提议，以后的聚餐，不要由一个人做东，改为各自出份儿，大家一致同意。

第十二节　公开宣读严禁发表

1933年二三月间日军进犯热河，中国守军进行顽强抵抗，其中喜峰口守军，原西北军二十九军将士组织500人大刀队，夜袭敌营，夺回喜峰口。从10日至25日，在喜峰口至罗文峪的长城线上，中国将士屡次打败日军进攻。日军受挫后，一面进扰察东，攻占多伦、沽源、宝昌、张北诸县；一面派兵改由山海关突进滦东。4月初攻陷石门寨、海阳、秦皇岛等地，使长城沿线的中国守军腹背受敌。5月下旬，中国军队相继放弃长城各口，日军突破滦河，侵入滦西，攻陷冀东22县，直接威胁平津，长城抗战最终失败。后北平军分会代委员长何应钦派军使至密云与日军和谈，并签订了《塘沽协议》。

国民政府应参战部队、阵亡家属及民众要求，于1933年9月4日上午9时，在北平北海公园天王殿举行"阵亡将士追悼大会"。当天北海公园临时停止售票，禁止闲人游览，凡入园祭奠者须持有限量并专门签发的出入证，园内戒备森严。但在中国领土上，祭奠保家卫国的中国将士，是中国民众的自由，当局控制限制人数入场，引起民众的不满，并一度发生争端，主持方不得不放宽限制，当天前往致祭者多达5万人。祭堂设在殿内，满列殉难烈士相片和灵位，凡少尉以上军官达500余人，以连排长为多，团长则两名。北平军分会特意请白云观道士和雍和宫喇嘛，到会场为亡灵超度。蒋介石、汪精卫、张学良等人各有挽额悬挂。大会收到挽联八千多副，中央党部挽联为："洒血同仇，万古山河存正义；衔哀遗烈，千秋邦国式贞忠！"何成浚联曰："为国家远殉边陲，不问有名无名，共秉英灵照千古；痛胞泽多难遗恨，罔分先死后死，同撼悲愤在今朝。"

追悼大会由何应钦代表蒋主祭，内政部长黄绍竑（字绍雄）代表国民党中央与祭。军界要人徐庭瑶、鲍文樾、王以哲、何柱国、梁冠英、鲍刚、万福麟、钱大钧、黄杰、商震等参加。首先由何应钦恭读孙中山遗嘱，之后，何又宣读林森、蒋的联名祭文，再读他自己的祭文。会场气氛庄严肃穆。追悼会结束后，各大报刊记者纷纷向大会筹备处索要祭文原稿，准备第二天发表。却被告之：严禁发表！记者们疑问：怕的是什么？

第十三节　奇特暗斗

自1925年孙中山去世，国民党内部的权力斗争，就日趋激烈，蒋、汪、胡是这种角逐的核心与最高级别。从蒋、汪的角逐来说，汪无论是公开的，还是暗中的，也无论是政治的还是军事的，乃至各个方面，都是蒋的手下败将。但有一次的暗斗却是例外，让蒋声望扫地，吃尽苦头。

一、路人皆知的暗杀主谋

1930年2月18日夜11时30分，在上海法租界迈尔西爱路霞飞坊314号，发生一起暗杀，当场死3人，重伤1人。第二天，租界方面公布调查结果：暗杀为14人合谋所为，其中7人在外放哨，7人入内行刺。主刺目标为王乐平，陪刺死者潘行健，及重伤者赵凌翔均为黄埔军校一期毕业生，当时正与王密谈。另一死者康尔恭为王的门房，是在楼下无辜被刺。租界方面特别强调，暗杀与政治无关。人们笑此为欲盖弥彰。

王乐平，时年48岁，山东诸城县人，名者塾，字乐平，身躯高大，对人和气、热心又健谈。1902年中秀才。1906年考入山东高等学堂，1907年入同盟会，曾参加辛亥革命，1912年当选山东省临时议

◇ 王乐平。

会议员。1913 年参加“二次革命”，失败后流亡甘肃。袁死后返鲁，被选为国会参议员。1918 年当选山东省议会秘书长。1919 年夏，在济南合股创办齐鲁通讯社，翌年改为齐鲁书社，发行进步书刊。1922 年去莫斯科参加远东各国共产党及民族革命团体第一次大会，归国后与王尽美在齐鲁书社创办了平民学会。1924 年出席国民党第一次全国代表大会。1926 年，在国民党二次大会上，被选为候补中央委员。北伐期间任湖北省政务委员。

1928 年 2 月，汪精卫在国民党内斗中失利，不甘心的他派骨干陈公博、顾孟余、王乐平等到上海成立了“中国国民党改组同志会”（简称“改组派”），不久王成为改组派总部负责人。改组派以汪精卫为精神领袖，提出“拥汪护党”、“实行党治”，标榜“恢复 1924 年国民党的改组精神”，反对独裁，主张党内民主集权制，并在全国各地和海外发展党员。1929 年 2 月在上海召开改组派第一次全国大会，逐渐形成与蒋争权夺利的一大重要派系，并得到其他派系的支持，唐生智派人携款 9000 元，捐助“改组派”上海总部，并汇沪 30000 元接济汪精卫。（见《上海熊斌黄少谷致潼关宋哲元石敬廷孙良诚鱼电》，民国 18 年 7 月 6 日，国史馆，《阎档》）连冯玉祥也按月接济“改组派”2000 元，津贴“中国国民党各省市党部海外总支部联合办事处”3000 元，后因经费困顿，数目减少。（见《上海黄少谷致刘郁芬宋哲元石敬廷孙良诚转冯玉祥皓》，民国 18 年 7 月 19 日，国史馆，《阎档》，《杂派民国 18 年 3 月至 12 月冯方往来电文录存》，微卷第 43 卷，779 页）王乐平是改组派的行动部部长，他在文武两个方面反蒋，文的办报办刊物，有声有色，影响巨大。武的方面除与冯玉祥、阎锡山等建立联系，甚至在石友三炮轰南京后，主动与石联系，希望建立广泛的反蒋军事联盟，遭蒋嫉恨。1929 年 10 月 11 日蒋以国民政府名义，通缉陈公博、王法勤、柏文蔚、朱霁青、白云梯、王乐平、顾孟余、陈树人、潘云超、郭春涛等十人。王匿居上海租界，仍秘密从事反蒋活动，经常是高朋满座，商谈热烈。当天夜里，如果王法勤等二十余人若晚辞十余分钟，必同赴黄泉。

王乐平故去后，遗有夫人和均在求学的一女三子。因王早年奔走国事，亡命南北，收入无多，又不善积蓄，身后家中清苦异常，无以入殓，家人哭声连宇接天，闻者无不抛洒同情哀泪。蒋立即宣布解除通缉，但这已没有实际意义，有实际意义的是，蒋称：“王虽因反动，经政府通缉，但于北伐期间，亦曾努力，有相当成绩”，21 日蒋特电淞沪警备司令部熊式辉，严缉凶手，并赙赠 2000 元治丧。

汪精卫也在次日通电各界（又称“政治声明”）：“海内外各党部同志，中央执行委员王乐平同志于 18 日晚 11 时 30 分左右，在上海寓庐，被暴徒狙击身死，连及者有赵凌翔、潘行健等，潘亦死，赵受重伤，并死工友一名。凶案内容，此时虽未详细，但乐平同志为人，向无私仇，而其为党奋斗，为奸邪所侧目，欲死之而快，已非一日。昔者袁世凯颠覆民国之阴谋，以杀宋教仁开端，以杀陈英士结局，覆辙俱在。唯乐平之死，与廖仲恺之死，同为本党莫大之损失，无可补偿。临电不胜痛愤之至。汪兆铭。皓（19 日）印。”

汪精卫不愧“大政治家”，不但政治敏感性极强，反应敏捷，而且词锋犀利，引喻得体，借机反蒋。此外他还十分“关心”逝者家属，积极策动王家追凶。2 月 24 日，王家发出通电，同时，王乐平的长女王贞民，在各大报刊刊出与通电内容相近的启事，及其郑重的宣称：“本月 22 日有淞沪警备司令部王某，携蒋介石致赙两千元来，声言为先父治丧之用。窃先父为何而死，与孰致之死，世人早已大白。当此元凶尚未授首，贞民何人？忍受仇赙？当经严词拒绝，深恐外界不明真相，特此登报声明。王贞民泣启。”

王贞民的启事，十分了得！其尖锐的“忍受仇赙？”直指蒋介石，“授首”又给蒋一个极大难堪。虽然家中清苦异常，但拒收“仇赙”的大义凛然，慷慨豪迈，无不使人钦佩这位少见的“奇女子”。这是王乐平遇害后最早、最直接、最有感召力的公开谴责蒋。当时有人分析：从启事内容看，似乎不像是一个 16 岁女孩子的文笔气魄，更有人认为与汪精卫的行文风格相近。至此，王乐平遇刺真相，昭白天下。天津的《益世报》在 2 月 26 日则以题为："暗杀改组派"追踪报道此事，几乎接近事实。

但蒋介石大权在握，又按着葫芦不开瓢，加之毕竟没有确凿证据，谁也没有办法。改组派所设想的揪出暗杀主谋，终归化为泡影。但是改组派同人对王的遗属仍有诸多眷顾，协助治丧，于 20 日在上海草草入殓，灵柩暂厝上海万国公墓配房。南京、上海是蒋的"中央"控制区，王家及改组派只得于 3 月 2 日，由刘金钰主持，在北平的山东会馆举行追悼会。汪精卫哀悼王乐平，更伤心改组派遭此重创，人员星散，行将瓦解。

二、不甘心的汪精卫

本来这件事就算过去了，王乐平也渐渐被人们淡忘，可偏偏汪精卫不甘心，要寻找一切机会，打击蒋，与之角逐最高权力。而历史又眷顾于他，给他一个这样的机会。1931 年日本军阀集团发动"九·一八"事变，日军迅速占领东北全境。蒋迫于各政治派别压力，释放被他扣押的胡汉民，于 12 月 15 日再次辞职。但全国人民及海外华侨一致要求国民党政府，团结御侮，一致抗日。一个月后，蒋利用政局不稳，和汪精卫在杭州举行秘密会谈，决定两人合作掌权，表面上形成蒋主军、汪主政的局面。蒋不得不让出一部分权力，由汪任行政院院长。还把外交部长这个烫手山芋，也作为礼物送给了汪。汪大喜过望，兼任外交部长，以亲信唐有壬为常务次长。

汪精卫在安排好班底后，没有忘记当年因大力支持自己而被暗杀的王乐平。经过汪长时间的调查、准备，他认为破案是不可能的，但他要为王恢复名誉，定位于"烈士"，举行公祭、公葬。汪先后接见、慰问王乐平的一弟一妹、一子一女。并征得他们的同意，派人到济南近郊千佛山，勘察地形，大兴土木，为王修建墓园。于是，遇害三年半的王乐平被汪抬了出来，王乐平被暗杀事件再次被汪炒作得沸沸扬扬。

蒋对汪的这次掌权，做足了表面工夫，如出行南京，有仪仗队献花、奏乐欢送，宪兵、警卫队护卫。归有仪仗队礼炮、夹道欢呼迎接。凡由蒋安排的邀请或会议则有专机、军舰迎来送往。他对汪的"祭王"活动，无论是公开的，还是私下的准备，都了解得一清二楚，却没办法阻止。因为当初王遇刺，蒋在要求熊式辉破案时，称凶手是暴徒，义愤填膺地谴责，还表扬王在北伐时的功绩，又馈赠丧仪（至于家属拒绝，那是另一回事），这些都历历在案。那么恢复王的"烈士"名誉，是顺理成章；举行公祭、公葬也是情理之中，料想之内的。蒋对此，所能做的只有干扰。自然的干扰是当年双十节举行全国体育运动大会，但这种搅局远达不到他的目的。他设法的干扰就让汪哭笑不得。当时蒋在南昌督军围剿红军，公开的理由是"难以脱身"，频频邀请汪"来浔"（九江旧称"浔"，这里代指南昌）商谈要务。因汪长蒋 4 岁，蒋还起了个好听的谦恭名词："候晤"。开始汪还因得蒋重视飘飘然，几次晤谈，蒋并没有提出任何实际性的问题，汪才看出蒋那可笑的真实目的，对蒋的"候晤"失去兴趣。

三、奇特对垒

蒋除了"候晤"的干扰，还在寻找其他方式。找来找去找到了林业明。

林业明，字焕廷，1881 年生，广东顺德人。1905 年加入同盟会，曾任安南（今越南）支部主盟人。在镇南关（今友谊关）、钦廉、河口诸战役中，均参与筹饷购械，备至后勤的重任。失败后潜赴南洋，宣传革命。1911 年携巨款，购运枪械，赶回广东支援黄花岗起义。后在香港创办《真报》及《黄花三日刊》，因反对军阀龙济光，被港英当局逮捕入狱数月。1918 年在上海创办华强书局与民智书局。后来协助廖仲恺负责国民党中央的筹款及财务工作。1925 年任国民党广东本部财政部长。由于林早年多次参与筹款，并两袖清风，得到各方的信任，1928 年在南京筹建孙中山陵墓时，出任"总理陵墓管理委员会常务委员"，负责海外华侨捐款的保管、监督和使用，并对陵墓的修建做出相当贡献，孙科对他极为感谢。

林焕廷虽是老资格，但晚年不但多病，而且职位并不高，社会影响也有限。1933 年 8 月 25 日在上海因心脏病去世，年 51 岁。其后的 8 月 27 日大殓，9 月 2 日出殡，都没有引起当局应有的重视。但到 9 月 12 日，蒋在南昌突然提议隆重追悼，得到林森、胡汉民、居正、萧佛成、邓泽如等人的回应。9 月 16

◇ 汪精卫。

日，国民政府明令褒恤，拨治丧费 3000 元（隆重与治丧费不相匹配），赞扬他："功成不居，恬淡襟怀，群流景仰。"9 月 23 日，林森、蒋介石联名正式发起追悼，并对外公布，广泛征求"宠赐鸿文诔辞"。本来已经被冷落多时，现在突然由国府主席、军事委员会委员长两大巨头领衔追悼，确为人们所不解。这种哀荣，也许是林焕廷在病床上，药缺茶冷时所未曾料到的。

汪精心筹备了一年多的王乐平公祭、公葬尚未正式公布，却被林、蒋抢先公布追悼林焕廷。汪感到这是与自己筹备的公葬王乐平形成暗中对垒，这不是别有用心吗？汪本与林无任何成见，转念一想：你追悼林焕廷，好呀！我参加！就派人通知"林焕廷追悼会筹备处"，于是，在国民党内和国民政府内均排名第三的汪精卫，这次却名列"林焕廷追悼会"发起人的胡汉民之后，位居第四位。

同年 10 月 5 日，汪精卫精心筹备、发起的"公葬王乐平筹备委员会"终于正式对外公开。现在我们看看利用丧祭斗法，暗中形成对垒的双方阵营：

汪是"公葬王乐平"的发起人和策划人，但具体细节和实施则由王法勤、丁惟汾、陈公博、朱霁青、于洪起负责执行。其中王法勤负责上海方面的公祭，丁惟汾负责山东方面，陈公博负责南京方面，朱、于协调各部事务。而对外公布的"公葬王乐平筹备委员会"的发起人依次是：汪精卫、于右任、张继、王法勤、刘守中、蔡元培、丁惟汾、李宗仁、孙科、韩复榘、陈公博、阎锡山、冯玉祥、唐生智等 140 人。这 140 人主要由以下几个方面组成：（一）汪派系统的中坚力量：如唐有壬、曾仲鸣、陶希圣、谷正纲、谷正鼎、顾孟余、陈璧君等，是人数最多的一类。（二）山东同乡：如丁惟汾（王乐平的老师）、何思源、高秉坊、滕固、朱化鲁、孔繁蔚等。（三）反蒋各派别：如白崇禧、黄绍竑、覃振、陈树人、蔡元培等。（四）还有就是王乐平从政后的同人故旧。

"林焕廷追悼会"的发起人依次为：林森、蒋介石、胡汉民、汪精卫、孙科、萧佛成、邓泽如、居正、张继、谢持、于右任、戴季陶、邹鲁等 77 人。其人员组成较为简单，主要三类，一是林的广东同乡；二是同盟会时期的革命元老；三是林的友好朋辈。

这里有一些人是双方都参加者，如孙科、于右任、居正、张继、李宗仁等。令人不解的是，一些蒋系中坚人物，也在"公葬王乐平筹备委员会"中出现。如果说因在上海公祭，作为上海市长的吴铁城，不得不有所表示，那么孔祥熙、叶楚伧、何成浚等又是为何？

四、公葬王乐平

汪精卫所策划的公葬王乐平，主要是从上海起灵，到济南千佛山东麓安葬过程中的五大步骤，即在上海起灵并举行公祭；灵柩运至南京下关车站，停灵公祭；在转车到济南途中，停灵徐州，举行迎灵仪式；到达济南车站举行迎灵仪式和公祭。最后是盛大的安葬仪式。可以说举行的仪式越多，对蒋介石揭露的机会和打击越多越大。

10 月 15 日下午 2 时，公祭王乐平和王的移灵仪式在上海齐鲁别墅举行，由王法勤主祭。张知本、胡宗铎、傅汝霖、黄少谷、褚辅成、何香凝、薛笃弼等百余人参加。吴铁城派上海市府第一科科长李大超代表前来致祭。各界所送挽联极多。这些挽联多以谴责暗杀，矛头隐指蒋为特色。曾暗自庆幸，躲过一劫的王法勤之挽联，当为人们所关注："何事杀先生？万里招魂闻夜哭！几人同患难，三年埋骨有青山。"可以看出，联中有作者的身影，而更多的是疑问，"何事"杀人。吴山挽联："国无纪纲，有志未成遭忌死；党难保障，怀才不遇空悼之。"其中以李烈钧的挽联最为无忌："不死于满清，不死于洪宪，不死于北洋军阀。当国民秉政之时，惨遭闵凶，此志士所痛心也；吁嗟乎领土，吁嗟乎主权，吁嗟乎革命精神。在东北沦亡以后，唏嘘凭吊，问逝世其瞑目耶？”

16 日上午，灵车运抵南京下关车站，下午 3 时公祭。汪精卫原定自己为主祭，他要借机好好发挥一下。但 15 日蒋又以有要务相商，约汪来南昌“候晤”，汪对此早已习惯，但又想，是否确有要事？是否又有花招、也不知几天才能回来？便临时安排：如果回不来，由陈公博主祭。但陈又临时他往，转交顾孟余代表。当汪与蒋见面后，才知又是鸡毛蒜皮的无聊，乃于 16 日上午 11 时半，在曾仲鸣、唐有壬的陪同下，乘永绥舰匆匆赶回南京，他顾不得与记者寒暄，仪仗队也被冷落在一边，同迎接他的顾孟余钻进小汽车。下关车站临时搭建的会场正中，悬挂汪的挽联：“千劫当前，迈往我侪犹此志；百身莫赎，殷忧今日念斯人。”作为主祭的汪精卫还亲自朗诵他那四百二十余字的祭文：“惟民国 22 年 10 月 16 日，汪兆铭等谨致祭于故中央执行委员王乐平先生之灵曰……豺狼眈眈，民望岳岳……”只有汪敢用这样尖刻的字眼，聊以抒发不满情怀。有评论说“冯玉祥的祭文极为悱恻”，颇受关注，却未予刊载。

孔祥熙也送了挽联：“二十年谋国艰辛，竟殒贤豪，歇浦潮声尚呜咽；三千里间关归葬，长怀壮烈，鹊华山势并峨嵯。”因蒋大权在握，其他人的挽联还是有所顾忌。当时新闻界如《申报》、《中央日报》等评论，认为佳笔是顾孟余的哀挽：“壮业述当年，坚忍不移，却秉赤忱光党国；滞棺归故土，精神难泯，长留碧血照乾坤。”

17 日，灵柩由浦口起运北上，路过徐州停灵公祭。此后进入山东境内，山东是韩复榘的地盘，受蒋的控制和中央的影响，大大削弱。韩复榘对此大力支持，在相继途经的临城、滕县、泰安等地，各地方主要官员均到车站迎灵、致祭。息影泰山多时的冯玉祥，于 18 日早 6 时，特派秘书长陈国梁到泰安站迎灵，这些均为汪精卫原计划所没有的。18 日上午 9 时，灵柩安抵济南，山东省、济南市两府当局动员 500 多人，包括省主席韩复榘代表，民政厅长李树春、济南市长闻承烈等百余位要员到站恭迎，由朱霁青主祭。21 日上午 8 时至下午 6 时，济南举行大型公祭，监察院副院长丁惟汾曾是王乐平的老师，早在十多年前，他对有这样的弟子就很是得意。而此次为吊奠，特于 19 日晚从青岛赶来，代表国民党中央主祭，并诵读两祭文，一为中央党部的祭文，丁以“大武刚鬣之仪，昭告于王委员之灵”，足见仪节之隆重。另一祭文为他本人名义。22 日举行以上山东省政府名义筹备的安葬仪式，韩复榘主持，执绋者万余人，送葬队伍达数里长。

从 10 月 15 日在上海移灵起，到 22 日在济南安葬，前后大小公祭十余次，各种祭文 30 余篇，挽联、挽额、祭辞等 6000 余份。而每一次公祭无不引起人们的猜测、议论、谴责，甚至是漫骂。那时暗杀事件频频发生，其中有相当一部分就是蒋的主谋。民众普遍认为没有安全感，除了愤慨，就是无奈，遇到发泄的机会，谁肯放过？丧家的诔辞大概是太过激烈，竟没有人敢于报道。有人笑谈：民众的私下说法就可想而知了；另有人反对，认为：私下的说法，就不可想象！至于报刊，别的不提，仅南京的《中央日报》，前后十余天的连篇累牍，大肆报道王乐平的事迹和公祭情况。这哪是在公祭王乐平？简直是汪精卫在大庭广众之下，与蒋对着干，以除去他头上的领袖光环。蒋很有经验，躲到南昌去了，如果是在南京，他该如何面对这种场面？

五、林焕廷追悼会

10 月 29 日下午 3 时，“林焕廷追悼大会”在上海贵州路湖社举行。当天湖社门前扎白布素花牌坊，白幡飘扬。自进门内至登楼，遍悬挽联约 3000 副。林森赠挽额“忠悃情操”，蒋挽以：“一老不憖遗，党史褒崇，应树羊碑留眺首；万方正多难，元勋凋谢，倍伤鲁殿失灵光。”汪精卫挽词为：“抱朴有言冰霜粹素者清人，惟公笃秉兹德，所造于吾党者，经纬以均，信老成为谋国，恒典型之与亲，何萎哲于多忧，宜永叹于斯民。”胡汉民哀以：“惠人不禄无存济，同志咸怀复旧亲。”

司法院副院长覃振为大会主席，邓祖禹任司仪，罗克典陪祭。许崇智、马超俊、李明扬、温建刚、焦易堂、郑洪年、杨虎、杜月笙、文鸿恩、张知本等 750 多人参加。首先由覃振作报告，介绍林焕廷的生平事迹，并致祭文。继有叶楚伧代表国民党中央致辞。其后国民政府代表吴铁城、中央西南执行委员会代表程潜等相继演讲。

第十四节　冯玉祥的四次丧祭

1946年4月7日，国民政府文官处，正式批准冯玉祥在年初提出的出国考察水利的要求，蒋介石在批文中签署："由国府明令发表特派冯委员玉祥赴美考察水利事宜"，并拨款6万美元，由两名专家、三名随员同行。但不久，蒋指使国防部不经冯本人同意，即按照抗战后所颁发的复员令规定，给冯办理退伍手续。（《冯玉祥年谱》，202页）同年9月2日，冯玉祥夫妇带着女儿从上海启程赴美，随行有中文秘书吴组缃、英文秘书汪衡、参议冯纪法、水利部派来的两名水利专家刘宅仁、章元羲。

社会各界对于冯氏，以一介武夫，考察水利？贻笑大方，主要还不是针对冯本人，而是对政府这样处置，给予极大的嘲讽。

一、在美反蒋

冯玉祥到美国后利用各种场合，进行反蒋演说和宣传。1947年5月26日，冯在旧金山《世界日报》上发表《告全国同胞书》，针对南京发生的"五二〇惨案"，批评国民党政府镇压请愿学生的行为。6月，李济深、何香凝发表《致海外同志暨同胞书》，列举了蒋的八大罪状，冯把该文翻印数百份，散发给各地华侨。9月7日冯应邀在一个有一万四千名美国青年的集会上，发表演讲，抨击蒋的对待学生政策。同年10月10日，冯在下榻的旅馆举行记者招待会，公开声明，进一步反对蒋介石的独裁政治。

◇ 冯玉祥在美国发表反蒋演说。

冯在美国的公开反政府言论，让他的老部下薛笃弼、张之江等人处境尴尬，忧虑会殃及自身，同时也为冯的安全和未来担忧，便致信劝他在美要"慎言"。1947年7月初，冯复信，以"辛辣嘲讽"的口吻作了回答。（《冯玉祥年谱》，209页）

同年12月底，驻美大使馆转来公函，要求冯"请于12月底前回国"，因为他的考察职务在本年底结束。冯拒绝回国，并于12月30日在纽约发表声明："当我在华盛顿时，中国大使馆给我转来蒋介石侍从室主任吴鼎昌的一封信，信中说蒋介石个人命令我在年底前回国。但是，就在前不久，我收到行政院张群院长一封信，指示我明年继续在此地进行我的水利考察任务。张群先生甚至善意地给代表团预支了1948年的经费。我的任务是由行政院指派，并且直接向后者负责。因此，我对蒋介石个人命令感到困惑，因为这是同行政院的命令相矛盾的。这种明显地践踏政府既定工作步骤的个人行为，是一种典型的独裁行为。"（《冯玉祥年谱》，211页）

◇ 1948年在美国访问的冯玉祥与夫人，在清新的草地上小憩，舒缓一下愁绪不断的烦恼。

1948年1月7日，国民党中央常会，决议开除冯的党籍，同时撤销他的水利特使职务，吊销他的护照。（《中央日报》1948年1月8日二版）至此，国内舆论对冯氏的攻击、嘲讽从地方报纸，转到《中央日报》、《申报》等大报、要报。攻击的重点，也从对让“丘八诗人”考察水利，靡费民脂民膏的政府，转为对冯氏个人人品的善变。如《中央日报》记者祝修麐，采访跟随冯氏考察的水利专家章元羲后，发表题为《冯玉祥这样考察水利》的文章，章氏虽承认冯氏生活俭朴，但不懂水利的考察，近于捧腹。1948年1月14日，冯针对开除党籍事件，在纽约举行记者招待会。

国民党对冯的反击，在国内和国外同时逐渐升级，美国国会议员周以德主张“冯玉祥应该送入疯人院”。1948年2月2日，《中央日报》五版有署名杨柳翻译美国沙柯斯基的《论冯玉祥》，对冯予以嘲讽。这一招确有新意，借洋人的口，骂冯玉祥，比国人来骂，好像还有些说服力。

二、罹难及各界反响

1948年7月31日，冯玉祥在极其保密的情况下，由纽约乘苏联“胜利号”豪华客轮，经苏联返回国内，拟与中共商讨建立联合政府事项。9月1日途经黑海时，轮船放映电影，不慎胶片着火，继而火势蔓延，冯被浓烟熏倒，窒息而逝，年68岁。（《中央日报》1948年9月6日二版）同时罹难的还有他的女儿冯晓达，冯夫人亦受轻伤。

苏联政府对此事件极为慎重，直到9月5日，塔斯社才正式对外宣布。中东一带国际消息灵通的中国人士，咸感震惊。国民政府是在6日正式报道这一消息，国务院新闻局局长董显光表示：“关于冯玉祥死讯，虽尚有若干未经披露之事实，然冯氏在赴苏船上，此点殊可注意。彼既已公开表示回国领导叛乱，以谋推翻中国政府，当即发生苏联政府何故仍予以赴苏便利之问题？在此点及其他事实尚未阐明以前，余拟保留作进一步之评论。”（《中央日报》1948年9月10日三版）

国民政府驻土耳其大使以讽刺的口吻回答外界询问：“不能与之道别，甚感遗憾！”美国务院拒绝评论，但重述了“蒋总统已经撤销他的水利特使职务，吊销他的护照”的声明。（《中央日报》1948年9月7日三版）

中共方面对此更为谨慎，《新华日报》则是迟至11日才报道此事：“回国路上轮船失火，冯玉祥遇难逝世，毛主席、朱总司令、周副主席向国民党革命委员会吊丧”，并有冯氏简介。毛泽东、朱德联名发有两电，一为致国民党革命委员会吊唁，另一致冯夫人唁电，同为7日所发。此外，周恩来、董必武、邓颖超联名致冯夫人唁电，亦为7日落款。按一般人想象，中共肯定会大事宣传，隆重追悼。但实际却没有，因中共方面正忙于三大战役，无暇兼顾。到冯氏周年忌日，才为他举行追悼大会。

冯罹难后，国民党对冯的舆论攻击，达到一个新的高潮，从南京到各地报纸，揭发、嘲讽的舆闻不绝于耳，《中央日报》于9月6日二版有题为：《冯玉祥叛国小史》，称：“冯倒吴（佩孚），倒曹（锟），与张作霖勾结，但中途又倒张。1929年首次反叛中央，同年9月悔过，次年再反，翌年再度表示效忠，1933年5月第三次背叛，6月失败，又再次表示服从，中央复予纳容。”18日又发表《冯玉祥二三事》，对冯进行抨击。

但这些嘲讽，归根结底还是落在政府身上：人们不禁要问：既然冯玉祥不懂水利，又这样坏，政府为何还花巨资让他去？难道就是让他到国外来骂政府的吗？

三、两地丧祭

蒋介石对于苏联政府秘密协助冯玉祥回国，而且是与中共联手，以推翻国民政府为目的，可以想象，该是怎样意外、震惊和气愤，然而更让他气愤的还在后面。

苏联政府遵照冯生前遗嘱和冯夫人意愿，为冯氏举行遗体告别和火葬仪式。9月7日，飞机降落莫斯科机场，冯的遗体由苏联近卫军战士缓缓抬下，机场上举行了隆重的迎灵仪式，气氛极为悲壮。到场有冯氏亲戚、苏联军方负责人及社会团体代表。仪式完毕后，遗体送往火葬场火化。火化前，按照苏联陆军传统的最高葬礼，举行告别仪式。灵堂布置得庄严肃穆，摆满了苏联党政军各有关方面敬献的花圈。

遗体躺在苍松翠柏鲜花环绕之中，灵床旁有四名持枪的苏联红军战士肃立。仪式由苏联陆军高级将领主持。哀乐声起，仪仗队鸣枪致哀。苏联方面致悼词，少不了对冯氏争取民主自由的歌颂。冯夫人李德全向遗体做最后的告别，随即火化，骨灰交给李德全。后事料理完以后，苏联外交部长莫洛托夫接见了李德全，对冯玉祥将军不幸遇难深表痛心。他表示：为了对这一重大不幸事件负责，如果冯夫人同意的话，苏联政府愿意承担几个孩子的全部教育责任，直到他们在苏联学成为止。

蒋介石得知这一消息，火冒三丈：冯在美国组织政党，公开宣称推翻政府，并且是被革职的一介寡民，你苏联政府竟然如此优待，所居何心？要知道，苏联与国民政府是签有“中苏友好条约”的，难道你斯大林就是这样来维护这一条约吗？这是“友好”二字所为吗？蒋氏实在不想与斯大林闹翻。自中苏恢复外交关系，每年斯大林生日、苏联国庆节、建军节等，蒋都不失礼节地致电祝贺，苏方重要领导人去世，蒋也唁电致哀。直到1948年11月7日，苏联国庆日，蒋还发贺电，由驻苏大使馆转交给苏最高苏维埃主席团主席舒维尼克。(《中央日报》1948年11月7日二版)难道这一切，就换来如此回报？太让他难堪了。所以，后来他到台湾，写了《苏俄在中国》，来发泄对斯大林无比强烈的愤恨。

◇ 冯玉祥与蒋介石早年的合影。

冯氏罹难后的涟漪，时时刺激着蒋氏的神经，真是一波未尽，一波又起。逗留在香港的民主派人士中，有八九位是70岁以上的寿星，原本要在10月1日为他们庆祝一下，借这个机会联络感情，但这个庆祝的心情已经被冯氏的噩耗所冲击。那几位老先生对冯的离去，非常悲痛。9月28日，国民党革命委员会与其他民主派人士共30多人，聚在一起商议并决定：一，去电莫斯科，向冯夫人致唁；二，去电莫斯科，向苏联方面询问冯氏罹难的事实真相；三，筹备举行冯氏追悼会；四，集资出版冯氏的著述全集。这一追悼会，所最担心的是，港英当局受蒋的影响出面干涉。(上海《铁报》1948年9月20日三版)10月3日，这一追悼会在小范围举行，到会有李济深、何香凝、朱蕴山、陈邵先、张文等数十人。由朱蕴山致悼词。

四、又一个意外

冯氏其人，有一种朴素的思想感情，生活简约，体恤民情，主张抗日。但有时不免情绪化待人处事，有时又为甜言所欺，否则他就不会轻易加入基督教，也不会在中原大战时，被阎锡山以奇货可居，软禁起来，成为阎向蒋要挟的筹码，更不会三次反蒋，再三次归顺。有的人利用他这一特点，达到个人目的。如有某人想通过冯介绍，拜见某要人，便对冯说，他不久前在河南听到那里的老百姓都说：不想爹，不想娘，想的就是冯玉祥(冯曾任河南督军)，接着对冯大加恭维，冯高兴极了。后来那人果然如愿。刘思慕也曾对冯说，他见过有人作对联：“见冯主战，见汪主和，见蒋委员长和战两可；对共骂国，对国骂共，对人民阵线国共皆骂！”并解释说此联可作为当前国事的写照，冯听后沾沾自喜。

冯对普通士兵较为关心，有时还亲自为他们剃头、看病。但对军官，无论大小，呵斥辱骂是家常便饭，甚至因小过，不由分说，拉下去就是一顿“打屁股”，还有将要升职的军官，先被莫名其妙地打一顿，然后观察他是否有不满表现，若没有，就认为是忠诚可靠，很快提升。久之，谁要无过错被打了屁股，其他人便纷纷向他道喜。西北军的将领(文官除外)，几乎没有几个不享受“冯氏家法”的悲喜机缘，甚至韩复榘在做了山东省主席后，带着礼物去拜见冯时，还受到他的呵斥，韩怎能没有怨气？

在冯离去后，那些被打过屁股的部下，对冯氏依然怀念，因为他们大多穷苦出身，是冯氏的提携才得以有今天，而且中国习俗，逝者为重，怨恨自消。于是聚在一起商议为老长官开个追悼会，寄托哀思。但几次所定时间，都因局势变幻作罢，因为他们清楚地知道，蒋介石肯定不会允许。最后决定在 1949 年 4 月 14 日上午 10 时半，在上海长乐路中西疗养院礼堂举行小规模追悼会。此时蒋氏不但下野，而且早已躲到溪口，做撤离大陆的准备，并操控与中共的和谈，即便蒋得知，也鞭长莫及，无可奈何。

参加追悼会的有：李鸣钟、薛笃弼、张之江、孙连仲、李兴中、冯治安、李文田、李文阳、刘汝明、张自明（张自忠胞弟）、刘汝珍、刘治洲、刘骥、曹福林、毛以亨、熊梦滨、李汉光（中西疗养院院长）等 50 余人。会堂庄严肃穆，香烛高燃，正中悬挂冯氏遗像，上悬挂“浩气长存”横额，为冯氏前秘书长、立法委员熊梦滨所书。灵位供以鲜花香果，两旁有挽联一副，上款：“焕公先生千古”，联曰：“伟范常昭，灿烂勋猷归史册；羁魂不返，凄凉部属失瞻依。”下款：“旧属敬挽。”由李鸣钟主祭，薛笃弼、张之江、孙连仲、李兴中等陪祭。上香、献花之后，默哀三分钟，向冯氏遗像行致敬礼，旋由熊梦滨宣读祭文，与祭者多泪流满面，当熊梦滨读到“归舟不返”时，已泣之不能自持，最终未能读完，便无声地结束，追悼会前后不足七分钟。

其祭文为：“惟中华民国三十八年四月十四日，旧属张之江、李鸣钟、冯治安、刘治洲、李兴中、薛笃弼、孙连仲等人，仅以香花酒醴，致祭于焕公先生之灵曰：呜呼先生，生而挺英，坚卓为性，宏毅趋程，弥天事业，奋起一兵，述其大者，忱想荣名。公与革命，始自滦州，虽功业未就，而意气弥遒。厥后再接再厉，不达不休。追欢迎国父北上，继以五原誓师，始令义师实力，不限方隅，此吾国革命大业，待公完成者也。国有世仇，实维扶桑，公自从戎，即拟矢天狼，大声疾呼，一何琅琅。公之字典无畏字，公之义旗揭北方。公于国策，一柔一刚，相剂相成，乃相得益彰，卒使狂寇走且僵，国土恢复，海波不扬，此吾国抗战军事待公完成者也。综此二事，播为口碑，传之妇孺，不烦费词。大战而后，海内疮痍，公怀悲悯，念之颦眉；遂赴新陆，考所实为，愿以水利，救我贫饥。归舟不返，世界然疑。呜呼。人孰无死，观化之及，世情所哀，不见其人。况卅年之推解，竟异域之告终。缅其生平之笑藐，伤义故之深衷，能不唏嘘流涕而痛哭朔风者乎。呜呼哀哉，上飨。”（上海《新民报晚刊》1949 年 4 月 14 日二版，《大华日报》1949 年 4 月 12 日一版，上海《大公报》1948 年 4 月 11 日四版）

如果蒋介石知道竟有这样的祭文，肯定大为气愤。不过在追悼会后 10 天，蒋介石离开溪口；而参加追悼会的诸位仁公，也各奔南北了。

五、诸公结局

有一种说法，当年陈仪策动汤恩伯反水，汤在恩师和给他带来荣华富贵的人主之间，选择了人主，最终出卖了恩师。陈仪被蒋杀害，这是汤所未曾料到的，汤于良心上过不去，在台北的家中为陈设了灵位，每天烧香磕头，被蒋知道了，叫去呵斥一顿，并饬令撤掉灵位。汤毕竟是为蒋立下汗马功劳的嫡系同乡，尚受如此遭遇，那么，蒋知道西北军将领追悼冯玉祥，又会怎样对待他们?

这些参加追悼会的诸位，有两种归途：一是大部分留在中国大陆，如李鸣钟、李兴中、薛笃弼、刘骥、李文田、熊梦宾、刘治洲、张之江等；二是离开，或寄居香港，或是到了台湾，或是远走他国。我们且看去台者的结局：

孙连仲，字仿鲁，河北雄县人。1948 年任首都卫戍总司令，10 月任“总统府”参军长。1949 年 2 月任战略顾问委员会委员，未几去台湾，和老友庞炳勋合开一家餐馆，重演“孙庞斗智”。退役后任“总统府”国策顾问、中国国民党中央评议员，中央纪律委员。1990 年 8 月 14 日在台北仙逝，年 97 岁。

刘汝明，字子亮，河北献县人。1949 年 4 月任闽粤边区“剿总”司令，10 月去台湾，1952 年退役。1975 年 4 月 28 日病逝，年 80 岁。

曹福林，1891 年生，字乐山，河北景县人。1949 年初，担任长江南岸防守任务，4 月率部退入福建，同年秋，再退厦门，任厦门防卫司令，旋即去台湾。1952 年 10 月，以陆军中将退伍，后任台湾电力公司顾问。

1964年6月9日，在台北去世，年73岁。蒋有题诔。

冯治安，字仰之，幼名治台，后改名治安，河北故城人。1949年任京沪杭警备副总司令。赴台后任“总统府”战略顾问、“光复大陆设计委员会”委员。1954年11月16日，在台北去世，年59岁。12月11日火葬，蒋亲临致祭，慰问家属，并予以题诔。(《中央日报》1954年12月17日一版)

毛以亨，字公惺，浙江江山人。1924年任西北边防督办公署秘书，次年1月，冯玉祥在张家口专任西北边防督办，派毛为公署秘书兼代理特派交涉员，11月任驻苏联特罗邑（后改为上乌丁斯克）领事，同年加入国民党。1926年5月陪同冯玉祥访问莫斯科，商请苏联政府援助。同年9月被北京政府免去领事职务，1927年1月回国，旋被任命为西北军驻南京代表，一度被提名为内政部次长并代理部务。1949年冬，迁居香港，任香港大学教授，曾赴台参加“监察院”会议，后任台湾大学教授。1968年2月15日，毛在香港九龙病故，年72岁。2月21日举行公祭，蒋诔以“谠论流徽”。(《中央日报》1968年2月22日三版)

石敬亭，号筱珊，山东利津人。去台后任“总统府”国策顾问。1957年当选为国民党第八届评议委员，1963年当选第九届评议委员。1969年元月19日病逝台大医院，年83岁。2月2日公祭，蒋有题诔，并派参军长黎玉玺代表吊唁。

由此说来，蒋介石并没难为他们。其实，在经历了1949年的众叛亲离之后，非嫡系将领还能跟着他败退孤岛，这才是他所最看重的，其他则可忽略不计了。

第十五节　阎锡山的一幕表演

阎锡山是一位很有特点的历史人物，他精于谋略，处事缜密，不事张扬外露，说话、作诗、作对联都怪怪的，让人猜不透。据说，在他的会客厅里，挂有一幅孙中山和张作霖的双面像，蒋介石的代表来了，把孙中山的一面挂在外面，若张学良的代表来了，又翻过去把张作霖的像露出来，见什么人，说什么话，八面玲珑。从北洋时期起，他周旋于各派系之间，以至于统治山西达37年之久，连蒋介石也奈何不得。当中原大战失败后，南京方面有人喊出这样的口号：阎逆这个不倒翁，这回就非让他倒掉不可！岂料不到一年就复以傲立三晋大地。抗战时期，他又与蒋介石、中共、日本人三方同时周旋，并自称是在三个鸡蛋上跳舞，哪个都不能踩破。如果没有切身体会，是不会说出这样深刻、形象的比喻。的确，在民国时期的政治舞台上，他不但是一位杰出的导演，也是出色的演员，抗战前，他就有一幕精彩的表演。

◇ 穿军装的阎锡山，一身整洁，满脸诡秘，总是让人猜不透。

一 、李生达遇刺

1934年夏，阎锡山迫于蒋介石的压力，派其师长李生达率三个旅，并附周原健一个旅往江西“剿共”。李生达，字舒民，山西晋城人，保定军校毕业，是阎一手擢升的将领。1926年冯玉祥围攻大同时，李守城有功，由营长、旅长，再擢跃为十五师师长兼晋北镇守使，转年北伐，又以战功升为军长。1928年6月任第五军军长。同年9月，所部受编遣缩编，他又改为第五师师长。

李生达早与蒋有密切的私人交往，而阎锡山最担心蒋分化、瓦解他的部下，也最嫉恨他们与蒋攀上关系，并对此有深刻教训。李生达与反阎的山西省党部负责人、CC系干将苗培成是同乡，关系密切，李曾协助苗度过阎设立的难关，苗也极力向蒋推荐李。阎历来重用老乡，他的亲信多为五台、定襄人，李为晋东南人，李的部下官佐也多为晋东南和外省人。李与傅作义关系密切，而傅原为阎的部下，做大后投蒋，自立门户，时任天津警备司令，这也让阎不放心。中原大战前，赵戴文反对阎倒蒋，李附和，阎不悦。1931 年 6 月，李生达与王靖国出席南京三届五中全会，蒋送李现款 15 万元（关于蒋收买李的款项，有不同说法，最多的一种是李的副官长李维岳之说，竟有 100 万）。同年 8 月，阎由大连回晋，李去见阎时未提及此事。而阎最忌讳部下接受蒋的馈赠，不向他报告。据徐永昌回忆录记载，蒋送他 6 万元，他全数交阎。还有杨爱源，蒋先送他 5 万，杨毫不客气地收下，后又赠 10 万，他虽收而不领情，再赠仍照收不误，这一切连借条都不打，并全数交给阎，深得阎的信任。如今他李生达竟敢昧了起来，这还了得？气愤和疑窦让阎心生一计：致电李说财政困难，要借用 100 万。从这个口气看，蒋送给李的钱，不会是小数目。李复见阎时，痛哭流涕地说明赠款经过及数目，阎这才大度为怀，予以抚慰。1933 年，李部开赴石家庄，准备参加长城抗战，蒋前往两次召见李，关系进一步密切，并给李密电本，指定专用电台联系。话再说回来，李部奉蒋、阎之命开到江西后，阎找借口克扣军饷，李气恼而无奈，这也给了蒋一次机会，蒋马上足额补发。不久，蒋介石任命李生达为陆军第十九军军长兼第七十二师师长，其部下许多军官也都晋级加薪，弹冠相庆。随后，蒋介石给李生达增编了一个特务营，并为其配备了最新式的武器装备，甚至还为全师配发雨衣，又送给李生达五辆小汽车，李部高级将领陈长捷、段树华、霍原璧和周原健各分得一辆。阎目睹这一切，担心李生达步商震、傅作义后尘，做大失控，于 1935 年借口防务吃紧，要求蒋归还李部建制，而李及下属担心回去后受气，均不愿返晋。但蒋另有安排，执意要李回去。李部开拔返晋时，蒋犒赏该军全体官兵每人 5 元大洋，另赠官佐每人一张自己戎装照。李部回晋后，阎任命师长孙楚为陕北“剿匪”总指挥，却叫身为军长的李生达为副总指挥，李愤而不到职，仅派陈长捷旅归孙指挥。这期间，蒋推荐李为中央执委，阎还风闻李将出任安徽省主席，阎锡山的顾虑日渐加重。不久，蒋接受李生达密电邀请，以“剿匪”为名，任命陈诚为第二路军总指挥，率关麟征的第二十五师、李仙洲的第二十一师、宋肯堂的第一百三十二师计 10 万大军开入山西，有久驻之意。无疑，这对阎锡山又是一个极大的威胁。

1936 年 5 月 25 日，阎锡山截获蒋介石致李生达密电，经译电员楚卿译出，大意是：蒋令李在“剿共”期间，配合关麟征、商震作倒阎内应（《张学良年谱》，1008 页）。阎大惊失色，乃决心杀李，以绝后患。5 月 27 日，李接到探报称，“匪（指中共）将暗派刺客，不利于李”，李将此报转阎。至于这个消息是否为阎所托烟雾，目前没有证据，估计与阎不脱干系。经多方筹划，阎选择了李的失意马弁熊希月，对李下手。熊希月是山西朔县人，1927 年起在李生达身边任卫兵。为什么选择熊希月，历来有不同的说法：一是熊贪杯嗜赌，头脑简单，性情粗横，被李调离到部队去，熊颇怀怨气。另一种是：熊与李的如夫人王宝贞有染，李心生疑窦，将其调离。阎侦得此事，遂以金钱收买、官职相诱，并许以事成后将王宝贞送给他。熊得钱后，曾给家中汇去 2000 元，这在当时是很大数目，人们怀疑此款由来。再一种是：熊的桃色传言，是由王靖国所散布，而王与李失和已久，王还说李与熊的妻子也有艳闻，据后来人们分析，王的目的是要借桃色事件，来掩盖这场凶残的政治暗杀。知情者都说，李生达与王宝贞感情融洽，王作风正派。李对家事掌握严格，熊很少有机会见到王宝贞，熊也从未带过家眷到部队，所谓奸情，似乎不可能。

不过有一点是可以肯定的，熊做事轻浮。与熊很要好的军部传达班长马文兴，常与熊一起吃喝玩乐，事后马说：熊希月最近很有钱，对朋友很大方。在出事的前一天，熊对马文兴说：“今天我要办个大事，以后咱们再见吧！”也许就是这句话，给他带来杀身之祸，也许无论如何，他也难逃噩运。

5 月 31 日凌晨，李生达在离石县柳林镇驻地熟睡，熊闯入卧室将李枪杀。事先，阎锡山早有准备，当熊得手后匆忙外逃，被埋伏者枪杀以灭口，对外则宣传熊是被李的卫兵追杀，逃避不及，举枪自杀。熊希月的胞兄熊希轩，时任《晋阳日报》采访员，阎锡山收买熊希月的钱款，就是通过他转交给弟弟的，因此详知内幕。熊希月被杀后，熊希轩拟向阎锡山质问，被太原公安局扣押，一年后风声舒缓，才被放回朔县原籍居住，但仍不得外出，更严饬要他“注意口风”，否则不测。另据陈长捷撰文所述，事后在现场检视射出的两枪弹，非同一种型号，否定熊自杀之说。（参见《山西文史资料》第九辑：李维岳、娄福

生、杨雨霖《李生达与阎锡山的矛盾及李生达被暗杀真相》)

二、蒋介石的愤怒与无奈

李生达时年45岁，昆仲五人，长兄已逝，李氏居次，李氏四弟任山西省府视察员，五弟也居住太原。其长兄之子文彬，任绥署咨议兼太原护泽中学校长。李身后遗有夫人及四子一女，为夫人和如夫人王宝贞所出。长子年21岁，当时在南京中央军官学校求学。次子17岁，在太原平民中学就读，三子七八岁，四子仅两岁，女儿八九岁。

李生达被刺后，十九军军部急电阎锡山，报告事情经过。阎锡山于当天向蒋报告。蒋辛辛苦苦，花巨资培养了寄予厚望的可靠内应，就这样被阎除掉了，当时的震惊和愤怒，可想而知，当即复有两通唁电，一是致阎锡山："阎主任勋鉴：世电悉，李军长遇刺逝世，不胜悲痛，请一面彻查原因，一面办理善后，代抚慰其家族，并请随时详告。中正卯世（31日）印。"另一唁电是对李氏家属的慰问："阎主任勋鉴：请转李军长夫人礼次：接李军长阵亡凶耗，不胜悲痛，惟为国牺牲，乃我军人天职，李军长为剿匪救国而死，乃求仁得仁，实为国家永世之光。尚望夫人养老抚幼，勿过哀伤，以竟李军长未尽之志，而慰其在天之灵，是为至盼。蒋中正世（31日）戌机京印。"（《太原日报》1936年6月2日五版）

第二天，蒋又致电阎锡山："阎主任勋鉴：政府发给李军长家族抚恤费三万元，请转达为荷。中正东（一日）未机京印"（《太原日报》1936年6月3日五版）。此唁电中的"政府发给"四字，既无据又失慎，因当时规定，对于中将一级的抚恤金为5000元，后来在"褒扬令"中已经兑现，显然这3万元是蒋的个人感情，表明对阎的不满，和自己的愧疚：如果不是蒋的所作所为，李氏何以遭此凶难？后来正式对外发布这一消息时，改为以"中央"名义拨付3万元抚恤，与政府的5000元不发生冲突。蒋对阎的另一不满是，阎锡山以陆军中将衔，为李治丧，蒋随即于7月2日在南京主持中央常会，议决以国民政府名义，追赠李为上将，发给治丧费，并从优议恤，事迹宣付国史馆，另由中央择期在南京举行公祭。（《太原日报》1936年7月3日二版）。人们对于蒋的这样一笔厚赙，怎能不疑虑，所以有"李生达五万，对不起章太炎三千"的叹息（章于同年6月14日去世，蒋赠3000赙仪金，而对李生达：南京方面3.5万，阎锡山个人1万，山西省政府5000，其他还不计在内）。

恰在此时，前内政部长杨兆泰（字阶三）久病缠身，于6月2日病逝太原。阎详细电告蒋。赵戴文、杨兆泰1929年供职南京时，均受到蒋的礼遇和拉拢，并起到一定作用，如赵曾反对阎发动中原大战。蒋接阎电，很是悲伤，当即复电，托阎锡山先行代慰问其家属，并言日后将亲自来太原吊奠。（《太原日报》1936年6月7日第五版）显然，蒋的醉翁之意不在杨兆泰，而是要探究李生达之死的内幕，虽因事耽搁，迟了三四个月才来山西，但毕竟兑现了诺言。

发来唁电的还有：杨虎、高凌百、陈肇英、何应钦、贾景德、傅作义、关麟征、张学良、孔祥熙、张发奎、张群、马鸿逵、刘镇华等。商震的唁电颇为引人关注，因他原是阎的部将，现在成为蒋倒阎的主力，且看他是怎样的心情："太原第十九军办事处，转李军长夫人礼鉴：顷阅报载，惊悉舒民兄军次遇变之耗，念匪乱之初平，痛将星之遽陨，旧游回首，哀悼靡深，特电驰唁，敬希鉴查。商震东（一日）顺。"当时新任晋陕绥宁四省边区"剿共"总指挥的陈诚，正在离石视察布防，得到消息，不知是接蒋旨意，还是自己决定，于6月2日下午飞抵太原，第二天来到李宅吊唁，并带来两个花圈，一个是代蒋送的哀悼，一个是自己的悲痛。

王宝贞在首七诵经超度夜，竟遭祝融之灾，蒋再次电慰李家。同年10月蒋避寿洛阳，特意专程赴太原，临别时在机场接见王宝贞的遗孤。

三、如夫人焚毙

李生达遇刺离石的消息，传到太原李宅，随之弥漫开来的还有李妾王宝贞与熊希月的艳闻。不管这种传闻是真是假，作为李家兄弟子侄，在当时大概都有宁肯信其有，不愿信其无的心态，对王宝贞之愤恨，无以名状，必欲除之而后快。最难做人的是王宝贞，王为晋城人，随侍李生达已十年，平日感情融洽，生有二子，长公子文隆（在李家大排行为三公子），年已七八岁，就学于国师附小幼稚园，另一公子年仅二龄，雇佣乳母抚养（《太原日报》1936年6月7日第五版）。王一方面“闻噩耗，悲痛欲绝”，另一方面还要蒙受不白之冤，忍受家人邻里的冷面白眼。深思后决定“拟前往离石，亲视含殓”，也许这是脱离是非之地的唯一选择，但李家哪能让她“逍遥法外”，最终“为亲友劝阻”，被控制在李家。但她也是一位刚烈女子，曾表示:生之唯一愿望是为夫送葬，待丧事结束后，将以身明志。至此断绝饮食，终日哀泣，拒绝见任何人。李氏部下众将领慰问时，多隔门劝慰，仍未改其志。

李生达遗体于6月1日晨在离石入殓，十九军的陈长捷、二〇九旅旅长段树华等主持，离石军政商学各界纷纷前往吊唁。灵柩随后运往太原，由段树华为护灵官。下午4时，灵柩运抵太原，李氏家人包括王宝贞等，则在汾河桥头哭泣等候。当灵柩卡车直接开至事先搭建的灵棚时，鼓乐、爆竹齐声大作，全体人员均脱帽肃立恭候。祭典开始，先由李氏家族跪祭，嗣由来宾奠祭，后以国旗覆盖棺木，四周缀以花圈。灵车慢慢驶入城内，前导为军乐队，继之是警察队，宪兵队，再后为迎灵人员鼓乐、僧道、仪仗、神主、灵车，最后为家族汽车，王宝贞随行灵车后，曾昏厥数次。当灵车入城时，王宝贞再次哀痛至不省人事，当即用汽车运回宅第救治。（《太原日报》1936年6月2日五版）

李氏治丧委员会于6月3日成立,5日举行首七诵经超度。然而多难的李家,真是愁云正浓,惨雨继降,祝融再逞淫威，可谓祸不单行：当晚9时许，天忽降雨，家中执事人等，遂将院中陈列花圈、挽联等收拾一处，移至灵前外走廊。到晚11时，正值僧道诵经燃烧纸帛时，略有微风，竟然将纸钱、花圈等燃着，执事人等，当即竭力扑救，僧道蜂拥逃出李宅，群聚离宅数十步外观望。李生达之长媳，随王宝贞及三公子文隆、一女仆均在北厅西间守丧。火起时，长媳及女仆不但不救火，反而外逃至一空地，跪之祈求熄火免灾。可以说，当时如果及时灭火，就不会有后来这么严重，然而火未得免除，长媳“却受了轻伤”，至于怎样“受伤”，很令人怪异。当火势燃及纸质顶棚，向西蔓延时，王宝贞本可由窗户逃出，但她偏去抢抱其子，突然，一只燃烧的花圈飞来，不偏不倚套在她的脖子上，她本能地迎火焰外冲，大声呼救。救火者冲进屋内急忙将三公子抱出，再去救她时，她已奄奄一息，头发曲卷贴在额头，五官变形，焦灼气味，均惨不忍睹闻。李之灵榇被抬出后，上面的油漆略受火炙。说来也怪，自王宝贞被救出，屋内之火，旋即自行熄灭，令人大惑不解。

当火势蔓延之际，邻居多从梦中惊醒，绥署副官长冯鹏翥、警备司令荣鸿胪、宪兵司令李润发、公安局长程树荣等闻警，均先后赶往，到达时火已熄灭，于是处理善后。时刘宝珍医生到场，指挥将王宝贞、三公子用汽车运往川至医院治疗。阎锡山闻讯，传令该院代理院长阑楚生，广延名医诊治，但因王氏伤势过重，于6日上午11时殒命，年31岁。阎锡山又下令备杉木棺一口，于6日下午运到川至医院。其三公子在6日下午4时毙命。人们根据医生诊治认为，三公子比王氏伤情严重，何以王氏先死？对此产生疑窦。医生的分析和解释是，王氏近来四五日水米未进，体力极为虚弱。

王宝贞死后，立刻被晋系利用起来，作为转移人们对李氏遇害疑惑的借口，大张旗鼓地宣传王氏为节妇烈女，这就让人奇怪了，一天前还被视为是淫荡之妇，转眼之间，就要为她立贞节牌坊了？

四、精彩的表演

5月31日，在太原的阎锡山，接到十九军报告的李生达遇害，悲痛异常，立即回电：“舒民被刺，使我痛心不已……”并派绥署副官长冯鹏翥代表，偕同七十师师长王靖国、绥署副官主任刘绍庭等前往离石，办理李氏身后事宜，追究被刺案情，随行还载有阎锡山特意在五台山购置的棺木和衣寝等丧祭用品。在他们中，主其事者为王靖国，可王靖国到离石后，一不悲痛，二不着手追查案情，反而还对旅长段树华说：“舒民连自己都不能保护，如何能带兵作战？”

在太原的高级将领们闻耗，无不震惊和痛惜，相继到绥署探询消息，阎锡山不作回答，却让他们到李家慰问家属。当晚6时，阎在绥署中和斋，召开高级将领会议，商讨李氏后事，并由霍原壁暂代十九军军长，不久又改任王靖国。此后，阎未曾公开露面，据说是因李氏被刺，悲痛异常，遂致宿疾复发，恶心呕吐，腹内作痛，已两日卧床不起，延请名医诊治，轻易不见客。(《太原日报》1936年6月2日五版)

6月1日太原的迎灵仪式，阎锡山虽因哀痛过度，身体虚弱，但不顾左右劝阻，仍坚持参加，最终接受劝阻，派赵总参议代表赴南门外迎灵。阎又通知省各军政要人，文官科长以上、武官少将以上，必须到南门外晋省汽车站迎候，并有仪仗队、宪兵队、警察队、军乐队迎护。治丧委员会的相关人员，早在上午就筹备迎灵仪式，车站西口，搭建灵棚一座，绿缀花圈，松柏枝叶，灵棚两旁，列军乐队、宪兵队等。全场有宪兵维持秩序。迎灵官员有杨爱源、傅作义、关麟征、李服膺、李润发、于谦、赵承绶、杨文卿等，及李氏友好等500余人。6月3日，阎锡山送到李宅有挽额、挽联、花圈等，挽额为："懋勋未竟"，挽联为："为党惜长才，况数十年患难相从，忍听鼓鼙思猛将；继岑膺惨祸，忆万余里驰驱转战，空教涕泪悼元功。"(《太原日报》1936年6月5日第五版)阎锡山还早早就让人代写好了祭文："维中华民国25年7月2日，军事委员会副委员长、太原绥靖主任阎锡山，谨以名香清酒，致祭于李故军长舒民仁弟之灵曰：晋之国士，国之干城，云山北河，名世挺生，华胄遥承，李家将种。早岁从戎，深沉智勇，大同扼守，始播声威。……负固为雄，督剿临河，旌旗忽折，君叔先摧，子阳未灭，归元先轸，行路所悲，况为袍泽……"(《太原日报》1936年7月3日第五版)

阎锡山导演的刺杀李生达，没有料到让无辜的王宝贞，不但背上不贞的恶名，还陪葬于同穴永息，这是他不愿看到的，也是他痛心的，所以他要厚葬李氏夫妇，求得心灵上的宽慰，他自己赠赙仪金万元，又按规定，让山西省政府拨5000元。绥署高级顾问、前内政部长杨兆泰病逝，阎锡山一面电告蒋，一面派人往吊。6月8日他决定为杨兆泰、李生达举行公祭，建纪念碑(《太原日报》1936年6月29日五版)。对于李生达、王宝贞夫妇的公祭仪式规模、档次，也做出安排：绥、省两署的军政机关、各学校、团体，届时必须至少派代表一人参加，并准备挽联至少一副。在仪式前一日的上午，这些代表还必须前往李宅吊祭，并派定总参议孔繁霨为负责人，监督执行。以前，王宝贞在李家的地位，只是小妾，好一点的说法不过是"如夫人"，现在，经阎锡山的口谕，一律尊称李夫人，包括对外宣传、上报转呈。

李王夫妇的公祭仪式，定在7月2日早7时，各仪仗队、军乐队开始集合，与祭人员约500多人，相继来到李氏大宅门前。8时整起灵发引，段树华为护灵官，朵珍任总指挥，并聘请指挥多人，沿途维护秩序。送灵队伍蔓延数里，计首为纸糊狮子一对，其后依次为：李氏铭旌，由阎锡山亲笔题写；王氏铭旌，由傅作义题写。继为素匾挽幛纸扎等，约千余件。其后为执绋者，计有山西省军政当局、外省军政要员代表等。护灵官骑白马行于灵柩前，两灵柩各由48人执杠，随后是满扎纸花的运灵车两辆，最后是李氏家族的亲属，山西省军政要人的亲属，乘汽车、轿车的送殡者，军乐队、鼓乐队等，自北门街顺新南门沿途围观者人山人海。上午11时到达公祭会场，杨爱源为主祭，全场三鞠躬后，先由绥署、省政府致祭，继由妇女界、各界要人眷属代表致祭。阎锡山身着黄哔叽戎装，佩短剑，表情悲凄地向李生达之诸弟、众子侄慰问，一时竟痛哭流涕。当他面对李氏遗像鞠躬时，再次"悲痛过甚，泣不成声，几至昏绝，当经随行人员扶至车上休息"，然后才"径返绥署"，其他官员，亦无不凄然泪下。公祭后，灵柩运往李氏原籍安葬。

按当时规定，中将衔应该32杠，阎锡山为体现对李生达的哀悼，也许是为避某种嫌疑而提高规格。至于王宝贞的48大杠，就既无先例，也失规定，可见，阎在这次事件中的良苦用心。

人们对于李氏之丧，撰联有些难度，既要不得罪蒋、阎，又要尊重事实，表达感情。然而更难的是对王宝贞的定位和评价，但也有高手就恰如其分，如有署名为"允叔"者，分别为李、王撰挽联，极有意味，挽李联："提劲兵转战六七年，也曾踏燕豫齐楚吴蜀之郊，岂料入秦不利；守孤城力排二三志，从此历连营团旅师军而上，终能以死成名。"挽王宝贞联："得大解脱法，是佛说火光三味；有轻生死志，作纲常砥柱一人。"

这才是一个真实的王宝贞！

第十九章 诔辞人物关系篇

◇ 陈友仁与夫人张荔英。张荔英是张静江的四女儿，很有才气，擅长绘画，还会骑马打猎。但她也具有反叛精神，1930 年，嫁给了比她大约 30 岁的陈友仁，并在巴黎举行婚礼。

蒋介石的诔辞人物中，有许多是有着错综复杂的关系，他们或是家族关系、或是夫妻、或是姻亲，甚至是姻亲的姻亲。如浙江湖州南浔镇，富可名列四象八牛的豪族之间，互相结亲，其中周柏年与张静江即为姻亲，两家俊彦中多人获得蒋的题诔。而在张静江的众多女婿中，至少有两位获得蒋的题诔，一位是曾任外交部长的陈友仁，另一位是著名医学家林可胜。林可胜是新加坡侨领、前厦门大学校长林文庆的哲嗣。陈友仁也有侨居渊源，不过他只比岳父小一岁。作为富甲一方的张静江，对这桩婚事极为不满，在劝说女儿无效后，气愤得不可名状。1909 年秋冬间，同盟会为筹备广州新军起义，派遣三位年轻女性，结伴秘密往广州运送弹药，这三位女性去世后，蒋都有题诔予以哀悼，她们是黄兴夫人徐宗汉、胡汉民夫人陈淑子、冯自由夫人李自平。这绝不是偶然与巧合，而是历史赋予蒋介石，对她们的功业作出应有的回报。

蒋介石题诔人数最多的家族，是他自己的蒋氏家族，如他的内亲有祖父母、父母、兄弟姐妹，以及宗亲，包括在西安事变中罹难的蒋姓侄、孙辈侍卫。再扩大范围有他的外戚如外祖父母、舅父舅母、表兄表弟，外甥，甚至异姓舅父舅母（孙琴凤）等，至少有 20 位。从 1918 年起，到 30 年代初，蒋陆续为他们撰写诔辞。其次才是陈立夫家族，从目前资料看，陈家有九位。在台湾籍名流中，要以李建兴家族为最。

蒋的诔辞人物，最高龄者是 1940 年褒扬的 120 岁的青海大通县老阿訇冶启良，除为他颁发《褒扬令》外，又赠送"共和人瑞"挽匾。其次是山东籍 106 岁的韩介白，他是年龄最高的"国大"代表，他在台湾没有亲人，其丧事由"国大"秘书处和山东同乡会筹组治丧会主理。蒋介石历来对他就很尊重，多次为他祝寿，其中 1970 年的期颐大寿，更是隆重庆贺，并手笔一方"上寿景福"的寿匾（《中央日报》1970 年 9 月 2 日 6 版），另赠寿仪 1 万元，并派张群往贺，"副总统"严家淦题写"国桢人瑞"寿屏，致送 5000 元。而蒋为他去世所题诔的挽额也很新颖，是从来没有过的："上首贻徽。"从蒋介石为上述两位题写的挽额看，这已不是悼念的含义了，而是中国传统习俗中"喜丧"的"尊谥"，可见蒋介石这一时期的诔辞文采，不但灵活运用，也具有很高的艺术造诣，仅从"上首贻徽"四字，可看出蒋反复推敲的痕迹。还有

103 岁的卢连（字枝南），他是 1912 年中华民国成立时，第一位向孙中山祝贺辛亥革命成功的旅美侨领，在海外有一定的影响力。1972 年 5 月 8 日，宋肯堂、宋云堂、宋耀堂之母卢太夫人化羽，年 102 岁，蒋为她题挽额“义方垂裕”。在蒋的诔辞人物中，超过百岁者，至少有 16 位。最小的只有 4 岁。一个 4 岁的孩子，有何德何能，竟然获得蒋的题诔？原来这个孩子不是别人，而是蒋介石的早夭之弟蒋瑞青（也有资料说，蒋瑞青实际只活了 40 个月），1919 年蒋撰写了：《哭亡弟瑞青文》：

亡弟瑞青，讳周传，年四岁而夭，母哀之甚，欲勿殇命，以周泰长子经国嗣，生于中华民国纪元前十七年十月二十六日申时，卒于纪元前十四年三月二十三日未时。

哀哉吾弟，弟之生至今二十有四年矣，如不殇则成学立业之期不远，与乃兄以左右手，可以执干戈卫家国矣。即不然亦可以赡家守业，分吾内顾之忧，侍老母，教子侄，代吾尽定省之礼，而轻吾教育之责矣。而今何如耶？吾弟后吾八年而生，吾弟之殇，吾仅十一龄，适吾父之服未阕，而吾母痛父之卒，正惨烈时也。自吾弟殇，吾母椎心号泣，视父死时尤剧，今且忧愤成疾矣。抑自吾弟殇，吾家分崩离析，儆扰不安者，几十余年，而吾更孤苦零丁（伶仃），悽怆荒凉，强颜承欢，忧心忡忡者，亦十有余年。凡此皆吾弟蚤殇致然，吾弟其有知耶？其无知耶？呜呼！吾弟关系于吾家之重且大如此，而竟死，是亦余之命也乎？每一念及二十年前事，诚几几不堪回首者也。当是时吾与吾弟，并肩而坐，惟见其貌之温而丽，与其性之静而澹也。与吾弟携手而行，唯见吾弟潇洒逸逸，举止不苟如成人也，与吾弟嬉笑而游，唯见吾弟妙言巧歌，奇态异状，虽群儿之狡者莫能难，乃兄视之瞠乎后矣……

本着“走下神坛，撇开骂名，还一个真实的蒋介石予世人”的原则，简述蒋介石诔辞人物关系，不但可以更全面地观察当时社会风俗、政坛状况、裙带关系，也能更好地了解蒋介石是一位集细致又粗心、宽厚而狭隘、多变兼始终、仁慈且冷酷为一身的历史人物。

第一节　家族篇

陈诚家族

陈诚父亲陈应麟，字式文，毕业于浙江省立师范学校，先后在高市养正小学和县敬业小学任教师与校长，1925 年 5 月底，陈应麟在青田原籍病故。陈诚请假奔丧，蒋予以慰问并赠赙仪，批准丧假十天为限。

陈诚母亲洪太夫人，1953 年 8 月 17 日因心脏病复发不治，羽化瑶池，年 85 岁。蒋赠送的挽额是很少见的“母仪群仰”，并与宋美龄亲临致祭。（《中央日报》以下凡同此报的引文出处，只标年、月、日、版，报名均略。1953 年 8 月 18 日一版）

◇ 1965 年，美国副总统尼克松出席陈诚的丧礼，并向家属表示慰问之意，图为陈履安向尼克松致以答谢。

1965 年 3 月 5 日，陈诚因缠病多时，药石罔效，终年 67 岁。在陈病危时，蒋指示给他在国外读书的子女寄去飞机票，让他们回来看望父亲，他们先后返回奔丧。蒋对陈诚之丧，有挽联、挽额、祭文、《褒扬令》等。

陈诚侄子陈履坦，于 1973 年 2 月 24 日在台北荣民总医院去世，年 56 岁。去世前为台湾省公卖局第二酒厂厂长，蒋和严家淦均有题诔。（1973 年 3 月 17 日一版）

俞飞鹏家族

俞飞鹏父亲俞德桂。1926 年 11 月 20 日俞德桂病故原籍，时俞飞鹏在广州襄助蒋介石北伐的后勤供应，接噩耗致电在前线的蒋请假奔丧，蒋在南昌复电："南昌俞总监鉴：呈悉，惊闻有失怙之戚，不胜怆悼。惟军事方殷，该总监转饷输粟，责任殊巨，古有墨缞从军之礼，况在革命尚未成功之日，所望勉抑哀思，在军成服，所请辞职，碍难照准。中正。号。"俞飞鹏终未能返籍奔丧。

俞飞鹏的堂嫂。1960 年 4 月 12 日，俞济时母亲周太夫人安仰瑶池，年 89 岁。周太夫人生前乐善好施，庭训严谨，满堂子孙百余人，可谓福寿全归。13 日大殓，蒋为之题写"懿德垂昭"。15 日家祭后发引，葬台北三张犁宁波同乡会公墓。（1960 年 4 月 16 日第一版）

俞飞鹏。1966 年 12 月 19 日，"中央银行"副总裁俞飞鹏因肺炎寿终于荣民总医院，年 84 岁。22 日蒋挽以"怆怀勋硕"，12 月 24 日公祭。（1966 年 12 月 24 日三版）

陈屺怀家族

1943 年 10 月 19 日，浙江省临时参议会议长陈屺怀，在浙江临时省会云和永眠，年 72 岁。蒋于 23 日有唁电，公祭时有蒋挽额，并赙赠万元治丧。1944 年 12 月 5 日，国民政府颁发对他的《褒扬令》。

1948 年 11 月 13 日，陈屺怀堂弟陈布雷捐馆于南京，年 59 岁。蒋对陈布雷之丧，题诔较多，而且经常祭奠，最著名的是挽额"当代完人"。这是对陈很高的褒扬，因为蒋赠与"完人"的匾额很少。1949 年 11 月是陈的周年忌日，蒋又题写"精神不死"。

1972 年 10 月 15 日，"立法委员"，香港《时报》管理委员会主任委员陈训　因心脏病在台大医院驾鹤西翔，年 66 岁。陈训悆是陈布雷之胞弟，著名报人。24 日举行公祭，蒋题赠"志业遗徽"，葬阳明山第一公墓。他是八个月前辞去《时报》社长职务，全家迁到台湾的。11 月 4 日香港文教界举行追悼会。（1972 年 10 月 25 日三版、11 月 5 日四版）

李石曾家族

李石曾母亲。1935 年 10 月初，李石曾返河北高阳原籍，安厝母亲杨太夫人及嫂、侄三具灵柩，蒋有慰唁和挽词致送。

李石曾堂嫂。1960 年 7 月 24 日，台大教授李宗侗的母亲张太夫人在台北安然谢世，年 86 岁。张太夫人为张之洞侄孙女，祖父闻远公为清朝大学士，又是名画家，父亲张周叔亦为大画家。7 月 28 日上午举行大殓，蒋题"懿范足式"。（1960 年 7 月 28 日四版）

李石曾于 1973 年 9 月 30 日安仰道山，年 94 岁。生前为国民党中央评议委员会主席团主席、"总统府"资政。10 月 15 日公祭，蒋派"总统府"秘书长郑彦棻代表致祭，题赠"卓行高风"，严家淦送挽匾"山高水长"，葬于阳明山。（1973 年 10 月 16 日三版）

李宗侗于 1974 年 3 月 16 日因脑溢血不治，年 80 岁。李宗侗是李石曾的侄子，父亲为清邮传部次郎。李宗侗早年留学巴黎大学，回国后曾任全国注册局局长，故宫博物院管理委员会秘书长，并在北平师范大学、中法大学、台湾大学等校任教多年。蒋有挽额致送。

王文华家族

王文华，字电轮，贵州兴义人。早年丧父，得舅父刘显世的资助得以就学，曾参加同盟会，任黔军总司令、贵州省长等职。1921 年 3 月 16 日，在上海被袁祖铭收买的刺客暗杀，年仅 34 岁，葬于杭州孤山。1930 年 3 月，蒋以国民政府名义，颁发《褒扬令》，并追赠陆军上将。

1934 年 9 月 16 日，王伯群、王文华昆仲的母亲刘显屏太夫人在上海病故，年 73 岁。刘太夫人是刘显世的胞妹，何应钦的岳母，知书娴礼，久著清誉。蒋于 9 月 22 日由牯岭致沪唁电。此外蒋、林森、汪精卫、孔祥熙、黄郛、吴铁城、立法委员张知本、中央银行副总裁陈行等均有诔辞致祭。当时何应钦正在开封督军，依礼告假。蒋因5年前何父之哀，没有允许何返籍尽孝，此次若再不通融，那是说不过去的，况且还有交通部长王伯群一家人在翘首以盼，于是给假一星期。10月16日何应钦到沪时，吴铁城、杨虎、杨德昭等到车站迎接。由于刘太夫人的社会地位，她的葬礼十分隆重，10月25日开吊。因上海大夏大学是王伯群出私款一手创办，故大夏大学师生、校友千余人参加追悼。上海市公安局长文鸿恩特派武装警士到场四周警卫，并派军乐队奏哀乐、仪仗队随灵柩送至墓地。戴季陶为题鸿大宾。26日安葬。何应钦为岳母之丧，特购赠一件昂贵的大铜鼎随葬，为歹人觊觎并盗墓一空，警方破案多时，闹得沸沸扬扬。（参考上海《民报》、《新闻报》、《新闻夜报》等报的1934年10月24日至11月报纸）

1944年12月20日，中央委员王伯群在重庆江北陆军医院去世，年60岁。蒋有唁电，28日又莅临吊唁，29日公祭，蒋有挽额、祭文，并派文官长魏怀代表致祭。（1944年12月30日二版）1945年1月25日颁赠《褒扬令》。

周庆云家族

周氏家族籍隶浙江湖州南浔镇。南浔为近代中国丝、盐二业巨子集居之地，富甲天下。其财富多寡按四象八牛列等，周家就是八牛之一。周氏家族中著名儒商为周庆云，于1905年投资兴建苏杭铁路，1913年在杭州开办天章丝织厂，1925年在上海浦东设立五和精盐公司，后兴办吴兴、长兴煤矿。他一生收藏书画、金石、古器颇丰。

周庆云的侄子周柏年为浙中名士，生平以清介著称，对蒋介石多不买账。曾任国民党中央委员、中央政治会议秘书长、监察委员等职。

周柏年的胞弟周佩箴为老同盟会员，1922年孙中山委为财政部次长，北伐时期任广东省府委员兼土地厅长、广东省护国军司令，抗战胜利后任中国农民银行经理和交通银行常务董事。

1933年12月7日周庆云病故，年69岁。周柏年闻讣震悼，痛门庭多故，感人事不常，触动旧疾，一夕而卒于南京寓所，年54岁。因伯侄病故前后不及两小时，各界为之震惊。1934年1月13日，旅沪湖州会馆、湖社、浙湖绸业会所、旅沪南浔公会、湖州旅沪中小学、市北中学等单位于湖社大礼堂联合为周庆云、周柏年举行追悼大会，31日领帖。林森有挽额，蒋送挽联为：

“豸冠标亮节，国步多艰天何不憖；麟笔述徽音，灵光籧圮吾憯斯文。”同年2月，南京、上海、浙江发起兴建“柏年纪念林园”，蒋列名其中。（1934年2月26日三版）

周佩箴于1952年2月27日病逝台湾，年69岁。蒋有题诔。

李建兴家族

李建兴母亲白娘太夫人，对地方事业颇多贡献，1951年她80寿庆，捐出寿诞费用30万新台币，修建瑞芳国民小学礼堂，1952年1月14日获得蒋颁发的《褒扬令》及嘉奖匾“义行足式”。1952年10月，又捐3万元，协助修建瑞芳一座吊桥。（1952年10月23日三版）。1953年7月12日驾返瑶池于台北本宅，年84岁。7月14日公祭，白崇禧主祭，各界名流两千多人参加，蒋挽以“懿德永昭”。

李家为台北县瑞芳镇人，1965年10月26日，李建兴、建川、建和等昆仲，在瑞芳镇故居“义方居”，隆重举行先君伯禄先生百岁及母亲白太夫人95岁冥诞典礼。何应钦、白崇禧、谷凤翔等五千多人前往观礼。李建兴（时为台湾省府顾问，中央银行理事）率他的兄弟子侄辈一百多人，依古礼向他的父母冥诞寿堂焚香礼拜，并读祝文。典礼后，应瑞芳镇民之请，于下午将李伯禄、白太夫人的遗像、铜像，游行乡里，家家户户燃放鞭炮，表示敬意。（1965年12月7日三版）

李建成为李建兴之介弟，李建川、李建和之四兄，立法委员李儒聪四叔。李建成为台湾煤矿业巨子，于1970年4月10日上午弃世，年68岁。18日在台北市立殡仪馆公祭，蒋题诔“积厚扬芬”。（1970年

4 月 18 日六版）

1970 年 5 月 11 日，李建兴夫人黄斯淑病故，年 73 岁。黄女士亦为台北县瑞芳人，事亲至孝，相夫教子，曾膺选台湾模范母亲，为乡邦称誉。蒋题“懿德扬芬”。（1970 年 5 月 14 日六版）

李建和于 1971 年 9 月 2 日，病故于台大医院，年 61 岁。李建和别号子平，生前为中央评议员、省议会交通小组召集人，热心社会公益事业，对地方建树颇多。其治丧会由谢东闵任主任委员。19 日，蒋以“荩劳堪念”悼念。（1971 年 9 月 12 日六版）

胡汉民家族

1936 年 5 月 12 日，胡汉民在广州病故，年 58 岁。蒋有唁电、挽额、挽联、祭文、《褒扬令》等，并拨款 60 万治丧，定为国葬。

1942 年 9 月 14 日，胡夫人陈淑子病逝，10 月 7 日举行追悼会，蒋有唁电致慰胡木兰（胡汉民的养女，但胡氏夫妇视为己出，极为信任），及挽联、赙赠，并派吕超代表致祭。

1957 年 12 月 4 日，胡汉民的堂弟、“国策顾问”胡毅生因脑溢血不治，年 75 岁。胡毅生名毅，号隋斋。1905 年参加同盟会，追随孙中山反满抗清，但他最出名的事件是涉嫌于 1925 年策划暗杀廖仲恺而被通缉。胡毅生擅诗画、通书法。12 月 7 日举行大殓，蒋于 5 日题诔“绩懋望隆”，派张群代表致祭。（1957 年 12 月 6 日、8 日三版）1958 年 1 月 30 日，蒋明令褒扬胡毅生。

程天放家族

1965 年 5 月 7 日上午，程天放妻黄婉君因肝癌去世，年 64 岁。黄为江西宜黄县人，是晚清鸿胪寺卿黄爵滋的曾孙女、江苏候补知县黄传之女，1918 年与程结婚，有一子一女，子名程瑗，1945 年秋在重庆溺水。女名程琪，曾留学美国明尼苏达及加州大学，专攻国际政治。女婿钱纯曾任财政部长。5 月 10 日，蒋为黄婉君题“淑范长昭”。（1965 年 5 月 11 日三版）

1967 年 11 月 30 日，“考试院”副院长、中央评议员程天放病逝于纽约长老会医院，年 69 岁。蒋有唁电。12 月 10 日举行公祭，蒋为之题写“学渊绩懋”。

程天放的侄女程淑琛，于 1973 年 6 月 29 日病故于台大医院，年 73 岁。7 月 22 日公祭，蒋、严家淦均有诔辞。其杖期生杨家瑜为台湾电力公司董事长。（1973 年 7 月 23 日一版）

第二节　家庭篇

张继一家

张继父母。国民党元老张继之前母孙太夫人于 1871 年 2 月 21 日病故，年 28 岁。父亲张化臣于 1923 年 4 月 8 日寿终于原籍河北沧县孙清屯，年 78 岁。生母王太夫人于 1930 年 12 月 7 日仙逝，年 76 岁。先是 1928 年 9 月，张继以母病请假。9 月 25 日，蒋电张：“汤山甚适疗养，请求来京，以便共商要政”，实为婉拒张的请假；而此时张以丁忧请假获准，于 12 月返籍归葬三位尊亲。12 月 19 日蒋“电张副院长继，唁丧母，并致赙仪 5000 元。择于 1931 年 1 月 6 日出殡合葬”。（参考《蒋中正总统档案 · 事略稿本》[1]第九册，210 页；《中央日报》1930 年 12 月 31 日一张一版；《大公报》1931 年 1 月 11 日报纸等资料编写）

张继于 1947 年 12 月 15 日捐馆南京，年 65 岁。18 日获得《褒扬令》。1948 年 1 月 17 日戴季陶身着乙种礼服，佩一等采玉大绶勋章，作为大宾，为张继点主。18 日公祭，蒋为主祭，并自己宣读祭文。

---

① 以下标注引文或参考出处时，本书略写为《事略稿本》。

1949 年 12 月 16 日，张的两周年忌日，国民党中央举行纪念会，蒋亲自主持，并题挽额“党国矜式”。

张继妻子崔振华，字皙云。河北沧县人，天津女子师范学校毕业，历任天津竞存（静存）学校校长、国民党中央监察委员、国民参政会参政员。去世前为监察委员。1971 年 3 月 9 日早 5 时，病逝台大医院，年 68 岁。她的丧事，由“监察院”秘书处协助河北同乡会操持，治丧主任委员是河北同乡李嗣璁。3 月 21 日在台北市立殡仪馆举行家祭和天主教追思礼拜，最后是公祭。蒋题写“淑行坤仪”。（1971 年 3 月 22 日三版）1971 年 7 月 9 日获得《褒扬令》。

戴季陶一家

1929 年 2 月 25 日，戴季陶母亲黄太夫人病逝四川原籍，年 75 岁。3 月 30 日起开吊两天。蒋有挽联、祭文等，并赠万元赙仪。

1942 年 9 月 15 日，戴季陶元配钮有恒病故，年 57 岁。钮父钮江，是浙江湖州的一位名士，曾十三次参加科举。钮有恒年长戴季陶 5 岁，与戴结婚后，协助戴的工作，此外努力于劳军，晚年致力于慈善事业。蒋有唁电、挽联等。

1949 年 2 月 12 日，戴季陶自杀于广州，年 59 岁。蒋为之哀诔以“痛失勋耆”。15 日出殡，蒋率中央执委、监察委全体出席。3 月 12 日颁发《褒扬令》。3 月 31 日又颁《国葬令》。（参考《戴季陶传》，134~245 页）

◇ 汤恩伯。

汤恩伯一家

抗战时期，汤恩伯父亲在浙江原籍辞世。蒋首先得知，嘱咐不得告诉汤本人，有恐他分心军务，下令拨款治丧，并为之题写墓碑。汤是在抗战胜利后，返籍时才知实情。（《汤恩伯史料专辑》，中国文联出版社，221 页）

1954 年 6 月 19 日，汤恩伯在日本病逝，年 56 岁。7 月 15 日举行公祭，蒋亲临致祭，并哀以“忠勤永念”。1954 年 8 月 9 日蒋颁《褒扬令》。

1970 年 6 月 4 日下午，汤恩伯母亲林太夫人于三军总医院安赴瑶池，年 92 岁。18 日举行公祭，治丧主委何应钦，蒋题诔“懿德长昭”。（1970 年 6 月 19 日一版）

黄杰一家

1931 年冬，黄杰祖父黄国尊仙游于长沙，时黄杰任旅长在江西驻地，不能奔丧，只得在军中设奠遥祭。

1938 年 5 月，黄杰母亲唐太夫人辞世，黄杰正参加河南归德之战，当时战事方酣。蒋令不与黄杰闻知，派员莅临湘省存唁，厚赙兼金，并题像赞“精忠垂教”。

1944 年冬，黄杰父亲黄德溥病逝成都，年 64 岁。当时黄正率十一集团军强渡怒江，反攻滇西日寇。蒋仍对黄封锁消息，拨治丧费 10 万，派军校教育长万耀煌代表致祭，暂厝成都东郊。就是凭着这三位尊亲的丧事，黄杰均未亲临与祭，而是由蒋指令安葬，黄对蒋感念不已，所以在 50 年代初，黄率残部辗转从越南到台湾，由此也更加得到蒋的信任和重用。（以上三条参考黄杰：《先君先慈百龄诞辰书感》、《祖德与亲恩》，《传记文学》第 37 卷第二期、68 卷第一期相关章节）

◇ 黄杰陪同蒋介石乘船游览。从坐姿看，蒋介石一副修身养性的神态，而黄杰则不然，精神饱满，衣饰整洁，时刻保持着黄埔学生的身份。

王正廷一家

1945 年 1 月 22 日上午，王正廷夫人施美利病革重庆歌乐山寓所，年 62 岁。蒋有唁电。

1946 年 1 月 26 日，王正廷母亲施太夫人在上海仙逝，年 93 岁。于 2 月 26 日在上海宁波同乡会所举行追悼会。蒋有唁电、挽额。

1961 年 5 月 21 日，外交界耆宿王正廷博士，在香港九龙病逝，年 80 岁。22 日蒋氏夫妇联名电唁王夫人周淑英女士节哀。6 月 25 日举行追悼会，蒋题“怆怀耆彦”。（参考《王正廷传》,《中央日报》1961 年 5 月 22 日二版、5 月 24 日一版编写）

黄兴一家

黄兴捐馆后，继母易太夫人移居长沙文星桥，含饴弄孙，颐养天年。1929 年 6 月 22 日，易太夫人仙逝，年 72 岁。省主席何键发起追悼，湖南省政府第二十一次常委会议决定，公推何键主持丧事，定于 8 月 28 日至 9 月 1 日在长沙文星桥本宅治丧，并分讣各界。何键呈报中央请求优恤、褒扬。蒋应何键之所请，赠以挽额、丧仪。（根据《中央日报》、长沙《大公报》、湖南《消息报》等报 1929 年 6 月 1 日至 8 月 31 日报纸编写）

1944 年 3 月 8 日，黄兴夫人徐宗汉病故重庆，年 68 岁。10 日，蒋派中央党部秘书长吴铁城代表前往致祭，并特赠 5 万元治丧费。同年 6 月 3 日蒋颁令褒扬。吴稚晖的挽联被称颂一时：

口孝悌，笔忠信，讲礼明义，廉隅自干　，所之失于神经部者惟耻耳，遂至豺狼蛇蝎无比凶残，实屠我兄弟姊妹；

南悲哀，北摧伤，绝恸大号，哭声震衢途，当逍遥乎官舍中人独哭之，必非饕餮穷奇能状丑恶，远愧乎魑魅魍魉。

1966 年 11 月 29 日，台北举行黄兴逝世五十周年纪念会，蒋派人送去四个字“革命典型”。（1966 年 11 月 28 日一版）蒋介石很少为黄兴题写诔辞，这是因为黄兴的忌日，是他生日的前两天，历来重视自己生日的蒋似乎忌讳这一点，在台湾时期，黄兴的纪念活动有时要推延到蒋介石生日之后十余天举行，因此，湖南籍的“国大代表”们非常不满。1966 年的 10 月 31 日是蒋的八十寿，那时台湾的经济大为好转，国际舆论也有所转变，使他的心情不错，难得地为黄兴题写了这四个字，但这四个字与黄兴的历史地位极不相配，可见有敷衍的成分。

陈嘉尚一家

陈嘉尚父亲。1958 年 12 月 8 日晚，“空军司令”陈嘉尚封翁陈国麟寿终，年 72 岁。19 日开吊，蒋诔以“义方足式”。（1958 年 12 月 9 日一版）

陈嘉尚母亲。1961 年 6 月 10 日陈嘉尚母亲朱太夫人，因糖尿病并发症不治于仁爱路住所，年 77 岁。14 日公祭，蒋题“教忠垂范”哀悼。（1961 年 6 月 15 日三版）

陈嘉尚。1972 年 3 月 6 日下午 3 时，“驻约旦大使”陈嘉尚上将，因肝硬化逝于荣民总医院，年 64 岁。3 月 28 日公祭，蒋有题诔。（1972 年 3 月 29 日一版）

周枕琴一家

蒋早年在奉化凤麓学堂求学，校长是周枕琪，故蒋有时常到周家玩耍，得到周母葛太夫人、周枕琪、周枕琴兄弟的照顾。蒋成年后，对太师母葛太夫人很是感念，对周枕琪、周枕琴昆仲多方重用。1924 年蒋在广州办黄埔军校，邀请周枕琴出任军校军需处处长，1927 年任浙江省财政委员，兼理两浙盐运使。1936 年为陆军军需总监（中将衔）。周枕琪曾出任宁波法庭刑庭长。1940 年周枕琴因病住院，蒋常派蒋经国和蒋纬国探望，二人口称“伯父”（按师道算，应尊以师祖），十分尊敬。

1930年1月15日，身为总司令部经理处处长的周枕琴母亲葛太夫人在奉化原籍仙逝，年68岁。周当即请假奔丧，当时周家有周骏声、周骏耀、周骏彦三兄弟治丧。在南京的好友，纷往紫金坊周寓唁慰。蒋氏夫妇由张群、熊式辉陪同，于3月20日，乘楚有舰从镇江返回溪口，参加葬礼，并有诔辞和赙仪赠送。

1940年7月29日，蒋赴重庆中央医院探视重病的军需处长周骏彦，第二天周即弃世，年69岁。闻噩耗，蒋发唁电，派张治中代表致祭，并赠赙仪金1万元。7月31日大殓，蒋有题诔。8月1日出殡，8月2日国民政府明令褒扬。（参考《中央日报》1940年8月、《传记文学》第61卷第2期等资料编写）

王景岐一家

王景岐字石荪，亦作石孙，号流星，别号椒园，福建闽侯人。早年入武昌方言学堂法文班，后留学法国专攻国际法。1914年任外交部主事，颇受陆征祥重用，1918年参加巴黎和会。此后出任驻比利时、意大利、瑞典、挪威、波兰等国公使或公职。王景岐在文学方面颇有造诣，是同乡林纾主要的法文翻译合作者之一，当时人们所熟悉的《保尔和薇吉妮》、《波斯人信札》等就是两人合作的结晶。

1934年10月11日，王景岐母亲陈太夫人仙游，年73岁。蒋有唁电致慰。

1941年8月25日，外交家王景岐病逝日内瓦，年60岁。蒋有唁电。

王景岐妻子郑畹秀，于1966年5月20日寿终内寝，年84岁。郑畹秀的两子三女皆为博士，故有“一门五博士之贤母”尊称，其长子王遂徵时在澳洲任教授，次子王季徵任台“驻比利时大使”，时已奔丧回国。长女王长宝为布鲁塞尔大学博士，1954年逝于上海。二女王锡民与夫婿陈凌云在她临终时随侍在侧，三女王亚徵（适吴）为香港新亚书院教授，因心脏病已故。郑畹秀治丧会主委为何应钦，5月30日大殓，蒋诔以：“教忠有方”，派吴明顺局长代表致祭。（1966年5月30日三版）

俞镇臣一家

1903年，蒋介石在凤麓学堂读书时，与同学俞镇臣（又名忠郊、作屏）、胡朝阳义结金兰。1925年蒋在广东任东征军总指挥，讨伐陈炯明，召俞镇臣前往任总司令部秘书，旋又委以海山场主任，不久，提升为淡水县县长。当时有两派群众械斗，俞前去调解，不幸被石块击中而意外身亡，蒋有题诔。俞身后遗有子女七人，依次为长子俞国成、秉坤（女）、国华、秀坤（女）、志坤（女）、国斌，还有一个幼女。据俞志坤说：“父亲死后，国民政府颁发抚恤金，供给我们读书和生活，直至大学毕业。”二子俞国华是蒋重点培养的对象。三子俞国斌，1923年生，重庆复旦大学经济系毕业，1949年随蒋氏父子去台湾，曾任台湾“驻纽约总领事”。

1967年7月27日，俞镇臣继配胡夫人（俞国华、俞国斌生母）在大陆原籍仙逝，年84岁。俞家辗转闻耗，哀毁逾恒。8月24日在台北善导寺追荐，蒋特别召见俞国华、俞国斌等人，并有口谕慰唁。

1974年9月13日，俞国斌在“驻洪都拉斯大使”任内，遭遇袭击殒命，年52岁。9月19日台北举行公祭，蒋诔以“悼惜英才”。（1974年9月20日三版）

路思义一家

路思义是美国长老会著名传教士，1888年入耶鲁大学，1897年9月带着新婚妻子来华传教，先在山东登州的教会学校文会馆一面学习中文，一面任生物学教师。他曾先后三次回美国募捐用于在华办学，1916年再次从美国募得16万美元，将文会馆从登州迁到济南，与其他几所教会学校合组齐鲁大学，出任副校长。因与英籍校长发生办学分歧，转而支持司徒雷登在北京创办燕京大学，任副校长，常年驻美负责募捐，并成就显著。1927年退休，在哥伦比亚大学与协和神学院任教，并专心研究中国历史、宗教与文化。1940年12月7日无疾而终，年75岁。蒋发有唁电。

亨利·卢斯是路思义的长子，1898年4月3日生于登州，前后在中国留居12年，14岁时回到美国。毕业于耶鲁大学，然后在牛津攻读一年，开始其在《芝加哥日报》的记者生涯。1921年创办《时代》

杂志社，此后逐步建立庞大的杂志帝国，其中著名的《时代》、《生活》、《幸福》、《体育画刊》等蜚声世界。30年代卢斯与蒋氏夫妇建立良好的私人关系，在早期，他所办的刊物大力宣传国民党政治观点、策略；后来又成为蒋向美国争取援助的“美国舌头”。所以，有的美国报纸也对他不满，说“好像他生来就是专门为中国向美国要钱的”。数十年来他充当蒋介石在美国的政治代言人角色。还有意思的是，凡他名下刊物的记者在中国采访的文稿，在发表时，多被他改的有益于国民党政府，令对方极为不满而多有离开。但他的刊物也确实为中国抗战、赢得国际社会的支持做出相当贡献。他曾多次访问中国，宋美龄到美国，与卢斯会面是重要内容之一。1945年9月他应中国政府邀请来华访问，盛传他将出任驻华大使，虽未果但也足以说明他在中美关系中的分量。1948年11月6日，卢斯母亲病逝美国。她于1897年至1926年在山东从事传教和教育活动，颇有成绩。宋美龄代表蒋和自己致电慰问。1967年2月28日，卢斯弃世，年68岁。3月1日，蒋、宋联名发出的唁电中有：“每当我国遭遇最艰困的时期，他始终是站在我们一边，而且在当代每一次道德的争论中，他总是以正确的判断和无畏的勇气来充当人类天良的呼声……”严家淦也发去唁电。台湾“驻美大使”魏道明，驻联合国代表刘锴则电唁卢斯的夫人和姐姐。（1967年3月1日二版）

◇ 卢斯夫妇。卢斯漂亮的妻子，也是他事业的难得助手，她曾代表卢斯接待到美的许多中国官员，如外交部长魏道明、继任部长胡适以及熊式辉等人都曾得到她的招待和安排。

第三节　父子篇

张静江父子

1926年10月18日，张静江父亲张定甫病逝沪寓。当时张静江在广州任中央常务委员会代主席，蒋两次电唁，希望张不要返籍，要他移孝作忠，在粤成服。张终未奔丧。1927年5月张静江随北伐军到上海，即筹备治丧，5月19日开吊，蒋先一日到张家致祭，并有诔辞致送。（《申报》1927年5月20日九版）

1950年9月3日张静江病逝美国，年74岁。蒋介石对张静江之丧，赠赙仪金，并有唁电、《褒扬令》、挽额、祭文等多种。1956年张八十冥诞、1966年九十冥诞，台湾均举行纪念活动，蒋有颂词，还在台北为他建铜像。

石瑛父子

石瑛，字蘅青，湖北阳新人。早年留学英法，是同盟会欧洲支部创建人。武昌起义后，任孙中山军事秘书，后两度任南京市长。石瑛与严重、张难先并称不同流俗的鄂籍清正人物，此三人有“湖北三怪”之誉。石瑛一生特立独行，做出了许多不合世俗人情的事情，有“民国第一清官”雅称，但也得罪一些官僚，蒋对他是既钦敬、又畏惧而疏远。1935年1月4日，石瑛父亲仙游，年75岁。蒋对石丁忧给予慰问，准假一个月，国民党中央、行政院均对石的辞职慰留。6日大殓，8日成服。

1943年12月4日，中央委员、湖北省参议院议长石瑛病逝，蒋派中央党部秘书长吴铁城代表慰问家属，12月27日举行追悼会，蒋有挽幛、挽联，并亲临吊唁。在这里，吴稚晖古怪难解的挽联不能不提一下：

替鬼化缘，或拜张、或接李，拾芝麻凑斗；随人作福，不争多、不嫌少，尽蜡烛念经。

曹浩森父子

曹浩森的父亲曹光涧（字静山），早年寒窗苦读，应科举省试得中举人，一度出任江西余干县令，后退居乡里，以诗书教子。1932 年 8 月 19 日，曹光涧病故原籍，年 74 岁。当时曹浩森为赣粤闽湘边区"剿共"参谋长，乞假奔丧。蒋有慰唁，并令朱绍良代理参谋长。

1952 年 2 月 23 日，"监察委员"、陆军上将曹浩森去世，年 67 岁。他的元配、长子都留在大陆，身后萧条。蒋赠万元治丧，题诔"懋绩情操"。

朱庆澜父子

朱庆澜，字子桥，浙江绍兴人。辛亥时为四川副都督，后任黑龙江督军兼巡按使，率军收回沙俄把持的黑龙江航运权。1917 年任广东省省长，开始倾向孙中山。1923 年任中东铁路护路军总司令。1925 年后放弃高官，从事社会救济与慈善事业，组织"华北慈善联合会"，救助各地灾民数百万。朱庆澜还注重保护各地的文物古迹。

1941 年 1 月 13 日，朱庆澜在西安谢世，年 67 岁。18 日国民政府颁布褒扬令。3 月 12 日重庆举行追悼大会，蒋挽以"国丧老成"，林森题"忠勤可敬"，给治丧费 5000 元。（《朱庆澜》33 页）

朱榕是朱庆澜长子，东北讲武堂毕业，曾在吉林省督军孙占鳌部任团长，驻防吉林省延吉、珲春一带。九一八事变后身陷敌营，被胁迫当了伪军，但他总是寻机脱离魔窟。此时朱庆澜在北平组织"辽吉黑热民众抗日后援会"，父子成为对立阵营，朱庆澜因不明真相，在天津《益世报》刊登与朱榕脱离父子关系的声明，这对朱榕是极大的伤害。日军也曾胁迫朱榕劝说朱庆澜归顺伪满，被朱榕拒绝，日军再使伎俩，挟持朱榕赴日拜见天皇，以造成某种宣传攻势。朱榕不被利用，决心以死相抗。1940 年 10 月在赴日的舰上，他寻隙蹈海以殉！朱榕的妻子通过吴铁城的秘书，将朱榕之死真相和他写给家人的绝笔信等材料，报送重庆最高当局，至此，朱榕汉奸罪名得以昭雪。

1941 年 6 月 2 日，国民政府颁令褒扬朱榕，令文为："朱榕，为赈济委员会常务委员朱庆澜之长子，教秉义方，效忠党国。曾任陆军旅长，驻防关外。沈阳事变，身陷敌营。去秋寇拟舰送东京，中途乘隙蹈海以死。志节凛然，殊堪矜式，应予明令褒扬，并准入祀绍兴县忠烈祠，以彰忠孝而示来兹。此令。"

李延年父子

李延年封翁李之权，于 1963 年 1 月 6 日去世于新店寓所，13 日在极乐殡仪馆治丧，蒋题"教忠有方"、陈诚题"教忠贻则"。于右任、何应钦等 300 余人与祭。（1963 年 1 月 14 日三版）

李延年于 1974 年 11 月 17 日，寿终于三军总医院，年 71 岁。12 月 8 日举行公祭，蒋挽以"往绩堪念"，葬于新店空军公墓之旁墓地。（1974 年 12 月 10 日三版）

陈纳德父子

陈纳德出生于美国小农场主家庭。中学毕业后入航空学校，后入陆军通信兵航空处。1937 年 5 月 29 日来到中国，担任宋美龄的空军事务专业顾问。抗战爆发后，他组建志愿轰炸机中队，因勇猛顽强，被誉为"飞虎队"，在八年抗战中，他领导的飞虎队，仅在中国的领空上，就击落日机 2600 余架，可能击毁的约有 1500 架，击沉和打坏 223 万吨位的日本商船和 44 艘日海军船只，打死 66700 名以上日军、毁损日军的 13000 艘 100 吨以下的内河船只，摧毁 573 座桥梁！而他只付出了约 500 架飞机的代价！抗战胜利后回国时，蒋介石、宋美龄设宴为他送行，并授予他当时中国最高荣誉——青天白日大蓝绶带。1945 年 12 月，陈纳德重返中国。1946 年 10 月成立了民航空运队，为行政院善后救急总署运送救急物资。

1947年12月，陈纳德与中国女记者陈香梅结婚。1958年7月27日，陈纳德因病在华盛顿去世。美国国防部以最隆重的军礼将其安葬于华盛顿阿灵顿军人公墓。他的墓碑正面是英文，背面是用中文写的“陈纳德将军之墓”，这是阿灵顿公墓中仅有的中文墓碑。

陈纳德的战绩被广泛传诵，当时美国的报纸甚至有专栏，每天跟踪报道“飞虎队”的各种战斗故事，让陈纳德成为美国人家喻户晓的英雄。然而乐极生悲，1944年美国著名的《时代》杂志封面刊登了陈纳德的照片，他81岁的老父亲看见后，因高兴过度导致脑溢血不治而奉主恩召。蒋氏夫妇联名电唁陈纳德。

第四节 母子篇

陈调元母子

1938年5月16日，陈调元母亲杨太夫人寿终于沪寓，年89岁。蒋有唁电致陈调元。

1943年12月18日，军事参议院院长陈调元于重庆北碚病故，年58岁。19日大殓，蒋亲临致祭，并有挽联、祭文，还特谕发给治丧费。（1943年12月19日二版）1944年3月6日获《褒扬令》。

陈继承母子

陈继承为江苏镇江人，保定军校三期毕业。1935年12月4日，陈继承母亲谢太夫人在江苏靖江原籍永眠，年76岁。陈向蒋请假未获准，只得在汉口驻防遵礼成服。蒋有唁电和挽额。到1936年4月8日，陈返籍举行家奠，并与兄弟三人安葬母亲。

陈继承于1971年12月10日下午辞世，年79岁。22日举行公祭，蒋题“绩著旗常”，派参军长高魁元代表致祭，以隆重军礼安葬于阳明山。（1971年8月23日三版）

王柏龄母子

1936年4月23日，王柏龄母亲程太夫人在扬州去世，年68岁。蒋与王柏龄是结拜兄弟，曾多次看望程太夫人，有顺道也有专程看望，还有特为她八十大寿前来祝寿，并赠有数百字的祝文。蒋闻其丧，即有唁电。7月17日领帖，蒋有挽幛，19日发引。

1942年8月26日，中央委员王柏龄病逝成都。年56岁。蒋有唁电、挽额。

文鸿恩母子

1934年3月1日，上海市公安局长文鸿恩母亲病故，年73岁。蒋有唁电、挽额。

同年11月12日，文鸿恩捐馆于上海。14日，蒋电上海市长吴铁城，对文之去世，不胜悲悼，请吴转送抚恤金3000元。（1934年11月17日一张二版）17日在中国殡仪馆大殓，陈策、吴铁城、颜惠庆、徐桴等往吊，蒋有题诔。1935年2月13日，国民政府发布《褒扬令》。

梁鼎铭母子

梁鼎铭为广东顺德人，14岁开始习画，16岁拜师学西画，后投身黄埔军校，受知于蒋介石，主编《革命画报》，1930年得到蒋的资助，出国考察，游历欧洲。梁氏以民族自卫战争和古人的节义史实为主要创作题材，画风大气磅礴，被称为革命画家，出版过多种画册。梁氏兄弟三人均为画家。

1952年11月5日下午，梁母黄太夫人在台北寓所息劳，年89岁。7日大殓，蒋有挽额。

1959年3月1日，政工干校美术组主任梁鼎铭，在家中绘制大幅油画时，突感不适，旋即昏迷，由其介弟又铭、中铭送入台大医院救治，终归永眠，年62岁。梁氏晚年生活清苦，身后萧条，治丧会发起

募捐，为其子女筹措教育费。3月4日公祭，蒋题“艺林垂范”。（1959年3月11日三版）

虞洽卿母子

1929年9月7日，上海工部局华董虞洽卿母方太夫人在镇海伏龙山本宅谢世，年89岁。择于1930年5月9日领帖。蒋派陈立夫代表致祭，并赠赙仪、诔辞。

1945年4月26日，虞洽卿作古于重庆，死后多时不曾瞑目，是他的三子顺慰替他合上双眼，年79岁。27日蒋有唁电，挽匾为：“输材报国”，祭文洋洋洒洒千余字。（1945年4月28日二版）1946年12月24日移灵回沪时，重庆、上海两地均万人空巷。

徐源泉母子

◇ 虞洽卿。

1937年4月26日，徐母段太夫人在汉口病故，年80岁。当时徐在四川防次，电呈蒋、何应钦，请假一个月。这次蒋没有为难他，不但准予所请，还有唁电慰问。何也有唁电送达。6月26日成主，30日家奠，蒋有诔辞。7月2日徐扶棺回黄冈发引。7月18日蒋派何成浚代表致祭。徐母葬礼，是当时湖北较隆重的大型丧事，南京官场也很重视。（参考1937年5月29日至7月2日报纸）

1960年11月11日，“立法委员”徐源泉于台北市中心诊所归于道山，年76岁。16日大殓，蒋赙赠5000元，挽以“忠勤永念”。（1960年11月17日三版）

尹仲容母子

尹仲容为湖南邵阳人，交通大学电机系毕业。抗战前曾任职交通部电政司。1950年任“中央信托局”局长，外汇贸易审议委员会主委。生前为外贸会主委、美援运用委员会副主委、台湾银行董事长，他对台湾经济的发展，贡献斐然。

1963年1月24日尹仲容病逝，年61岁。当即组成由130余人参加的治丧会。30日举行追思会，蒋介石与夫人、陈诚夫妇均往吊祭，蒋题“忠勤尽瘁”，卜葬阳明山。台湾工商界为他设立纪念基金会。（1963年1月31日三版）4月23日获得《褒扬令》。

尹仲容母亲石守箴，于1963年10月18日在台大医院羽化瑶池，年91岁。蒋于24日题“懿德遐龄”，另赠赙仪，并派“总统府”副秘书长黄伯度代表致祭。（1963年10月19日三版）

刘峙母子

1932年7月2日刘峙母亲胡太夫人驾鹤于开封寓所，当时刘任河南省主席，即向行政院长汪精卫请假并恳辞一切职务，汪不允。刘于5日再辞，汪给假半月。蒋有挽联。（1932年7月29日三版）1933年6月4日胡太夫人灵柩运回原籍江西吉安城外营葬，不久被人捣毁，刘闻讯再向蒋请假修墓，蒋予以抚慰。

1971年1月15日，刘峙病逝，年79岁。生前为陆军上将、“国大代表”、“光复大陆设计研究委员”。蒋有挽额。

马君武母子

1931年5月，马君武母亲驾返瑶池，蒋赠以挽匾。

1940年8月1日，马君武在广西桂林病逝，8月2日大殓，蒋有唁电慰问家属，给治丧费5000元。（1940年8月3日二版）1940年8月10日国民政府颁发《褒扬令》。

田桐母子

田桐，字梓琴，号玄玄居士，晚号江介散人，湖北蕲州（今蕲春）人。幼从父蒙学，1901 年入白鹿书院，补县学生，考入武昌文普通中学堂，与同学宋教仁共倡排满。

1930 年 7 月 2 日田桐病故上海寓所，年 51 岁，葬武汉洪山。蒋有唁电、祭文，挽联为："革命推先觉，著书策太平"。（上海《民国日报》1930 年 11 月 3 日二张三版）

1934 年 10 月，田桐母亲在原籍故去，蒋过汉口时，得知田家境况，颇为感慨，赠千元治丧费，何成浚等人均有捐赠。（1934 年 10 月 12 日一张三版）

上官云相母子

1942 年 8 月 13 日，上官云相母亲王太夫人寿终于皖南寓所，年 72 岁。蒋有唁慰。

1969 年 8 月 8 日，陆军中将上官云相病故于台北，年 77 岁。21 日公祭，蒋题"绩著旗常"，葬阳明山。（1969 年 8 月 22 日三版）

杨永泰母子

1932 年 3 月 5 日，杨永泰继母苏太夫人病逝上海，年 62 岁。5 月 15 日在上海设奠，蒋有唁电。

1936 年 10 月 25 日，杨永泰在汉口遇刺，年 57 岁。蒋有唁电、挽联、祭文等，并拨款治丧。

◇ 杨永泰。

韩人金九母子

金九，号白凡，1876 年生于韩国黄海道海州八峰山，韩国著名独立运动斗士和杰出的政治家。1940 年 3 月韩国在华的临时政府主席李东宁在沱湾去世后，金九成为临时政府领导人。

1939 年 4 月 26 日，金九母亲郭乐园于"大韩民国二十一年己卯四月二十六日上午"在重庆故去，在渝的韩国侨民组成"郭乐园先生治丧委员会"，蒋有唁电慰问。

1949 年 6 月 26 日中午，金九在位于汉城西的京庄桥寓所被李承晚派人杀害，年 74 岁。蒋与金九有良好的私人感情，十多年来，经常通过金九资助韩国临时政府，闻讯极为震惊，当即发有唁电，随后送去挽联："为国家求独立为民族争自由伟哉斯人兴灭；继绝取义成仁见大节于颠沛昭正气于千秋。"此挽联与蒋的对联艺术极不相称，无论用字拟词，还是内容上都可以看出。而且自解放战争期间三大战役结束，蒋败退下野后，就不写挽联了，因此可能是他人代笔。7 月 5 日，各界群众 300 多人在京庄桥向他告别。1966 年 6 月 27 日，汉城举行金九追念仪式，蒋、严家淦、张群等人送了花圈，会上宣读了蒋的悼词，追念这位去世 17 年的不屈的独立斗士。（1966 年 6 月 29 日二版）

◇ 韩国独立运动领袖金九。

第五节　父女篇

陈少白父女陈少白，原名闻绍，字少白，广东江门外海镇人。他是追随孙中山进行辛亥革命，推翻帝制，创立民国的元勋之一，孙中山的亲密战友，曾被称为中华民国的"国叔"，也被清政府列为"四大寇"之一。民国成立后，时任非常大总统的孙中山礼聘他为总统府顾问，参与国事。但不久，他辞官归里，甘于平淡。

他在家乡整饬乡政，修筑公路，建设市场，办学育才，禁烟禁赌，泽被乡民，群众称颂。他生前著有《兴中会革命史要》、《兴中会革命史别录》，极具史料价值。“先正典型惟此老，中山三友独斯人；我来凭吊无穷感，愿祝英灵护国民。”这是1935年初司法院长居正，在陈少白的追悼会上随感而发吟出的一首诗，这一首颇有盖棺定论意味的诗，用十分简单的几句话，恰如其分地把陈少白这位国民革命先驱、革命报业第一人的丰功伟绩，以及功高仰止但又淡泊名利的高尚品质表达出来。陈少白也确实是这样一位值得人们怀念的历史人物。

1934年12月23日，陈少白在北平一眠不起，年66岁。1935年1月11日家祭，12日公祭，13日发引。（1935年1月19日二张四版）21日，陈少白追悼会在南京华侨招待所举行，蒋挽以：“贫贱不移，亮节高风昭党史；诗书自娱，衡门泌水寄幽情。”于右任的挽联简练而贴切，独具特色：“中山三友，海外一人。”行政院长汪精卫主祭，并报告事迹，行政院拨葬费1万元。

陈少白女儿陈英德，于1968年11月26日在华盛顿因心脏病去世，年62岁，蒋有挽额。陈英德出生于广州，曾获得芝加哥大学医学博士学位，终身未婚，以教书及医学工作为乐。（1968年11月29日二版）

第六节　夫妻篇

莫德惠夫妻

1930年4月29日，莫德惠元配傅夫人病故哈尔滨寓所，年47岁。择于1931年3月7日家祭。当时发生中俄中东路军事冲突，莫德惠由张学良推荐给蒋，作为调解人，频繁往来于南京、哈尔滨和莫斯科之间，与蒋反复洽商平息争端。1931年2月23日，莫德惠离开南京前，蒋设宴款待。席间，蒋对莫夫人之丧表示慰唁，赠四字挽辞。并商定莫于3月15日由哈尔滨赴莫斯科斡旋。

莫德惠于1968年4月17日下午仙游，年68岁。莫去世前为“国大代表”、“总统府”资政、中国银行董事。蒋题“怆怀耆贤”。4月27日大殓，蒋亲临吊祭，并赠赙仪金，慰问遗属。韩国代表献花致祭，并追赠“建国功劳”勋章。莫德惠遗有三子一女，十二个孙子，七个孙女，九个曾孙子孙女，他晚年有一个四世同堂的幸福大家庭。（1968年4月28日一版）1968年4月26日蒋颁发《褒扬令》。

许世英夫妻

1937年7月30日晚，许世英夫人在原籍去世，8月2日大殓，时许世英在日本任大使，闻噩耗向蒋“乞假归国，未邀准”，因当时中日已经开战，关系极为紧张，许不能离任，只得在使馆持服。考虑到时局关系，蒋要求他此丧事不对外公开，并对许予以慰问，为许夫人致送挽辞。大使馆人员在馆内遥祭，国内丧事由许公子及亲友主持。

1964年10月13日，“国大代表”、“总统府”资政许世英于台北空军总医院安辞人世，年92岁。19日大殓，蒋赠：“德高望重”，并亲临吊唁。（1964年10月19日第三版）

邵元冲夫妻

1936年12月，邵元冲应蒋电召入陕，适逢西安事变，被围于西京招待所，12日晨邵因跳窗逃走，被士兵击伤，两日后在医院故去，年47岁。蒋与邵元冲有金兰之义，对于邵之丧事，题诔形式较多，有唁电、祭文、挽额、挽联等，甚至在西安事变二十三周年暨邵七十冥诞，蒋又为他题写了一方挽匾“荩猷永式”。（1959年12月23日三版）

邵夫人张默君是辛亥元老、著名社会活动家、诗人、教育家。她的父亲张通典为民国时期名士，去世后获国民政府《褒扬令》，张默君的兄弟姐妹数人也都是知名人士。1933年8月3日，邵元冲与张默君访问陈散原，张默君拿出自己新诗作请老人看，陈评论说：为太白、东坡之间（《邵元冲日记》1017页），可见张的诗才如何了得。张默君于1965年1月30日晨病逝，年82岁。2月7日大殓，蒋题“彤史坤仪”，并亲临致祭。（1965年2月8日三版）

何成浚夫妻

1937年12月2日，何夫人吕慎安逝于武汉黄陂路寓所，年52岁。吕氏为湖北随县名儒吕凤九之胞妹，通诗书，治家俭约，素有清誉。5日蒋派人送去挽额和唁函，挽额为：“懿德流芳。”（1937年12月4日三版）

1961年5月7日，“国大代表”、中央评议员、“总统府”资政、陆军一级上将何成浚因肺癌不治，年80岁。5月11日大殓，蒋亲临吊祭。（1961年5月12日一版）同年6月23日，何获得蒋以“总统”名义颁发的《褒扬令》，7月2日安葬阳明山。

黄郛夫妻

1936年12月6日黄郛病逝，年57岁。黄郛与蒋介石为结拜兄弟，曾任外交部长，在对日政策方面为蒋背黑锅。对黄郛之丧，蒋较为重视，给治丧费1万元，派上海市长吴铁城往祭，8日又派宋美龄致祭。蒋的诔辞较多，其中慰问黄夫人唁电两次，及挽联、挽额、祭文等。西安事变结束后，蒋不顾自己的腰伤，两次到他的墓前凭吊。1945年12月6日为其病故十周年，重庆举行纪念会，蒋追思并令修复其纪念祠，1946年11月28日，又为黄夫人所作《黄膺白先生家传》作序，以后遇到黄的周年忌日、冥诞等，蒋都有题诔。

1971年11月15日，黄郛夫人沈亦云在美国纽约寓所病故，年78岁。蒋有唁电。

◇ 黄郛夫妇（右）与张群夫妇的合影。

丁惟汾与元配

1954年5月12日丁惟汾奔世，年81岁。蒋有祭文，挽额为：“清德耆勋。”15日大殓，蒋亲临致祭。（1954年5月19日一版）同年8月9日蒋又颁赠《褒扬令》。

丁惟汾夫人于1959年11月26日在台北医院遽然谢世，年85岁，12月1日上午公祭，蒋题赠挽匾“懿德永昭”。（1959年12月2日四版）

冯自由夫妻

1958年4月6日，国民党元老、国策顾问冯自由因脑溢血突发不治，年77岁。蒋闻噩耗，派“总统府”副秘书长黄伯度，向其家属慰唁。4月9日蒋题诔“勋望永昭”，同年8月7日颁赠《褒扬令》。

冯妻李自平于1960年9月26日别世，年76岁。李自平是旅日侨领、老同盟会员李煜堂的女儿，广东台山人，早年参加革命，对乃夫的革命工作颇多襄助，并先后参加同盟会、中华革命党，奔走革命，不遗余力，曾获得中央党部勋绩审查委员会颁给的“致力国民革命勋绩证书”。蒋为她题挽匾“芳徽足式”。1961年9月26日，夫妻灵骨合葬于阳明山公墓。（1961年9月27日四版）

朱绍良夫妻

生长于福建的朱绍良，原籍为江苏武进人，字一民。1963年12月25日，身为“国策顾问”的陆军上将朱绍良，因脑溢血在台北中心诊所故去，年73岁。28日蒋题挽“勋劳永念”，陈诚有挽联。30日大殓及公祭，蒋亲临吊唁。（1963年12月29日三版）

朱夫人花德芬女士在丈夫去世后的第十九天，也驾返瑶池，年66岁。花夫人原本缠病多时，又遭丧夫之痛，悲伤逾恒，虽经家人一再劝慰，仍拒绝治疗，病体终告不支，朱家亲友皆悼惜不已。1964年1月19日大殓，蒋题挽额“ 范长昭”。人们又重新为朱氏夫妻举行安葬仪式，2月7日在阳明山举行合葬典礼。（1964年2月8日三版）

毛思诚夫妻

毛思诚是蒋介石的老师，颇受蒋的推重，蒋曾为毛思诚母亲的牌坊题写横额“贤母”。毛思诚于1940年病逝，年68岁。蒋拨专款为其治丧，并赙赠1万元。10月颁《褒扬令》，是蒋业师中享此殊荣唯一者。不久毛氏夫人作古，蒋仍拨万元丧仪，赠挽匾。

钮永建夫妻

1965年12月23日，“总统府”资政钮永建在美国因肺炎久缠不治，遽谢人世，年96岁。钮氏是1958年到美国治病，因健康原因，医生一直不赞成他作长途旅行，他曾说：“如果我不能活着回国，死了以后也要回去。”当天下午在美国举行追思礼拜。26日，蒋致电钮夫人，对钮去世表示哀悼。台湾方面于1966年2月25日颁发《褒扬令》，27日举行追悼会，由张群主持。蒋挽以“永念耆勋”。（1966年2月28日三版）

钮夫人黄梅仙于1970年3月12日因胃癌在美去世，灵柩暂厝纽约弗恩克烈夫公墓。3月18日在台北强恕中学礼堂举行追思礼拜，蒋氏夫妇送了花圈。

赵恒惕夫妻

赵恒惕，湖南衡山人，字炎午，早年加入同盟会。1908年日本士官学校毕业，任广西新军协统。参加辛亥革命，后任湘军第一师师长兼湘军总司令。1922年任湖南省省长，曾反对北伐军入湘，镇压农民运动。1926年被逼迫下台，长期闲居。

赵恒惕历来与蒋关系不睦，但在1949年的大失败后，蒋极力拉拢耆老贤尊避往台湾，但却没有顾及他。赵恒惕就是在这时舍弃多年家业和闲适生活，主动赴台，这让蒋很感动。此后蒋对赵格外尊重，节日赠款，生日祝寿，合影题字，微恙探视，不一而足。1952年赵获得国民党里只有德高望重、功勋卓著的高级政界人士才能享有的职位——“总统府”资政，并在当时住房空前紧张的台北得到一栋日式住宅，但他基本不参与政事。他侧顾于佛教活动，出任过台湾佛教会会长。

1966年2月22日，赵妻董慧君病逝荣民总医院，年74岁。2月27日举行公祭，蒋题“淑德扬芬”。（1966年2月28日三版）

1971年11月23日，赵恒惕于荣民总医院道山无归，年93岁。12月2日公祭，蒋挽以“志行遗范”，并派张群代表致祭。（1971年12月3日三版）

宋哲元夫妻

宋哲元于1940年4月5日病逝绵阳，年56岁。蒋有挽联、挽额、祭文、《褒扬令》，并追赠陆军一级上将。1949年，宋夫人常淑清携子女七人赴台，多年受到蒋的关照。

1966年8月8日下午4时，常淑清因心脏病不治于空军总医院，年72岁。8月21日公祭，蒋题“淑范长昭”，葬于阳明山。（1966年8月22日三版）

朱执信夫妻

朱执信于1920年9月21日遇难，年36岁。朱执信不但很有才华，在革命党中也很有口碑，而且与蒋的私人感情很好。朱曾应蒋所请，撰写蒋介石父亲《蒋肃庵先生墓志铭》，蒋很是感谢。当蒋得知朱之噩耗，非常悲伤，在日记中记述说自己如何怀念他，还常在梦中被惊醒，并发誓要为朱复仇。蒋对朱之丧有挽联、挽额、悼词等多种，并多次追悼。1928年9月22日，蒋在南京举行的“朱执信先生殉国八周年纪念会”上发表演讲。(《申报》1928年9月23日九版)

朱执信去世后，夫人杨道仪多年备受国民党关照。1967年12月19日在香港静谢人世，年88岁。蒋有挽额送达。

吴忠信夫妻

吴忠信，字礼卿，又字守坚，号恕庵。安徽合肥县人，耕读世家，自幼失怙恃，赖长兄抚养成人。1900年就读于南京江南将弁学堂，1905年毕业后奉派赴镇江办理征兵事宜，旋入新军第九镇，任第35标第三营管带。吴忠信与蒋是结拜兄弟，1926年11月应蒋邀请至南昌，任总司令部顾问，从此成为蒋的幕僚。

1959年12月16日，“总统府”资政、中央评议员、“国大代表”吴忠信因肝疾不治，年76岁。20日大殓，蒋两次亲临吊唁，颁挽额“勋望永昭”。(1959年12月20日三版)

吴夫人王惟仁于1963年1月7日上午，因心脏病逝于台湾疗养院，年79岁。11日在极乐殡仪馆举行大殓和公祭仪式，蒋题“懿范长昭”，与吴忠信合葬于阳明山。王夫人早年赞助吴从事革命，平居茹素礼佛，数十年如一日。(1963年1月11日三版)

陈仪父母

陈仪早年隶属孙传芳部下，1924年任孙部第一师师长，随后接替夏超第一次主浙。北伐军兴，所向披靡，陈看清局势，派人与蒋联系，暗中接受国民革命军番号，为孙传芳侦知，几至被害。陈仪不但很有政治眼光，也很有政治才干，他的魄力和精明备受蒋的看重，归顺后，甚得蒋信任，1928年被蒋派赴欧洲考察军事，回国后出任国民政府兵工署署长、军政部次长，并主政福建十余年。

1929年11月16日，陈仪母亲王太夫人在绍兴原籍寿终，年71岁。陈仪向蒋呈请丁忧获准，蒋有挽辞和赙仪。陈仪返籍与兄陈威治丧，12月21日出殡，在绍兴偏门外亭山殡舍安厝，择日归葬。(参考《事略稿本》第三册、《中央日报》1929年12月29日、《绍兴日报》等报纸)

陈父静斋先生于1936年1月1日在北平寓所遽谢人世，年75岁。陈电呈辞本兼各职，4日奉得蒋电准给假15天治丧，嘱：“时艰方亟，望勉抑哀思，移孝作忠。”(1936年1月5日三版)。1月18日在北平和福州同时开吊（当时陈任福建省主席，不能返籍治丧，只得在任所成服），蒋有挽额。北平于19日发引，暂厝法源寺。1937年2月28日由北平移灵绍兴原籍归葬。

陆运涛、周淑美等三对夫妻

1964年6月“第十一届亚洲影展”闭幕后，有14位影人赴台参观，不幸于6月20日因所乘飞机在丰原上空失事全部罹难。这14人中，有三对夫妻，即：陆运涛、周淑美夫妇，周海龙、翁美丽夫妇，吴绍燧、石春霖夫妇。噩耗传出，各界震惊。台湾组成以黄季陆为主任委员的207人治丧会，6月25日起，在台北市国际学舍举行公祭。有65个团体约五千余人到灵堂行礼。蒋的挽诔为“痛陨俊彦”，并派张群代表致祭。陈诚的挽额为“哀深折翼”。

泰国空军总司令差林杰夫妻

1960年4月10日，到台参加“空军首长联谊会”的泰国皇家空军总司令差林杰上将，在会议结束后，于14日乘泰国空军专机返国，因风大云低，起飞不久即撞在飞机场东南的山坡上，同机18人全部罹难。其中有两对泰国夫妻，即差林杰（46岁）夫妇、舒安少将夫妇，另有台湾方面三人。蒋于当日电唁。台湾空军自15日起，下半旗哀悼。17日上午在台北举行公祭，蒋题“星陨同悲”，并派参军长黄镇球代表致祭。（参考1960年4月15日、18日报纸）

罗斯福夫妻

美国总统罗斯福于1945年4月12日，因脑溢血在乔治亚州辞世，年63岁。蒋有唁电、祭文，挽额为“名垂宇宙”。但蒋私下对罗斯福的评价是“姑息俄国，袒护中共；但不是强权主义之霸道者，其对外政策也是自主而不受外人操纵。”（戎向东著《蒋介石评说古今人物》，团结出版社2003年，500页）

罗斯福夫人是美国第26任总统的侄女。她晚年有一个幸福的大家庭，有5位子女，孙与外孙辈19人，曾孙、外曾孙4人。罗斯福夫人最早是由宋蔼龄介绍与宋美龄相交，但关系密切始于1942年宋美龄访美，此后结为密友，经常互赠礼物，书信往还。1962年11月8日，罗夫人在曼哈顿公寓离世，年78岁。她去世的当天，蒋夫人宋美龄代表蒋发去唁电。（1962年11月9日二版）

◇ 罗斯福总统夫人看望夏威夷海军。

林挺生父母

林挺生1971年为台北市议会议长、台北市党部主任委员、“中国工程师学会理事长”、大同股份公司董事长。

林挺生母亲杨太夫人，于1968年11月22日瑶池添座，年73岁。杨太夫人名芙蓉，号妙贤，祖籍福建同安，生平笃信佛教，慈悲为怀。1928年与大同公司创办人林尚志先生结婚，勤俭持家，友爱邻里，扶弱济贫，德风广被，膝下有二女一男。12月8日下午火化。10日在台北善导寺诵经追悼。蒋赠“教忠有方”挽匾，千余人前往吊祭。（1968年12月11日三版）

1971年6月5日，台湾著名企业大同公司创办人林尚志驾鹤道山，年80岁。8月24日举行追悼会，有两万五千余人前往吊唁，其中包括与大同公司有业务往来的六十余个国家的厂商代表。蒋挽以“义方垂裕”，派中央党部秘书长张宝树代表致祭，葬于阳明山。（1971年8月25日三版）

向构父夫妻

向构父为湖南宁乡人，著名报人，曾任民社党主席。1949年去台，被聘为国策顾问。1963年3月3日，向构父夫人姚季宣弃世，年68岁。8日蒋为之题诔：“淑行流芳。”（1963年3月9日三版）向构父于1970年10月12日瞑目于荣民总医院，年93岁。23日举行公祭，蒋有挽额。（1970年10月24日三版）1971年1月13日蒋颁发《褒扬令》。

李文范夫妻

李文范为国民党元老、中央评议员。1951年因右腿患动脉阻塞，于同年11月28日锯去右腿，至1953年6月8日离院返家。1953年6月23日，因心脏衰竭作古，年70岁。6月25日大殓，蒋亲临致祭，题赠“忠谟永式”。（1953年6月24日一版）

1968年9月12日，李夫人龙荔红女士公祭仪式在台北市立殡仪馆举行，蒋以“懿德永昭”诔之。严家淦哀以“厚德流徽”。（1968年9月13日三版）

齐耀珊夫妻

齐耀珊为吉林伊通人，北洋时期曾任内务部总长、农商部总长、教育部长、山东省长等职。蒋与齐耀珊没有多少交往，但在1948年冬平津战酣，国民党败局已定时，年已84岁高龄的他，离开数十年的田园处舍，辗转到了台湾。在台湾，他只有随侍而来的妻子朱英、三子齐崧胞、侄儿齐志学，其他亲人都留在大陆。他在台湾生活较为困苦，因此蒋对他多有关照。

1954年2月15日，齐耀珊因心脏衰弱，于台北寓所道山不归，年90岁。2月21日大殓，蒋题赠"德范永昭"。"行政院长"陈诚拨5000元治丧。（1954年2月24日三版）

1967年4月11日，齐妻朱英弃世，年83岁。4月15日大殓、火葬，4月24日，齐家刊出"谢启"，称感谢蒋之题诔。（1967年4月24日一版）

◇ 留美近十年，成为杜威学生的蒋梦麟，1917年获得哥伦比亚大学哲学及教育学博士学位。回国时有人问他为什么要回国，他说"学成回国是我的责任，因为我已享受了留美的特权"。

蒋梦麟夫妻

1958年5月14日蒋梦麟夫人陶曾谷病逝，年56岁。16日下午举行追思礼拜，由周联华牧师主持，宋美龄代表蒋送去鲜花扎成的十字架。（1958年5月15日三版）

1964年6月19日，蒋梦麟因肝癌辞世，年78岁。23日公祭，严家淦任治丧主委，蒋有挽额。

第七节　祖孙篇

蒋鼎文与祖母

1930年9月4日，蒋鼎文父亲蒋子朗弃世，年61岁。同年12月8日，蒋鼎文的继祖母俞老太太在原籍驾返瑶池，年83岁。当时任第五师师长的蒋鼎文欲返籍丁忧。留在南京处理军委日常事务的朱培德，于12月10日致电在前线的蒋介石，报告蒋鼎文请假尽孝。蒋介石复电慰唁，并令经理处发给治丧费3000元，以节哀顺变，移孝作忠为勉。（参考《事略稿本》第九册，197页；《中央日报》1931年2月15日一版）

1974年1月16日，台北为"国大代表"蒋鼎文上将举行公祭和安葬仪式，蒋题诔"忠昭勋着"，并追赠陆军一级上将，葬阳明山。（1974年1月17日三版）

◇ 抗战爆发后，曾任第四集团军总司令、西安行营主任和第十、第一战区司令长官的蒋鼎文。

吉星文与祖父

吉鸿昌18岁加入冯玉祥部，开始戎马生涯。他有胆有谋，作战勇敢，在北伐中，所率部队被称为国民革命军第二集团军的"铁军"，与孙良诚、韩复榘、石友三、孙连仲并称冯的五虎将，同张宗昌战于河南，所向披靡，冯甚爱之。蒋曾对吉进行拉拢。但吉终究不是蒋的嫡系，在军需待遇上有所差别，让吉感到难容于蒋。1931年吉鸿昌因不愿替蒋介石打内战，

◇ 右一为任应琪，右二吉鸿昌。

被蒋解职并勒令出国“考察”，在欧美期间多次发表抗日演说，号召海外侨胞“用热血拥护祖国”。同时又频频与中共人员接触，并秘密加入中国共产党，为蒋侦知。蒋赠款与胁力并用无效，于1934年11月24日将其杀害。

1931年5月24日，22路总指挥吉鸿昌的父亲在河南原籍仙逝，当时正是蒋极力拉拢吉鸿昌时，于27日派刘峙携带他的诔辞和1万元丧仪，亲赴丧宅吊唁，予以抚慰。（成都《国民公报》6月11日、14日三版）

吉星文是吉鸿昌侄儿，抗战名将，在1937年七七事变中，指挥第29军219团在卢沟桥抗击日军二十余日。1958年晋升中将，任国民党军金门防卫司令部副司令。8月23日，于金门炮战中被炮火击中身亡，年50岁。1959年3月20日获得《褒扬令》。3月28日国民党为此次炮战中死去的将士举行追悼会，蒋亲临致祭，并诔以“气壮山河”。（1959年3月29日一版）

第八节　兄弟篇

丁文江、丁文渊兄弟

丁家为江苏泰兴县黄桥镇人，丁文江父亲丁祯祺，字吉庵。元配王氏，生长女；王夫人病故后，娶单氏，生长子文涛、次子文江、三子文潮、四子文渊。单夫人继逝，再娶谭氏，生五子文澜、六子文浩、七子文治。丁家在当地是一个令人羡慕的士绅大家族。丁文江身涉政、学两界，对国家贡献颇多，极负盛名，也为蒋所赏识。

1936年1月5日，丁文江因煤气中毒，逝于长沙湘雅医院，年49岁。蒋有诔辞。18日南京为他举行追悼会，第一个走到灵前致祭的就是蒋介石。同年5月4日安葬长沙。丁的抚恤金为14400元，这是根据“学校教职人员养老条例”及“恤金条例”规定得来的。（参考《丁文江传》374页、《中央日报》1936年5月10日二张四版、《大公报》1936年5月12日等编写）

1957年12月29日，“国大代表”丁文渊在香港病逝，年61岁。30日蒋电唁家属。1958年1月29日，台湾举行公祭，蒋赠以“多士楷模”，并派张群致祭。30日，蒋颁发《褒扬令》。丁文渊早年留德学医，曾任上海国立同济大学校长。到港后，创办《前途》杂志，任教珠海、新亚两书院，并出任香港中国文化协会主委，对扶助流落在港的清寒文化人士多有贡献。（1957年12月31日三版）

石志泉、石凤翔兄弟

石家为湖北孝感人。石志泉，字友渔，法学家，曾留学东京帝国大学获法学学士学位，回国后任北洋政府司法部次长代理部务。到台湾后为民社党副主席、“总统府”资政。1954年由民社党提名参加第二届“副总统”竞选。石凤翔早年毕业于日本京都大学，回国后投身纺织业，是纺织专家，著有《棉纺织》一书。石凤翔与蒋是亲家（他的女儿嫁给蒋纬国），也是“国大代表”、纺织业巨子、中国人造纤维公司董事长。他有八子二女。

1960年2月17日晚，石志泉在陈启天家中，参加青年党与民社党聚餐会发言后，突然病发遽逝，年75岁。24日大殓仪式举行，蒋亲临致祭，并题诔“永怀耆彦”。（1960年2月25日一版）

1967 年 5 月 29 日，石凤翔病逝荣民总医院，年 75 岁。6 月 9 日举行公祭，蒋诔以“轸怀令绩”。（1967 年 6 月 12 日三版）

林辛、林损兄弟

1940 年 8 月 26 日，国学大家林公铎（林损）在浙江瑞安故里辞世，限于战争原因，延至 1943 年举行公祭，蒋有挽联。

林损生于 1890 年，浙江瑞安人，7 岁丧父，受教于舅父陈黻宸。陈氏字介石，号瑞安先生，光绪十九年中举，戊戌变法期间曾与蔡元培等成立保浙会。他历主乐清梅溪书院、平阳龙湖书院、永嘉罗山书院、杭州养正书院，又曾为上海时务学堂总教习、《新世界学报》主笔。光绪二十九年成进士，1913 年任北京大学教授。

林损的门人徐英在 1943 年 3 月撰写的《林先生公葬墓表》里说：

宣统三年，先生居沪读，与黄兴、宋教仁等宣扬革命。辞令所布，枢机所发，莫不崭绝独立，风飚电驰，慷慨激昂，闻者心折。光复初，北京大学校长胡仁源，慕先生学行，以为陈亮、叶适不能过也，乃聘先生为文学教授。适陈公与辛并主讲席，师友昆季，世罕厥俦。京师故文人渊薮，而大学尤名师所聚，一时朋辈如陈汉章、刘师培、黄侃、黄节、吴梅、钱夏、张尔田之流，或以经史著，或以辞章显，或乘骥而奋风云，腾英声而懋芳懿。而先生以弱龄周旋其间，吐纳百氏，提衡道儒，讲学之暇，潜心著述。

林公铎待人很直率，但性格怪僻与黄季刚相似。爱喝酒，平日里总是脸红红的，有时不宽裕便喝那种廉价的劣质酒。黄季刚得知大不以为然，曾当面劝告他：“这是你自己在作死呀！”后来林公铎在南京车站上晕倒，也与嗜酒有关。他讲学、写文章不免有自负、使脾气的地方。

1959 年 1 月 10 日，“国大代表”、台湾省立师范大学国文研究所教授林尹之尊翁、国学耆宿林次公（林辛）谢世。蒋题“耆年硕学”。（1959 年 1 月 11 日四版）林尹为北京中国大学国学系、北京大学研究所国学门毕业，韩国建国大学荣誉文学博士。历任北平师范大学、四川大学、政治大学等校教授、台湾师范大学国文研究所教授兼所长。著有《中国声韵学通论》、《文字学概说》、《训诂学概要》、《周礼今注今译》、《两汉三国文汇》等书。

马麒、马麟兄弟

1930 年 1 月 5 日国民政府任命马麒为代理青海省主席。第二年 8 月 5 日马麒病逝西安，年 62 岁。8 月 11 日，蒋批以“褒恤已故青海省主席马麒”，并以其胞弟马麟继任。（《事略稿本》第七册，523 页）

马麟，字勋臣，回族，积石山县藏乡人。8 岁入私塾，1891 年后在家乡经商。1895 参加反清的河州攻城战役，后随父降清。1900 年八国联军进犯北京，随父兄在北京东交民巷、直隶廊坊阻击侵略军，后任哨官。1909 年任步营管带、都司衔。辛亥革命后任西宁镇标左路统领、宁海军参谋长兼右营统领。1919 年任玉树支队防备司令。1926 年 8 月，宁海军整编为国民军暂编第二十六师，任副师长。1929 年任青海省建设厅厅长。马麟在主政青海时，受到拥兵自重的侄子马步芳（马麒长子）对他权力的挑战，1936 年不得不将主席大印拱手相让，仅以“代理青海省主席”，1941 年以“国民政府委员”名义退居。1945 年 1 月 26 日病逝家中，年 71 岁。29 日，蒋电唁家属。（1945 年 1 月 30 日二版）

第九节 翁婿篇

林献堂夫妻与女婿高天成

林献堂是日本殖民时期，以汉人本位思想（一生不说日语、不穿木屐，坚持汉民族的传统生活方式）

◇ 林献堂。

从事对日本大和民族的文化侵略进行抗争。1918 年他在日本东京成立“六三法撤废期成同盟”，争取在台湾废除日本军国主义制定的“六三法”，以提高和争取台湾同胞合法的政治地位和权利，是一位有道德勇气与使命感的民族运动先驱。1949 年 9 月 23 日以养病为由黯然离台，自此寓居日本，留下“异国江山堪小住，故国花草有谁怜”的伤感诗句。1956 年 9 月 8 日病逝东京，年 76 岁。9 月 21 日骨灰运抵台北，蒋为之题写“宿望永昭”。（1956 年 9 月 22 日三版）

1957 年 2 月 12 日，林献堂夫人杨冰心瑶池添座，年 76 岁。夫人平日相夫教子，夙有令名，且乐善好施，为人慈祥，蒋介石敬为题诔。

台大医院院长高天成为台南市人，字不凡，1930 年 1 月 3 日与林献堂的女儿结婚。高天成是著名外科学权威，细菌学家，一生尽瘁台湾的医学教育事业，桃李天下。他于 1964 年 8 月 13 日病逝台大医院 617 病室，年 61 岁。高生前留有遗嘱，捐出遗体作为医学教学之用，得到各方赞扬。蒋题“绩学清猷”。

第十节　婆媳篇

黄太夫人与沈慧莲婆媳

1942 年 4 月 30 日，国府委员、国民党中央组织部副部长马超俊母亲黄太夫人在广东台山原籍瑶池不返，年 97 岁。马超俊出身贫苦，未满周岁时父亲便去世了，他有两姐一哥，一门孤寡，家徒四壁，靠母亲守着四分薄田艰苦度日。他 14 岁到香港谋生，当再次与母亲相见时，已 30 岁了，又带了妻子沈慧莲，母亲异常高兴，泪眼婆娑地不忍他再度离开。因马超俊奔走国事，未尽孝亲，始终有愧于母亲。5 月 4 日噩耗传到重庆，林森、蒋介石均有唁电。马氏即在荫庐设灵位遥奠。6 月 3 日在夫子池举行追悼会，蒋有挽额。

马夫人沈慧莲于 1974 年 11 月 4 日下午在台北荣民总医院奉主恩召，年 84 岁。11 月 20 日举行公祭和安息礼，蒋题赠“芳猷淑范”，宋美龄参加吊唁，并慰问家属。（1971 年 11 月 21 日三版）1975 年 1 月 24 日，蒋以“总统”名义颁发《褒扬令》，这是蒋一生中最后一次以他的名义颁发的《褒扬令》。马超俊 1969 年 8 月 4 日患脑血管栓塞症，长期卧病医院，于 1977 年 9 月 19 日在荣民总医院病逝，年 92 岁，葬台北近郊金山富贵墓园。

第十一节　岳母与女婿篇

廖仲恺与岳母

1925 年 8 月 20 日，廖仲恺偕同何香凝参加中央常务会议，在中央党部大门前遇刺，年 49 岁。蒋对廖诔辞较多，有唁电、挽额、祭文、挽联、演讲等，而且追悼次数也较多。挽联为：“革命奋精神血染珠江薄海同悲惟我最；牺牲为党国魂昭黄埔大仇未报负公多。”这是蒋介石挽联中字数较多的一副。

1928 年 8 月 10 日何香凝母亲在香港病故，蒋的日记中记有：“香凝先因母丧离京。”蒋派人送有丧仪及挽辞。（参考《事略稿本》第四册 83 页、《何香凝传》、《三民导报》、《申报》等资料编写）

陈大庆与岳母

胡伟克将军的母亲郝太夫人，也是陈大庆的岳母，于 1969 年 2 月 23 日在空军总医院谢世，年 85 岁。郝太夫人为英国人，多年来已经被中国文化习俗同化了，且相夫教子，素称闺阁懿范，蒋有题诔。

陈大庆于 1973 年 8 月 22 日卒于台北，年 69 岁。蒋有题诔。陈大庆，字养浩。江西崇义人。黄埔一期，曾参加东征、北伐等战役，历任师、军长、副总司令、集团军总司令。到台后，任“国家安全局”局长、台湾警备总司令、军管区司令、陆军总司令、省府主席、“国防部长”等职。

第十二节　特殊关系篇

这一类人物，在蒋介石的诔辞人物中，是比例最大的一个群体。他们中有的人是因为子女显赫而获得蒋的题诔，有的是因丈夫的高位而使蒋哀诔妻子，还有的人是被蒋尊诔后，亲人（大多是子嗣）旋即被蒋杀害，如吉鸿昌、任应岐、李玉堂等。有一些人的父母获得蒋介石之题诔，而子女后来与之分道扬镳，心向中共，如邵力子、郭沫若、张钫等。还有的人是父辈得到蒋的题诔，而自己因寿享高龄，死在蒋后，要由蒋经国来替父亲题诔，更有的人甚至是死在蒋经国之后，如何应钦、张群、张学良、陈立夫等，他们反过来，竟为蒋家两代“总统”哀以尊诔，历史就是这样的多变和有趣。

周至柔母亲

1960 年 2 月 10 日，台湾省主席周至柔母亲侯太夫人在台中仙逝，年 93 岁。周闻噩耗，当即从台北飞台中奔丧，同时电呈蒋辞去一切职务。当时蒋正忙于连选连任“总统”大事，复电劝周打消辞意，移孝作忠，并派陈诚飞去致祭，又为侯太夫人题诔“懿德垂操”。13 日公祭，5000 多人参加，周披麻戴孝，极为悲伤。蒋题诔“懿范昭垂”，安葬于观音山。（1960 年 2 月 10~13 日相关版面）周自幼由寡母一手抚养成人，事母至孝。每到过年，太夫人总是按家乡习惯，将 20 元的红包给他做压岁钱。周十分高兴，每逢有人来拜年，他就得意地拿出来说，这是母亲给我的压岁钱。周于丧事完毕，将节省下来的丧仪 5000 元，捐赠省立台北育幼院。该院院长陆采莲女士以此款建一座接待家长的亭子。（1960 年 2 月 27 日四版）

何应钦父亲

1929 年 9 月 15 日，何应钦尊翁何明伦在贵州原籍谢世，年 77 岁。何明伦，字其敏，早年略读诗书，以出租土地，雇工染织，或奔走城乡买卖杂货为业。噩耗传到南京，何立即向最高当局呈辞本兼各职，准备返籍奔丧。当时正值中原大战前期，何不愿身陷其中，但蒋怎能让他借故抽身？亲自到何的住处慰问，并退还何的辞呈，勉以：“勖以移孝作忠”，给假守制，在南京设奠，“以尽孝思即可，不必拘丁忧旧制，使党国蒙受影响”，又动员其他人相劝。何无奈，只好打消奔丧念头，在南京遥奠，定 10 月 25 日、26 日两日开吊。但又恐未尽孝亲之礼，遭人讥笑，特派人往访戴季陶、胡汉民等人。适戴不在南京，只找到胡，胡以元老资格，家长辈分劝慰：中华民国的正式礼制尚未颁布，因此守制之丧礼亦无规定，不若斟酌情势，择一简朴而能表示哀悼之形式进行。何这才安下心来。蒋对何明伦之丧，有挽联、祭文、像赞、挽额等，还在报纸上刊登启事，动员凡在南京的官员，尽量到灵前行礼。10 月 27 日，何在南京宴请筹备丧事的有关人员，旋即返回郑州任所。（参考《何应钦——漩涡中的历史》、何辑五：《贵州政坛忆往》、《中央日报》1929 年 9 月 16 日至 11 月编写）

古应芬父亲

蒋介石在早期与古应芬关系十分亲密，那时古的职位比蒋高，社会影响也较蒋大，故蒋对古较为敬重。

1921年蒋母王采玉病逝溪口，古亲撰挽辞祭奠，蒋很感激，并与其他人的诔辞合在一起编辑成册作为纪念。

1926年5月17日，古应芬父亲介楠老先生在广东原籍遽谢人世，年76岁。古以丁忧辞广东国民政府民政厅长职务，政府给假一个月。古家择于18日大殓，蒋偕叶楚伧等赴古宅吊唁。6月6日开吊，蒋送挽联，慰留甚殷。假期到限后，古再辞，政府派秘书长陈树人到古家慰留。（参考《广州国民日报》、广州《国华报》1926年5月至8月报纸编写）

张岫岚母亲

1967年12月21日，国民党监察委员张岫岚母亲杨太夫人在台北仙游，年86岁。杨太夫人长子张济美在中国大陆，次子已故，在台只有她的女儿张岫岚出面操持丧事。蒋感念她的晚景，为之题诔。（1967年12月28日一版）

陈纪滢母亲

“立法委员”、著名作家陈纪滢的母亲董太夫人，于1971年2月19日下午去世，年88岁。3月7日举行公祭，蒋题“懿德永昭”。

谢东闵母亲

1971年4月1日，谢东闵母亲黄朴太夫人仙逝。追悼会于4月5日举行，蒋题“义方垂裕”，严家淦题“懿德长昭”。蒋经国在李焕陪同下，于下午往吊。谢东闵为省参议会议长，为遵行“国民生活须知”，对太夫人去世未发讣闻，仅按礼超度，但登记前往吊唁的团体超过30余个，葬二水乡谢家墓地。（1971年4月5日三版）

刘锴父亲

1967年8月6日，台湾国民党当局常驻联合国代表刘锴尊翁刘承畅，因心脏病而终，年94岁。8月9日蒋致电刘锴表示慰唁，当时刘正在由加拿大返美途中。刘承畅被安葬在美国。

黄仁霖父亲

1959年4月9日下午，招商局董事长黄仁霖父亲黄干臣息劳归主，年82岁。弥留之际，黄干臣嘱咐黄仁霖：如亲友有所赙赠，悉数捐联勤总部所办子弟教养院。11日举行哀思礼拜及家祭和公祭，蒋赠“教忠有方”，宋美龄和陈诚亲临致祭。到5月22日，各界致送赙仪达50770元，黄仁霖遵遗嘱，以偿父亲素志，25日教养院登报鸣谢。（1959年4月12日一版）

李组绅之父

李组绅原籍浙江，早年迁居津门，在30年代为天津工商业巨子。其父李抱与（宝裕）起家寒素，一生刻苦勤奋，行义好善而唯恐不及。幼年航海经商，以诚义孚于人，对乡里民事尤热心，修堤筑路，兴建学校，施医济赈，且教子以工商救国。李组绅北洋大学毕业，是著名的治矿专家，经营河南六河沟煤矿多年，创办中国矿学会，南开大学的矿科就是他出资创办的。他还是浙江会馆的首席董事，浙江旅津公学董事长。其胞弟李组才是津门商界领袖，办有利济公司、打包公司、通城货栈等，对国际贸易极富经验。李氏昆仲交游广泛。1930年2月13日，李抱与在天津病故，年75岁。14日大殓，15日接三，3月23日举殡。天津《益世报》在报道李家丧事时说：至昨天止，李宅收到唁事，已达三千余号之多，上至国府主席，下至贩夫走卒，挽幛挽联，奠文祭品，同声致悼，备极哀悼。（天津《益世报》1930年3月23日十版）

李根源母亲

1923年，因曹锟贿选，曾官至代理国务总理的李根源（李于1923年6月12日以农商总长兼代国务总理），对时局深感失望，便退出政坛，隐居苏州十全街。1927年4月10日，李母阙太夫人病逝，年72岁。5月5日成主，6日展奠，7日发引，暂厝上方台寺。1928年李根源买下吴县（现为苏州市吴中区）小王山百亩山林，于3月9日迁葬于此，送葬者各界名流千余人。张一麐、黎元洪、李烈钧、蒋介石、阎锡山、于右任等人有题联。此后李根源在小王山守墓10年。（参考李根源、李根云编《观贞老人哀挽录》，1928年4月刊印之家刻本线装书）

李玉堂母亲

1948年6月26日，曾经的抗日名将，此时担任国民党军第十绥靖区司令的李玉堂的母亲延太夫人在重庆本宅仙逝，年82岁。7月10日，蒋致电慰问。李玉堂，字瑶阶，山东省广饶县大王镇大王西村人，黄埔一期。1946年，李玉堂从湖南调任山东兖州第十绥靖区司令官。1948年7月，解放军以重兵围攻兖州，第十绥靖区全军覆灭，李玉堂化装孤身潜逃。1950年，蒋令李任三十二军军长，驻守琼岛。解放军一面实施包围，一面派人对李进行策反。其实，李的副官李刚就是长期潜伏在李身边的策反人员。李最终接受李刚的意见，但他对李刚不放心，又通过妻子陈伯兰、内兄陈石清，与叶剑英取得联系，准备起义。因叶手书密信辗转香港时，海南岛已被中共占领。李未收到叶的密信，不知情况，也未作抵抗，只带副官李刚及十余士兵乘快艇逃往台湾。中共又派人与香港的陈伯兰、陈石清会晤，转达叶剑英机密手令，嘱李与夫人、陈石清、李刚去台潜伏。李到台不久，李刚便被逮捕。李刚终因受刑不过，供认一切。1951年2月5日，李玉堂、陈伯兰、陈石清和李刚被害。1983年山东省人民政府经查实报国务院批准，追认李玉堂为革命烈士。不过，台湾方面有不同观点，认为是冤案。

徐庭瑶母亲

1930年徐庭瑶在中原大战中救了蒋一命，并因此负伤，蒋给徐3个月养伤，适逢母亲金太夫人去世，徐奔丧，国民党高官纷纷电唁，蒋派人送来“母仪足式”挽额。（参考马俊如：《徐庭瑶生平》，《安徽文史资料》第30辑，257页）

杨杰夫人

1930年8月中原大战期间，杨杰夫人赵丕颀在上海病故。杨因羁绊沙场，未能见夫人最后一面，很伤心，蒋多次安慰他：“为国效劳，不顾个人情谊，古今少有。你对国家的安危尽到了力量，对自己的家室没有尽到情谊，真是忠义难全，望自保重，无为悲伤。”后来杨杰在南京为赵夫人设灵堂，蒋氏夫妇前往悼念。（参考《民国高级将领列传》第二集，124页）

方振武岳母

1932年12月1日，方振武岳母高母王太夫人在南京羊皮巷辞世，12月24日开吊。林森、蒋介石、九世班禅、章嘉活佛及各部会长官均有挽辞致送，或派代表参加，参加者400余人，25日安葬。（1932年12月25日）

邵力子母亲

1925年5月26日，邵力子母亲张太夫人病逝上海。到1933年11月20日，邵力子以“25日奉榇”，向中央请假，蒋予以慰唁，安葬于绍兴富盛乡棠荫公墓。当时邵为陕西省长，故此次归葬，声势浩大，官场纷纷赙赠，仅在陕西就收到赙金2560元，邵氏兄弟又自捐440元，合成3000元，移作西安第一女子平民职业学校经费。而在南京、浙江、上海等地所得赙仪由陕西省政府驻南京办事处办理，1934年1月，邵力子、邵伯谦昆仲将所收葬仪，正式移充南京某小学基金。（根据《中央日报》1933年11月29日至1934年8月14日报纸编写）

杨庆山母亲

杨庆山（1887~1953）又名杨震，湖北黄陂人，贫苦出身。早年混迹市井，后加入洪帮。1924年“开码头”到上海，与张啸林、黄金荣、杜月笙、杨虎交好。30年代又与CC兄弟结交，出任“绥靖公署侦缉处”少将处长，得以大开山堂，广收门徒。民间私下有“洪帮将军”之调侃，而公开称谓是“汉口闻人”。后就任行政院专员，1948年当选国大代表。1950年被人民政府逮捕，1953年10月13日被处死。

1935年8月9日，杨母韩太夫人在汉口去世，13日杨敦请绥署主任何成浚点主，14日家祭，15日出殡，暂厝汉阳怀善堂。杨氏以本年鄂省水灾，将所收丧仪充作赈款。同年11月24日开追悼会。这一天恰好也是黎元洪夫妻移灵武汉的第二次国葬大典，两丧并举，途之为塞，轰动一时。杨家的追悼会在汉口商会大礼堂举行，总参议朱传经、办公厅主任陈光组、武汉市长吴国桢，蒋的代表为陈立夫堂兄，汉口市公安局长陈希曾、绥靖公署参谋长杨揆一、侦缉队长东方白等中外人士数千人与祭。蒋、张学良、何成浚、吴国桢、陈立夫等均有挽联。杜月笙、黄金荣、虞洽卿、王晓籁等派代表来汉。（参考武汉《大光报》1935年11月25日五版、《武汉文史资料选辑》1988年增刊《武汉人物选录》，504页）

龙云妻子

龙云有三位妻子，元配系其舅父之女，育有长子龙绳武、次子龙绳祖、三子龙绳曾。第二位夫人是云南著名中医李灿亭之女李培莲，生四子，即老四龙绳文、老五龙绳勋、老六（幼殇）、老七龙绳德、老八为女。李氏与龙云结伴十年病故于昆明。第三位夫人系滇军将领颜小齐之长女颜映秋，她毕业于北平高等女子师范，未生育，陪伴着龙云的晚年，于1968年辞世于北京。

1934年李培莲临终前，遗嘱将5万元之服饰及各种物品捐作云南省立医院为经费。那时蒋介石与桂系、陈济棠以及江西的红军均处于对峙状态，因此希望保持云南的稳定，对龙云极为重视和安抚，并对李培莲之丧致唁电，颁“遗惠长存”匾额，并于同年7月30日发布《褒扬令》。

刘揆一

1949年11月1日，刘揆一在湖南湘潭故去，年73岁。1950年秋吴稚晖、于右任、邹鲁等人联名报请蒋，予以褒扬。蒋对1949年以后留在大陆的人，在不了解真实情况下，一般是不予以题诔和褒扬的，况且中共方面曾宣布刘“受聘于湖南人民军政委员会顾问”。到1952年秋吴稚晖、于右任、邹鲁、王宠惠、赵恒惕等人联合23人，再次联名呈请蒋褒扬。当时蒋刚到台湾，对于这些元老还要倚重，不忍过拂他们的情面，一直拖延到1953年1月17日，蒋对刘揆一给予褒扬，准予题颁“勋昭行洁”，并将生平事迹宣付国史馆备存。

蓝荫鼎母亲

蓝荫鼎为台湾籍著名水彩画家，宜兰县罗东人。曾拜日本画家石川钦一郎为师习画四年，毕生诚挚研究水彩画技，常以“天赋是上帝所赐，来自上帝亦应归予上帝”等语自勉。作品曾在日本、法国、英国、菲律宾、意大利、美国、泰国、新加坡等地展出。蓝荫鼎的母亲刘治是武秀才之女，为父亲蓝钦的继室。刘治不但女红精巧，还擅长绘画，对蓝荫鼎早年产生绘画兴趣有一定影响。

1957年9月2日，蓝荫鼎母亲刘太夫人蒙主恩召，年78岁。9日蒋为之题写“荻画扬芬”。10日在台北中山堂举行告别仪式，安葬于大直基督教墓地。（1957年9月10日三版）

邓昌黎母亲

邓昌黎为福州市人，生于北京。1946年获北平辅仁大学物理学士，1948年获美国芝加哥大学物理硕士，同时兼任助教。1951年获芝加哥大学物理学博士，任明尼苏达大学助教。1953年任维契达州立大学副教授。1955年任美国阿冈国家原子能研究所理论组组长。

1958年10月5日，邓母何建民医师因患脑溢血弃世，邓于12日下午返抵台北奔丧。蒋介石欲拉拢邓为台湾服务，对邓破格接待。11日蒋挽邓母以“教子有方”，3日大殓后火化。（1958年10月12日五版）

魏德迈母亲

1944年10月史迪威被撤换回国后，魏德迈（1897~1989）接替史迪威的工作至1946年3月为止。任内协助国民政府抗日，尤其在对国民党军队的训练、后勤及装备的提升有一定贡献。日本投降后的受降、接收等问题亦由魏德迈协调，因此获得国民政府赠予的“青天白日”勋章。1947年奉命组成调查团再度访华，并对国民党的腐败力加批评，但还是极力建议美国大力援助国民党政府，惟其意见不被美国政府采纳，所以魏德迈被外界称为：国民党最后的诤友。

1958年11月21日，魏德迈的母亲在内布拉斯加州奥玛哈城去世。22日宋美龄以夫妇两人的名义致电魏德迈：“惊闻太夫人仙逝，阁下事母至孝，定必悲哀逾恒，特电慰唁。太夫人现已解脱尘世一切痛苦，尚祈节哀。”（1958年11月23日一版）

上官业佑父亲

1959年11月6日，上官业佑封翁在湖南原籍去世。上官业佑时为台湾省党部主任委员，依照中国传统应守制在家，各方表示关切。但当时台湾正进行轰轰烈烈的选举，蒋介石接上官辞呈后，担心上官因守制而影响选举，特于26日召见上官，对乃翁之丧表示哀悼，同时要求他早日返回工作岗位。上官遵令，并取消发布讣告之初衷。（根据1959年11月27日三版至12月1日三版编写）

陈逸云

1969年6月29日凌晨，“立法委员”陈逸云在美国西雅图郊区经营的蒙古烤肉餐厅结账后，独自回家，于黑暗处被劫匪自脑后棒击殒命，年59岁。8月12日，陈逸云丈夫李钦若欲为妻子昭雪，在美国英文报纸刊登破案悬赏，赏金由2000元，增至1万美元。8月15日台北举行公祭，黄国书为治丧会主委，蒋题“轸念芳猷”。（1969年8月19日三版）

郭寄峤母亲

1967年4月14日，台“蒙藏委员会”委员长郭寄峤母亲梁太夫人笑赴瑶池，享年99岁，以百龄治丧。梁太夫人生前克勤克俭，教子有方，所生六子一女，均立足社会，卓然有成。17日蒋介石题诔“教忠垂范”。23日上午公祭、发引。（1967年4月18日三版）

韩国总统朴正熙夫人

1974年8月5日，韩国总统朴正熙偕夫人陆英修参加独立庆典时，遭遇袭击，陆英修不治身亡，年47岁。蒋介石夫妇、严家淦夫妇、蒋经国夫妇等均有唁电致慰。陆英修为教师，虔诚佛教徒，1950年25岁时与朴结婚。婚后参与社会公益事业，遗有两女一男。8月17日蒋介石派“行政院”副院长徐庆钟夫妇为特使，参加汉城19日举行的葬礼。（1974年8月6日至20日等有关报纸）

孙运璇母亲

1970年4月19日，台“经济部长”孙运璇母亲杨太夫人仙逝，年81岁。20日，蒋题诔：“教忠垂范。”22日公祭，葬阳明山。（1970年4月21日六版）

李进发父亲

李清树为旅日老侨领，原籍台中县。李清树哲嗣李进发时任日本名古屋“日华亲善协会”副会长。1971年11月19日李清树仙游，年90岁。12月8日在台北善导寺举行家祭和追悼会，蒋诔以“义方裕后”。（1971年12月9日一版）丧事结束后，李进发拜会“侨务委员会”委员长高信，将父亲丧事所节约的7万多元，交由侨委会转交为侨生奖学金3万元，遗族子弟学校基金2万元，台北市冬季救济金1万元，家乡石冈乡1万元。

余纪忠母亲

《中国时报》社长兼发行人余纪忠令堂储太夫人，世居阳湖，系出名门，于归常州余幼舫。不幸幼舫公英年早逝，时长女宗英8岁、子纪忠4岁、次女宗玲犹在腹中。储太夫人守节抚孤，含辛茹苦，终达子女卓然有成。1972年3月29日储太夫人瑶池不返，年94岁，4月10日公祭，蒋感念储太夫人的慈母遗徽，为她题写“义方垂裕”。（1972年4月10日六版）

苗培成继室

苗培成（1893~1983）山西运城人，曾参加国民党第一次全国代表大会，晚年出任“国策顾问”、中央评议员。苗培成继室章企民为浙江人，“国大代表”、“中国天主教”女青年会理事长。

1973年3月29日，章企民女士因病不治于台北荣民总医院，年62岁。蒋介石与严家淦均有诔辞。（1973年4月16日一版）

张存煜

张存煜，讳兆，“国大代表”、台“教育部”聘任督学、欧洲语文中心主任、中国留法比瑞同学会理事。1970年11月5日下午出席“教育部”部务会议时，因心脏病突发而逝，年65岁。他的夫人和三个儿子都留在大陆，只有他的外甥女和女婿为他操办丧事。蒋感念他的学养和凄凉晚境，为他题诔。（1970年11月11日六版）

王耀东母亲

1971年1月7日，王耀东博士母亲张箴女士，寿终于彰化故里，年82岁。张太夫人生前恤贫救孤，捐米施棺，受惠者不可胜数。1953年5月当选台湾首届模范母亲，1962年12月被地方人士推荐为“好人好事”代表，得到宋美龄召见。她的子女均有优异成就，长子王耀东为台北市卫生局长，次子王耀南博士任台湾省党部委员、彰化县医师公会理事长，三子王耀文任台大医院妇产科教授。三个女儿均为本省名医，堪称医学世家。蒋介石为之挽以“义方垂裕”。（1971年3月3日一版）

刘安祺母亲

1952年7月7日，台湾中部防区司令刘安祺母亲程太夫人谢世，年77岁。蒋于11日电唁。12日大殓，“行政院长”陈诚派员致祭。13日在台中贤觉寺公祭，蒋挽以“母仪足式”。（1952年7月14日五版）

宋教仁之子

宋振吕（号稚渔），是国民党元老宋教仁的唯一儿子，宋教仁遇害时他才10岁。宋教仁遇难后，孙中山和黄兴准备接他的家人来上海，因宋之老母年高体弱，经不起长途跋涉之苦，只得作罢。等到老夫人仙逝之后，宋振吕和母亲才得以移居上海。在孙中山和黄兴的安排之下，宋振吕东渡日本求学。学成之后在南京国民政府审计部任干事，几年后又被派往欧洲和美国考察司法制度。宋振吕最著名的一件事，是在上海抓住了刺杀父亲的凶手洪述祖，那一年他才15岁。凶犯于1919年被处死。1936年7月20日，宋振吕在南京病故，年仅 33 岁。 9 月 23 日南京举行追悼会，蒋有题诔。

吴开先母亲

1960 年 8 月 9 日，台湾中华书局董事、“总统府”国策顾问吴开先母亲周太夫人病逝于台北中心诊所，年 80 岁。当日移灵极乐殡仪馆。10 日开吊，蒋诔以“懿德永彰”。（1960 年 8 月 10 日一版）

唐守治母亲

唐母书太夫人于 1971 年 1 月 3 日在高雄仙逝，年 96 岁。唐氏三兄弟敬谢蒋介石、严家淦为之题诔。（1971 年 1 月 15 日一版）

邵逸夫之兄邵人

1973 年 9 月 18 日，香港邵氏影片公司负责人邵　人在香港九龙捐馆于圣德肋撒医院，年 75 岁。9 月 26 日移灵回台，27 日公祭，蒋有题诔。

刘阔才母亲台

“立法委员”刘阔才母亲罗太夫人，于 1972 年 3 月 5 日寿终，年 83 岁。3 月 12 日在苗栗高级中学礼堂公祭，蒋介石题诔“义方垂裕”。（1972 年 3 月 13 日六版）

袁守谦父亲

1958 年 10 月 27 日，台“交通部长”袁守谦父亲袁伯安老先生弃世，11 月 4 日上午在善导寺举行祭奠，蒋介石以“教忠有方”哀悼。（1958 年 11 月 5 日四版）

韩复榘母亲

1929 年 7 月 19 日，韩复榘母亲李太夫人逝于原籍，年 72 岁。当时韩在河南省主席任所，其弟韩复森、韩复彬随侍在侧。韩欲辞职奔丧，蒋介石有慰唁。1930 年 1 月 1 日家奠，2 日开吊。（参考《大公报》、《三民导报》、《益世报》等 1929 年 8 月至 12 月报纸）

田炯锦岳母

田炯锦岳母崔怡岑太夫人于 1971 年 3 月 5 日病逝台北荣民总医院，年 88 岁。3 月 17 日公祭，蒋题“义方垂裕”，严家淦题“懿德长昭”，葬阳明山。崔太夫人在台有四位显赫的女婿，除田炯锦外，还有曾任“福建省政府委员”沈向奎、“国大代表”谷熹、“驻上伏塔大使”徐懋禧。（1971 年 3 月 17 日六版）

武训

武训（1838~1896），山东堂邑人。少孤贫，从母行乞于市。稍长，时为佣工时为乞。因目不识丁，受尽欺辱，提出“修个义学为贫寒”，遂以乞讨所得积累成数而放债、置地。后于堂邑、馆陶、临清等县购田地 230 余亩，设义塾于柳林村，分二级教学，称蒙学、经学。继又资助馆陶、临清的书塾或设义塾。因“行乞兴学”，先后得山东巡抚张曜、袁树勋疏请嘉奖，清政府授以“义学正”，赏穿黄马褂而不受。58 岁那年终因积劳成疾而不治。噩耗传开，撼动三县，数万民众拥上街头，呼天抢地，泪恸八荒。他在国外也有很大影响，因其没有文化，外国人称他为“无声教育家”。他还是世界上唯一没有文化而进入《世界教育大辞典》的平民教育家。1934 年 12 月 5 日，为武训 97 诞辰。山东省教育厅厅长何思源发起纪念运动，并编著《武训先生九七诞辰纪念册》，南京政要应何之请，纷纷在纪念册上为武训题词，蒋介石题写了“武训先生传赞”，文曰：“以行乞之力，而创成德达材之业，以不学之身，而遗淑人寿世之泽。呜呼，先生独行空前，人孚义叶，久无愧于艰苦卓绝，世之履厚席丰而顽鄙自利者，宁不闻风而有立。”此后，蒋介石就以“以行乞之力，而创成德达材之业，以不学之身，而遗淑人寿世之泽”作为对武训的挽联。

曲焕章

曲焕章，1880 年生。7 岁丧父，9 岁丧母，与 12 岁的三姐相依为命，后随三姐到姐夫家学伤科。结婚后与妻加工配制白药和其他伤科用药，拜姚洪钧为师学习武当派治伤秘方。1914 年，曲焕章返回故乡，通过多年的苦学苦钻，反复研制，终于发明了曲氏白药，1916 年经云南省警察厅卫生所检验合格，列为优等，公开出售。1922 年，曲焕章迁居昆明南祥街开设伤科诊所。次年，唐继尧赠“药冠南滇”匾额。1927 年，成功研制了“一药三丹一子”（普通白药丹，重升百宝丹，三升百宝丹和保险子）的精制白药。1928 年，瓶装白药上市，远销香港、澳门、新加坡、日本等地。1933 年至 1935 年，随着白药声誉的不断扩大，继唐继尧题赠匾额之后，龙云题“针膏起废”，胡汉民题“白药如神”，杨杰题“百宝丹系百药之王”。1935 年 5 月，蒋介石在云南视察时，特意在省政府接见曲焕章，曲赠 500 瓶三升百宝丹给蒋，蒋十分器重赏识，亲书“功效十全”的题词，外加一张半身照片，派侍卫、其侄蒋孝先送赠，以示关照。抗战爆发后，曲焕章慷慨拿出 3 万瓶百宝丹赠送六十军官兵。国民党昆明市政府借抗日救国之名，强行摊派曲焕章捐飞机一架。曲焕章尽其所能，认捐 3 万滇币，但 4 月中旬交款结单时，被官方核定为 3 万国币，折合 30 万滇币。曲焕章无能为力，即被关押在昆明市警察局。经多方说情，向云南富滇银行借款凑足交清后，才释放出来。1938 年，曲焕章被国民党高官焦易堂接往重庆，因焦易堂也办有药厂，以合作为名，逼迫曲交出白药秘方，遭拒绝，被焦易堂软禁起来，积郁成疾，直至同年 8 月竟夺命，终年 58 岁。蒋介石为此发表广播谈话：“……在抗战正需用人才之时，我国著名的曲焕章医士的逝世，实为国家之不幸！”

翁文灏继母

1932 年 10 月 30 日，翁文灏自南京抵达北平，忽闻噩耗，缠病多年的继母瑶池不返。翁自念侍奉无状，怆痛欲绝。此后他以丧祭为重，操持祭奠，并电告行政院请辞教育部长职。（《翁文灏日记》81 页）从 11 月 9 日起，翁在家守孝，后扶灵回籍安葬。并致函钱昌照，感谢蒋介石所赠奠仪，烦请钱代向蒋辞教育部长职。（《翁文灏年谱》82 页）

容星桥

容星桥为容闳之堂弟，是容闳与孙中山相识的介绍人，被孙中山聘为高级顾问。

容星桥 1865 年 5 月 12 日生，名开，又名达景，学名耀垣。广东省珠海市南屏镇南屏村人。父亲容名琰，半耕半商，母杨氏。容星桥 4 岁即从洋人学习英语。1874 年入选第三批幼童赴美留学。1881 年返国后任上海圣约翰大学教习，旋参加南洋海军。1884 年参加抗法海战。嗣弃官至香港经商，结识孙中山，1895 年加入兴中会、同盟会。戊戌变法后，与唐才常共组自立军起义，失败后流亡日本。其后与陈少白在香港创办《中国日报》。广东光复后任交通司副司长。后致力于经商，曾任中美轮船公司、中华航业公司经理、顾问。1929 年曾任中山模范县训政实施委员会委员。1871 年，容闳曾捐助 500 两白银，在南屏倡办甄贤学社，以发展家乡的教育事业。容星桥继承堂兄事业，从香港购回图书、设备，改善教学条件。清廷废除科举制度后，甄贤学社于 1905 年正式改名为学校，并应乡人之请，担任该校第一任校长。1921 年，他筹款 12900 元返乡扩建校舍，并请国民党元老邹鲁为校名题匾。他与夫人关氏育有八子三女，除次子早逝外，均留学美国，皆大学毕业。其中三子启兆，任教于上海光华大学，曾代理该校校长；七子启荣，曾任国民政府卫生部医学总监、世界卫生组织驻文莱代表；八子启东，曾任香港中文大学副校长兼崇基学院院长。他们都曾为社会的进步做出过贡献。1933 年 5 月 7 日在上海逝世，年 68 岁。蒋介石、林森等政要送有挽联。

周西成

◇ 周西成。

蒋介石为周西成题写诔辞，是一件非常奇怪的事，也体现出蒋的一种古怪特性。

周西成，字继斌，号世杰，贵州桐梓县人。1893 年生。1909 年入明德小学，1911 年入武，1913 年入贵州讲武堂，1920 年升任营长。周善于以同乡、戚族关系网络亲信，周旋于西南各派势力之间。1925 年 2 月，北洋政府任命周为贵州军务会办，1926 年升为贵州省省长，周竭力安插大批同乡、同学、戚友担任军政要职，以至于当时有“有官皆桐梓”的说法。同年 12 月国民党派张道藩、李益之等到贵州筹建党务，周西成虽然早已加入国民党，但不愿国民党势力插足贵州，借口将张、李二人关押，并将李杀害。事后周上报蒋介石，说李有共党嫌疑。蒋又改派他人来黔，同样无法开展工作。那时蒋对周很无奈，还得虚与荣升和周旋。1928 年春蒋加委周为“国民革命军第九路总指挥”，令其讨桂。周固守西南，不愿与桂系结怨，不仅拒绝出兵，还与桂系秘签“黔桂联盟协议”，联合反蒋。1929 年 3 月蒋以讨桂为由，令周“当机立断，通电表示赞助中央大计，勿稍犹豫”。周断然拒绝，蒋怒下通缉令，同时令李　率 43 军攻入黔境。5 月 22 日，周在驰援镇宁时，被李　部袭击，全线溃败。激战中，周中弹受伤不治，年 37 岁。周西成死后，蒋介石立即撤销对周西成的通缉，拨 30 万银元治丧。这在当时是一笔巨款，令各界莫名其妙而又震惊，连南京官场也议论纷纷，因那时南京政府的财政极为困窘。1929 年 10 月，新任贵州省主席毛光翔，令周超群到安顺将周西成的灵柩扶护回桐梓，举行公葬。蒋介石挽联为：“屈指数英雄使君是边陲健者；此间留祠墓父老思阃外将军。”又题写其像赞：“黔岭乌江，远介南服，实挺英姿，钤图早学，奋身戎旅。材武超伦，师干　领，望洽三军，敷治西陲，风清边徼，龙剑长　，遗容奕奕。”贵州当局为周西成修建了规模宏大的陵墓，在陵园中耸立着他的全身铜像，四周环绕喷水池和松柏掩映。周西成的葬礼，其规模之大、铺张之奢、陵墓之堂皇、与祭官员之众、持续时间之久，为贵州历来所罕见，这也与蒋介石的厚赙、尊诔不无关系。

陈美堂

陈美堂，1872 年生于广东潮阳县沙陇浩溪乡。早年为一介儒生，后旅居泰国，始创大安堂药材行于曼谷。1905 年，孙中山到曼谷宣传革命，激发了陈美堂的救国热情，毅然加入同盟会，多次捐巨款，助为孙中山的革命经费。 民国初年，陈美堂热心教育，深知百年树人是救国之本，在泰国和肖佛成等华侨领袖，于曼谷创办新民学校，任协理财政。民国八年，回到家乡，见到乡中教育还是族办私塾，便与出任过惠来县长的乡人郑雪桥倡办萃英学校，发展家乡教育事业。 陈美堂和孙中山有过密切交往，萃英学校的题字便是孙中山的手迹。孙中山还亲笔题字赠陈美堂一座本人瓷像。陈美堂出于救国思想，看到家乡各地荒山秃岭，因没有植被而“旱天无滴水，雨天有洪魔”，深为痛心。乃于潮普惠三县交界的南山创办三民林业公司，开发家乡山区经济，并卓有成效。国民政府曾任命他为潮惠梅三州森林督。 陈美堂曾任汕头市华侨联合会会长。1921 年出任大元帅府参议，1924 年入选第一届国大代表。 陈美堂于 1936 年在家乡逝世，享年 64 岁。陈美堂逝世后，暹京曼谷中文报纸曾以《一心为家园，芳名万古存》为题，发表长篇通讯，盛赞他的精神与高风亮节。何应钦、许崇智、孙科、居正、陈济棠、林云陔、周恩来等人，以及东南亚侨领送有挽诗、挽辞、像赞。蒋介石的挽额为：“老诚凋谢。”其中一些高官的诔辞被镌刻在一块边长 0.75 米的正方形水磨石刻上，现在仍保存在潮阳沙陇镇。

别廷芳

别廷芳（1883 ~ 1940），字香斋，为业绩斐然的河南宛西自治首领。

别廷芳的宛西自治始于 1929 年。因他的自治方法，有别于国民政府的法律法规，其目标是“以自卫保护自治，以自治促进自养，以自养根治穷和乱”。并兼用“治乱世而用重典”和“执法严，不徇私”的法则。且拥兵自重，一人说了算，铁腕推行，俨然是土皇帝。他出行时随从四五十人，皆头戴大草帽，身穿土黄色制服，肩背大刀，腰插手枪，而他的服装与随从相同，又好似山大王下山。

他有许多古怪逸事，比如虽一字不识，但他对农业、林业、水利、教育、发展经济、社会治安等有独到的见解，并有一套行之有效的措施，引起各界关注。在政治上，他强力实行保甲制度，历任内乡县民团第二团团长、宛属十三县联防司令、河南省第六区抗战自卫团司令等职，成为鄂豫陕边的一支举足轻重的地方民团武装势力。1939 年 5 月，在第一次新唐抗战中，他亲率精锐民团武装 7000 余人，配合国民党军队英勇作战，大破日军，累计毙伤日军 3000 余。他为人廉洁正直，凡事以身作则，特别是执法不徇私情。有一次发现儿子囤积鸦片，立刻责令烧毁。儿子辩解说：“政府还让公开买卖呢！你不许在这里买卖，也该让我运出去！”他说“政府许可，咱家不许可！”儿子不敢再说什么了，当众全部烧毁。豫西盛产西瓜，因偷瓜者多，瓜农损失很大，历来难治。他布告四方“偷瓜者死！”一日女婿归途口渴，就在路边瓜田吃了一个西瓜。他知道后吩咐枪毙。独生女儿抱住他大哭，为夫求情：……他被杀，我终身靠谁呢？别廷芳大喝一声：有我养你一辈子！女婿终被枪决。别廷芳不懂法律而治法、不懂政治而治吏、不懂军事而带兵，有许多让人称道之处，但也少不了有荒唐，甚至滥杀无辜的劣迹，并招至恶名。1940 年 3 月 14 日，别廷芳病逝，年 57 岁。别廷芳一生廉洁，幼时家中仅有三亩薄田，死后遗产仍是三亩地。李宗仁在他的回忆录中，对别廷芳有中肯的评价。冯玉祥的挽额，也是对他的评价：“怪人伟业。”于右任的挽额为“功在新唐”。

蒋介石对于他的自治显然不满，否则谁都据地为主，拥兵自治，那不乱了套吗？但在那种环境中，鞭长莫及，只得听之任之。但看到抗战时期他的力量发展的太大了，而且有较强的战斗力，就撤销了他的“河南省第六区抗战自卫军司令”的职务，同时颁发一枚陆海空军勋章。他为之努力了十多年地方自治将化为乌有，堂堂的“别司令”，竟突然无故削职为民。这也许是导致他“病故”的原因之一。蒋则为他送了挽联：“行阵早擎旗，鼙鼓中原思猛将；修途惊折轴，金戈满地失干城。”

李仪祉

李仪祉（1882~1938），原名协，字宜之。父亲李桐轩，关中名儒，同盟会会员，辛亥革命后曾任陕西省咨议局副局长、省修史局总纂、西安易俗社首任社长、剧作家。伯父李仲特，数学家，曾任川汉铁路工程师、同盟会陕西分会会长。李仪祉的青年时代，正是满清昏庸腐朽，列强入侵，国人饱经忧患，资产阶级民主革命风起云涌之际。他自幼受父辈民主革命思想的熏陶，接受近代科学知识，两次留学德国学习西方先进科学技术，奠定了他忧国忧民、科学救国的思想基础。李仪祉毕生致力于水利事业。回国后又研究中国古代治水经验，提出“治理黄河方策”，主张上游加强水上保持，中游多辟水库，下游稳定中水河槽等。他主办的泾惠、洛惠、渭惠和织女渠等灌溉工程，对陕西省农业发展有很大贡献。他不仅精通水利工程技术，而且博学多才，对天文、地理、文史、宗教都有研究。他著述丰厚，多达 200 余册（篇），尤长诗歌、戏剧，是一位很有造诣的剧作家。1938 年逝世后，在西安举行追悼会，有万人之众。当灵柩运到泾阳陵园时，5000 多人挥泪送葬。《大公报》发表短评：“李先生不但是水利专家，而且是人格高洁的模范学者，一生勤学治事，燃烧着爱国爱民的热情，有公无私，有人无我。”于右任为他的陵园作挽联：“殊功早入河渠志，遗宅仍规水竹居。”蒋介石为他题写有挽额，所颁《褒扬令》称他：“……德器深纯，精研水利，早岁倡办河海工程学校，成材甚众。近来开渠、浚河、导运等工事，尤瘁心力，绩效懋著……”